CB044663

DALE CARNEGIE

O HOMEM QUE INFLUENCIOU PESSOAS

STEVEN WATTS

DALE CARNEGIE

O HOMEM QUE INFLUENCIOU PESSOAS

" Diversos membros da família e da organização Dale Carnegie me assistiram, gentilmente, durante o processo de pesquisa e escrita. "

STEVEN WATTS

Companhia
Editora Nacional

Para todos os meus
professores, amigos e colegas
da Universidade do Missouri

Self-Help Messiah: Dale Carnegie and Success in Modern America,
© Copyright 2013 by Steven Watts
© Copyright Companhia Editora Nacional, 2018

Diretor Superintendente: Jorge Yunes
Diretora Editorial: Soraia Luana Reis
Editor: Alexandre Staut
Assitente Editorial: Chiara Mikalauskas Provenza
Revisão: Dan Duplat
Coordenação de Arte: Juliana Ida
Assistência de Arte: Isadora Theodoro Rodrigues
Projeto gráfico: Marcela Badolatto

CIP-BRASIL. CATALOGAÇÃO NA PUBLICAÇÃO
SINDICATO NACIONAL DOS EDITORES DE LIVROS, RJ

W35d

Watts, Steven
    Dale Carnegie : o homem que influenciou pessoas / Steven Watts ; tradução Antonio Carlos Vilela. - 1. ed. - São Paulo : Companhia Editora Nacional, 2018.
    520 p. 24cm

    Tradução de: Self-help Messiah: Dale Carnegie and success in modern America
    ISBN: 978-85-04-02046-5

    1. Carnegie, Dale, 1888-1955. 2. Escritores americanos - Biografia. I. Vilela, Antonio Carlos. II. Título.

17-46623   CDD: 928.13
     CDU: 929:821.111(73)

12/12/2017   12/12/2017

Companhia Editora Nacional

Rua Gomes de Carvalho, 1306 – 11º andar – Vila Olímpia
São Paulo – SP – 04547-005 – Brasil – Tel.: (11) 2799-7799
www.editoranacional.com.br – comercial@ibep-nacional.com.br

Sumário

Introdução: Ajudando a si próprio na américa moderna … 9

Parte I
Do caráter à personalidade … 19

1. Pobreza e devoção … 21
2. Rebelião e recuperação … 40
3. Vendendo produtos, vendendo a si mesmo … 57
4. Vá para o Leste, jovem … 78
5. Ensinar e escrever … 99
6. Poder da mente e pensamento positivo … 122
7. Rebelião e a geração perdida … 147
8. Negócios e autorregulamentação … 175

Parte II
Fazendo amigos e influenciando pessoas … 207

9. "Faça aquilo de que tem medo" … 209
10. "Homens e mulheres famintos por autoaperfeiçoamento" … 237
11. "Estamos lidando com criaturas emotivas" … 260
12. "Cada ato que você realizou foi porque queria algo" … 286
13. "Proporcione à outra pessoa uma boa reputação para ela zelar" … 308
14. "Encontre um trabalho do qual você goste" … 338
15. "Ele tem o mundo todo a seu lado" … 364
16. "Profissionais que não lutam contra a preocupação morrem jovens" … 391
17. "Entusiasmo é sua qualidade mais cativante" … 415

Epílogo : O legado de autoajuda de Dale Carnegie … 443
Agradecimentos … 457
Notas … 459

Introdução

Ajudando a si próprio na América moderna

Em uma noite fria de janeiro de 1936 uma multidão invadiu o Hotel Pennsylvania em Nova York. Três mil pessoas se amontoaram no grande salão de festas e na galeria que o circundava, enquanto centenas de outras aguardavam na calçada, do lado de fora, sem conseguir sequer um lugar em pé. Os funcionários do hotel fechavam e travavam as portas freneticamente, com a esperança de que o inspetor dos bombeiros não aparecesse. A turba respondia a uma série de anúncios de página inteira no jornal *New York Sun* que prometiam ensinar como "Aumentar Sua Renda", "Aprender a Falar Com Eficiência", "Preparar-se para a Liderança".

Aquela multidão não era oriunda das fileiras da classe trabalhadora, nem dos desempregados desesperados que lutavam para sobreviver nos dias sombrios da Grande Depressão. Essas pessoas vinham de um estrato mais próspero, mas igualmente angustiado com a perspectiva de escorregar para o fracasso – empreendedores, empresários, lojistas, vendedores, gerentes de médio escalão, profissionais em geral. Conforme a plateia ouvia atentamente, durante a hora seguinte, quinze figuras desfilaram diante do único microfone do palco e deram testemunhos de três minutos. O conhecimento dos princípios das relações humanas, proclamaram os oradores, os levara ao sucesso. Um farmacêutico, o gerente de uma rede de lojas, um corretor de seguros, um vendedor de caminhões, um dentista, um arquiteto, um advogado, um banqueiro, entre outros, explicaram que aprender a lidar com pessoas melhorara dramaticamente suas carreiras e mudara suas vidas.

Depois desses discursos elogiosos, um homem baixo e elegante, usando óculos de armação metálica, empertigado, com uma voz sincera e tranquilizadora que carregava um leve sotaque do Meio-Oeste, ocupou o palco. Dale Carnegie, criador do curso de autoaperfeiçoamento que era louvado pelos oradores da noite, declarou sua satisfação em encontrar aquele público imenso. Mas, acrescentou rapidamente, "Não tenho dúvidas quanto ao motivo da presença de vocês aqui. Vocês não estão aqui porque se interessam por mim. Vocês estão aqui porque estão interessados em vocês mesmos e na solução dos seus problemas". Carnegie assegurou aos presentes que cada um deles poderia aprender as técnicas que haviam aprimorado tantas vidas. Cada um poderia aprender a ser um bom ouvinte, a fazer as pessoas gostarem deles à primeira vista, a desenvolver uma atitude entusiasmada, a lidar com situações pessoais difíceis e a conquistar os outros para seu modo de pensar. Todos ali poderiam ser bem-sucedidos. Todo aluno que fazia seu curso, declarou ele, para concluir, "começa a ter mais autoconfiança. E afinal, por que não deveria? E por que você não pode fazer o mesmo?". A multidão pôs-se de pé aplaudindo ruidosamente. A maioria correu para as mesas no fundo da sala para se inscrever no curso. Nos anos seguintes, mais de oito milhões de alunos se formariam no Curso Dale Carnegie de Oratória Eficiente e Relações Humanas.[1]

Um ano mais tarde, um evento ainda maior projetou Carnegie para a fama nacional. Em janeiro de 1937, seu livro *Como Fazer Amigos e Influenciar Pessoas*, que codificava as lições do Curso Carnegie, alcançou o topo da lista de mais vendidos. Ele teria dezessete edições em seu primeiro ano. Leon Shimkin, editor de Carnegie, enviou-lhe uma carta, assombrado, em março de 1937, depois de o livro vender 250 mil exemplares em apenas três meses. "Se um ano atrás um amigo meu me dissesse que hoje eu estaria enviando para um autor a cópia de número 250.000 de seu livro, eu o teria mandado para o psiquiatra mais próximo ou para Robert Ripley, para que este fizesse um desenho acredite-se-quiser", escreveu Shimkin. *Como Fazer Amigos* teria dezenas de reimpressões nos anos seguintes, vendendo, no total, mais de trinta milhões de exemplares em todo o mundo ao longo de algumas décadas. Ele se tornou um dos livros de não ficção mais vendidos na história dos Estados Unidos – até hoje vende mais de cem mil exemplares por ano –, e alguns profissionais do livro o colocam atrás apenas da Bíblia e de *Meu Filho, Meu Tesouro*, do Dr. Benjamin Spock.[2]

No cerne de *Como Fazer Amigos* havia uma mensagem que um grande número de leitores achou irresistível: uma pessoa pode obter sucesso no mundo moderno desenvolvendo características pessoais atraentes, fazendo os outros gostarem dela, reforçando sua autoconfiança, melhorando habilidades de relacionamento pessoal e adotando um ponto de vista psicológico para avaliar e atender as necessidades humanas. Carnegie insistia em que melhorar de vida – conseguir um emprego melhor, ganhar mais dinheiro, desfrutar da estima de seus pares – era simplesmente uma questão de redefinir sua personalidade. Com entusiasmo contagiante, ele prometia que seu livro de aconselhamento poderia ajudar qualquer indivíduo a "sair de um estado mental, ter novos pensamentos, adquirir novos pontos de vista, novas ambições... conquistar pessoas para seu modo de pensar. Aumentar sua influência, seu prestígio, sua habilidade de conseguir que as coisas sejam feitas. Com novos clientes, novos consumidores... lidar com reclamações, evitar discussões, manter seus relacionamentos agradáveis e tranquilos com outras pessoas... Tornar os princípios da psicologia fáceis de serem aplicados em seus contatos diários".[3]

Dessa forma, Carnegie tornou-se uma das figuras mais populares e influentes da história moderna dos Estados Unidos. Sua mensagem de estímulo a personalidades exuberantes, autoestima, relações humanizadas e bem-estar psicológico encontrou ampla e profunda aceitação na sociedade, atraindo milhões de acólitos e elevando-o ao auge da influência ao moldar os valores modernos. E seu legado foi duradouro. A revista *Life* nomeou-o um dos "Americanos Mais Importantes do Século XX". Uma pesquisa da Biblioteca do Congresso classificou *Como Fazer Amigos e Influenciar Pessoas* como o sétimo livro mais influente da história americana. Em 1985, *American Heritage*, popular revista de história, escolheu os dez livros que mais teriam moldado a personalidade americana – "não sua vida política, mas sua vida cultural, social e doméstica". Previsivelmente, a lista continha volumes robustos como *Huckleberry Finn*, de Mark Twain, *Walden*, de Henry David Thoreau, *A Teoria da Classe Ociosa*, de Thornstein Veblen, *As Almas da Gente Negra*, de W. E. B. DuBois e *O Sol Também se Levanta*, de Ernest Hemingway. A lista também incluía *Como Fazer Amigos e Influenciar Pessoas*, de Dale Carnegie.[4]

O que explica a ascensão meteórica de Carnegie? Por que milhões de cidadãos comuns correram atrás de sua mensagem de desenvolvimento de personalidade, relações humanas e sucesso? Por que ele foi capaz de se tornar uma figura culturalmente proeminente na América moderna? Respostas a essas perguntas encontram-se, parcialmente, na maciça reorientação da vida americana ocorrida nas primeiras décadas do século XX, a admirável era durante a qual Carnegie trabalhou e escreveu. Os Estados Unidos se viram lançados em uma rápida mudança, enquanto o país se transformava de república rural em uma sociedade urbana de chocante diversidade étnica, grandiosas estruturas burocráticas e desconcertantes problemas sociais. Da década de 1880 à de 1920, exatamente os anos da juventude e vida adulta de Carnegie, os Estados Unidos viveram não apenas a industrialização maciça, a imigração em massa e a ocupação de todo o território até suas fronteiras, mas também o rápido crescimento de uma economia moderna de consumo. Contrastando com o cenário do século XIX de um mercado de trocas vigoroso regulado por um cálculo econômico de escassez, o início do século XX apresentou um novo e extenso mundo de abundância material em que a compra e o acúmulo de bens de consumo tornou-se o novo padrão de medida de sucesso.

No entanto, diretamente para Carnegie, a transformação dos Estados Unidos, de 1880 a 1920, trouxe uma crise nos valores culturais. No vitoriano século XIX, a obediência a uma moralidade severa, amplamente disseminada, definia a moral privada e regulava a conduta pública. Mas no início do século XX essa tradição estava se desmantelando. Em uma sociedade cada vez mais dedicada à abundância consumista, ao lazer e ao entretenimento, um novo etos de autossatisfação (em vez de autonegação) ganhava legiões crescentes de novos membros. As estritas definições de "caráter" recuavam, enquanto imagens cintilantes de "personalidade" tornavam-se centrais em um novo código de individualismo. A formação de uma imagem pessoal saudável, atraente, carismática (ao contrário da tradição antiga, que enfatizava princípios morais internalizados) tornou-se crucial para o sucesso em uma época em que a autossatisfação substituíra o autocontrole como paradigma emocional do comportamento americano. A força da personalidade ganhou impulso adicional nas novas instituições burocráticas e grandes corporações, que empregavam números crescentes de funcionários administrativos, que se envolviam, às centenas, em complexas interações.

Não é de admirar que, nesta nova e dinâmica atmosfera, a antiga tradição americana de sucesso tenha se tornado irrelevante. Em uma era anterior, figuras influentes como Benjamin Franklin, em sua *Autobiografia* e ensaios como *"O Caminho para a Riqueza"*, e Horatio Alger, em romances como *Mark, the Match Boy* e *Struggling Upward*, instruíram americanos ambiciosos que o caminho para a prosperidade e respeitabilidade estava na formação de um caráter sólido baseado em parcimônia, zelo, abnegação e retidão moral. No entanto, tais qualidades sensatas não pareciam mais suficientes em um mundo em que afluência material e realização pessoal, obrigações burocráticas e oportunidades de ócio, cidades imensas e mercados extensos dominavam.

Carnegie inseriu-se nessa brecha cultural. Na década de 1930 ele começara a desenvolver novas e vibrantes regras para obter sucesso nesse assustador mundo novo. Seu *Como Fazer Amigos e Influenciar Pessoas* expressava esses princípios através de casos contados em rápida sucessão, e assim se tornou o manual para se destacar na América moderna. Nas palavras de Carnegie, não se podia mais "colocar muita fé no antigo adágio de que trabalho duro, apenas, é a chave mágica que abrirá a porta para nossos desejos". A habilidade de lidar com pessoas, insistia ele, repetidamente, tornara-se a chave para sucesso, status e prosperidade nessa complexa sociedade urbana e burocrática. O sucesso moderno dependia de um bom relacionamento com os outros, de trabalhar sem problemas em um meio burocrático e manobrar para assumir a liderança de grupos de pessoas. Carnegie talhou seus conselhos para atender a essas demandas: "faça a outra pessoa se sentir importante", "não critique os outros", "estabeleça uma atmosfera positiva e evite discussões", "seja sincero na aprovação e pródigo no seu elogio", "deixe o outro pensar que a ideia foi dele" e "faça com que as pessoas gostem de você". Um pouco mais tarde, quando os Estados Unidos nadavam em prosperidade material após a Segunda Guerra Mundial, o segundo best-seller de Carnegie,

Como Evitar Preocupações e Começar a Viver, apresentava estratégias para lidar com as inesperadas angústias e pressões emocionais decorrentes do conforto consumista. Esses conselhos, apoiados no apelo à personalidade e nas relações humanas, em vez de no individualismo e na moral rígida, encontraram um público moderno receptivo.

Carnegie conseguiu realizar mais do que esperava. O tremendo apelo de sua mensagem de sucesso tinha muito de sua força na apropriação sutil de técnicas e aspectos psicológicos. Isso tudo incorporava, mais uma vez, importante mudança cultural. Como observaram diversos articulistas e historiadores – sendo o mais famoso Philip Rieff em *O Triunfo da Terapêutica* –, a lenta erosão dos laços comunitários e da fé religiosa sob as pressões da modernidade produziram o "homem psicológico". Esse personagem dominante ficou preocupado com autoconsciência, crescimento pessoal, autoestima e uma busca incessante por um estado de conforto emocional. O homem emocional abandonou a moralidade pela terapia. Essa nova sensibilidade terapêutica se espalhou pela América durante o começo do século XX e se tornou uma forte influência na educação, criação de filhos, atividade política, vida familiar, religião e em muitas outras áreas da vida moderna.

Carnegie, que frequentemente se apresentava como perito em "psicologia prática", surgiu como o primeiro grande divulgador dessa ênfase recente em autoestima e bem-estar mental. O popular Curso Carnegie tentava erradicar o "complexo de inferioridade" e anunciava sua fundamentação "nas importantes descobertas da psicologia moderna". *Como Fazer Amigos e Influenciar Pessoas* instruía os leitores que, ao lidar com pessoas, "não estamos lidando com criaturas lógicas. Estamos tratando com criaturas emotivas". Invocando ideias psicológicas de William James, Alfred Adler e Sigmund Freud, além de muitas outras figuras menos conhecidas, o texto prometia que "pensamento positivo" e a arte da "simpatia – a mais fácil dentre as técnicas psicológicas" criariam, entre seus seguidores, "um novo estilo de vida".

A partir dessa coleção de ingredientes culturais – ideologia do sucesso, da personalidade carismática e realização pessoal, pensamento positivo, relações humanas, bem-estar terapêutico – Carnegie criou definitivamente seu maior legado: o estabelecimento de um robusto movimento de autoajuda que formou os valores americanos modernos de modo fundamental. No rasto de seu estonteante sucesso, uma série de populares gurus da autoajuda – Norman Vincent Peale, Dr. Joyce Brothers, Dr. Wayne Dryer, Tony Robbins, Robert Schuller, Marianne Williamson, M. Scott Peck, Deepak Chopra, Stephen Covey, Oprah Winfrey e muitos outros – se espalharam pelo cenário americano nas décadas subsequentes, divulgando a mensagem de que o acompanhamento terapêutico e o aprimoramento pessoal produziriam sucesso profissional, prosperidade material e realização emocional. A ideia básica de Carnegie, incorporada em *Como Fazer Amigos* – de que o indivíduo que aprende "a fina arte de se relacionar bem com os outros no dia a dia profissional e social" desfrutará de "mais lucro, mais prazer e, o que é infinitamente mais importante, mais felicidade em seu trabalho e sua casa" –, tornou-se o princípio básico desse moderno credo americano de sucesso.

Ainda que sejam importantes as relações entre a mensagem de autoajuda terapêutica de Carnegie e as circunstâncias que modificaram a História do século XX, isso não explica tudo. As ideias convincentes de *Como Fazer Amigos* e *Como Evitar Preocupações* não apareceram, subitamente, como se por mágica, de algum processo de alquimia cultural. Carnegie tampouco era um intelectual que refletia profundamente até chegar a novas conclusões. Pelo contrário, suas noções revolucionárias a respeito de sucesso no mundo moderno saíram, em parte, de sua capacidade única de absorver ideias novas e polêmicas que flutuavam na atmosfera cultural mais ampla e sintetizá-las em forma popular. Mas as ideias também vieram de uma fonte mais direta: o caldeirão de suas próprias experiências, os eventos de sua notável vida pessoal. Pois Carnegie tinha uma história de ascensão social digna de um romance de Horatio Alger.

Nascido no rincão da América rural, ele cresceu em meio a uma pobreza opressiva, rodeado por renovações religiosas, cruzadas de temperança e populismo político – espasmos reacionários de uma população rural sitiada que era empurrada para as margens de uma nação em processo de modernização. Fugindo dessa tradição em busca de oportunidades, ele passou por uma série de empregos na procura por uma vocação adequada àquela sociedade volátil e transformadora do início do século XX. Ele tentou ser vendedor de automóveis em uma nova era da mobilidade; ator dramático e jornalista de tabloide em uma cultura cada vez mais dedicada a imagens e sensações; professor de educação de adultos para aqueles que buscavam orientação prática ao navegarem em um mundo desconhecido, gerente de entretenimento em uma nova cultura que celebrava o lazer e a celebridade; escritor expatriado e alienado que buscava inspiração no exterior; conselheiro de negócios dedicado à expansão econômica e prosperidade da década de 1920. As várias empreitadas de Carnegie – desde fazer discursos, ainda garoto, contra o "demônio do rum", em animadas reuniões sob tendas, como aquelas que se tornaram popular após a Primeira Guerra Mundial por conta de Lawrence da Arábia, passando pelo ensino de oratória para funcionários de escritório que desejavam se juntar à Geração Perdida de escritores americanos no exterior e a publicação de artigos sobre empresários de sucesso em revistas, até dar consultoria para gigantescas corporações americanas – iluminaram o turbilhão de mudanças, as oportunidades e os deslocamentos do ambiente em transformação nos Estados Unidos daquele momento, e forneceram o material básico para suas reflexões.

As ocupações que moldaram a personalidade de Carnegie também contribuíram para o novo etos social proclamado em *Como Fazer Amigos*. Embora observasse a antiga tradição protestante de autorregulamentação – que remonta aos puritanos e conclama os indivíduos à autocrítica obsessiva, na busca de evidências de comportamento e valores virtuosos –, Carnegie lhe deu um toque moderno. Ele manteve um arquivo intitulado "Coisas Idiotas Que Eu Fiz" durante boa parte de sua vida adulta, no qual registrou dezenas de erros de conduta que jurou corrigir. Mas, enquanto protestantes tradicionais procuravam identificar faltas morais ou espirituais, Carnegie se concentrou nas falhas sociais que poderiam ter ofendido alguém – o esquecimento do nome de pessoas, comentários negativos proferidos sem intenção de magoar, o fracasso em fazer amigos se sentirem à vontade, discutir em vez de sutilmente oferecer sugestões, ignorar o ponto de vista dos outros, fazer declarações controversas que irritaram alguém. Com Carnegie, o foco mudou da formação moral íntima da pessoa para a formação das impressões que a pessoa causa nos outros – algo que ele descreveu em seu diário como "o maior problema que eu vou ter que enfrentar: o gerenciamento de Dale Carnegie". Aí está o projeto central de sua vida privada e também da cultura americana moderna de realização própria: a apresentação de uma imagem pessoal positiva e uma personalidade agradável.

Assim, a história de Dale Carnegie é, em essência, a história dos Estados Unidos em uma era dinâmica de transformações. Durante o início do século XX ele ajudou a redefinir o Sonho Americano e traçou um novo caminho para chegar até ele. Homem que se fez sozinho, se tornou o sucessor de Franklin e Alger como formulador do sucesso em uma sociedade dedicada à sua busca. Ao abandonar antigos conceitos de autossuficiência econômica, rigidez moral e abnegação, Carnegie glorificava as novas atrações da abundância material, das relações humanas e da realização pessoal. O primeiro grande popularizador do moderno culto à personalidade, ele ajudou a entrelaçar opiniões psicológicas e melhorias terapêuticas no tecido da vida moderna. Como pai do movimento de autoajuda, lançou uma cruzada maciça, promovendo a reinvenção pessoal, que varreu a vida moderna durante o século XX e reformulou nossos valores básicos. Carnegie não deixou a cultura americana da mesma forma que a encontrou.

Mas a história desse personagem central da vida americana moderna começou em um lugar bastante improvável. No fim dos anos 1880, a zona rural do noroeste do Missouri era profundamente provinciana – na verdade, mal deixara de ser parte da fronteira selvagem – e estava longe dos agitados centros urbanos que começavam a alterar a república do século XIX. Foi lá que nasceu o segundo filho de uma família de agricultores religiosos, muito pobres, que lutavam para sobreviver em um ambiente opressor. Dos pais e de seu entorno, o garoto assimilou o tradicional conjunto de valores que daria forma a toda a sua vida. Alguns desses valores continuariam sendo fonte de profunda inspiração. Mas outros causariam uma reação passional e lentamente o empurrariam para novas direções.

PARTE I

DO CARÁTER
À PERSONALIDADE

1. Pobreza e devoção

Em *Como Fazer Amigos e Influenciar Pessoas* Dale Carnegie reverenciou uma importante figura dos negócios nos Estados Unidos do início do século XX. Antes de se tornar presidente da U.S. Steel, o mais graduado executivo da siderúrgica de Andrew Carnegie, Charles Schwab, foi talvez a primeira pessoa no país "a receber o salário de um milhão de dólares por ano, ou mais de três mil dólares por dia", escreveu Carnegie. Por que essa soma magnífica? Porque ele sabia mais a respeito de produção de aço que outros executivos? Bobagem, disse Dale Carnegie. Schwab lhe contou que havia outros homens trabalhando na siderúrgica Carnegie com mais conhecimento sobre a produção. Na verdade, escreveu Carnegie, Schwab acreditava que "recebia esse salário em grande parte devido a sua habilidade de lidar com pessoas". O rico executivo disse mais, afirmando que "seu sorriso valia um milhão de dólares". Nas palavras de Carnegie, "a personalidade de Schwab, seu charme, sua habilidade de fazer as pessoas gostarem dele foram quase totalmente responsáveis por seu sucesso extraordinário". Mas foi o milhão de dólares por ano que ficou na cabeça de Carnegie; isso fornecia a confirmação definitiva do valor e da realização daquele indivíduo.[5]

Em seu segundo livro de conselhos motivacionais, *Como Evitar Preocupações e Começar a Viver*, Carnegie promoveu outro princípio que estimava muito: a necessidade de valores espirituais que fornecessem tranquilidade emocional. Ele explicou cuidadosamente que não abraçava o cristianismo tradicional, mas que "fora além, para um novo conceito de religião. Não tenho mais o menor interesse nas diferenças de credo que separam as igrejas. Mas estou muitíssimo interessado no que a religião faz por mim" ao criar "um novo entusiasmo pela vida; uma vida mais ampla, mais rica e satisfatória". Carnegie observou que, durante sua vida rotineira, ele frequentemente entrava em uma igreja – a denominação não importava – e dedicava-se a meditar e rezar. Ele explicou que "fazer isso ajuda a acalmar meus nervos, descansar meu corpo, clarear meu pensamento e reavaliar meus valores".[6]

O entusiasmado endosso de Carnegie à abundância econômica e ao bem-estar emocional – de fato, essas eram as duas metades de seu credo moderno da busca do sucesso – vem diretamente de suas experiências na infância. Quando garoto ele sofreu as consequências da pobreza persistente enquanto via seu pai, um agricultor que trabalhava dura e obstinadamente a terra ingrata, lutar com empenho, mas sem sucesso, para ganhar a vida. De sua mãe, uma pregadora do Evangelho devota e dinâmica, ele aprendeu as virtudes do protestantismo evangélico e da autocrítica. Essa tensa justaposição de religiosidade severa e fracasso econômico, trabalho árduo e vida dura, autocontrole e derrota pessoal, produziram uma ambiguidade profunda na formação de Carnegie durante sua infância. De um lado, mais tarde em sua vida ele exageraria no lirismo das brincadeiras alegres nos pastos, bosques e riachos, onde podia "sentir o aroma das flores de macieira no pomar e ouvir o canto dos pássaros". Ele cultivava lembranças da mãe devota que lia a Bíblia e fazia orações de agradecimento por seu escasso alimento e sua casa modesta, e do pai generoso que, mesmo quando sua própria família tinha muito pouco, ia à cidadezinha próxima para dar "sapatos e roupas quentes aos filhos das famílias pobres" no Natal. Por outro lado, evocava com amargura uma infância árdua, caracterizada pela luta para sobreviver em uma pequena fazenda. "Meus pais trabalhavam como escravos dezesseis horas por dia, e ainda assim nós estávamos constantemente aflitos pelas dívidas e éramos incomodados pelo azar", escreveu Carnegie.

> Uma de minhas primeiras lembranças é ver as águas da enchente do rio 102 cobrindo nossos campos de milho e pastos, destruindo tudo. No período de sete anos as enchentes destruíram nossas culturas em seis. Ano após ano, nossos porcos morriam de cólera e nós queimávamos seus corpos... Se eu fechar os olhos agora, posso sentir o odor penetrante da carne de porco queimando... Após dez anos de trabalho

duro e cruel, nós não ficamos apenas sem nenhum tostão; nós ficamos altamente endividados. Nossa fazenda foi hipotecada... Não importava o que fizéssemos, nós perdíamos dinheiro.[7]

Não é de surpreender que a tensão entre pobreza e devoção durante a infância de Carnegie tenha alimentado dúvidas e ansiedades. Mais tarde ele admitiria que "vivia cheio de preocupação naqueles dias". O afeto pelos pais e o respeito por suas virtudes tradicionais – diligência, solidariedade familiar, busca espiritual, persistência diante de probabilidades assustadoras – lhe proporcionaram a noção de moralidade básica e a estabilidade emocional para a vida inteira. Ao mesmo tempo, aquela criança sensível não conseguia entender por que seus esforços, aliados aos valores pessoais elevados, pareciam produzir apenas fracassos. Essa disjunção dolorosa em sua mente jovem tornou-se um dos fatores mais importantes em sua vida. Ela lhe forneceu o ímpeto, além da matéria-prima emocional, para aquilo que gradualmente surgiria como seu projeto de vida: reformular o significado de sucesso na América moderna e desbravar uma nova trilha para se chegar lá.

James Carnagey e Amanda Harbison se conheceram de um modo que era comum entre os moradores do campo no fim do século XIX. Os dois moravam na fazenda Lynch, perto da cidade de Maryville, no extremo noroeste do Missouri, perto da fronteira com o estado de Iowa. James trabalhava como lavrador, enquanto ela, professora, também costurava e fazia outros serviços domésticos em troca de um quarto e das refeições. Logo que Amanda chegou, a Sra. Lynch lhe falou sobre um jovem trabalhador, de boa aparência, que ajudava seu marido nas tarefas da fazenda e recomendou à moça que "não o deixasse escapar". Suas palavras se mostraram proféticas. Em pouco tempo os dois jovens se enamoraram um pelo outro e começaram um romance.[8]

James William Carnagey era o filho mais velho de uma família grande, com seis irmãs e três irmãos. Ele nasceu em fevereiro de 1852 e cresceu no campo, em Indiana. Da mesma forma que muitos garotos criados em fazendas no século XIX, recebeu apenas uma educação rudimentar. Ao frequentar a escola precariamente, somente durante cinco ou seis anos, ele aprendeu o básico de leitura, escrita e matemática, mas "nunca ouviu falar de Dickens ou Shakespeare", como mais tarde seu filho descobriria. Em vez disso, James dedicou-se ao trabalho árduo que marcava a rotina típica das fazendas pequenas – ordenhar as vacas, alimentar os porcos, plantar milho, colher trigo e aveia, debulhar os grãos, cortar lenha, consertar cercas e uma centena de outras tarefas diárias. Mas a vida no campo era adequada a ele. Em meados da década de 1870, James partiu de Indiana para trabalhar em uma serraria da Montana Beaverhead Company, em Trapper Gulch, Montana, onde ele "fazia escorregar" toras de madeira pelas encostas de montanhas e produzia carvão. Depois de vários anos, retornou ao Meio-Oeste, por sugestão do pai, em busca de oportunidades no noroeste do Missouri, onde a terra era consideravelmente mais barata do que em Indiana. O jovem decidiu se estabelecer na região.[9]

Amanda Elizabeth Harbison era nativa do Missouri. Nascida em fevereiro de 1959 na região norte do estado, ela era a filha mais velha dentre oito irmãos. Em 1861, com a eclosão da Guerra de Secessão, seu pai, Abraham, levou a família para Henderson County, em Illinois, do outro lado do rio Mississípi – ele fora convocado durante o conflito, mas contratou um substituto –, retornando ao noroeste do Missouri nos anos 1870. Quando jovem, Amanda assimilou rígidos princípios religiosos e desenvolveu amor pelos estudos, duas características que a acompanhariam por toda a vida. Por volta de 1880 ela aceitou o posto de professora em uma pequena escola rural perto de Maryville, onde conheceu o jovem que depois se tornaria seu marido.[10]

James e Amanda começaram a namorar pouco depois que ela chegou à fazenda Lynch, mas o relacionamento (à moda tradicional do campo) evidenciava mais pragmatismo do que paixão. O casal começou a planejar seu casamento, embora Amanda estivesse com sérias dúvidas até ser tranquilizada por seu pai. "Jim Carnagey é um homem muito bom", disse ele para a filha mais velha. "Ele é honesto. Trabalha pesado.

Não bebe, nem joga ou masca fumo. Eu sei que será um bom marido. Jim é um dos melhores homens que conheço." Muitas décadas mais tarde, Dale descreveu melhor a união. O namoro de seus pais estava "longe de ser um Romeu e Julieta do campo", relatou ele. "Em vez disso, foi uma união sólida, gentil, harmoniosa e cristã." Os dois se casaram em 1º de janeiro de 1882 e provaram que combinavam. "Se algum dia eles brigaram ou falaram alguma palavra grosseira um para o outro, não me lembro de ter visto", observou Dale.[11]

Em novembro de 1886, o jovem casal teve seu primeiro filho, Clifton. Eles viviam em uma pequena fazenda perto de vilarejo chamado Harmony Church, a cerca de quinze quilômetros a nordeste de Maryville e a apenas onze quilômetros da fronteira com o estado de Iowa. Dois anos depois nasceu Dale Harbison Carnagey, em 24 de novembro de 1888. Caía uma das piores nevascas que por muito tempo foi lembrada pelos moradores locais e, quando Amanda entrou em trabalho de parto, um vizinho saiu a cavalo, através da neve, para buscar o médico no vilarejo de Parnell, Missouri. "Eu sempre tive pressa, de modo que cheguei antes do médico", Dale gostava de dizer.[12]

De muitas formas, Dale teve uma vida idílica nos rincões do campo. Quando já tinha idade para andar, ele adorava ficar ao ar livre desfrutando diariamente das belezas da natureza. Essa experiência foi reforçada quando seu pai tentou melhorar a sorte da família no início da década de 1890. "Quando eu tinha cinco anos, meu pai comprou uma linda fazenda, da qual vou me lembrar para sempre", dizia Dale. A propriedade tinha uma casa e um celeiro encarapitados no alto de uma colina que descia até uma bela planície arável, marcada por um riacho de águas tranquilas que serpenteava pela terra. Dale lembrava-se especialmente de "pores do sol que tingiam o céu com as cores de uma pintura de Turner". Ele passava horas sem fim pescando no rio 102, chamado assim pelos mórmons porque foi o 102º rio que eles cruzaram em sua jornada de Nauvoo, Illinois, até o Grande Lago Salgado, em Utah. Dale caminhava até a escola com outros garotos das fazendas vizinhas e fazia piqueniques com eles na Floresta Coulter. Ele tinha um gosto especial por canteiros cheios de melancias grandes e suculentas, que depois eram resfriadas em tanques de água antes de serem devoradas em tardes quentes de verão. Mesmo quando o clima esfriava, o mundo natural parecia encantando para aquele garoto sensível. Ele acordava em uma terra mágica coberta de neve, onde os rastos de coelhos e aves podiam ser vistos em toda parte. "Quando meu pai calçava suas botas de neve e saía para ir até o celeiro alimentar os animais", lembra-se Dale, "a cena parecia uma gravura viva de Currier & Ives."¹³

Dale Carnagey criança (segurando a machadinha) com o irmão mais velho, Clifton.

Uma atmosfera familiar afetuosa e segura intensificou suas experiências de infância. Dale admirava a disposição para o trabalho de seu pai, observando, alguns anos depois, que "quando papai construía uma cerca, ela deveria durar para sempre; eu costumava pensar que ele era o homem mais detalhista do mundo quanto a colocar os mourões retos e fazer a cerca como se fosse para conter touros furiosos". Mas era com a mãe que ele desfrutava de uma ligação especial. "Fui enormemente influenciado por ela, de todas as formas", declarou Dale certa vez. "Ninguém jamais teve mãe mais amorosa do que eu... Não consigo imaginar como seria minha vida se eu não tivesse Amanda Elizabeth Harbison Carnagey como mãe". Ela influenciou, principalmente, em seus estudos. Segundo Dale, ela foi "uma das professoras mais empolgantes que eu conheci", frequentemente lendo para ele seus livros favoritos: *A Cabana do Pai Tomás, Robinson Crusoe, Os Robinsons Suíços, The Prince of the House of David, David – the Way of the Cross, Beleza Negra* e o romance de incentivo à sobriedade *Ten Nights in a Barroom*. Ela também o treinou para memorizar e recitar "peças" religiosas para encontros da igreja. "Na primeira vez em que apareci sobre uma plataforma para encarar uma plateia, minha mãe disse, enquanto eu vinha pelo corredor: 'Aí vem meu garoto, meu garoto precioso'", lembrou-se Dale mais tarde. Mas, quando ele começou a falar, "minha memória falhou e eu disse para minha mãe 'nossa, como está quente aqui'". Um pouco depois o jovem fez sua primeira palestra pública que, refletindo o fervor religioso de sua mãe, foi intitulada *"O Bar, Filhote do Inferno"*.[14]

O filho também herdou da mãe o entusiasmo pela vida, uma característica fundamental que o definiria quando adulto. Ele a descrevia como "a centelha de nossa família" e observou que ele próprio "herdara ou adquirira sua energia ilimitada e sua empolgação com a vida... Ela fazia tudo com dedicação. Ela frequentemente cantava ao trabalhar". Através de exemplo e instrução, Amanda transmitiu a seu filho brilhante que a vida era algo a ser agarrado como uma oportunidade e moldado pela ação. Ela personificava a estabilidade ao enfrentar o mundo – Dale depois descreveria Amanda como tendo "a coragem de dezessete tigres-de-Bengala" – e sua perseverança serviu como "um exemplo radiante" para seu filho.[15]

Dale, garotinho (na frente), Clifton e seus pais, James e Amanda.

Mas outro fator marcou a infância de Dale Carnagie. A vida era dura no Missouri rural do fim do século XIX, e não faltavam frequentes lembretes da fragilidade, das provações e dos perigos dessa vida. Sua avó materna, então na casa dos noventa anos, morou com a família por muito tempo e fascinava o garoto com histórias assustadoras da vida na fronteira. Uma delas era sobre seu irmão, raptado por índios e forçado a viver com eles durante catorze anos. Doenças eram uma ameaça constante, pois vários males assolavam com regularidade a população local, levando as crianças mais vulneráveis. A família Mizingo, que vivia em frente aos Carnagey, do outro lado da estrada, perdeu uma filha para a varíola, e os detalhes horríveis de sua morte ficaram gravados na memória do garoto. "Seu corpo cheirava tão mal que dois homens prenderam o nariz, correram para o quarto dela, pegaram os quatro cantos do lençol e jogaram o corpo dentro de um caixão rústico de madeira", lembra Dale. "Ela foi enterrada à noite sob as macieiras do pomar. Como eu morava do outro lado da estrada, pude ouvir a terra caindo sobre o caixão". Durante algum tempo a mãe de Dale ficou aterrorizada, porque seu filho visitara a casa dos Mizingo apenas um dia antes de a doença aparecer. Em uma região tão próxima da fronteira, a violência também explodia com frequência assustadora. Por décadas Dale carregou consigo lembranças de assassinatos, estupros e violentas rixas familiares que estouravam nas vizinhanças com regularidade impressionante.[16]

A vida na fazenda também reservava ao garoto uma rotina brutal de trabalho com poucas comodidades. Desde pequeno Dale recolhia esterco do celeiro, do estábulo e do galinheiro, e ajudava a ordenhar as vacas e a cortar e a empilhar lenha. Ele considerava o trabalho na fazenda sujo e exaustivo, e se lembrava de como era desagradável ficar coberto de terra ao arar os campos atrás de um cavalo. Não havia água encanada, claro, e, como todos os fazendeiros, os Carnagey não tinham banheiro dentro de casa. Mais tarde Dale se recordaria vivamente da primeira vez em que usou um vaso sanitário com descarga, dentro de uma loja em Maryville. "A coisa fazia um rugido. Todo mundo na loja podia ouvir. Para mim soava como se a caixa-d'água da cidade tivesse caído. Eu saí da loja com o rosto queimando de vergonha", lembra-se Dale. Um fogão à lenha era a única fonte de aquecimento na casa da fazenda Carnagey, e o garoto passou muitas noites de inverno aninhado sob as cobertas em um quarto gelado.[17]

As mesmas forças da natureza que inspiraram extasiadas visões de beleza em sua infância também induziram espasmos de medo. Durante as primaveras e os verões, tempestades violentas, com ventos fortes e trovões, sopravam do oeste e preenchiam o horizonte com clarões violentos de relâmpagos. Os Carnagey corriam da casa para o abrigo de tempestades, que era abastecido com comida em conserva, enquanto esperavam o pior passar. Depois de um desses eventos, Dale não conseguia encontrar seu cachorrinho, Tippy. Ele encontrou, afinal, o corpo sem vida do animal perto da varanda – o pobrezinho fora atingido por um raio. Ele pediu para sua mãe piedosa rezar a Deus pedindo a volta do cãozinho, mas ela respondeu, gentilmente, que o Todo-Poderoso não ressuscitava cachorros. "Mas Tippy é bem melhor que muita gente", respondeu o inconsolável menino. "Essa foi a maior tragédia da minha vida até então", recordaria Dale depois.[18]

No inverno, as temperaturas podiam descer a profundidades dolorosas. Após emergir de uma casa gélida de manhã cedo, o menino tinha que caminhar quase dois quilômetros até a escola sob uma temperatura de congelar os ossos, frequentemente através de uma camada alta de neve. "Até fazer catorze anos eu não tinha galochas ou botas de neve. Durante os invernos longos e gelados meus pés ficavam o tempo todo frios e molhados", contou ele. "Quando criança eu nunca imaginei que alguém tivesse pés secos e quentes no inverno." E as temperaturas gélidas, claro, tornavam o trabalho na fazenda ainda mais difícil durante essa estação. Seu pai criava porcos Duroc, por exemplo, e as fêmeas frequentemente davam cria em fevereiro, quando era comum que a temperatura estivesse próxima de quinze graus negativos. Para evitar que os leitões morressem congelados, James os levava para a casa e os punha em uma cesta atrás do fogão, cobertos com um saco de juta. Era responsabilidade de Dale tomar conta deles. Pouco antes de dormir, ele tinha que levar a cesta de leitões até o celeiro, para que mamassem na mãe. "Depois eu ia dormir, mas antes ajustava o alarme para as três horas; quando ele tocava eu tinha que sair da cama, num frio de amargar, para levar os porcos para outra refeição quente. Então eu os trazia de volta, colocava o alarme para as seis horas, quando me levantava para estudar... Na época, eu considerava isso um sofrimento."[19]

Acidentes na infância ilustravam os perigos da vida rural. Uma vez, o jovem Dale montou um cavalo em um dia frio de inverno e, quando se sentou na sela, o animal disparou. Ao cair para trás, ele ficou com um pé preso no estribo e foi arrastado por uma boa distância, em alta velocidade, através da lama congelada antes que conseguisse soltar o pé. O acidente o deixou machucado e atordoado. Em outra oportunidade, teve menos sorte. No dia seguinte ao Natal de 1899, ele brincava com o primo no sótão de uma cabana de madeira abandonada na mesma estrada de sua casa. No dedo indicador da mão esquerda, ele tinha um anel – uma herança de família – que seu pai lhe dera. Incitado pelo primo, Dale se pôs sobre o peitoril da janela e pulou para o chão. Contudo, ao fazê-lo o anel ficou preso em um prego que havia na madeira em que ele estava se segurando. Seu dedo foi arrancado. O garoto, aterrorizado, correu para sua casa sangrando em profusão e gritando por ajuda. A mãe amarrou um lenço sobre o ferimento enquanto o pai prendia os cavalos à carroça e logo a família estava viajando, apressada, para Maryville. "Eu rezei e gritei e chorei a cada passo dos cavalos durante a viagem de uma hora até a cidade. Meus pais me levaram ao consultório do Dr. Nash em Maryville", lembrou-se Dale cinquenta anos depois. "Quando ele tirou o lenço que envolvia o que restara do meu dedo, parte dele ainda estava presa ao osso. A dor foi terrível." O médico sedou o garoto com clorofórmio antes de limpar o ferimento e completar a amputação. Pelo resto de sua vida, Dale gesticularia com a mão direita enquanto escondia, sutilmente, a esquerda.[20]

Quando estudante, em meados da década de 1890, Dale já mostrava grande curiosidade a respeito do mundo.

Mas outro fator criou a mais profunda e duradoura dor emocional nesse garoto de fazenda do Missouri: a pobreza de sua família. Incapaz de lucrar e cada vez mais afundado em dívidas, como muitos pequenos agricultores do fim do século XIX, James Carnagey trabalhava muito, mas não conseguia nada. Enchentes levavam suas plantações periodicamente, doenças matavam seus porcos e os caprichos do mercado agrícola permitiam-lhe pouco ou nenhum lucro na época da colheita. Uma vez, ele tentou criar gado, mas não conseguiu vender os animais pelo custo que tivera para engordá-los. Em outra oportunidade ele comprou uma tropa de mulas novas, não domadas, e trabalhou prodigiosamente para treiná-las no trabalho da fazenda. Mais uma vez, não conseguiu vender os animais por um preço que cobrisse o custo de sua alimentação. James reclamou, amargurado, que "estaria melhor, financeiramente, se tivesse pegado uma arma e matado as mulas no dia em que as comprei".[21]

Desesperada, a família fez o seu melhor para sobreviver através da autossuficiência e do escambo. Os Carnagey cultivavam suas frutas e seus vegetais, e defumavam seu próprio presunto e toucinho. Eles trocavam manteiga e ovos por café, açúcar e sal na Mercearia do Kirk e por calçados no sapateiro da cidade. Homer Croy, um amigo de longa data de Dale, que cresceu perto dele, lembrou-se de um sinal constrangedor das dificuldades econômicas dos Carnagey. "Minha lembrança mais antiga da família dele é de vê-los entrando na cidade, domingo de manhã, com a carroça sendo puxada por um cavalo e uma mula", escreveu ele. Aquela combinação mostrava para todos "como a família era pobre".[22]

Dale, inteligente e sensível, achava difícil encarar as privações e pequenas humilhações que vinham com a pobreza de sua família. Os meninos Carnagey possuíam muito pouco. Amanda fazia as roupas da família de tecidos obtidos em escambos com as lojas da região, e os garotos precisavam se acostumar aos buracos nas solas dos sapatos e aos remendos nos fundilhos das calças. Brinquedos e doces, é óbvio, apareciam muito raramente. Dale chorava quando o pai voltava da cidade para casa sem lhe trazer ao menos um pedacinho de doce barato, o que magoava James profundamente. Um Natal seus pais lhe deram um bauzinho com menos de trinta centímetros de altura que tinha uma pequena gaveta. O garoto cuidou do presente como se fosse um valioso tesouro. Dale ficava radiante quando ia de carroça até Maryville e seu pai lhe dava uma moeda para gastar no que quisesse. Mas tais extravagâncias eram raras, e a sensação permanente de carência física e trauma emocional era palpável. "Eu tinha vergonha de nossa pobreza", admitiu ele mais tarde.[23]

Os recursos econômicos cada vez mais escassos acabaram por solapar a família Carnagey. No começo de 1900, após vários anos de dolorosos fracassos, James estava tão atolado em dívidas que foi obrigado a vender a fazenda comprada com tanta esperança no começo da década de 1890. Após pagar todos os credores, a família ficou com alguns móveis, a carroça e uma parelha de cavalos. Até a firme mãe de Dale desmoronou, soluçando enquanto abraçava os filhos: "Vocês, meninos, são as únicas coisas que nos restaram no mundo". A família arrendou outra fazenda na região de Maryville e tentou recomeçar. Mas "o espírito de meu pai ficou alquebrado com o fracasso que estava se tornando sua vida", descreveu o filho, e essa imagem de fracasso ficou gravada em sua jovem mente.[24]

A crise afetou seus pais de modos diferentes. James voltou-se para a política, associando-se ao movimento Populista. Muitos pequenos agricultores, que lutavam para sobreviver nas décadas de 1880 e 1890, resolveram que a estrutura político-financeira dos EUA durante a Era Dourada – especialmente os bancos, as ferrovias, o Partido Republicano dedicado às tarifas protecionistas que favoreciam as indústrias e o padrão-ouro – era responsável por seus problemas econômicos. Revoltados, eles se organizaram politicamente e reagiram, criando o Partido Popular no começo da década de 1890 para, depois, apoiar William Jennings Bryan como o porta-estandarte populista no Partido Democrata. Os populistas queriam a reparação de suas queixas através da adoção da prata como padrão monetário, da regulamentação das ferrovias e instituições financeiras pelo governo e de táticas coletivas no mercado. James tornou-se um apoiador apaixonado de Bryan na corrida presidencial de 1896 contra o republicano William McKinley. Ele escreveu "Bryan e Prosperidade" em uma tampa de caixa de madeira e a pregou em uma árvore ao lado da estrada. Mas o resultado da eleição não foi o desejado. James e seus filhos ouviram a notícia da derrota de Bryan enquanto esperavam junto ao telefone, no armazém geral da cidade, na noite da eleição. Revoltado, James virou seu cartaz do outro lado, onde escreveu "McKinley e Fome, Vendo Fazenda", e pregou-o de novo na árvore.[25]

Por fim, James cedeu ao desespero. Afundado em dívidas e sem saída visível, ficou deprimido. Ameaças de que pudesse fazer mal a si próprio tornaram-se frequentes e ele insinuou que poderia se enforcar em um dos galhos de um grande carvalho que havia na fazenda. Amanda ficava preocupada sempre que o marido ia ao celeiro alimentar os animais e demorava para voltar, temendo que "acabaria encontrando o corpo de James pendurado pelo pescoço". O próprio James admitiu para o filho que, voltando de um banco em Maryville que ameaçara lhe tomar a fazenda, parou a carroça em uma ponte sobre o rio 102, desceu e "ficou durante um bom tempo olhando para a água, enquanto debatia consigo mesmo se devia pular e acabar com tudo."[26]

Amanda reagiu à adversidade econômica da família de forma categoricamente oposta. Ela, que já era uma mulher religiosa, elevou sua devoção a um patamar mais alto. Proibindo danças e jogos de cartas, transformou sua casa em fortaleza da fé e bastião da moralidade. Fazia a família rezar frequentemente pedindo amor e proteção a Deus, e também lia um capítulo da Bíblia em voz alta para os filhos todas as noites, antes de dormirem. Grande entusiasta de leitura e educação, assinou a Biblioteca Moody Colportage, uma série de livros religiosos baratos, avalizados pelo conhecido evangelista Dwight L. Moody, e apresentou seus volumes didáticos ao marido e aos filhos. Um de seus favoritos era um tratado antidança, *Do Salão de Bailes ao Inferno*, que Dale leu com a energia errada – depois ele contaria que durante a leitura estivera encantado, de modo decididamente não religioso, pelas "figuras de garotas de saia curta indo para o inferno". Amanda também era disciplinadora. Endossando o conselho da Bíblia de "quem se nega a castigar seu filho não o ama", ela punia os dois filhos quando estes se comportavam mal, embora lhe doesse fazer isso. Mas a firmeza moral de Amanda produziu uma forma otimista de encarar a vida, em vez de uma atitude amarga, oprimida. Como Dale relatou, "Nem enchentes, nem dívidas, nem desastres podiam suprimir seu espírito feliz, radiante e vitorioso."[27]

O entusiasmo religioso de Amanda também a fez se envolver amplamente nos assuntos da igreja na comunidade em torno de Maryville. Tocava órgão em diversas igrejas rurais e deu aulas de catecismo por toda a sua vida adulta. Mais importante, Amanda se tornou uma hábil oradora leiga que, nas palavras de uma amiga da família, "podia subir ao púlpito e falar tão bem quanto qualquer homem. E era o que fazia. Às vezes, ela subia ao púlpito do Irmão Lythle em nossa igreja metodista e fazia sermões tão bons quanto os dele... Ela colocava devoção, determinação e seriedade em suas falas". Conforme sua fama se espalhava, Amanda começou a viajar a Iowa e Nebraska para fazer palestras, e uma vez foi até Illinois, quando amigas levantaram dinheiro suficiente para enviá-la, de modo que participasse de um encontro de renovação. Ela abraçou especialmente o movimento de temperança e sua cruzada para eliminar o rum demoníaco – Carrie Nation, a guerreira opositora dos estabelecimentos que vendiam bebidas alcoólicas, tornou-se sua heroína –, e atacou os bares da região "com unhas e dentes", nas palavras de um observador.[28]

O jovem Dale absorveu uma lição positiva das lutas de seus pais: um profundo respeito por sua abnegação. Mesmo no atoleiro de sua pobreza, relatou ele, seu pai e sua mãe dariam um jeito de arrumar dinheiro, todos os anos, para enviar ao Lar Cristão, um orfanato próximo, em Council Bluffs, Iowa. Mais tarde na vida, quando o filho próspero enviou aos pais um cheque como presente de Natal, ele teve que sorrir ao saber que os dois usaram parte do dinheiro na compra de provisões e carvão para famílias da região que passavam por dificuldades. Tanta virtude produziu um impacto indelével. Depois que Dale ficou famoso, ele deu uma palestra em Nova York na qual descreveu a natureza altruísta de seus pais. Ele engasgou e lágrimas escorreram por seu rosto. "Meus pais não me deixaram dinheiro nem herança financeira", disse após se recompor, "mas me deram algo muito mais valioso – a bênção da fé e da firmeza de caráter."[29]

Assim, Dale Carnagie cresceu imerso na cultura tradicional dos EUA do século XIX ao internalizar uma forte ética religiosa. Mais tarde ele rejeitaria muito da teologia protestante – ele até brincaria que "fora criado para acreditar que apenas os metodistas têm garantida a entrada no Céu" –, mas o anseio por conforto espiritual permaneceria. "Minha mãe queria que eu dedicasse minha vida ao trabalho religioso. Eu pensei seriamente em me tornar um missionário internacional", observou ele. Embora não tivesse interesse na carreira religiosa, ele cultivou esse impulso didático de modo diferente. Em suas mãos, o cultivo de relações humanas e a conquista do sucesso se tornaram um tipo de salvação secular. Como escreveu exuberantemente em *Como Fazer Amigos e Influenciar Pessoas*, a adoção de suas técnicas criaria um tipo de experiência religiosa transformadora: "Eu vi a aplicação desses princípios literalmente revolucionar a vida de muita gente."[30]

Quando jovem, Dale também desenvolveu afinidade por expressão verbal e argumentação. Sua mãe professora tinha um jeito com as palavras que passou para ele. "Nasci argumentador. Durante anos adorei batalhas verbais. Eu discutia em casa, na escola e no parquinho", admitiu. "Eu tinha a típica atitude 'eu sou do Missouri, você tem que me provar'." Do mesmo modo, ele absorveu da mãe o gosto por se apresentar em público, pois "ela sempre me fazia falar na escola de catecismo e nos eventos da igreja". Essas qualidades expressivas, que ele depois viu como "uma bênção disfarçada", dariam forma a seu interesse futuro em debates e sua carreira em oratória.[31]

O jovem Dale exibia uma personalidade bastante encantadora, outro traço herdado de Amanda. Quando jovem, após ser apanhado se comportando mal, ele conseguiu fazer a mãe mudar de ideia quando ela estava para bater nele. "Perguntei a ela se eu não poderia comer um biscoito e me deitar no sofá, para descansar um pouco, antes que me batesse", contou Dale. "Isso acabou com ela, que não conseguiu evitar rir, e assim me livrei da surra." Despreocupado e brincalhão, uma vez provocou muitas risadas em sua pequena escola rural quando caçou um coelho, esfolou-o e, em segredo, colocou sua carne em um balde fechado com tampa sobre o aquecedor da classe. Quando o professor e demais alunos notaram o cheiro estranho, era tarde demais. Um jato de vapor arrancou a tampa do balde e água quente com pedaços de coelho ensopado jorrou até o teto. A professora não achou graça, mas os outros alunos com certeza acharam. "Educação tem que ser divertida", observou ele. "E foi – naquela tarde."³²

Mas Dale também desenvolveu uma forte sensibilidade à humilhação. Quando garoto, indo pela primeira vez à escola, sentia-se constrangido ao usar o banheiro coletivo, porque os garotos mais velhos ficavam em volta debochando dos mais novos. Assim, em um ato de desespero, ele se deitou no chão, longe do prédio da escola, quando a natureza exigiu. "Então, um pequeno fluxo de líquido começou a escorrer debaixo de mim pela terra", contou ele. "Alguns dos garotos mais velhos perceberam. Todos começaram a gritar, apontar para mim e me xingar. Nunca antes ou depois me senti tão humilhado. Aquilo me provocou lágrimas de vergonha." A escola também proporcionou provocações incansáveis devido às suas orelhas grandes e salientes – anos mais tarde ele se lembraria do nome de seu principal carrasco, um aluno mais velho chamado Sam White –, o que o fazia se encolher de vergonha. A pobreza de sua família, é claro, era uma fonte permanente de angústia e ele carregava um sentimento crescente de inferioridade devido a sua origem rústica e seus modos rudes. Aos treze anos, por exemplo, ele trabalhava no campo quando viu uma garota bonita vindo pela estrada em uma charrete. Tentou ser galante, cumprimentando-a com um toque no chapéu. Quando ela chegou perto, contudo, Dale entrou em pânico e, em vez de um leve toque, arrancou o chapéu da cabeça. A garota riu de deboche e foi embora, deixando-o profundamente constrangido.³³

Sugestivamente, para um indivíduo que mais tarde criaria um plano de ação para o sucesso no mundo corporativo, urbano e gerencial do século XX, Dale também desenvolveria uma pronunciada aversão ao trabalho físico necessário ao sucesso rural no século XIX. "Quando jovem eu odiava qualquer coisa que lembrasse trabalho", admitiu, despreocupado. "Detestava bater o creme até virar manteiga, limpar o galinheiro, capinar e ordenhar vacas. Acima de tudo, eu odiava cortar lenha. Eu desprezava isso com tanta força que jamais tínhamos lenha estocada." James falava sempre para seu filho mais novo da necessidade de se trabalhar arduamente e o obrigava a fazer regularmente uma lista de tarefas. Mas o garoto não gostava daquilo.³⁴

Aos poucos, e prodigiosamente, Dale tornou-se consciente das profundas limitações de sua existência rural. As idas ocasionais a Maryville o encantavam e deprimiam em igual medida. Ele via a cidade como uma metrópole agitada e ficava muito impressionado com figuras como Daniel Eversole, proprietário da loja de roupas, homem de grandes personalidade e presença. O Hotel Linville lhe parecia um ícone de sofisticação quando Dale espiava pelas janelas e observava autoridades da cidade e visitantes bem vestidos fumando charutos nas poltronas estofadas do saguão. Essa crescente consciência de um mundo maior, fora do Missouri rural, foi reforçada quando ele assistiu a um filme, pela primeira vez, em 1899, em sua pequena escola. No faroeste de curta--metragem, seu clímax mostrava um trem com dois caubóis galopando a seu lado. O garoto ficou empolgado.[35]

Uma influência foi especialmente grande na expansão da visão de mundo de Dale. No inverno de 1901, Nicholas M. Sowder começou a trabalhar como professor na escola rural e também se tornou hóspede da família Carnagey. Primeiro, ele impressionou ao dirigir uma peça escolar dramática, em quatro atos, intitulada *Imogene, ou o Segredo da Bruxa*. Dale fez o papel de Snooks, o garoto jornaleiro, e ficou encantado, principalmente quando o sucesso da peça possibilitou a Sowder "jogar alto" e alugar um salão, na cidade próxima de Parnell, Missouri, para diversas apresentações, cobrando pelo ingresso. Essa experiência como ator deu ao jovem Dale "um gosto pela emoção que vem de se apresentar diante de uma plateia", uma emoção que se avultaria em sua carreira futura. Sowder também teve importantes interações pessoais com Dale no lar dos Carnagey. O professor possuía uma máquina de escrever e uma calculadora, coisas que o garoto nunca tinha visto, e Sowder entrava em longas discussões com seu pupilo brilhante usando palavras complexas como "intuitivo" e "psicologia". O aluno de olhos arregalados via o professor como uma porta aberta para um mundo maior, e anos mais tarde descreveria Sowder como sua "primeira inspiração".[36]

Em última análise, as experiências infantis de Dale levaram-no a encarar um tópico que seria central em sua futura carreira: o que significava ter sucesso nos EUA, e o que fazer para consegui-lo. Traumatizado pelo fracasso de sua família em prosperar, ele cresceu determinado a fugir da armadilha da pobreza rural e a "viver em uma cidade grande e a vestir camisa e gravata sete dias por semana". Ao mesmo tempo, ele se esforçava para juntar seu anseio por riqueza ao respeito genuíno por virtudes morais. A princípio ele estava inclinado a julgar o homem com a maior fazenda e mais dinheiro como o mais bem-sucedido. Mas então notou que um dos vizinhos de sua família, fazendeiro próspero, era ganancioso e fazia seus empregados trabalhar cada vez mais. "O infeliz era devorado por um desejo cego e fanático por mais dinheiro, mais dinheiro, mais dinheiro! Mesmo se ele conseguisse um milhão de dólares, iria querer ganhar mais", escreveu Dale. Quando comparados à abnegação de seus pais e muitas outras pessoas comuns de seu conhecimento, aqueles valores lhe pareciam menos atraentes.[37]

Observador perspicaz da natureza humana mesmo quando jovem, Carnagie percebeu que as pessoas encontravam sentido e satisfação em outras coisas além de riqueza. Os porcos Duroc e as vacas Hereford do seu pai ganharam diversas faixas azuis ao longo dos anos em feiras da região e exposições de animais. James montava as faixas em uma tira de musselina branca e, sempre que recebia uma visita, exibia orgulhosamente seus prêmios. Dale tirou uma conclusão importante: todo indivíduo busca um sentimento de distinção, um reconhecimento por algum tipo de realização, valor ou atração, não importa quão pequeno seja. Essa lição seria duradoura.[38]

Lutando para harmonizar religiosidade e pobreza, virtude e fracasso, trabalho árduo e humilhação, Dale Carnagie chegou a um momento decisivo em sua vida. Na primavera de 1904, quando ele tinha dezesseis anos, sua família deixou a fazenda arrendada perto de Maryville, carregou seus pertences em um vagão de trem, e foi para Warrensburg, Missouri, a cerca de 270 quilômetros a sudeste. A terra lá não era melhor que no noroeste do Missouri, mas seus pais tinham planos mais ambiciosos. Eles queriam enviar os filhos para a universidade, e lá perto havia uma faculdade estadual de Educação. Pela primeira vez na vida, o garoto pobre da periferia rural entrou em contato direto com o mundo maior que tinha apenas imaginado até então. Aquele seria o primeiro passo no seu próprio caminho para o sucesso.[39]

2. Rebelião e Recuperação

Entre os muitos princípios de autoaperfeiçoamento apresentados em *Como Fazer Amigos e Influenciar Pessoas*, a importância de aceitar novas ideias e ponderar sobre novas formas de viver estavam entre os primeiros itens da lista de Dale Carnegie. Ele falava frequentemente na necessidade de abandonar uma visão de mundo arcaica e ineficiente para adotar uma mentalidade nova, mais favorável ao sucesso. A "exigência indispensável" para tirar o maior proveito de seu livro, enfatizava Carnegie, era ter "um desejo profundo, arraigado, de aprender, uma determinação de ampliar sua habilidade de lidar com as pessoas". Ele instava os leitores a ficarem atentos "às ricas possibilidades de melhorar que estejam próximas", e lembrava-lhes que "Vocês estão tentando formar novos hábitos, estão tentando uma nova forma de vida". Mas Carnegie reconhecia que a adoção de novos pontos de vista era extremamente difícil devido à inata intransigência humana. "A maioria de nós tem preconceitos e tendências. A maioria de nós está corroída por noções pré-concebidas", escreveu Carnegie. "E a maioria dos cidadãos não quer mudar de opinião sobre religião, corte de cabelo, comunismo ou Clark Gable".[40]

A adoção de novas ideias depende da geração de autoconfiança e amor-próprio suficientes, tanto em você como nos outros. Carnegie via a vontade de todos de se distinguirem dos demais como um impulso fundamental da natureza humana. "Você deseja a aprovação daqueles com quem tem contato. Você deseja reconhecimento de seu verdadeiro valor", argumentava ele. "Você quer sentir que é importante em seu mundinho." Assim, a pessoa sensível, ou perspicaz, que busca sucesso deve abordar o mundo com confiança, mas determinada a "fazer os outros se sentirem importantes, e fazer isso com sinceridade". Em todas as oportunidades você deve dizer a si mesmo para ser "sincero na sua aprovação e pródigo no seu elogio". Afinal, observou Carnegie, "Nós nutrimos o corpo de nossos filhos, amigos e empregados; mas raramente nutrimos seu amor-próprio".[41]

A ênfase dobrada em repensar sua abordagem do mundo e aumentar o amor-próprio deriva da adolescência difícil do autor. Aos dezesseis anos ele entrou em uma pequena faculdade do Missouri e quase imediatamente sofreu uma intensa crise pessoal. Alimentado por seus estudos acadêmicos, começou a questionar os princípios religiosos que lhe foram ensinados durante a infância. Humilhado pela pobreza familiar que se refletia claramente em sua maltrapilha aparência pessoal, ele sofria de "complexo de inferioridade" em relação a seus colegas, um padecimento emocional que o deixava cambaleante. Esses desafios lançaram-no em uma revolta contra as tradições segundo as quais fora criado, o que originou um conflito tenso com sua família, em especial com sua mãe religiosa. Contudo, o jovem Carnagie logo encontrou alívio e uma forte dose de amor-próprio quando se dedicou à oratória. Ele descobriu em si um talento para se dirigir aos outros e convencê-los, e o sucesso nessa popular atividade universitária acabou por transformá-lo em um dos alunos mais respeitados no campus. Além disso, sua dedicação a uma versão progressista da oratória – com ênfase em comunicação, no estilo parecido com o de uma conversa e na expressão da personalidade, em vez do discurso antiquado, teatral – estabeleceu as bases de sua futura carreira. Livrando-se de boa parte da tradição cultural do século XIX que carregava, e imbuído de um novo senso de valor próprio, o jovem Carnagie deu outro passo importante em sua jornada para o sucesso. A remodelação de sua própria visão de mundo tornou-se a base para convencer os outros a fazer o mesmo.

Em 1904, quando a família Carnagey chegou a Warrensburg, encontrou uma cidade modesta, com cerca de cinco mil habitantes aninhados em meio às colinas onduladas na extremidade oeste dos montes Ozark, quando estes começam a diminuir de tamanho na aproximação da planície do Kansas. Sede do governo de Johnson County, a cidade fica no centro-oeste do Missouri, a cerca de cem quilômetros de Kansas City. Fundada na década de 1830, Warrensburg viveu um surto econômico em 1864, quando a Ferrovia Missouri Pacific estabeleceu um depósito ali. Na virada do século, tornara-se uma típica cidadezinha próspera do Meio-Oeste. Tinha diversas igrejas, que representavam todas as denominações protestantes, um elevador de grãos e um moinho de trigo, uma fundição, um pequeno lanifício, três hotéis, vários bancos, uma biblioteca, dois jornais e pequenos comerciantes de todos os tipos.[42]

Mas sua atração principal, e motivo de os Carnagey terem se mudado para lá, era a faculdade. A State Normal School, em Warrensburg, fundada em 1871 – era uma das duas, no estado, dedicadas ao treinamento de professores para o nascente sistema público de escolas primárias e secundárias –, e no fim da década era muito procurada. Os alunos não pagavam mensalidade, mas, em troca, era esperado que assumissem uma colocação de professor no Missouri após a graduação. No outono de 1904, os cerca de oitocentos alunos, mais os quarenta professores, encontravam-se para as aulas em um campus compacto, formado por diversos prédios grandes de arenito, construídos no estilo lombardo-veneziano da arquitetura vitoriana. Um lago grande e um campo de atletismo aberto acrescentavam características físicas atraentes ao campus.[43]

A State Normal School descrevia sua missão de contribuir para uma "cidadania educada" no Missouri a partir do treinamento de professores qualificados para as escolas públicas. Ela atraía alunos de todo o estado, principalmente das áreas rurais na região agrícola central e de Kansas City. No início do século XX, como era típico na maioria das escolas normais dessa época, calouros e segundanistas tinham aulas a um nível que equivaleria, hoje, ao segundo e terceiro anos do Ensino Médio, enquanto alunos do terceiro e quarto anos estudavam o equivalente aos dois primeiros anos de uma faculdade moderna. Estudantes que buscavam o curso fundamental, como Carnagie, graduavam-se com o Certificado Regents, enquanto alunos mais avançados recebiam o grau de Bacharel em Pedagogia. Normalmente, os estudantes passavam por uma variedade de cursos em Retórica, Matemática, Psicologia,

História, Literatura e Ciências durante os primeiros dois anos, seguidos por cursos eletivos mais avançados e doses cada vez maiores de treinamento como professor nos dois anos finais. Ao fornecer educação completa para os futuros professores, e então distribuí-los pelo estado, a escola direcionava seus esforços "com o bem-estar geral em vista".[44]

Na primavera de 1904, James e Amanda Carnagey se estabeleceram a cerca de cinco quilômetros de Warrensburg. Haviam adquirido uma fazenda pequena, que tinha a tradicional casa de dois andares em madeira, celeiro e várias outras dependências. James retomou sua incessante luta para tirar o sustento da terra, como fizera nos anos anteriores, plantando diversas culturas e criando animais, enquanto Amanda cuidava da casa e se envolvia com atividades na igreja local. Mas o motivo pelo qual o casal decidira sair de Maryville era oferecer uma oportunidade de boa educação para seus filhos, e, naquele outono, os dois garotos foram matriculados na faculdade. Cifton era um aluno indiferente, mas Dale ficou encantado por estar em um campus universitário. Aquilo ampliava muito sua visão de mundo e satisfazia um anseio por novas experiências que o jovem isolado apenas vislumbrara através dos livros de sua mãe e das conversas com o professor Sowder. Seus estudos superiores de ciências, história e literatura o levaram a patamares intelectuais muito além daqueles que encontrara nas escolas rurais e nas aulas de catecismo nas igrejinhas de sua adolescência. A faculdade mudou a trajetória de sua vida e, em suas próprias palavras "alterou minha visão e ampliou meus horizontes".[45]

Ao mesmo tempo, contudo, a vida universitária consistia uma severa provação para o garoto da fazenda. Ela fornecia um ritual diário de humilhação com raízes no antigo problema da família: pobreza. Apenas um punhado de alunos não dispunha dos modestos recursos necessários para custear alojamento e alimentação em Warrensburg, e Carnagie era um deles. Ele tinha que cavalgar até o campus, todas as manhãs, para ir à aula. Um problema óbvio emergiu – o que fazer com o animal durante o dia e como alimentá-lo? Então o jovem descobriu um homem que possuía um celeiro e estábulo com vaga, perto da faculdade, para onde, toda semana, James levava grãos e feno a serem usados por seu filho para alimentar o cavalo. À tarde, após as aulas, Dale cavalgava de volta para casa. Na fazenda, Dale vestia seu macacão, ordenhava as vacas, cortava lenha, dava lavagem aos porcos e, então, estudava até tarde da noite, à luz de uma lamparina. Era impossível esconder dos colegas seu transporte equino e sua agenda rústica, e a zombaria dos alunos mais sofisticados logo passou a lhe causar grande constrangimento. Ele começou a se ver como um pária social e, como diria anos mais tarde, a desenvolver "um complexo de inferioridade".[46]

Uma questão, em particular, incorporava a ansiedade social do garoto. "Acima de tudo, eu tinha vergonha das minhas roupas", confessou ele. "Eu estava crescendo rapidamente. Quando ganhei minhas roupas, eram grandes demais – então ficaram do tamanho certo por vários meses, até que se tornaram muito pequenas". Suas roupas não apenas lhe caíam mal, mas eram surradas – costuradas em casa, em tecidos puídos e cores desbotadas pelo uso, e até com alguns remendos. Para um jovem do campo que tentava se adequar a um campus universitário que considerava a epítome da sofisticação e do conhecimento, a situação abriu em Dale uma ferida psicológica. Ele se sentia tão constrangido por sua roupa que ir até a frente da classe para fazer exercícios no quadro-negro era mortificante. "Não consigo pensar no problema [proposto]", soltou ele para sua mãe, a certa altura. "Só tenho consciência do fato de que minhas roupas não são adequadas e que os outros alunos riem nas minhas costas". Amanda irrompeu em lágrimas ao ouvir isso. "Oh, Dale, como eu queria que nós pudéssemos lhe dar roupas melhores, mas simplesmente não podemos!", lamentou-se ela. O choro da mãe, por sua vez, encheu o filho de remorso por "eu ser cruel sem intenção".[47]

A crescente atração pelas moças aumentou a sensibilidade aguda de Carnagie quanto a sua inadequação. Após se adequar ao cotidiano da State Normal School, ele começou a reparar na quantidade de colegas bonitas e inteligentes nas aulas e convidou algumas delas para sair. Uma longa série de rejeições se seguiu. "Eu me lembro de uma garota chamada Patsy Thurber", contou ele, magoado. "Eu a convidei para andar de charrete comigo, mas ela não quis. E algumas das outras garotas da cidade também me rejeitaram." Cada rejeição não apenas reforçava seu sentimento de inferioridade, mas o deixava mais tímido na hora de conversar com suas colegas. Logo sua ansiedade se tornou obsessiva. "Sentia medo de que nenhuma garota quisesse, jamais, se casar comigo", explicou ele depois. "Eu me preocupava com o que diria para minha esposa logo depois de nos casarmos. Eu imaginava que nos casaríamos em alguma igreja rural, e que depois pegaríamos uma carruagem coberta para voltar à fazenda. Mas como eu conseguiria manter uma conversa durante o percurso de volta para casa? Como? Como? Ponderei sobre esse problema seríssimo durante muitas horas enquanto andava atrás do arado". Para um garoto que se debatia em sua angústia adolescente, as rejeições românticas faziam a vida parecer sem graça.[48]

Enquanto as pressões sociais minavam sua autoconfiança, Carnagie passou por uma provação intelectual de igual magnitude, que ameaçou as bases de sua formação pessoal. Quando avançava pelo currículo da State Normal School, ele sofreu uma crise de fé religiosa. Seus estudos questionavam a doutrina protestante tradicional segundo a qual Dale fora criado, e lançava novas e pouco lisonjeiras luzes sobre as firmes crenças religiosas da mãe. Anos mais tarde, ele descreveria como a visão de mundo adquirida em sua meninice começou a desmoronar a sua volta:

> Eu estudava biologia, ciências, filosofia e religiões comparadas. Eu li livros sobre como a Bíblia foi escrita. Comecei a questionar muitas de suas afirmações. Comecei a duvidar de muitas das doutrinas estritas ensinadas pelos pregadores daquela época. Fiquei aturdido... Eu não sabia em que acreditar. Não via mais propósito em minha vida. Parei de rezar. Tornei-me agnóstico. Comecei a acreditar que a vida não tinha um plano, nem objetivos. Eu acreditava que os seres humanos não tinham um propósito mais divino do que os dinossauros, que andaram pela terra há duzentos milhões de anos. Senti que algum dia a raça humana pereceria – assim como aconteceu com os dinossauros... Eu zombava da ideia de que um Deus benévolo criara o homem à sua semelhança.[49]

Na época em que se formou, a oposição de Carnagie à religião tradicional tornara-se tão forte que ele começou a proclamá-la abertamente para sua mãe horrorizada. Quando Amanda fez objeções ao teatro, por exemplo, ele respondeu debochando: "Aposto que as peças de Shakespeare e o romance *Ben Hur*, de Lew Wallace, ensinaram mais lições e tocaram mais vidas do que as pregações dos evangelistas que você menciona". Quando Amanda denunciava a dança como um caminho para a danação, seu filho já quase não conseguia esconder o desdém. "Se existir um lugar do qual vão me manter fora, depois da morte, porque eu dancei e fui ao teatro, sou sincero quando digo que prefiro ser deixado de fora, pois nunca me sentiria feliz convivendo com pessoas de tal mentalidade", declarou ele. "Não fazem isso no meu Céu". A igreja enquanto instituição estava cem anos atrás de sua época, insistia então o jovem Carnagie, e suas políticas tacanhas não apenas afastavam os jovens, mas eram "absurdas demais para serem aceitas por qualquer pessoa inteligente". Ele declarou, indignado: "A maioria dessas leis divinas que ouvimos tanto foram feitas por algum bobalhão ignorante, e depois atribuídas a Deus".[50]

Abalado pela rejeição social e debatendo-se em dúvidas intelectuais, Carnagie procurava uma saída. Ele queria, desesperadamente, superar o estigma da pobreza e direcionar sua agitação intelectual para uma ação positiva. Irritado pela incerteza, ele procurava algo para fazer que superasse seu complexo de inferioridade e com o que conseguisse sucesso. Em suas próprias palavras, "eu olhava em redor, inconscientemente, buscando uma compensação para minha vida, fosse porque minhas roupas não serviam, fosse porque as garotas me rejeitavam, fosse pelo fato de que eu vivia em uma fazenda. Eu estava determinado a me colocar no mapa". No fundo, ele também buscava conquistar o respeito de seus colegas, para provar que "eu sou tão bom quanto eles".[51]

Inesperadamente, ele recebeu uma carga de energia inspiradora. Dois palestrantes que visitaram a escola tocaram a alma daquele jovem que buscava seu caminho no mundo e encontrar a si mesmo. Uma noite, ele foi assistir a um palestrante Chautauqua na faculdade – Carnagie descreveu-o, com admiração, como "alguém que viaja de trem, mora em hotéis, veste camisas brancas e tudo o mais" –, que contou a história de um garoto que trabalhava como zelador para pagar sua faculdade, tinha vergonha de suas roupas e não conseguia ganhar dinheiro suficiente para levar uma garota a um encontro digno. Após detalhar aquela história triste por quinze minutos, ele declarou: "Aquele garoto está diante de vocês agora!" Pouco tempo depois, Carnagie assistiu a outra palestra, do vice-presidente da Ferrovia Chicago e Alton, que descreveu sua ascensão à notoriedade após começar como humilde auxiliar de maquinista. Dale ficou fascinado por essas histórias de oportunidades no mundo real. Antes ele acreditava que "você tem que ser filho de alguém rico para chegar ao topo, e que um garoto pobre não tinha muita chance". Mas agora ele se via tomado por uma onda de coragem e esperança que vinha daqueles dois oradores. "Sentia que, se o primeiro havia conseguido sair da pobreza e ganhar a vida com a oratória, eu poderia fazer o mesmo", explicou ele. "O segundo me garantiu que a pobreza inicial não impedia um homem determinado de alcançar o topo."[52]

Inflamado por essa visão de um futuro mais brilhante, Carnagie teve uma epifania. Muitos dos estudantes populares na faculdade, é claro, eram jogadores de futebol, beisebol e basquete, e o garoto do campo admitia não ter nem habilidade nem gosto por esportes. Mas então ele reparou em algo:

> Olhei ao redor, e vi que os homens que ganhavam os concursos de debate e oratória eram tidos como os líderes intelectuais da faculdade. Eles ficavam sob os holofotes; eles se levantavam e falavam para uma plateia de mil pessoas. Todos os conheciam! Todos sabiam seus nomes! Apontavam para eles quando caminhavam pelo campus. Eu disse "talvez eu possa fazer isso", porque minha mãe me levara para os encontros dominicais, nos quais eu lia sermões, e eu participava de espetáculos [teatrais] amadores. Eu descobri que, pelo menos, podia me levantar e falar com um pouco mais de vitalidade e entusiasmo do que o orador médio.

Então, Carnagie se lançou para a frente agarrando o legado mais feliz de sua infância – seu jeito com a palavra falada – e o colocou no centro de seus esforços. Falar em público tornou-se seu meio de acesso à respeitabilidade e ao sucesso.[53]

Mas ele teve que lutar bravamente em sua busca de redenção através da oratória. Havia diversas competições anuais, muito disputadas, em todo o campus – um concurso de debates, outro de declamações e ainda um de oratória geral –, mas entrar nelas não era fácil. Nessa época, em que as fraternidades sociais estavam começando a aparecer, as "sociedades literárias" dominavam o mapa social da State Normal School. Seis delas eram reconhecidas oficialmente: a Athenian, a Baconian, e a Irving para rapazes; e a Campbell, a Osborne e a Periclean para moças. Controladas pelo corpo discente e supervisionadas pelo chefe do Departamento de Expressão, as sociedades tinham cada uma seu próprio salão e programavam uma série regular de eventos, que incluíam leituras, discursos, debates e canto coral. A cada ano as sociedades literárias também organizavam os vários concursos de oratória, debate e declamação no campus. Para ganhar os prêmios da faculdade, um estudante tinha primeiro que emergir como vitorioso desse sexteto de organizações, uma tarefa difícil para um aluno relativamente sem orientação nem experiência como Carnagie.[54]

Ele ingressou na Sociedade Literária Irving, assim nomeada em homenagem ao popular escritor *knickerbocker*, do início do século XIX, Washington Irving. Os Irvings davam valor à forte camaradagem em seu grupo e suas invejáveis conquistas, como descreveram orgulhosamente em *The Rhetor*, o anuário da State Normal School: "Irving! Que sugestão de força, coragem, perseverança, paciência, resistência!" Durante seus dois primeiros anos na faculdade, Carnagie entrou nas competições de oratória dentro dos Irvings, na esperança de sair como seu representante nos concursos do campus. No entanto, fracassou terrivelmente. Somados às suas frustrações sociais, esses contratempos foram terrivelmente desencorajadores e o deixaram taciturno. Sua derrota, em 1906, foi especialmente devastadora. "Fiquei tão abatido, tão desiludido, tão desanimado, que pensei, literalmente, em suicídio", recordou-se muitos anos depois. "Parece bobagem? Não quando se tem dezessete ou dezoito anos e se sofre de um complexo de inferioridade!"[55]

Pressão adicional veio do fato de que a State Normal School nutria uma tradição de excelência em oratória. A palavra falada era altamente valorizada entre esses futuros professores, e estudantes competiam para obter distinção participando em grande número das competições. Um observador afirmou que em Warrensburg "a oratória era mais estimada do que em qualquer outra cidade do estado", e que todos os anos os vencedores "eram carregados nos ombros da multidão, que fazia fogueiras em sua homenagem". De fato, um dos discursos mais famosos nos EUA durante o século XIX aconteceu nessa cidade. Em 1869, o advogado George Vest – que ganharia a eleição para o senado dos EUA, pelo Missouri, dez anos mais tarde – representou um cliente que processava o vizinho, um criador de ovelhas, por haver atirado em seu amado cão de caça, Old Drum (tambor velho). Em sua arenga final, Vest apresentou um eloquente "Tributo ao Cão", que levou o júri às lágrimas e ganhou o caso. Sua famosa expressão, "o melhor amigo do homem", rapidamente entrou no léxico popular. O discurso em si logo foi para as gráficas e se tornou um marco da retórica nos EUA, e milhares de alunos de todo o país se puseram a decorá-lo e recitá-lo em inúmeros concursos de oratória. Esse discurso certamente ficou gravado na mente de Carnagie – trinta anos mais tarde ele o reproduziu em sua coluna de jornal e instou seus leitores a "cortá-lo e colá-lo em seu caderno de recortes".[56]

Aos poucos, contudo, através de seu puro esforço, Carnagie começou a subir na hierarquia da oratória na State Normal School.

Seguiu em frente, de acordo com suas próprias palavras, usando "o exemplo inspirador da minha mãe diante de mim". Decorou uma série de discursos de apelo garantido – não apenas "Tributo ao Cão", mas também "O Garoto Orador da Cidade de Zapata", de Richard Harding Davis, e "A Oração de Gettysburg", de Abraham Lincoln – e praticou fervorosamente a apresentação deles em todos os seus momentos livres. Ele declamava para as árvores e para as pastagens, quando se deslocava a cavalo para a faculdade e ao voltar do campus, e ensaiava fervorosamente enquanto ordenhava as vacas na fazenda da família. Quando terminava suas tarefas vespertinas, Dale subia em um fardo de feno e fazia discursos eloquentes para os animais que se aninhavam para dormir no celeiro. O orador iniciante também criticava outros palestrantes.

Um orador do Alasca, notou ele, frequentemente perdia a plateia quando "não se preocupava em falar nos termos que seu público conhecia". Esse visitante descreveu o Alasca como tendo uma área de um milhão e setecentos mil quilômetros quadrados, com uma população de sessenta e cinco mil habitantes, estatísticas que pouco significam para o espectador médio. Carnagie concluiu que uma abordagem melhor seria dizer que o Alasca tem o mesmo tamanho que Vermont, New Hampshire, Maine, Massachusetts, Rhode Island, Connecticut, Nova York, Nova Jersey, Pensilvânia, Maryland, Carolina do Norte, Carolina do Sul, Geórgia, Flórida, Mississippi e Tennessee juntos, com uma população do tamanho de St. Joseph, Missouri. Os ouvintes, imaginou Dale, teriam entendido imediatamente essa comparação e ficado estupefatos.[57]

A persistência dele logo deu resultado. Os ouvintes começaram a reparar que aquele garoto rústico, malvestido, mesmo apresentando uma peça idêntica à de seus concorrentes, "conseguia recitá-la com mais paixão e empatia do que qualquer outro". Para sua satisfação, Dale finalmente ganhou a competição interna da Sociedade Literária Irving e pôde, então, disputar os concursos da faculdade. Em 1907, ele foi o vencedor do concurso de declamação, que incluía decorar um texto literário e interpretá-lo diante de uma plateia. No ano seguinte, ele ganhou o concurso de debates. Igualmente gratificante para seu amor-próprio, na esteira desses sucessos, outros alunos começaram a procurá-lo para obter dicas e treinamento. Durante seu último ano na faculdade, Carnagie ganhou o concurso de debates, enquanto um de seus orientandos conquistou a competição de oratória e outro, o de declamações. Com a fama conquistada por esses triunfos, ele se pôs a escrever textos próprios, que apresentava em igrejas no campo e reuniões sociais de sua região. Com um sentimento renovado de autoconfiança, ele confessou: "Eu ficava entusiasmado de aparecer diante de plateias e decidi, a partir de então, que ganharia a vida fazendo isso".[58]

O sucesso como orador também mudou a vida social de Dale. O caipira constrangido, malvestido, que fora objeto de deboche e pena pouco tempo atrás, tornava-se, então, um homem importante no campus. Em 1907, os colegas o elegeram vice-presidente da turma do segundo ano e ele foi homenageado no anuário com este verso irônico: "Nosso Vice-Presidente, Carnagey, vai ficar famoso / pois faz todos nós pensarmos que ao declamar é vitorioso". Outro sinal de uma reputação ascendente veio quando seus colegas de classe começaram a provocá-lo devido a seu entusiasmo, um traço então característico que, às vezes, era exagerado.[59]

O ano seguinte lhe trouxe mais consagração quando a Sociedade Literária Irving o exibiu como exemplo de sua excelência organizacional. "O Sr. Carnagey tem lutado por honras desde que entrou nesta instituição – não só para si, mas para a Sociedade – e, embora ainda em seu terceiro ano, já teve sucesso ao conquistar o primeiro lugar em dois concursos; ano passado em declamação e este ano em debate", escreveram orgulhosamente em uma publicação da faculdade. No *Rhetor* de 1908, ele foi proclamado um dos "Astros Juniores" da turma: "Dale Carnagey – Debatedor Vencedor". Ele também se tornou alvo de brincadeiras sarcásticas de alguns colegas. Sob o título "Conjecturas", o jornal *The Rhetor* ponderou: "Qual será o próximo esquema de Dale Carnagey para manipular os professores e conseguir um dia livre". O jornal o nomeou membro do irônico Comitê Sempre Ativo de Investigações e debochou de sua autoconfiança em uma seção intitulada "Companheiros Constantes... Dale Carnagey 'Egoísmo'". O momento mais profético, contudo, apareceu na lista com os nomes dos membros da classe, que vinham acompanhados de um dito característico: "Dale Carnagey.. 'Vou me sentar agora, mas chegará o momento em que você vai me escutar'". Talvez o mais gratificante para aquele adolescente, como ele mesmo admitiu em uma entrevista muitos anos mais tarde, foi que "as garotas começaram falar elogiosamente daquele jovem Carnagey e de seu talento".[60]

Mas seu sucesso tinha outras explicações. Se a ascensão de Dale Carnagie como astro da oratória na State Normal School vinha, originalmente, de suas necessidades emocionais pessoais e da determinação para vencer, isso também tinha raízes mais profundas. Sua vitória particular, na verdade, refletiu uma importante tendência na educação pública americana que, ao lado de outros eventos, apressou o colapso da cultura vitoriana tradicional.

Na virada do século, como observou o historiador Daniel Boorstin, a oratória americana continuava dominada por um padrão formal existente desde o início do século XIX. A popular série *McGuffey Reader*, por exemplo, que apareceu na década de 1830 e deu forma à educação por várias gerações, ensinava a meninos e meninas o método correto de "leitura como exercício retórico" e delineava as regras para apresentação oral com relação a "Articulação, Inflexão, Pronúncia, Ênfase, Modulação e Pausas Poéticas". O domínio dessas regras da declamação formal ajudava a determinar a progressão pelas séries do Ensino Fundamental, ao mesmo tempo em que universidades enfatizavam retórica, expressão e oratória como disciplinas essenciais e utilizavam os modelos clássicos de Cícero e Horácio. A tradição de "grandes discursos com estilo bombástico", como Boorstin os classificou, era dominante nessa importante área do discurso público.[61]

O jovem Dale Carnagie*, contudo, entrou na faculdade precisamente no momento efêmero em que a tradição oratória perdia sua força. Nos primeiros anos do novo século crescia significativamente o interesse educacional por reformular o ensino e a prática tradicional da retórica. Críticos do formalismo vitoriano estavam começando a substituir a antiquada "oratória" por um modelo novo de "falar em público", iniciando, assim, uma revolução que, ao longo das próximas décadas, estabeleceria um tom conversacional, uma atmosfera tranquila entre palestrante e público, e um discurso aberto, honesto, como chave para uma comunicação eficaz. Mais tarde, Carnagie se tornaria um importante ator nesse processo, mas, durante seus anos de faculdade, no início do século XX, ele entrou na arena quando começavam os primeiros estágios dessa transição. Muitas das antigas regras de gestualidade, respiração e inflexão continuavam sendo ensinadas aos alunos, mas professores de "expressão" e retórica também importavam novos elementos, com o objetivo de relaxar algumas das antigas amarras e imposições. Na linha de frente dessa cruzada revisionista estavam os discípulos de um professor europeu de fala e atuação.[62]

---

* (N. E.) Dale àquela época ainda assinava com o sobrenome Carnegey.

O Sistema Delsarte, batizado em homenagem a François Delsarte, teórico francês de música vocal e atuação lírica, surgiu nos Estados Unidos como um método progressista de treinamento em oratória no fim do século XIX. Originalmente, Delsarte propusera uma pseudofilosofia complexa que destacava o entrelaçamento de sons vocais e movimento na expressão dos mais profundos impulsos humanos de mente e alma. Sob a égide de intérpretes americanos, como Steele MacKaye, essa abordagem evoluiu para um sistema de treinamento físico em que gestualidade, mímica e emoção se tornaram canais para a "expressão" humana. Nas décadas de 1880 e 1890, Delsarte se destacava como influência importante em atuação, dança e, o que era importante para o jovem Carnagie, oratória. A prática da "ginástica harmônica" de MacKaye – exercícios físicos projetados para relaxar o corpo e concentrar a força mental da pessoa em elocução, gestualidade e expressão eficaz – tornou-se uma tática pedagógica fundamental. Em certas mãos, o método Delsarte tornou-se uma paródia das boas maneiras do período vitoriano tardio, com uma série altamente artificial de poses afetadas, estatuescas, mecânicas. Para a maior parte dos adeptos de Delsarte, no entanto, essa novidade representava um distanciamento do formalismo vitoriano e de suas amarras. O sistema oferecia diversos princípios novos com potencial libertador: libertar a voz e o corpo de hábitos restritivos e torná-los sensíveis a uma "causa mental" mais profunda; treinar a voz e o corpo para serem sensíveis à expressão espontânea de ideias; encorajar o individualismo; e utilizar a voz e o corpo para uma fala mais "natural", o que significava um tom "de conversa", obtido através de uma técnica estudada.[63]

Assim o Sistema Delsarte serviu de ponte entre o alto formalismo do vitorianismo do século XIX e o realismo com raízes sociais da modernidade do século XX. Dessa forma, ele refletia uma transformação mais ampla na cultura americana. Nessa grande era de mudanças, muitos campos – educação, direito, filosofia, estudos históricos, ideologia política – testemunharam um afastamento semelhante de categorias formais, princípios abstratos, imposições morais e sistemas de pensamento estáticos, imutáveis. Uma sensibilidade nova enfatizava a necessidade de confrontar a realidade social, testar ideias quanto a sua eficácia no mundo real e aceitar a noção de que a verdade acontece a uma ideia, e não reside inerentemente nela. Do "realismo legal" à "educação progressista", ao "pragmatismo filosófico" e à "história progressista", quase todas as áreas da cultura adotaram essa nova coloração instrumentalista. O ensino de oratória adequou-se ao padrão geral. Os delsartianos refletiam uma nascente sensibilidade antiformalista e pós-vitoriana, que tirava a ênfase da técnica e abraçava uma abordagem psicológica que unia corpo e mente.[64]

Na State Normal School, em 1904, assim como em muitas outras instituições educacionais, a influência de Delsarte era palpável. Frederick Abbott, o professor de Expressão Dramática e Artes do Discurso dessa escola, liderava o ataque. Homem diminuto com cabelo espesso e abundante, de presença inspiradora, estudara com F. Townsend Southwick, um dos principais delsartianos dos EUA, na Escola Nova-Iorquina de Expressão, do próprio Southwick, na cidade de Nova York. Abbot passou boa parte da década de 1890 viajando pelos EUA e Canadá como palestrante, e, depois, abraçou a pedagogia, ocupando uma série de cargos de professor nos anos seguintes. Ele chegou à State Normal School em 1905 e, rapidamente, se tornou uma forte influência no desenvolvimento de Carnagie como orador.[65]

Abbott adotava o livro de Southwick, *Elocution and Action* (Elocução e ação) em suas aulas. De fato, Abbott escrevera um texto publicitário para o livro de seu mentor vários anos antes, descrevendo-o como "de acordo com a 'nova elocução'" e relatando que "eu o usei com meus alunos e obtive resultados esplêndidos". Com o texto de Southwick, Dale aprendeu o desprezo por demonstrações exageradas de paixão, um marco vitoriano, e o gosto por "uma base sólida de apresentação conversacional. A emoção genuína encontrará seu próprio veículo, se os canais de expressão estiverem livres". Ele aprendeu que o exagero na técnica resultaria na "perda da espontaneidade, algo mais valioso que elegância ou perfeição mecânica". Aprendeu também a importância de falar devagar, porque, "se tivermos o cuidado de falar assim, não precisaremos gritar nem forçar a voz, mas poderemos usar nosso tom de voz normal, das conversas cotidianas, e continuar perfeitamente tranquilos". Para concluir, aprendeu a ligar as palavras faladas a emoções internas, de modo a "realmente sentir o que você deseja expressar, e expressar somente o que você sentir. Esse é o segredo para se falar com naturalidade".[66]

Dale converteu-se à "nova elocução" de Abbott e Southwick. Ele manteve a postura física do formalismo tradicional, mas buscava uma fala mais natural, em tom de conversa, enquanto apimentava suas apresentações com elementos emocionantes, especialmente entusiasmo. Ele se via como parte de uma revolução na oratória que rejeitava os "fogos de artifício verbais" do século XIX e buscava se "libertar, ser espontâneo, romper minha carapaça de cautela, falar e agir como um ser humano". Dale também mostrava a influência da mãe. Durante a infância, sua mãe o direcionou para um estilo mais natural na apresentação de seus textos nos encontros religiosos. Enquanto outros garotos adotavam movimentos físicos mais floreados ao falar, Amanda "zombava daqueles floreios tolos. Poesia tinha que ser dita com a qualidade adequada, e um discurso com o significado claro e eloquente. E sem gestos extravagantes".[67]

Quando Dale terminou a faculdade e caiu no mundo, sua rejeição ao formalismo na retórica e na elocução estava completa. Em 1912, ele era um incipiente professor de oratória e até os vestígios mais tênues do tradicional empolamento provocavam sua ira. Ele instou a mãe, por exemplo, a abandonar seus planos de enviar uma moça da igreja para ter lições de oratória. "Esses professores de elocução que atuam nas cidadezinhas são piores que nada", alertou Dale. "Não deixe que ninguém a estrague ensinando-lhe lixo." Em outra carta ele enfatizou que aulas de elocução ruins eram piores que nenhuma aula, e argumentou que "um professor ruim, como um médico ruim, pode lhe fazer mal".[68]

A adoção por Carnagie na oratória moderna, com sua tendência prática e ênfase na individualidade e na comunicação, fez com que ele repensasse seu ponto de vista sobre educação superior. Analisando sua experiência na faculdade, escreveu Dale muitos anos depois, ele só conseguia se lembrar de uma frase que ficou gravada em sua mente. Seu professor de História havia lhe dito: "Carnagey, você vai esquecer praticamente tudo que aprendeu aqui; e você deve realmente esquecer, de qualquer modo, porque muito pouco disso tudo é importante. A coisa realmente significativa é o tipo de homem que você está fazendo de si mesmo enquanto aprende isso tudo". Esse se tornou o cerne da visão utilitária de Dale Carnagie, segundo a qual o aprendizado acadêmico – que ele descreveu como um sistema "medieval", que enchia a cabeça dos alunos com fatos inúteis – deveria dar lugar a uma ênfase em desenvolvimento pessoal nos estudos de faculdade. A oratória desempenhara esse papel para ele, oferecendo-lhe confiança e habilidade no trato com pessoas, o que fora "de valor mais prático para mim, pessoal e profissionalmente, do que tudo o mais que eu estudei na faculdade".[69]

Dessa forma, a experiência universitária de Carnagie marcou uma transição crítica em sua vida. Socialmente, ela evidenciou o anseio desesperado de fugir à tradição familiar de pobreza rural e apresentou a possibilidade futura de sucesso. Intelectualmente, essa experiência o convenceu de que a visão de mundo, estreitamente religiosa, de seus pais não era adequada ao dinâmico mundo moderno do início do século XX. Culturalmente, ela o afastou das amarras morais e do formalismo da experiência vitoriana do século XIX. Acima de tudo, a faculdade permitiu um salto qualitativo no amor-próprio desse garoto pobre do campo, conferindo-lhe a noção de que um novo mundo se abria e de que Dale poderia fazer parte dele. Animado por suas realizações em oratória e ávido por sair para a vida, ele sentiu que o sucesso estava a seu alcance. Confiante em suas habilidades e impaciente com seu passado, Dale estava pronto para mudanças ainda maiores.

Uma oportunidade se apresentou em 1908, quando um colega contou a Dale sobre uma possibilidade de ganhar dinheiro que parecia sob medida para suas habilidades verbais. Ele agarrou a chance e fugiu do casulo familiar. Determinado a subir na vida, afastou-se fisicamente centenas de quilômetros. Emocionalmente, ele foi ainda mais longe.

3. Vendendo produtos, vendendo a si mesmo

Em Como Fazer Amigos e Influenciar Pessoas, Dale Carnegie frequentemente fala do mundo das vendas. "Milhares de vendedores arrastam-se pelas calçadas, cansados, desanimados e mal pagos", afirmou ele. "Por quê? Porque estão sempre pensando no que eles querem" e não compreendem as pessoas para quem estão tentando vender. Mas as orientações de seu livro poderiam consertar essa situação. "Inúmeros vendedores aumentaram fortemente suas vendas usando esses princípios. Muitos conseguiram novas contas – contas que antes solicitavam em vão", exclamou Dale. "Os homens ficam frequentemente atônitos com os novos resultados que conseguem. Parece mágica." O primeiro passo era compreender que, nos EUA modernos, descobrir os desejos das pessoas era crucial. Todo mundo tem seus problemas e, "se um vendedor puder nos mostrar como seu serviço ou sua mercadoria nos ajudará a resolvê-los, ele não precisará nos vender nada. Nós vamos comprar". Mas o vendedor habilidoso também sabe que os desejos das pessoas podem ser encorajados e inflados. Como proclamou Carnegie, em uma de suas máximas favoritas, "desperte no outro um desejo ardente. Quem conseguir fazer isso terá o mundo todo a seu lado".[70]

O segundo passo era igualmente importante. Para ter sucesso, vendedores precisam vender a si mesmos além de seus produtos, observou Dale astutamente. Uma grande seção de *Como Fazer Amigos* é dedicada a "Seis Maneiras de Fazer as Pessoas Gostarem de Você" e incluía conselhos sobre "como fazer com que gostem de você instantaneamente". O autor oferece dicas para melhorar no jogo de vendas, como a solicitação de uma "resposta-sim" imediata de um comprador em potencial, que ajudaria a "estabelecer os processos psicológicos... movendo-os na direção afirmativa" e tornando mais provável que ele compre seu produto. Dale até mesmo incluía uma carta para ser usada em promoções de vendas. Ela começava assim: "Será que você se importaria de me ajudar a superar uma dificuldade?" Em seguida, ela perguntava aos clientes quão bem-sucedido o produto fora e se havia algum serviço adicional que se fazia necessário, e, então, encerrava, dizendo: "Se você fizer isso, certamente vou apreciar seu esforço, e irei agradecer-lhe por sua gentileza em me dar essa informação". Dale acrescentou, entre parênteses: "Repare como no último parágrafo [a carta] sussurra 'eu' e grita 'você'". Essas técnicas têm o objetivo de fazer o outro se sentir importante, e também de fazer o vendedor passar uma imagem positiva e atraente de si mesmo para o cliente.[71]

Dale, com sua perspicácia habitual, compreendera uma verdade histórica crucial: os EUA do início do século XX abraçavam um novo tipo de economia, na qual o consumo abundante era a ordem do dia, e os vendedores desempenhavam papel central, facilitando o fluxo de produtos. Mas ele também percebeu que a venda de bens de consumo estava conectada à autorrealização emocional e ao ideal de uma personalidade atraente. Assim como muitos outros temas de seu famoso livro, a proposta de Dale Carnegie era menos o resultado de uma análise sistemática da vida moderna e mais uma consequência de sua própria experiência passada. Com sua carreira na faculdade perto de terminar, o jovem, cansado da pobreza e ansioso por compartilhar da prosperidade ao redor, lançou-se no mundo das vendas. Essa empreitada se mostrou frustrante, mas lhe forneceu ideias e técnicas que se tornaram parte integral de sua famosa mensagem de sucesso. Como ele deixaria claro, anos mais tarde, vender a si mesmo na América moderna da abundância era a chave para realização e progresso.

Na primavera de 1908, Dale Carnagie estava pronto para uma mudança. Após enfrentar uma crise aguda de confiança na faculdade, devido a sua experiência religiosa e a sentimentos de inferioridade social, ele abraçara a oratória como meio de distinção e se transformara em grande debatedor e orador. Ele imaginava terminar seu curso, formar-se e seguir a carreira de professor, com o objetivo a longo prazo – estabelecido em um futuro nebuloso – de tornar-se um orador Chautauqua. Mas Dale permanecia assombrado pelo espectro da pobreza que pairava sobre sua família desde sua infância. Ele não tinha dinheiro, quase não possuía nada e seus pais lutavam para manter a fazenda.

Assim, quando um colega, em uma conversa casual, mencionou uma oportunidade de ganhar dinheiro, Dale mostrou-se receptivo. Frank Sells, um colega da Sociedade Literária Irving, relatou que passara parte do ano anterior vendendo cursos para a Escola Internacional por Correspondência em Denver, Colorado. A empresa pagava a soma principesca de dois dólares por dia para hospedagem e alimentação, enquanto o vendedor embolsava as comissões sobre as vendas que realizasse. Após reparar que um professor iniciante ganhava apenas 60 dólares por mês, quantia garantida apenas pela verba de despesas da Escola por Correspondência, Dale rapidamente calculou a situação mais vantajosa e agiu de acordo.[72]

Entusiasmado, mas ingênuo, ele se candidatou ao emprego de modo bem pouco ortodoxo. Sem perceber que não era adequado pedir emprego por correspondência, ele enviou uma carta – acompanhada de um currículo rudimentar – para a Escola Internacional por Correspondência em Denver, pleiteando uma posição. A empresa decidiu contratar aquele neófito sem vê-lo. Somente mais tarde Dale soube que os diretores da empresa decidiram ignorar seu descaramento porque avaliaram que alguém que ganhara tantos prêmios de oratória deveria ter as qualidades necessárias a um bom vendedor. Exultante, ele terminou seus cursos na primavera, recebeu o Certificado Regents, que comprovava sua graduação no "curso elementar" e o autorizava a lecionar, e preparou-se para sair de casa pela primeira vez aos dezenove anos. Em 23 de maio de 1908, a família o acompanhou até a estação de Warrensburg. Quando ele embarcou no trem, a mãe começou a chorar ao ver seu filho mais novo partir nessa nova aventura. Provavelmente, ela percebeu o caráter definitivo do que o filho mais tarde descreveria como "deixar o ninho familiar para sempre, para experimentar minhas asas no mundo".[73]

A jornada de Dale até Denver foi quase uma paródia da velha

história do garoto do campo chegando à cidade grande. Ele levou consigo cada centavo que possuía – cerca de vinte dólares – em um pequeno saco de pano que sua mãe fizera para ele e que Dale levava pendurado no pescoço, sob a camisa, para, em suas palavras, "que nenhum malandro da cidade me roubasse". Após viajar de trem por um dia e meio, ele conseguiu um quarto barato em uma pensão de Denver, onde ficou acordado durante sua primeira noite, "estarrecido com a maior cidade que já vira... e com medo demais para apagar a luz". Por volta de meia-noite, quando batidas fortes na porta convenceram-no de que ele seria roubado e morto, Dale gritou: "O que você quer?" O vigia da noite gritou de volta: "Apague essa luz!" O mortificado jovem admitiu que: "Eu era, provavelmente, o garoto caipira mais inexperiente a perambular por Denver em muito tempo".[74]

Dale encarava o mundo determinado a vencer. Fotografias dessa época mostram um jovem de estatura modesta, bem-vestido, de terno escuro, camisa com colarinho alto e engomado e gravata borboleta. Seu cabelo, de comprimento médio, era partido no lado e penteado para trás, com um belo topete, num estilo que enfatizava suas feições, o nariz aquilino e as orelhas salientes. Com a cabeça inclinada para a direita e ligeiramente para cima, ele encarava o mundo de modo sério, intenso, um pouco zombeteiro. O jovem Dale tentava projetar um ar de compostura, condizente com um homem do mundo. Ao mesmo tempo, contudo, ele revelava certa fanfarronice com esse ar de confiança mundana. Um fragmento de insegurança escapava por trás da fachada séria do garoto orador com o dom da tagarelice.

De muitas maneiras, a associação de Dale à Escola Internacional por Correspondência era uma combinação perfeita. A motivação que ele tinha de escapar ao histórico familiar de pobreza e subir no mundo refletia perfeitamente a missão da empresa. A EIC fora fundada em 1891, em Scranton, Pensilvânia. Direcionada a indivíduos da classe trabalhadora que buscavam alcançar empregos de mais prestígio, ela oferecia uma variedade de cursos em carreiras práticas, como contabilidade, desenho mecânico, barbearia, embalsamamento, farmácia, corretagem imobiliária, estenografia, escrituração, agrimensura, encanamento, construção, elétrica, engenharia de gás e dezenas de outras. Para tornar as ofertas ainda mais atraentes a uma clientela de meios econômicos modestos, o cliente podia se matricular em um plano parcelado e pagar a taxa ao longo de vários meses. Um anúncio da EIC de 1905 perguntava, dramaticamente: "De que lado da mesa você está? O homem em frente à mesa trabalha com suas mãos e é pago por seu *trabalho*. O homem atrás da mesa trabalha com a cabeça e é pago por seu *conhecimento*."[75]

Em 1910 Dale Carnagie terminou a faculdade e foi trabalhar como vendedor viajante, cobrindo um grande território nas Grandes Planícies.

Os alunos recebiam por correspondência uma série de Papéis de Instrução e Questionamento da EIC, que oferecia exatamente a informação de que precisavam. Cada unidade era acompanhada por um teste que o aluno deveria fazer e devolver à escola, onde corretores, sentados cinco por mesa, conferiam o trabalho. Depois, instrutores mais graduados e diretores avaliavam novamente as respostas. Um estudante progredia conforme seu próprio ritmo através de camadas de informação cada vez mais sofisticadas, até concluir o curso. No início do século XX, cerca de cem mil novos alunos matriculavam-se por ano em mais de trezentos cursos da EIC, emanados das trinta e uma filiais da escola estabelecidas em cidades de todo o país, como Denver. Ávidos por educação prática e mobilidade econômica, hordas de operários – e também alguns auxiliares de escritório – nascidos nos EUA, majoritariamente brancos, procuravam a EIC, vendo-a como uma oportunidade de aperfeiçoamento pessoal.[76]

Mostrando seu entusiasmo característico, Dale correu para seu território de vendas no oeste do Nebraska, ávido por vender aquela promessa de sucesso e, com isso, iniciar sua ascensão social. Ele estabeleceu sua base na cidadezinha de Alliance, e vasculhou o entorno em busca de clientes. Mas, como o jovem logo percebeu, aquele não era um lugar com muitas possibilidades de venda de cursos por correspondência. Em suas palavras, "era uma região seca, estorricada, desolada, onde cavalos selvagens cresciam livres. A maior parte daquilo era tão ruim que os agricultores assentados que moravam ali tinham que batalhar diariamente para conseguirem subsistir da terra seca e arenosa". Mas ele não era de desanimar facilmente. Dale percorreu as lojas na tentativa de vender para seus funcionários cursos de gerenciamento de varejo. Se visse alguém pintando um celeiro na zona rural, ele tentava vender um curso de pintura de placas. Ele passava em oficinas e tentava vender para os mecânicos um curso de engenharia. "Eu dava duro; desesperadamente", escreveu ele. "Eu tinha uma ânsia patética de me dar bem." Apesar dos esforços, contudo, ele quase não vendeu nenhum curso. O desânimo bateu. "Eu era um fiasco", confessou Carnegie. "Os fazendeiros que eu visitava pensavam mais na seca do que em estudar, e antes de comprar meus cursos eles prefeririam pular de um prédio de dez andares – se conseguissem encontrar um prédio alto assim."[77]

Após vários meses, Carnagie aos poucos foi se rendendo ao

desespero. Arrastando-se para seu quarto de hotel todas as noites com o livro de pedidos intocado, ele ficou abatido, depois deprimido porque sua carreira em vendas parecia desmoronar antes mesmo de crescer. "Não importa o quanto eu tentasse", relatou ele, "era só fracasso e desânimo – e aquele era meu primeiro emprego! Eu só queria desistir e voltar para a fazenda, onde tinha a segurança emocional da minha mãe e meu pai, mas sentia vergonha." A situação tornou-se tão desoladora que, após um dia especialmente ruim, ele voltou para seu quarto e se jogou na cama, onde chorou de soluçar devido à má sorte. Suas perspectivas de futuro, que pareciam tão boas pouco tempo atrás, agora pareciam debochar de suas pretensões.[78]

Como se todo esse sofrimento não fosse suficiente, Dale envolveu-se em outra confusão. Quando estava perto de terminar o curso na State Normal School, um professor de biologia, Benjamin L. Seawell, de algum modo convenceu o jovem a participar de um empreendimento de risco em mineração de ouro, com a promessa de grande retorno a partir de um pequeno investimento. Dale e seus pais – com muita confiança no discernimento e na integridade daquele profissional acadêmico –, de algum modo, reuniram cem dólares para investir no empreendimento. Mas a mina de ouro não teve produção e as cartas do jovem para casa iam cheias de perguntas nervosas a respeito dos fundos sumidos: "O que vocês ouviram sobre a mina de ouro? Parece-me que nós deveríamos estar recebendo os resultados... Enviem-me notícias da mina assim que souberem de algo". James Carnagey finalmente conseguiu encontrar Seawell, que se mudara de Warrensburg e assumira um emprego em outra pequena faculdade do Missouri. Em carta a Dale, o professor afirmou que aquele fracasso empresarial não era culpa sua. O empreendimento era legítimo, ele insistiu, e a única razão em que podia pensar para o fracasso em produzir era que "algum nativo dissimulado e criminoso, sem nenhuma outra motivação a não ser conseguir um emprego na prospecção, deve ter adulterado as amostras". Indignado, ele anunciava ainda que "minha consciência está limpa nesse caso". Dale Carnagie não se acalmou, e escreveu, irritado, na frente da carta de Seawell que "Eu não quero mais conversa-fiada. Quero dinheiro vivo dele". O episódio ensinou uma lição sobre como pode ser perigosa a busca por lucros. Dale censurou a si mesmo: "Fico constantemente atônito ao ver como pessoas que têm um dinheirinho suado caem na lábia de bandidos de fala mansa e então pegam e gastam a poupança de uma vida sem falar com o gerente de seu banco". Foi uma lição dura sobre confiança e oscilações do mercado.[79]

Foi então que Dale encontrou uma solução repentina para seus problemas. Viajando por seu território de vendas, ele conheceu um vendedor experiente no hotel de Scottsbluff, Nebraska, com quem começou a conversar. Logo o jovem desanimado começou a contar a história de seu fracasso em vender cursos por correspondência e a lamentar suas perspectivas futuras. Após ouvi-lo, o homem mais velho "deu-me alguns conselhos no que se revelou outro momento decisivo da minha vida", nas palavras de Dale. O vendedor, que trabalhava para a Companhia Nacional de Biscoitos, não mediu as palavras. "Você não tem um emprego de verdade, garoto", disse ele. "É muito difícil vender cursos educativos para esses fazendeiros, funcionários de lojas, plantadores de batata e criadores de gado nesse areal do Nebraska. Você precisa vender alguma coisa que seja necessária, como carne ou comida enlatada. Por que você não arruma um emprego normal? Acredito que um jovem com sua energia e seu entusiasmo teria sucesso se vendesse algo que todo mundo quer." Essa avaliação sincera estimulou Dale a agir, ao mesmo tempo em que as palavras de incentivo foram um bálsamo para sua confiança dilacerada. Ele decidiu vender algo mais tangível e começou a planejar uma incursão a Omaha para conseguir um trabalho mais confiável e lucrativo na efervescente indústria local de carnes.[80]

Ainda que o período de Dale na Escola Internacional por Correspondência possa parecer um desastre, ele lhe ensinou algumas lições importantes e duradouras. Dale absorveu, por exemplo, a definição da missão da EIC de fornecer "educação técnica a homens práticos, e educação prática a homens técnicos".

Essa filosofia utilitária não objetivava instilar ideias abstratas na cabeça do aluno nem desenvolver sua mente em algum sentido amplo, mas, de acordo com o lema da empresa, ajudar o estudante a "colocar o conhecimento obtido em uso prático". Além disso, Dale internalizou a calorosa promoção da ascensão social do indivíduo feita pela EIC, que se refletiu no panfleto Algeresco*, que a instituição enviava a todos os que respondiam aos anúncios ou se matriculavam em um dos cursos da Escola. Intitulado *1001 Histórias de Sucessos*, estava repleto de testemunhos pessoais de alunos que fizeram os cursos por correspondência e, em seguida, galgaram o universo do colarinho branco na América corporativa. Dale pode até ter visto um jornal que começou a ser produzido pelo Departamento de Incentivo da EIC, quando ele estava saindo da empresa. Era intitulado *Ambição: Um Diário de Inspiração à Autoajuda*. Penetrando fundo na visão de mundo dele, a sensibilidade da EIC relativa à inspiração e ao sucesso utilitário ajudaram a criar a base para os cursos de oratória de Dale, e, depois, seu programa de sucesso apresentado no incrível best seller *Como Fazer Amigos e Influenciar Pessoas*.[81]

Ávido por arranjar um emprego de vendas mais rentável e confiável, Dale procurou vagas em uma das três grandes companhias de beneficiamento de carnes em Omaha: Armour, Swift e Cudahy. Em Nebraska, ele conheceu um negociante de animais que estava despachando dois vagões de cavalos selvagens para Omaha e precisava de alguém para dar comida e água aos animais durante a viagem. Em troca, ganharia uma passagem gratuita de trem. Dale aceitou o trabalho, cumpriu a tarefa e chegou a Omaha alguns dias depois. Ao perceber que, na verdade, não sabia como se candidatar a um emprego, passou em uma empresa de ferramentas para fazer uma entrevista e ganhar experiência. Após esse teste, ele tentou a Swift e depois a Cudahy, que rejeitaram sua candidatura a vendedor. No escritório da Armour and Company, contudo, ele encontrou Rufus E. Harris, gerente de vendas, que se mostrou mais simpático. Quando Harris soube do sucesso que aquele candidato tivera como orador na faculdade, ofereceu-lhe um emprego, porque, nas palavras de Dale, "ele pensou que um jovem que conseguia falar melhor do que todo mundo na faculdade podia se tornar um bom vendedor".[82]

---

* (N. T.) Inspirado em Horatio Alger.

Fundada em 1867, em Chicago, por Philip D. Armour e vários de seus irmãos, a Armour and Company se expandiu no fim do século XIX para se tornar uma gigante no processamento de carnes. A empresa se especializara em uma variedade de carnes frescas e enlatadas, e estava na vanguarda do desenvolvimento de vagões refrigerados para o transporte de carcaças e na utilização de subprodutos animais para manufaturar itens como cola, banha, botões, sabão e fertilizante. Na década de 1880, a Armour and Company abriu diversas filiais pelo país que funcionavam como centros de distribuição para auxiliar em vendas, armazenamento e entrega. Em 1897, a empresa criou uma grande fábrica de processamento de carne em Omaha para tirar vantagem dos currais já estabelecidos na cidade, que recebiam gado das Grandes Planícies. Quando Dale ingressou na empresa, no outono de 1908, as instalações da Armour em Omaha cresciam e se tornavam uma das maiores operadoras de processamento de carne do país.[83]

Com um salário de US$ 17,30 por semana mais despesas, e designado para um território de vendas nas *badlands* das Dakotas, um Dale revigorado saiu mais uma vez para vender. Os produtos Armour eram exatamente do tipo que aquele vendedor experiente lhe aconselhara a trabalhar – carne de boi, de porco, banha e sabão, itens fundamentais, que geravam uma demanda contínua de lojas e comerciantes. Se o jovem vendedor mostrava entusiasmo com sua nova posição, seus pais revelaram-se incrédulos. James, que tinha sorte quando conseguia tirar trinta dólares por mês de sua fazenda, ao saber do salário semanal do filho ficou tão estupefato que disse para Amanda que a empresa não poderia manter aquele nível de gastos. Mas os dois ficaram agradecidos quando o filho se mostrou capaz de viver com a verba de despesas e enviar a maior parte de seu salário para casa e ajudá-los a pagar o financiamento da fazenda. Dale, no entanto, sentia que o estímulo para o sucesso vinha mais de uma motivação pessoal do que da benemerência. Ele estava furiosamente determinado a se recuperar de sua primeira e desastrosa incursão em vendas com a EIC. "Eu estava tão desesperado para me dar bem naquele emprego que não deixaria nada me deter", contou ele.[84]

Na verdade, quando Dale se lançou como representante da Armour and Company, ele foi arrebatado por uma explosiva expansão do mercado nos EUA. O período de 1890 a 1920 viu uma mudança significativa na economia, passando de um sistema centrado na produção, de pequenos empreendedores, para o de grandes corporações burocráticas, focado no consumidor. Enquanto o século XX se iniciava, os empreendimentos econômicos giravam cada vez mais em torno de grandes empresas que criavam e distribuíam uma cornucópia de bens de consumo: roupas prontas, comida enlatada, geladeiras, aspiradores de pó, máquinas de lavar, máquinas de costura elétricas, câmeras, toca-discos, brinquedos e jogos e muitos outros. Conforme essa imensa série de itens era produzida pelas fábricas do país, lojas de departamentos, cadeias comerciais e empresas de venda por catálogo espalhavam-se como canais para distribuir esses produtos aos consumidores. Essa nova economia de consumo de massa refletia-se melhor, talvez, no automóvel, especialmente o modelo T de Henry Ford, lançado em 1908, mas muitas outras empresas seguiam a mesma trilha: Singer Manufacturing, Eastman Kodak, National Cash Register, Coca-Cola, Wrigley, American Tobacco, H. J. Heinz, Kellogg e Armour. Essas corporações ampliavam seu alcance econômico pelo interior da nação, distribuindo uma vasta seleção de produtos até ávidos consumidores da classe média.[85]

Em meio ao explosivo crescimento dessa economia de consumo, duas atividades se mostraram especialmente dinâmicas. Primeiro, a publicidade começou a ganhar sua forma moderna. Enquanto a publicidade no século XIX destacava as virtudes práticas de determinado produto – sua força, durabilidade, qualidade, utilidade –, no século XX, a promoção dos bens substituía a utilidade pelo simbolismo emocional. A publicidade moderna cada vez mais vendia a ideia de que produtos comerciais podiam trazer aprimoramento pessoal, satisfação particular e felicidade. Ela ganhou forma como uma espécie de terapia comercial que prometia uma série de realizações pessoais: fantasias de brincadeiras e diversões, encontros românticos, demonstrações de status social, emblemas de progresso e sofisticação. Anúncios de vestidos e jaquetas, desodorante e xampu, cigarros e tacos de golfe, aspiradores de pó e geladeiras, automóveis e mesas de sinuca mudavam seu apelo da satisfação de necessidades práticas para a satisfação de desejos pessoais. Eles prometiam uma vida melhor.[86]

Em segundo lugar, o trabalho de vendedor aparecia como atividade-chave para levar os bens de consumo dos fabricantes até os varejistas e, finalmente, às hordas de cidadãos comuns das classes médias e trabalhadoras que estavam ansiosos por desfrutar dessa abundância. No século XIX vendedores solitários viajavam pelo interior como ambulantes, mascates e caixeiros-viajantes que levavam uma seleção limitada de produtos a pequenos grupos de compradores em lojas de cidadezinhas e assentamentos rurais. Mas, no início do século XX, grandes empresas de manufatura começaram a organizar dezenas e até mesmo centenas de vendedores para criar sistemas elaborados e rotas planejadas, nas quais os consumidores finais eram o alvo, com um rastro de papéis de recibos e relatórios de vendas acompanhando cada movimento desse exército de vendas. "O nascimento do vendedor moderno ocorreu nas décadas próximas à virada de século", escreveu Walter A. Friedman, principal historiador do assunto. "O país era encarado por esses pioneiros das vendas modernas como se fosse constituído por 'territórios de vendas'. Os cidadãos não eram siderúrgicos, bancários ou donas de casa, mas 'clientes em potencial'". Psicólogos, economistas e recém-surgidos especialistas em marketing estudavam e refinavam a racionalização burocrática da arte de vender. Essa atividade fez surgirem os jornais de comércio – *Salesmanship*, em 1903, *Salesman*, em 1909, e *Salesmanship: Devoted do Success in Selling*, em 1915 –, que discutiam novas questões e tendências nesse campo. A profissionalização da área de vendas era intrínseca à expansão mais ampla de uma economia corporativa de consumo. Friedman concluiu que "A 'mão visível' da gerência... não poderia ter sucesso em muitas empresas sem o 'aperto de mão visível' de uma equipe de vendedores na estrada".[87]

Dale Carnegie lançou-se resoluto em sua missão de vender produtos Armour como parte dessa grande revolução de vendas do início do século XX. Ele descobriu que a vida na estrada era repleta de desafios. Trabalhando em seu território, em Dakota do Sul, ele rapidamente percebeu que o clima no norte das Grandes Planícies podia deter e exaurir até o vendedor viajante mais destemido. Nos meses de inverno, o frio era intenso, implacável. As cartas que ele enviava para casa entre dezembro e fevereiro eram repletas de observações sobre suas dificuldades: "A neve me prendeu aqui hoje, e provavelmente amanhã vai ser igual"; "Fui caçar lobo no sábado passado e tive que me arrastar com neve pelo joelho". Em janeiro de 1909, uma tempestade de neve o deixou preso em um hotel de Pierre, Dakota do Sul, durante vários dias. Após ler todos os livros e revistas disponíveis e enlouquecer de tédio, ele finalmente decidiu caminhar até a estação de trem em meio à nevasca feroz e planejar sua fuga. O funcionário do hotel aconselhou-o a não ir, informando que a temperatura era de trinta graus Celsius negativos, e que "eu não conseguiria ver minhas mãos diante de mim e que eu poderia sair da calçada e me perder, ficar andando em círculos e morrer congelado". Dale aventurou-se fora do hotel assim mesmo e sofreu as consequências: os diminutos vasos sanguíneos de suas orelhas se congelaram. "Até hoje eu ando pela rua cobrindo as orelhas com as mãos, mesmo em dias que outras pessoas não julgam desconfortáveis", contou ele mais de quarenta anos depois.[88]

No extremo oposto, grande parte dos verões podia ter temperaturas insuportavelmente altas e secas. "Estamos com um tempo terrivelmente quente aqui – 40 graus à sombra", escreveu ele para sua mãe em agosto de 1909. "[alguém que] passar um ano nas Dakotas vai achar o bom e velho Missouri uma maravilha". Mas Dale não permitiu que o clima o afetasse. "Eu era ambicioso", observou ele. "Alguns dos outros vendedores naquele território não saíam para trabalhar nos dias escaldantes de verão, quando a temperatura passava os 35 graus, nem nos dias mais frios do inverno, quando caía a menos de quinze graus negativos. Os extremos do clima nunca impediam de sair se houvesse a possibilidade de fazer uma venda ou pegar um trem para a próxima cidade."[89]

Dale também aprendeu que o transporte podia ser problemático quando lutava para alcançar cidades distantes nessa região imensa. Havia apenas um trem de passageiros regular que viajava durante a noite. Mas "açougues e mercearias não ficavam abertos à noite, de modo que o trem noturno não servia para mim", explicou ele. "Então eu viajava no vagão de um trem [diurno] de carga, e, enquanto o trem era carregado ou descarregado, eu percorria os açougues da cidade para vender carne bovina e suína fresca, e as mercearias para vender carne enlatada, queijo e banha." Dale tinha apenas uma ideia aproximada de quanta carga precisava ser carregada ou descarregada, e, assim, por quanto tempo o trem ficaria parado. Frequentemente, ao voltar às pressas à estação, ele se via correndo pela plataforma para pular no vagão que já ganhava velocidade. "É de admirar que eu não tenha caído sob um trem e virado carne moída", disse ele mais tarde.[90]

Dale logo percebeu que a vida de um vendedor viajante no Oeste era geralmente solitária e irregular, marcada pelos dias longos de trabalho, alojamentos rústicos e pelas refeições em horas incertas. Em uma cidade da fronteira, ele teve que se hospedar com outro homem em um mesmo quarto, dividido pelo lençol que o proprietário estendeu sobre um fio, no meio do cômodo. "Não havia privacidade. Sempre que eu me movia o homem do outro lado podia ver as grandes sombras que eu projetava no lençol", disse ele. Dale também sofria de inflamação crônica das mucosas, que foi finalmente aliviada com a retirada de suas amídalas. Mas Dale estava decidido a triunfar apesar de todos esses obstáculos. "Eu estava tão ansioso por me dar bem que as longas horas, as camas desconfortáveis e as refeições que perdia não significavam nada para mim", escreveu ele. "Eu não me importava... aquilo era infinitamente mais fácil do que o trabalho extenuante de capinar e arar na fazenda." Somente de vez em quando ele sucumbia à solidão, como aconteceu em julho de 1910. "Sentado aqui, esperando pelo trem, vou escrever para quem concluí, afinal, ser a melhor amiga que tenho ou jamais terei – minha mãe", confessou.[91]

Conforme Dale foi firmando uma rota regular de vendas pelas lojas de varejos das Badlands, ele conseguiu estabelecer uma base de operações em Pierre, Dakota do Sul. Viajava para cidades como Redfield, Philip, Huron, Wall e Wolsey, mas retornava para passar a maioria dos fins de semana em Pierre, onde podia desfrutar de uma série de atividades sociais com um novo círculo de amigos, a maioria centrada na

Primeira Igreja Batista. Cético quanto à doutrina protestante tradicional depois de estudar na faculdade, ele ia à igreja menos por edificação espiritual e mais como meio de evitar os questionamentos de sua mãe quanto ao estado de sua alma. "Vou tentar usar o plano de perguntar 'o que Jesus quer que eu faça' no meu trabalho", garantiu ele para a mãe em uma carta para casa. "Ler suas cartas me faz querer melhorar." "Não estou lendo a Bíblia tanto quanto deveria", confessou ele a certa altura, antes de acrescentar "vou à Escola Dominical sempre e nunca penso em faltar". Em cartas para casa ele descrevia com entusiasmo os numerosos encontros promovidos pela "turma de jovens senhoras e senhores da Escola Dominical". Dale contou que, em um desses encontros, na casa de uma moça, "pus uma camisa branca, um colete branco e me vesti melhor do que fazia há seis meses". Claramente, a frequência de Dale Carnagie à igreja era mais uma questão de envolvimento social do que de devoção.[92]

Poucas semanas após iniciar o serviço na Armour and Company, Dale tinha estabelecido relações com comerciantes, aplicado sua determinação ética ao trabalho e montado uma acolhedora rede de amizades. Sua carreira em vendas começou a vicejar. As cartas para casa estavam repletas de relatos de trabalho duro e seu sentimento de "grande cansaço" ao fim dos dias de labuta. Mas também estavam cheias de registros orgulhosos de sucesso nas vendas. No verão de 1909 ele contou para Amanda que "Fiquei em sexto lugar entre 112 vendedores de banha nesta rota, no mês passado". No começo de fevereiro de 1910, ele anunciou que ficara em décimo lugar, em toda a equipe de vendas da Armour, em volume e rentabilidade, e, depois de algumas semanas, em terceiro lugar geral. No verão de 1910, Dale informou à família que "tive ótima sorte esta semana vendendo meus produtos e acredito que os registros me darão o primeiro lugar".[93]

Ainda que esse sucesso pudesse ser atribuído em parte a trabalho árduo e a um bom produto, isso também vinha do aprendizado dos truques do ofício de vendedor. Enquanto viajava para encontrar donos de lojas e comerciantes, Dale compreendeu a necessidade de estabelecer boas relações pessoais e mantê-las para vender sua mercadoria.

O sucesso exigia personalidade agradável, tranquilidade nas reuniões e facilidade para conversar com as pessoas, usando histórias e casos para prender a atenção, além da capacidade de transmitir um entusiasmo contagiante pelo produto. Ajudado por sua experiência de falar em público e por seu entusiasmo natural, Dale tornou-se um eficiente praticante de todas essas habilidades. Ele sentiu que a arte de vender estava em atender o desejo humano, um tópico que muitos psicólogos (e publicitários) começavam a estudar no início do século XX. Um observador diria, anos mais tarde, que *Como Fazer Amigos e Influenciar Pessoas* "alimenta-se, parcialmente, de lições que o autor aprendeu trabalhando como vendedor para a Armour". Sorria, evite discussões, mostre interesse nas pessoas, lembre-se do nome delas, encoraje os outros a falarem de si mesmos, seja um bom ouvinte, incentive e elogie, dramatize suas ideias e faça o outro se sentir importante – todas essas técnicas foram afiadas em cidades poeirentas e lojas movimentadas em Dakota do Sul no começo do século XX.[94]

O sucesso de Dale como vendedor lhe trouxe uma noção nova de segurança financeira e sofisticação, coisas sobre as quais ele ainda tinha que aprender. Com suas vendas na Armour crescendo, ele começou a levar belos cheques para casa, mas, como nunca havia tido dinheiro antes, continuava lamentavelmente ignorante quanto aos rudimentos de finanças pessoais. Em agosto de 1909, ele expôs um problema constrangedor em carta a seus pais:

> Tenho uma pergunta que estou com vergonha de fazer a outras pessoas, então vou fazê-la a vocês. Depositei meus três últimos salários no Banco Nacional do Comércio, em Pierre, onde também coloquei dez dólares da minha conta de despesas... Aqui vai a pergunta. Ao colocar meu dinheiro lá, como eu faço para saber se vou conseguir retirá-lo? Eles me deram um recibo, mas se disserem que não me devem nada não posso fazer nada. Não tenho que apenas confiar na palavra deles, tenho? Por favor respondam.

O jovem inexperiente, com 21 anos, não sabia como os bancos funcionavam.[95]

Em poucos meses, contudo, Dale encarava o mundo armado com um arsenal crescente de conhecimento financeiro e comercial. Ele abriu contas bancárias em Dakota do Sul e no Missouri, onde depositou centenas de dólares, enquanto também aprendia a usar o sistema de recibos de vendas e cartas de crédito utilizado pela Armour and Company. No início de 1910, ele enviou aos pais cheques no valor de 370 dólares para que pagassem a fazenda, e também lhes avisou de outros 200 dólares que pedira para serem depositados no Banco dos Cidadãos. Talvez mais revelador seja seu pedido ao pai para que este assinasse "uma nota por esses 570 dólares, prometendo pagá-la quando assim solicitado, sem juros, e também uma nota promissória sobre aqueles 420 dólares pagos no acerto do imóvel ou algo assim". Ele explicou seu raciocínio: "Ninguém é prejudicado quando fazemos negócios da maneira certa. Aprendi isso quando comecei a trabalhar para uma empresa atacadista". Aí aparece um novo Dale Carnagie – um homem do mundo com entendimento de negócios e um ar de sofisticação, um homem que, confiante, exorcizava o velho fantasma familiar da pobreza.[96]

Apesar de todo seu sucesso como vendedor e do bem-vindo fluxo de dinheiro para seus bolsos, Dale foi ficando cada vez mais inquieto com a venda de carne. Seu coração não estava totalmente no negócio. De muitas maneiras ele continuava sendo um artista frustrado que ansiava fazer algo mais expressivo, um orador hábil que desejava o aplauso da multidão. Em suas cartas para casa falava frequentemente em "voltar para a escola o quanto antes" após trabalhar para "ganhar alguns dólares". Ele frequentava regularmente as reuniões Chautauqua, onde ouviu "coisas muito boas" e palestras como a do ministro batista de Pierre, que viajara pelo mundo e que "falou a noite passada sobre as ilhas do Havaí. Foi simplesmente ótimo". Sempre que possível, Dale fazia suas apresentações públicas. Em fevereiro de 1910, enviou a seus pais uma cópia do programa de uma reunião na igreja batista de Pierre em que recitou um poema de sua própria composição, intitulado "O

Garoto da Escola Dominical". Na conclusão, ele orgulhosamente relatou que "o Superintendente da Escola Dominical e o Presidente da Classe vieram ambos até mim para pedir uma cópia do poema, que imprimiram... Outros disseram que foi a melhor coisa do dia". E acrescentou, brincalhão: "Vocês não sabiam que eu era um poeta, sabiam?" Mais tarde naquele ano, ele apareceu em um espetáculo beneficente da igreja, onde apresentou novamente um de seus poemas e uma cena de *Como Quiseres*, de Shakespeare.[97]

De fato, como Dale admitiu mais tarde, durante toda a sua carreira de vendedor, ele permaneceu "mais interessado em falar em público e em arte dramática". Quando um trem de carga em que ele viajava ficava na estação mais do que o esperado, Dale praticava em voz alta "algumas das declamações de Shakespeare que eu aprendera na faculdade". Certa vez, essa inclinação à oratória iniciou um incidente cômico que quase o meteu em uma enrascada. Ele estava em Redfield, Dakota do Sul, quando seu trem de carga atrasou inesperadamente. Então ele resolveu matar o tempo caminhando pelo pátio de trens e "ensaiando uma cena de *Macbeth*: 'Isto é um punhal que vejo diante de mim? O cabo ao meu alcance? Venha, deixe-me pegá-lo. Eu não o tenho, mas o vejo. Você não é, visão fatal, sensível ao sentimento como é à vista? Ou é apenas um punhal da mente, uma criação falsa, produto de um cérebro oprimido pelo calor?'". Conforme o jovem passava a cena, ele falava alto e enfaticamente, andava de um lado para outro e pontuava suas palavras com gestos grandiosos, dramáticos. De repente, um carro de polícia apareceu e dele saíram quatro policiais, querendo saber o que Dale estava fazendo e por que estava assustando mulheres. Dale respondeu que não sabia do que eles estavam falando. Acontece que Redfield tinha um hospício, e duas mulheres que moravam em uma casa ao lado do pátio de trens chamaram a polícia dizendo que um paciente fugitivo gritava e se debatia por ali. Quando o jovem explicou o que fazia, os policiais não acreditaram nele e exigiram ver alguma identidade. Nas palavras de Dale Carnagie, "eles tinham certeza de que eu era maluco". Somente quando ele mostrou o livro de pedidos da Armour e a carta de crédito os policiais relaxaram. "Fui liberado após ser avisado para andar na linha.

Conforme eu caminhava de volta até meu trem, permaneci consciente dos olhos intrigados e desconfiados dos policiais às minhas costas".[98]

Quando chegou o outono de 1910, sua habilidade como vendedor produzira um sucesso notável. Em sua própria avaliação, seus dois anos na Armour and Company trouxeram-lhe "autoconfiança tremenda, porque peguei um território que estava em 25º lugar dentre 29 rotas rurais saindo de Omaha e levei esse território ao primeiro lugar". Rufus Harris, gerente de vendas da empresa, ficou tão impressionado que recomendou Dale para uma posição gerencial no escritório de vendas em Omaha. Mas o jovem recusou. Seu descontentamento com o negócio da carne crescera e, quando chegou ao fim o outono de 1910, ele tinha elaborado um plano ambicioso. Dale economizara dinheiro suficiente para voltar ao seu primeiro amor – falar em público –, e, assim, decidiu pedir demissão para ir a Boston, onde, em suas palavras "frequentaria uma das escolas de expressão para aprender a interpretar poesia, de modo que pudesse participar do circuito Chautauqua e ganhar a vida interpretando poesias e histórias que eu mesmo escreveria".[99]

Foi naquele momento que Dale teve um encontro fortuito. Seguindo de Blunt a Pierre no último vagão de um trem, ele conheceu o reverendo Russell, palestrante da igreja episcopal que viajava para fazer uma apresentação. Dale contou seu plano de ir para Boston dentro de poucas semanas para se matricular em uma escola de expressão. Mas Russell sugeriu outra coisa. De acordo com Dale, o homem argumentou que "eu conseguiria um treinamento muito melhor se frequentasse a Academia Americana de Artes Dramáticas, em Nova York, a escola dramática mais famosa dos Estados Unidos. Ele disse que ali eu teria o mesmo que encontraria em Boston, mais treinamento para o palco. Decidi ir para Nova York". Foi uma decisão importante que, nas palavras de Dale Carnagie, "mudou o curso da minha vida".[100]

Seus pais ficaram estarrecidos quando Dale lhes contou seus planos, principalmente sua mãe. Ele não apenas estava abandonando um emprego lucrativo, mas queria ingressar no campo moralmente dúbio do teatro. Amanda disse secamente ao filho mais novo que "uma carreira no palco é pecado" e rezou para que Deus o guiasse para a decisão correta. Mas Dale fez uma manobra sutil para conseguir a aprovação da mãe. "Eu prometo que vou rezar pensando nisso e quero que a senhora faça o mesmo. Não quero seguir esse caminho a menos que seja para o meu bem. Estou certo de que farei o que Deus me mostrar em seus desígnios. Esse é um trabalho mais nobre que vender carne", escreveu ele para Amanda. Dale sugeriu que o treinamento dramático podia levar a empreendimentos mais aceitáveis e "eu posso me beneficiar disso em trabalhos acadêmicos". Após várias semanas de debate, contudo, o jovem deu sua cartada final: sua própria felicidade. "Odeio escolher uma profissão contra a sua vontade, mas na hora de escolher uma esposa ou profissão o homem tem que agradar a si mesmo", escreveu ele a Amanda. "Então, eu vou para a Academia Americana de Artes Dramáticas em janeiro." Sua mãe finalmente se resignou com a decisão do filho depois de rezar a Deus para que "Sua vontade, não a dela, seja feita".[101]

Assim, após demitir-se da Armour and Company em novembro de 1910, Dale voltou para passar o Natal em casa com a família. Ele ficou até o Ano-novo para estar com seus pais durante o aniversário de vinte e nove anos de casamento, e pegou o trem para a cidade de Nova York na primeira semana de janeiro. Amanda, embora aceitasse a decisão do filho, percebeu o caráter definitivo dessa escolha e ficou perturbada. "Minha mãe me beijou com lágrimas rolando pelas faces", contou ele. "Ela soluçava e soluçava: 'Oh, Dale, acho que nunca mais vou ver você'". Mas o jovem estava decidido. Ele economizara uma quantia considerável de dinheiro – suficiente para pagar a anuidade de quatrocentos dólares da Academia Americana de Artes Dramáticas e ainda o bastante para se manter economicamente por um ano – e estava confiante em que um futuro brilhante o aguardava. Por vários dias, ele viajou de trem de Kansas City a Nova York, sentado em um banco na classe econômica porque não podia "se dar ao luxo de uma cabine Pullman".[102]

Dale chegou à Estação Penn, em Nova York, à meia-noite de 10 de janeiro de 1911. Foi uma cena clássica tirada da longa tradição de busca do sucesso na cultura americana. Em 1723, Benjamin Franklin pisou no cais da Rua Market e marchou para Filadélfia, sujo e esfarrapado, após gastar suas últimas moedas em "três belos pães macios", dois dos quais carregava debaixo dos braços enquanto devorava o terceiro. Depois de conquistar a principal cidade da América colonial, ele se tornaria o principal ícone de conquista e mobilidade social da jovem república. Em meados do século XIX, os romances de Horatio Alger estavam cheios de exemplos dramáticos de jovens que chegavam à cidade grande para se dar bem. *Ragged Dick, or Street Life in New York* (Dick Esfarrapado, ou a vida nas ruas de Nova York, 1867) mostrava seu protagonista, Richard Hunter, aconselhando um caipira que acabara de chegar a Nova York com uma roupa mal ajustada e um olhar aturdido, após já ter sido aliviado em cinquenta dólares por um vigarista. *Struggling Upward* (Lutando para subir, 1890), também de Alger, acompanhava as aventuras de Luke Larkin, um jovem virtuoso que superava uma crise em sua cidadezinha natal antes de conseguir um emprego respeitável em Wall Street.[103]

Aquele jovem da zona rural do Missouri replicava esse cenário lendário no início do século XX. Chegando de trem no meio da noite, vestindo um terno barato, sujo e amassado, encimado por um chapéu-coco, ele trazia duas malas baratas que carregavam todas as suas posses mundanas e ficou "admirado quando um carregador quis levar minhas malas". Sair da estação para as ruas com iluminação feérica de Nova York deixou-o estupefato. "Eu nunca tinha visto uma cidade que pudesse ser comparada a Nova York. As pessoas apressadas e o barulho na Estação Pennsylvania me assombraram", escreveu ele. "Caminhei pela estação e pelas ruas naquela noite, completamente encantado pelas luzes, pelos sons e pelas pessoas. Eu era o retrato perfeito de um caipira espantado ao ver Manhattan."[104]

Assim Dale Carnagie abandonou o mundo das vendas pelo mundo do teatro. Essa mudança significativa em sua vida, ao mesmo tempo empolgante e assustadora, foi menos definitiva do que parecia. De fato, como o futuro viria a demonstrar, ele esculpiria uma carreira única, influente, que combinava suas habilidades de vendedor com seu talento para expressão pessoal. O resultado seria um papel cultural de grande influência, e um livro que redefiniria o modelo de individualidade na América moderna. Mas, quando Dale apareceu na agitada metrópole de Nova York em 1911, aquele era apenas o começo de uma jornada longa e cheia de reviravoltas.

4. Vá para o Leste, jovem

Dale Carnegie compreendeu melhor que a maioria das pessoas que a apresentação pessoal tornara-se um apoio importante ao sucesso no mundo moderno. Em uma atmosfera em que a imagem pessoal significa tudo, a habilidade de projetar um personagem atraente podia ser a diferença entre realização e fracasso, progresso e estagnação. Refinar a aparência e tentar se mostrar confiante, solícito, carismático, otimista, entusiástico e cativante exigia dedicação e habilidade. E quem demonstrava esses traços melhor do que um ator? A essência desta profissão está em pegar a natureza maleável da individualidade e moldá-la no que o papel exigir. Portanto, não foi por acidente que *Como Fazer Amigos e Influenciar Pessoas* frequentemente destacasse atores e artistas.

Dale disse que técnicas de atuação deveriam ser empregadas para produzir uma impressão determinada nos outros. Influenciar pessoas requer uma atitude agradável, sorridente, que crie uma atmosfera feliz, positiva, é claro, mas e se você não sente vontade de sorrir e ser agradável? Dale sugere a interpretação de um papel: "Aja como se já estivesse feliz, e isso tenderá a torná-lo feliz". Quem busca o sucesso precisa produzir nos outros um forte desejo por seus produtos ou suas ideias, mas e se o produto for intrinsecamente sem graça e seus planos tediosos? Dale proclamou: "Esta é a era da dramatização. Dizer a verdade simplesmente não é o suficiente. A verdade tem que ser tornada vívida, interessante, dramática. Você tem que ser teatral. Os filmes fazem isso. O rádio faz. E você também terá que fazer se quiser atenção".[105]

Carnegie também argumentava que a interação público-plateia fornecia um modelo para relações sociais mais amplas na América moderna. Quem busca o sucesso, assim como o artista, procura divertir, impressionar ou encantar seus clientes ou colegas de trabalho da mesma forma que em uma peça ou um espetáculo. Carnegie observou que Howard Thurston, o mágico mais famoso de sua época, atribuiu seu sucesso a sua habilidade de transmitir sua personalidade e seu amor pelas pessoas. Ele nunca entrou no palco sem repetir "Eu amo minha plateia. Eu amo minha plateia". Carnegie acreditava que o moderno mundo dos negócios tornara-se um palco para esse tipo de apresentação. Ele até recomendava *Showmanship in Business* (Teatralidade nos negócios, 1936), um livro que ilustrava as muitas maneiras com que empresas usavam a força de atração dos artistas para vender seus produtos. De fato, a dinâmica entre artista e plateia penetrou tão profundamente na consciência moderna que, nas palavras famosas de William Shakespeare, "O mundo todo é um palco, onde homens e mulheres são meros atores... E um homem em seu tempo desempenha muitos papéis". Dale reconhecia que uma dinâmica teatral nas relações humanas tornara-se crucial para o progresso moderno e instou seus leitores a serem "bons ouvintes" e a fazerem "o outro se sentir importante". Em sua contundente análise, "Muita gente procura o médico quando tudo de que precisa é um público".[106]

Em parte, o profundo interesse de Dale em atuação e plateias capturava um importante desenvolvimento histórico: o surgimento de uma cultura mais ampla de entretenimento e lazer por volta do início do século XX. Com a erosão contínua da cultura vitoriana entre 1890 e 1910, a antiga tradição de distrações bem-comportadas e edificantes deu lugar a uma nova sensibilidade de energia exuberante, sensualidade desinibida, diversão irreverente e experiências revigorantes. Essa mudança de maré inspirou uma cultura de massa de lazer comercializado – teatro popular, rádio, parques de diversão, eventos esportivos, boates e cinema. Na década de 1930, a cultura do entretenimento tornara-se onipresente e Dale, sempre sensível à cultura popular, incluiu sua influência nas páginas de *Como Fazer Amigos*.[107]

Mas a ênfase de Dale no palco e na dinâmica da interpretação veio mais diretamente do começo de sua vida. Jovem de 22 anos, ele fugiu de sua história familiar religiosa e vitoriana no Meio-Oeste rural. Ele fugiu de simplesmente ganhar dinheiro na nova economia de consumo, embora tivesse se mostrado um mestre nas vendas nos vastos espaços das Grandes Planícies. Ele fugiu dos rincões rurais do Meio-Oeste e das Grandes Planícies para o Leste, para o centro da transformação histórica que estava reforjando a sociedade americana nos moldes dos valores urbanos, comerciais e do lazer. Determinado a se expressar e a entreter os outros, ele se matriculou na escola de teatro.

A chegada emocionante de Dale Carnagie a Nova York, em janeiro de 1911, logo se transformou em um episódio doloroso de aculturação. Sair da Estação Pennsylvania para as luzes brilhantes da maior metrópole da América pela primeira vez foi incrivelmente estimulante, porém aquela sensação começou a enfraquecer quando ele tentou encontrar hospedagem. O homem no guichê de informações da estação lhe disse onde encontrar hotéis baratos, mas o jovem estava totalmente despreparado para o nível de gastos. O primeiro hotel que visitou custava US$ 1,50 por noite, uma quantia que o deixou aturdido. Em Dakota do Sul ele ficava nos melhores hotéis por cinquenta centavos, mas quando mencionava isso os funcionários dos hotéis riam. Finalmente, um recepcionista mais simpático encaminhou-o ao Mills Hotel, onde o jovem esfarrapado finalmente conseguiu se hospedar por cinquenta centavos – em um quarto com vários beliches.[108]

A provação desanimadora continuou na manhã seguinte quando Dale lutou para encontrar uma refeição barata. Depois de muito procurar, ele finalmente descobriu um restaurante pequeno e barato, onde, por quinze centavos, tomou um mingau de fubá, um ovo e uma xícara de café ruim de café da manhã. Essa assustadora introdução à vida urbana assombrou o jovem ambicioso. "Eu vi que meu dinheiro iria desaparecer rapidamente em Nova York, de modo que passei a controlá-lo com mais rigor", observou. "Se ficasse sem dinheiro, não teria para onde me virar. Meu pai não poderia me enviar, pois não tinha."[109]

Mas Carnagie, persistente e ambicioso, estava determinado a alcançar o sucesso no mundo da arte. Então, depois de terminar seu desanimador café da manhã em 11 de janeiro de 1911, ele apareceu na Academia Americana de Artes Dramáticas, localizada no Carnegie Hall (assim chamado em homenagem ao industrial Andrew Carnegie), na Sétima Avenida, entre as ruas 56 e 57 Oeste. Ele foi levado até Franklin

H. Sargent, presidente da instituição, para uma entrevista. De acordo com o relato de Dale, eles conversaram por alguns minutos e o instrutor deu ao candidato a aluno uma tarefa bem incomum para testar sua capacidade: "Imite uma cadeira". Aparentemente, Dale o fez de forma muito convincente, porque foi aceito imediatamente na escola. (Vinte e cinco anos depois, já autor de renome mundial, ele recriou sua imitação de cadeira para uma repórter do *The Saturday Evening Post* e ela descreveu a experiência como "algo fascinante de se ver".) Mas então o jovem cometeu um erro devido a sua inexperiência. Nem ele nem seus pais, é claro, haviam pago por algo em parcelas, de modo que ele pagou, de uma só vez, os quatrocentos dólares da anuidade. Só mais tarde ele ficou sabendo que os alunos pagavam conforme o curso progredia. Assim, Dale iniciou sua carreira de ator na dureza, com apenas algumas centenas de dólares para viver durante todo o ano seguinte.[110]

Um Dale Carnagie sério em Nova York buscando sucesso como ator, vendedor, professor e jornalista.

Mas ele havia escolhido uma instituição de primeira linha. Primeira escola profissional de interpretação dos Estados Unidos, a Academia Americana de Artes Dramáticas foi fundada em 1884 por

Steele MacKaye, o mesmo discípulo americano de Delsarte que criara o modelo moderno de oratória que Dale conhecera na faculdade. Em poucos anos Sargent, um dos seguidores de MacKaye, assumiu a instituição e atuou como seu diretor durante as décadas seguintes. A academia oferecia um rigoroso padrão de treinamento profissional e formaria importantes astros e estrelas do palco e do cinema americanos ao longo do século XX: William Powell, Anne Bancroft, Spencer Tracy, Rosalind Russell, Jason Robards (pai e filho), Grace Kelly, Hume Cronyn, Lauren Bacall, Kirk Douglas, Colleen Dewhurst e Robert Redford, entre dezenas de outros.[111]

Embora Dale tenha tratado sua aceitação pela academia de forma impulsiva, aquela conquista foi mais importante do que ele deixou transparecer ou talvez até do que se deu conta. Na verdade, a instituição não aceitava alunos com base em uma conversa de cinco minutos. Ao contrário, ela fazia uma triagem rigorosa dos candidatos antes de lhes permitir a matrícula. Cada candidato recebia um questionário de admissão com perguntas sobre história pessoal (origem geográfica, educação, ocupações anteriores, idade, saúde) e objetivos próprios (metas, ambições, características pessoais, experiência no teatro). O corpo discente da academia examinava cuidadosamente esses questionários na tentativa de avaliar a capacidade de cada estudante. Eles também testavam os candidatos pedindo-lhes que recitassem ou lessem trechos de peças que conhecessem, e depois que interpretassem sem preparo um roteiro que lhes era dado no momento. Em um texto de 1911 Sargent explicou que os aspirantes a alunos eram "examinados detalhadamente quanto a capacidades dramáticas, selecionados se mostrassem qualificações para a carreira no teatro, severamente desencorajados se não fosse qualificados e cuidadosamente preparados para essa carreira caso se mostrassem promissores".[112]

Ao entrar na academia, Dale encontrou um currículo que fora reformulado na década de 1890 para refletir a determinação de Sargent em profissionalizar o treinamento dos atores. O calendário anual da escola era dividido em dois semestres. O primeiro, que Dale completou no verão de 1911, abrangia os estudos básicos no ofício de ator, como o desenvolvimento do corpo físico e da voz para expressão teatral, além do aprendizado de várias habilidades práticas da técnica teatral. (O segundo semestre, para o qual ele não se matriculou, enfatizava estudos avançados e a produção de peças.) Ele recebeu extensa instrução em articulação de voz, mímica, improvisação, leitura dramática, maquiagem, dança e esgrima, que, acreditava-se, aprimoravam a graça do deslocamento do corpo. Ele também fez o curso de Estudos da Vida, que mandava os alunos andar pelas ruas de Nova York para que observassem gestos, movimentos, estilos linguísticos, sotaques e demonstrações de emoção de uma grande variedade de pessoas a fim de que pudessem recriar representações realistas no palco.[113]

Em outras palavras, o objetivo pedagógico da academia era o treinamento profissional. Em vez de seguir métodos antiquados das companhias de teatro – Sargent as acusava de ser um processo de iniciação aleatório, "medieval", em uma "liga" –, essa instituição moderna buscava aprimorar sistematicamente uma série de talentos expressivos no futuro ator. A academia ensinava atuação como "uma expressão do homem 'completo' – a união de imaginação, mente, sentimento e técnica", segundo resumiu um observador. Em um pronunciamento público, Sargent explicou que a pauta rigorosa de sua escola propunha "experiência condensada, aptidões disciplinadas e um credo artístico estabelecido. Esse treinamento deve conseguir em um ano o que exigiria diversos anos de experiência teatral comum".[114]

Da mesma forma que acontecia com o ensino de oratória, contudo, mudanças culturais mais amplas estavam por trás do currículo. MacKaye, o principal proponente americano de Delsarte, infundira os princípios de seu mentor francês em todas as variadas atividades da escola. Similarmente às revisões à oratória feitas por Delsarte, esse programa de interpretação afastava-se das antigas tradições vitorianas de bom comportamento e decoro artificial. MacKaye buscava uma "ciência do movimento" na atuação que não utilizasse o estoque vitoriano de poses melodramáticas e gestos grandiloquentes. Em vez disso, o ator delsartiano procurava canalizar pensamento, sentimento e emoção através do corpo físico e buscava "produzir maior sinceridade e naturalismo na atuação". As máximas de MacKaye produziriam "um ator mais próximo da vida e eliminariam as poses e a artificialidade observadas com frequência no palco" durante o vitoriano século XIX.[115]

Sargent aprimorou ainda mais esse paradigma moderno. Deixando de lado a transmissão mecânica da emoção, ele enfatizava que "a criação autêntica de expressão só pode se desenvolver a partir de dentro", e assim formar a base para a criação de personagens críveis, envolventes, no palco. O ator precisa buscar recursos emocionais internos, ou o que o *Catálogo Anual* da academia descreveu como "as forças da própria personalidade – a natureza mais interna e mais profunda". Sargent, escrevendo no *New York Dramatic Mirror* na mesma época em que Dale entrou na academia, afirmou que somente através do "desenvolvimento do caráter pessoal... e das forças do temperamento de um indivíduo" um ator conseguiria se elevar a novas alturas de poder e persuasão. Um jornalista que visitou a academia na época percebeu essa motivação central em todas as variadas atividades da escola. Ele notou que os alunos raramente eram instruídos sobre como fazer as coisas, mas eram encorajados a pensar por si mesmos. Na escola "a individualidade é encarada como uma coisa sagrada... os bloqueios foram removidos e ela está livre, pela primeira vez, para se expressar".[116]

Então, ao começar seus estudos Dale Carnagie estava entrando em uma instituição vibrante, inovadora, que ajudava a transformar o mundo teatral americano, uma experiência que se mostrava igualmente arrebatadora e intimidante. Ele alugou um quarto em uma pensão decrépita nas West Forties* e caminhava todas as manhãs para o Carnegie Hall, ao lado de dezenas de aspirantes a atores ambiciosos e talentosos. Edward G. Robinson, que apareceria como um dos maiores astros dos palcos e das telas durante as próximas duas décadas, ingressara na escola no ano anterior, enquanto Dale tinha como colegas de classe Guthrie McClintic, que se tornaria um produtor importante, e Howard Lindsay, que ficaria famoso como dramaturgo em suas colaborações com Russel Crouse como coautor de *Life with Father* (A vida com o pai), *State of the Union* (Estado da união), ganhadora do Prêmio Pulitzer e o libreto de *A Noviça*

---

* (N.T.) Região em Nova York compreendida, a grosso modo, entre as ruas 40-49 na parte Oeste de Manhattan.

Rebelde, entre muitos outros filmes e peças. Às vezes, o regime intenso de treinamento afligia Dale. "A cada dia percebo que entendo menos de atuação", ele escreveu para seus pais no início de abril, admitindo que sofria crises de desânimo. Ele também se preocupava em relação a ganhar a vida no teatro, confessando que "este negócio é, na melhor das hipóteses, um jogo de azar".[117]

Mas Dale respondeu com entusiasmo à pauta pedagógica da academia. O curso de Estudos da Vida, por exemplo, abriu um campo totalmente novo de experiências para o jovem que crescera dentro da homogeneidade do Meio-Oeste rural. "Acabei de voltar de um estudo da vida pelo East Side entre judeus e italianos, depois passeei por Bowery e Chinatown", escreveu Dale para casa em abril. "Gente gritando, matraqueando e vendendo tudo o que vocês possam imaginar. Este é um lugar ótimo para se estudar personagens." Essas excursões levaram-no a estudar a conexão entre as características físicas das pessoas e suas qualidades internas. "Observem o caminhar de pessoas diferentes e vejam como indolência, egoísmo, ambição etc. mostram-se através do caminhar", observou ele. "Comecem a reparar nas linhas no rosto das pessoas... tentem imitar a voz delas. Todo homem é um livro 'onde coisas estranhas podem ser lidas.'"[118]

Dale incorporou a ênfase da academia na autoexpressão como chave para a boa atuação – o que viria a ser interessante para seu trabalho posterior. Quando chegou à escola, o neófito tinha formulado um plano tolo de estudar os atores famosos da época, copiar suas técnicas mais eficazes e então se transformar em uma "combinação brilhante e triunfante de todos eles". Ele descobriu aos poucos, contudo, que simplesmente emprestar as técnicas dos outros violava uma exigência essencial ao ator formado pela academia: evocar suas próprias emoções e encontrar sua própria voz. No entanto, ele perdeu várias semanas imitando outras pessoas antes que "penetrasse, através do meu crânio grosso do Missouri, que eu tinha que ser eu mesmo, que não poderia ser outra pessoa".[119]

De fato, a passagem pela Academia Americana de Artes Dramáticas marcou indelevelmente sua visão de mundo em desenvolvimento de duas formas significativas. Primeiro, a metodologia de ensino da academia, que guiava delicadamente os alunos enquanto estes descobriam seus próprios recursos – Sargent declarava que instrutores habilidosos "podem apenas revelar e encorajar ou desencorajar tendências no pupilo... o melhor ensino vem todo do pupilo" – tornou-se um princípio fundamental, mais tarde, nos cursos de oratória e relações humanas de Dale Carnegie. Assim como a ênfase da academia em instrução prática, uma abordagem que insistia em traduzir teoria em prática. Segundo, a ênfase da escola na expressão de qualidades pessoais e na projeção de emoções íntimas tornou-se uma influência poderosa nas noções de Dale sobre imagem e personalidade, temas centrais em *Como Fazer Amigos e Influenciar Pessoas*. A ideia de formar conscientemente uma imagem de si mesmo para apresentar aos outros seguramente acelerou o abandono, por Dale, do antiquado padrão vitoriano de "caráter", com valores morais rígidos e bom comportamento, além de fazê-lo endossar um moderno etos maleável de "personalidade", segundo o qual máscaras sociais brilhantes e atraentes podem ser colocadas e tiradas à vontade.[120]

Mas apesar de seu impacto a longo prazo, a experiência de Dale Carnegie na atuação durou pouco tempo. Após seis meses de treinamento na Academia Americana de Artes Dramáticas, ele conquistou um papel em um espetáculo itinerante chamado *Polly of the Circus* e foi para a estrada. Em agosto de 1911 passou a integrar uma trupe de vinte e sete atores e técnicos, com a qual permaneceria durante as próximas quarenta e duas semanas. Para um jovem inebriado por ambições e energias criativas, era um sonho que se tornava realidade.

De certo modo, o envolvimento de Dale com esse projeto era irônico. Seu treinamento dramático envolvia a firme rejeição da tradição vitoriana, mas o veículo para sua primeira investida nos palcos era justamente o oposto. *Polly of the Circus* era um melodrama antiquado, repleto de floreios morais, personagens estereotipados e mensagens sentimentais características do teatro do século XIX. Ele a descreveu como "uma peça moral, limpa" para tranquilizar sua mãe preocupada. Escrita por Margaret Mayo, a peça fora um sucesso na Broadway em 1907, com Mabel Taliaferro e Malcolm Williams nos papéis principais. A trama contava a história de Polly, uma linda amazona de circo que ficou inconsciente após uma queda e foi levada para se recuperar na casa do reverendo John Douglass. Uma ligação romântica se estabelecia, mas Polly fugia, com medo de que o relacionamento dos dois pudesse macular o caráter e a posição moral de seu pretendente na cidade em que ele vivia. Ele a seguiu, contudo, apenas para testemunhar novo e perigoso acidente no picadeiro, o que reuniu o casal novamente, juntando-os no êxtase do casamento. Polly of the Circus atraía as plateias tanto por sua descrição cintilante de um amor proibido quanto pelos espetaculares números de circo que empregavam trapezistas, domesticadores de animais, acrobatas, palhaços e todo um contingente de artistas.[121]

Dale deixou Nova York com a trupe no verão de 1911 e fez sua primeira aparição no palco em 17 de agosto, na cidade de Elmira, Nova York. Ele teve um papel pequeno na produção, interpretando o dr. Hartley, médico da cidade, que, usando um sobretudo longo, era chamado para examinar Polly depois que esta sofria a primeira queda feia do cavalo. Como se esperava que atores em papéis secundários servissem de extras, Dale também interpretou um artista de circo – vestindo calças justas vermelhas com lantejoulas prateadas – que ajudava a carregar Polly inconsciente para fora do picadeiro quando ela se machucava novamente na cena final, o clímax, que a reunia com o reverendo Douglass. Ele também trabalhou como assistente do gerente de palco. Por tudo isso, recebia um salário de 25 dólares por semana, com os quais tinha que pagar seu alojamento e suas refeições.[122]

A vida na estrada foi uma aventura para o jovem. Ele gostava da camaradagem e das novas experiências, mas tinha que controlar cada centavo, fazendo refeições baratas e compartilhando quartos em pensões de segunda linha durante a viagem da companhia pelo país. Dale frequentemente dividia o quarto com Howard Lindsay, que cultivava sua habilidade de aspirante a dramaturgo escrevendo por longos períodos todos os dias naqueles pequenos cômodos escuros. Lindsay lembra-se de Dale como um jovem loquaz e envolvente, cujo entusiasmo geralmente se sobrepunha às suas maneiras. "Dale era um tagarela e tanto. Eu não diria que ele tinha o dom da conversa, pois não tinha. Ele fazia discursos. Na mesa de jantar, nem garfo nem faca impediam seus gestos. Lembro-me de que o censurava por isso até que ele largasse os talheres antes de usar as mãos para enfatizar algum ponto de sua oratória", contou Lindsay.[123]

Enquanto Dale estava em turnê, um fluxo de cartas a seus pais mantinha-os informados de seu paradeiro. Ele participou de uma série de espetáculos de Nova York e Nova Jersey, no Leste, à Virgínia Ocidental, no Sul, até Kansas City, Wichita e Oklahoma City no Meio-Oeste. Brincadeiras ajudavam a aliviar a monotonia das extensas viagens de trem que levavam a trupe de teatro em teatro. Às duas da manhã do dia de Ano-novo em 1912, por exemplo, ele foi acordado por alguns de seus colegas, que o carregaram estrepitosamente pelo trem vestindo apenas pijama e gorro. "Então eles me jogaram no leito com uma solteirona de nossa companhia, para em seguida me tirarem dali, arrancarem toda a minha roupa e me colocarem na cama com um dos homens", escreveu ele. "Garotos e suas brincadeiras."[124]

Embora Dale Carnagie tivesse dado seu coração ao teatro, ele não comprometeu sua carteira. Durante toda a turnê como ator, ele também trabalhou com vendas. Vendia gravatas, e carregava consigo uma mala grande de amostras, que usava para persuadir os comerciantes das cidades em que se apresentava a fazer pedidos. De acordo com Lindsay, "ele não ganhava o bastante que justificasse todo o trabalho que tinha". Dale também representou uma linha de malas e baús durante algum tempo, e depois vendeu toldos para duas empresas diferentes. O trabalho era difícil.[125]

A breve carreira de ator fez água quando não conseguiu nenhum papel com o fim da temporada de *Polly of the Circus*. Mesmo antes disso, contudo, o jovem ator tinha se desencantado com o palco profissional. Na estrada ele conheceu diversos atores mais velhos cuja devoção ao talento trouxe-lhes apenas instabilidade financeira e uma precária posição social. "Eu me lembro de um homem de cabelo grisalho de nosso elenco, que devia ter cerca de 70 anos", escreveu Dale. "Sua família morava em Nova Londres, Connecticut, mas ele passava a vida viajando por todos os Estados Unidos, fazendo paradas de uma noite ou uma semana, e só via seus parentes por cerca de cinco ou seis semanas a cada ano." Assim, quando a turnê acabou, Dale passou algumas semanas desanimado em Nova York, procurando outro trabalho de ator nos anúncios dos jornais do ramo e em visitas aos escritórios de produtores. Mas ele já chegara a uma conclusão sobre seu futuro: "O teatro parecia incerto demais para mim e eu desisti".[126]

Dale procurou outra atividade, instintivamente voltando-se para a indústria de processamento de carne, o trabalho rentável que ele abandonara um ano antes. Foi até Paterson, Nova Jersey, à procura de um cargo de vendedor no escritório da Armour and Company, ao mesmo tempo em que entrava em contato com a Cudahy. Jantou com um conhecido que era gerente da Beech-Nut Packing Company. Tendo em vista sua bem-sucedida passagem anterior em vendas, Dale conseguiu reações promissoras quanto a empregos em potencial, o que reforçou sua confiança e amenizou sua decepção com os sonhos teatrais desfeitos. "Não tenho pressa de voltar ao trabalho... e imagino que não terei dificuldade em conseguir algo", ele contou a seus pais em março de 1912. "Quando saí da Armour nunca imaginei que um dia iria voltar a me referir ao meu desempenho com eles. Podem ver que em muito breve eu o farei."[127]

Com uma estranha combinação de resignação e desgosto, autoafirmação e otimismo, Dale mudou seu curso e voltou para o mundo das vendas. Em vez de retornar à indústria da carne, ele optou por ingressar em uma empolgante área nova que estava transformando a vida cotidiana nos Estados Unidos no início do século XX. Da mesma forma que aconteceria durante a maior parte da vida adulta de Dale Carnagie, seu instinto para identificar movimentos inovadores na sociedade americana já estava afiado.

Quando Dale procurou reviver sua carreira de vendedor, ele viu grandes oportunidades, assim como as grandes hordas de jovens que deixavam o campo na virada do século. Atraídos pela barulhenta empolgação nos centros urbanos da América, que inchavam rapidamente, esses jovens estavam ansiosos para mergulhar em um novo e dinâmico ambiente de mudanças sociais e econômicas. Diversos acontecimentos importantes esperavam por eles. O explosivo crescimento econômico resultara da expansão na produção industrial e do rápido crescimento do mercado consumidor, enquanto ondas maciças de imigrantes do Sul e do Leste da Europa alimentavam o agudo aumento da população. Além disso, o surgimento dos grandes escritórios de administração – corporações comerciais, sistemas de escolas públicas, o estado regulatório da Era Progressista – reformava a estrutura da vida pública nos Estados Unidos.[128]

Talvez o acontecimento mais notável tenha sido o transporte a gasolina, que começou a reformular a vida americana no início do século XX. Henry Ford apresentara, em 1908, o barato Modelo T, produzido em massa, como um veículo acessível para cidadãos com modestos recursos econômicos, o que eliminou toda a concorrência automobilística durante a década seguinte. Seguindo a trilha de Ford, outros fabricantes de automóveis começaram a aparecer por todos os EUA, enquanto suas máquinas consistentemente substituíam cavalos e motores a vapor. O impacto do automóvel se irradiou amplamente, transformando não apenas o transporte, mas também os padrões residenciais suburbanos, as indústrias do aço e do petróleo, o crescimento de novos empreendimentos de serviços em postos de gasolina e hotéis, o avanço dos sistemas de crédito e a construção de ruas e estradas. "Automobilidade", como um observador definiu o impacto do carro, não apenas ampliou os parâmetros da experiência para milhões de cidadãos das classes média e trabalhadora, com também formou a espinha dorsal da vida econômica e social na América do século XX.[129]

Assim, Dale decidiu se aventurar na indústria do automóvel. Ao longo dos anos seguintes ele se envolveu em três diferentes projetos que tinham a ver com a venda de carros. Primeiro, logo depois de retornar a Nova York da turnê com *Polly of the Circus,* ele entrou em uma parceria comercial. Em maio de 1912, um conhecido chamado Parmalee sugeriu que fizessem negócio juntos, ele fornecendo o capital e Dale fazendo o trabalho de vendas e propaganda. Parmalee adquirira diversos carros e caminhões de segunda mão, acreditando que conseguiria um bom lucro ao revendê-los. Dale concordou. Os dois abriram um pequeno escritório, com uma mesa e um arquivo, e contrataram uma secretária para cuidar da correspondência. Chamaram sua empresa de Meriden Motor Company.[130]

Dale ficou satisfeito com as possibilidades de seu negócio. Ele gostava de ser seu próprio chefe e começou a promover os veículos Meriden. "Trabalhei duro durante três dias e meio nesta semana fazendo a divulgação. Tenho diversos clientes em potencial e talvez consiga fechar alguns negócios depois", contou ele. "Não posso esperar que um negócio como este dê lucro logo no começo."[131]

Mas vender veículos motorizados era um empreendimento difícil, como o jovem descobriu. Parte do problema estava em sua aversão ao maquinário, uma atitude que o fez confessar que "eu não sabia o que fazia um automóvel funcionar, nem queria saber". Além disso, ele achava difícil exibir entusiasmo para vender apenas pelo lucro, assim como no fim de sua passagem pela Armour and Company, quando seus interesses reais estavam em outras partes. "Não havia nada de errado em vender caminhões, principalmente se você queria ganhar dinheiro", explicou ele. "Eu queria dar palestras e escrever livros. Eu não estava tão interessado em ganhar dinheiro quanto em construir para mim uma vida interessante e significativa". Contratempos pioraram as coisas. No começo de 1913, por exemplo, ele vendeu um carro usado e prometeu entregá-lo ao comprador no dia seguinte. Mas então ele descobriu que o veículo fora deixado sob temperaturas extremamente frias e a água congelara em seu motor, estragando-o. O responsável concordou em consertar o carro, mas "aquele sujeito ficou assustado e, antes que eu pudesse entrar em contato, ele comprou outro carro e eu perdi a venda. São os problemas do ramo de carros usados".[132]

Em fevereiro de 1913 Dale saiu da sociedade Meriden para sua segunda investida no ramo de veículos motorizados: um emprego na International Motor Company, empresa de automóveis localizada a poucos quarteirões de distância. Ele foi contratado como gerente de vendas de carros usados e transbordava confiança por estar se afiliando a um negócio já lucrativo. "Receberei comissão sobre cada carro vendido pela loja de Nova York", escreveu para seus pais. "Eu coloco tantos anúncios no jornal quantos achar necessários e eles é que pagam a despesa. Eles também me reembolsam as despesas de deslocamento que tenho para ir ver carros, e disseram que vão providenciar, dentro em breve, um carro com motorista para ficar à minha disposição sempre que eu quiser mostrar um automóvel para um cliente."[133]

Animado com essas regalias, Dale via um futuro brilhante à sua frente. "Estou em uma indústria recém-nascida com uma das melhores empresas do mundo e sou meu próprio chefe, posso fazer o que desejar; sair para passear no parque sempre que quiser ou qualquer outra coisa", contou ele. "Sou meu próprio chefe e eles não estão me pagando salário, e tudo que tenho que fazer é produzir resultados, e estou confiante em que conseguirei isso". Ele estava convencido de que, trabalhando por comissão, ganharia mil e oitocentos dólares no primeiro ano, e talvez três a quatro mil por ano em pouco tempo. Durante as primeiras duas semanas, vendeu dois carros, o que parecia confirmar sua perspectiva otimista. Então, a coisa desmoronou. Depois de um mês sem novas vendas, Dale foi demitido. O gerente o chamou e disse que tinham tomado a decisão de eliminar todas as vendas de segunda mão. O jovem, com o orgulho ferido por aquela dispensa sem cerimônias, ficou extremamente sensível quanto a todo esse episódio. "Por favor, permitam-me esclarecer o que aconteceu com minha saída do posto que eu tinha na International Motor Company", declarou ele, indignado, a sua família. "Eu não fui demitido. Ninguém ficou com meu emprego. Eles simplesmente acabaram com o departamento de usados."[134]

Dale recuperou-se rapidamente, conseguindo um emprego de vendedor na Packard Motor Company duas semanas depois. O acordo foi difícil desde o começo. O gerente de vendas ofereceu-lhe um salário de mil e quinhentos dólares por ano, mas Dale pediu um número mais elevado. Como o gerente recusou, o candidato aceitou de má vontade. Mas ele não ficou satisfeito, pois contou a sua família que "primeiro vou mostrar serviço, e depois, com o currículo que eu tenho, poderei facilmente conseguir outro emprego se eles não quiserem me oferecer um bom salário".[135]

Enquanto lutava para se estabelecer no ramo automotivo, Dale obtinha muita satisfação de uma vida social vibrante. Desde que chegara à metrópole, o jovem sociável se lançara em várias atividades. Também se tornara um pouco mulherengo. Enquanto fazia o curso de Estudos da Vida na Academia Americana de Artes Dramáticas, ele passeou pelo East Side de Manhattan "várias vezes com as moças". Sua correspondência da época revela uma série de envolvimentos com mulheres, passados e em curso. Ao escrever para um grupo de jovens na igreja batista de Pierre, ele falou de uma ex-namorada: "Eu amo Effie tanto quanto qualquer outra... Eu nunca *poderei amar alguém mais do que a amei*". Uma carta a sua mãe discutia "aquela mulher casada em Dakota do Sul com a qual você se preocupava. Passa um mês sem que eu pense nela... agora, quanto à judia, eu não lhe disse que tinha desistido dela?" Ele fazia referências constantes aos seus encontros com "a garota irlandesa", "a moça francesa" e a uma jovem que ele levou ao teatro antes de ir à casa dela, onde conheceu "mulheres encantadoras". Às vezes ele saía de Nova York para encontros fora da cidade, como quando foi para o Norte, por "cerca de 60 quilômetros, para ver uma garota. Uma boa família tradicional. A garota é professora".[136]

Um fim de semana, em 1913, transbordou de conexões românticas. "No sábado, a srta. Stewart, minha amiga de Jersey City, veio até minha casa e bateu na janela, pois moro no térreo. Ela entrou e conversamos um pouco. Eu a beijei e a mandei para casa", contou Dale em carta para sua família. "Então, outra amiga, uma linda garota canadense, veio para praticar minha 'canção conversada'; eu ao piano... Depois da música, eu a beijei no rosto e a mandei para casa, e, à noite, eu me encontrei com outra garota... e também lhe dei um beijo de boa noite. Como vocês podem ver, no momento estou bem abastecido de amigas."[137]

Às vezes, o relacionamento de Dale com as mulheres tornava-se mais sério. Durante seus primeiros dois anos em Nova York, ele passou bastante tempo com uma srta. Botsford, indo a peças, bailes e palestras. Ele entrou brevemente em uma parceria cultural envolvendo leituras dramáticas e cômicas com uma srta. Banghart. "Veja, mãe, quanto às garotas, vou lhe dizer que sempre fui bobo por elas, e sempre quis sê-lo, e imagino que desonrarei todos vocês quando me casar", confessou ele a certa altura. "Ninguém pode dizer que isso não aconteceu porque eu não tentei."[138]

Dale também participou de muitas atividades relacionadas à igreja. Ele ouviu o sermão do famoso evangelista Billy Sunday, frequentava regularmente a Escola Dominical na igreja batista perto de sua pensão e ia à Associação Cristã de Moços para ver ministros visitantes. Mas, claramente, boa parte dessa atividade tinha mais a ver com socialização do que com devoção. Ele adorava os bailes da Escola Dominical na igreja batista, e provocava a mãe: "Muitas das bobagens que vários desses pregadores do interior pregam a respeito de dança e teatro são falsas e quanto antes eles pararem, tanto antes conseguirão arrebanhar mais gente racional". Ele levava a srta. Botsford para eventos da igreja, em que ela aparecia como "visitante da Bíblia" e dava palestras sobre personagens do Velho Testamento, e a "noites de missão", em que missionários contavam suas empreitadas.[139]

Apesar de todas essas atividades, Dale se esforçava para manter contato com seus pais e permanecer envolvido nas questões familiares. Aos contatos comerciais, ele geralmente informava que seu endereço residencial era a fazenda dos pais em Belton – ao sul de Kansas City, para onde se mudaram ao saírem de Warrensburg –, mas avisava severamente: "NÃO QUERO QUE NENHUMA CORRESPONDÊNCIA MINHA SEJA ABERTA ao chegar a Belton. Absolutamente nenhuma. Minha correspondência é particular". Ele continuou a enviar pequenas quantias de dinheiro aos pais sempre que possível, para ajudá-los com as despesas, garantindo que não precisariam se preocupar em lhe pagar, nunca, nem o principal, nem os juros. Ele também instou Amanda e James, de modo bem pomposo, a se contentarem com a posição que tinham no mundo. Embora a riqueza dos outros pudesse fazê-los se sentir inferiores, observou Dale, uma vida modesta tinha muitas virtudes. "O mundo todo busca felicidade, e um homem muito sábio já disse: 'é mais feliz aquele que pouco quer', moral: querer menos".[140]

Mas, sem que o mundo soubesse, a felicidade particular de Dale estava desmoronando. Ele mostrava uma fachada de coragem, principalmente para seus pais, ao falar confiante sobre o mundo de vendas de carros e afirmar que o sucesso estava logo ali. "Na minha idade a questão não é quanto você está ganhando este ano, mas como você está se posicionando para ganhar daqui a dez anos", racionalizava Dale. "Em outras palavras, você está no caminho certo? Eu acredito que estou". Mesmo em meio ao fiasco da International Motor Company, ele sustentava que as coisas "se resolveriam esplendidamente".[141]

Por trás das palavras corajosas, contudo, estavam circunstâncias ameaçadoras que começavam a sufocá-lo. Em 1913, a realidade particular de Dale dividia-se em partes iguais de decepção profissional, desespero emocional e pobreza material. Ele se mudara para um quartinho em um cortiço sujo e infestado de baratas na Rua 56 Oeste para economizar dinheiro. Um grande número de gravatas, de seu projeto anterior em vendas, ficava pendurado em pregos na parede, e todas as manhãs, quando pegava uma ao se vestir para o trabalho, dezenas de insetos corriam em todas as direções. Conforme suas reservas minguavam, passou a comer em restaurantes baratos e sujos, ruminava sobre a rotina diária de trabalhar em um emprego que detestava e se arrastava para casa, todas as noites, com uma forte dor de cabeça tensional. Caiu em uma depressão que era, em suas próprias palavras, "alimentada por decepção, preocupação, amargura e revolta. Eu me revoltava porque os sonhos que acalentara na época de faculdade tinham se tornado pesadelos. A vida era aquilo? Era essa a aventura pela qual eu tanto ansiara?"[142]

Os problemas crescentes de Dale vieram à tona quando seus esforços na Packard ruíram. "É uma revolução econômica para um sujeito se livrar de seus cavalos e comprar uma dessas coisas caras", observou ele. "É o tipo mais difícil de venda convencer alguém a fazer isso." O jovem se mostrou incapaz de realizar o trabalho e, conforme as vendas minguavam, ele se desesperava: "O que vou fazer? Onde está meu futuro?", lamentava-se.[143]

Em outubro de 1913, Dale, com perspectivas sombrias, finalmente saiu de seu emprego na Packard. Ele afirmou, explicando-se, que seu coração estava em outra coisa, e escreveu: "Se eu tivesse me tornado milionário como vendedor, nunca seria feliz". Cansado de tentar vender produtos que não o interessavam, ele queria levar a vida de leituras, escritas e palestras com que sonhara na faculdade. De fato, antes mesmo do desastre na Packard, ele começara a estudar algumas opções nessa área.[144]

No início de 1913, Dale persuadiu a Secretaria de Educação de Nova York a lhe pagar por uma série de palestras noturnas na primavera. Então ele fez duas apresentações sobre "A passagem do caubói e seu campo" a dez dólares por noite. Ele fez outra palestra sobre caubóis durante o verão, que foi vista por um assistente do superintendente. O homem ficou impressionado e disse ao jovem orador para procurá-lo dentro de alguns meses para discutirem a apresentação de palestras sobre "Americanos Eloquentes".[145]

Encorajado, Dale enviou panfletos para várias organizações anunciando diversas palestras e leituras dramáticas que estava preparado para apresentar. A Royal Arcanum, uma organização fraternal, tornou-se cliente habitual. Dale discursou para eles sobre o "Desenvolvimento da Arte da Autoexpressão" e foi tão bem recebido que voltou em uma data posterior para falar sobre "Patrick Henry – O Orador". Uma loja da maçonaria o convidou para ler o extenso poema *Rei Roberto da Sicília*, de Henry Wadsworth Longfellow, em um de seus jantares. "Eu aceitei e acho que li muito bem", contou ele. "Ganhei um jantar muito bom, é claro, e recebi cinco dólares pela leitura". A Companhia Telefônica de Nova York o chamou para apresentar uma palestra sobre a história da oratória. Esses pequenos sucessos o inspiraram a formar uma parceria dramática com sua amiga srta. Stewart, e eles começaram a enviar circulares para ministros e prefeitos de cidades próximas de modo a provocar interesse em leituras e outros tipos de entretenimento.[146]

Conforme Dale tentava ganhar a vida com suas habilidades criativas, ele procurou diversas universidades em Nova York. Ele se candidatou a lecionar cursos de extensão noturnos para adultos na Columbia e na Universidade de Nova York. O aspirante a professor redigiu esquemas para cursos em vendas e publicidades – algo um tanto irônico, é claro, à luz de seus recentes fracassos – e os apresentou a funcionários dessas escolas. Mas, como observou secamente muito tempo depois, "essas universidades decidiram que, de algum modo, poderiam se virar sem minha ajuda".[147]

Foi então que ele mudou de caminho a fim de tentar a sorte como aluno, na esperança de "me manter motivado e entrar novamente na atmosfera universitária". Preocupado em acertar seu currículo escolar, ele fez contato com a State Normal School do Missouri e recebeu garantia de que, se completasse os créditos necessários em Nova York, a instituição de Warrensburg lhe conferiria o grau adequado de faculdade, em substituição ao Certificado Regents, de menor importância, que recebera em 1908. Matriculou-se nos cursos de Redação, Contos e Composição Dramática da Universidade de Columbia. Simultaneamente, ele se inscreveu na Universidade de Nova York para uma aula noturna de redação para revistas.[148]

Dale também estudou a possibilidade de se tornar jornalista. Ele primeiro imaginou se tornar crítico de teatro para um dos jornais de Nova York, mas seu sonho foi esmagado quando entrou em contato com os editores do *Dramatic Mirror* e do *Dramatic News*. "Eu logo descobri que a pessoa tinha que ser famosa em algum jornal de fora, ou deveria ter uma boa indicação quando um crítico de teatro morresse, para conseguir seu lugar", contou ele, magoado. Um editor lhe disse, sem rodeios, "você tem tanta chance quanto uma bola de neve no inferno". Então ele tentou outra tática, que contou a seu amigo de infância Homer Croy, que conseguira sucesso como romancista e jornalista em Nova York. Durante um jantar, Dale manifestou seu desejo de "escrever para revistas, e se eu conseguir vou dedicar todo o meu tempo a isso". Mas esse plano, claro, demandaria muito tempo e bastante esforço para se realizar.[149]

Assim, a dramática mudança de Dale Carnagie do Meio-Oeste rural para Nova York parecia cair por terra, produzindo muito pouco tanto no mundo criativo quanto na área de vendas. O ambicioso jovem estava subsistindo de pequenos pagamentos que recebia por eventuais palestras. Ele vivia em condições precárias, sem qualquer opção de mudança à vista. Em plena fase de situação precária, ele escreveu uma carta reveladora para seu irmão Clifton, que também sofria sua própria crise profissional indo de um trabalho para outro, tentando a vida sucessivamente como especulador imobiliário, aprendiz de advogado e baterista em uma banda de jazz. "Você nunca vai conseguir mais da vida do que está conseguindo agora se não insistir um pouco mais em alguma coisa", escreveu Dale para o irmão mais velho. "Essas coisas todas parecem promissoras a princípio, como aquela mina de ouro, mas você vê como a maioria delas acaba... Coloco essa questão com seriedade para você porque está na hora de se tornar um homem e parar com esses sonhos extravagantes." A carta de Dale bem poderia estar autoendereçada.[150]

Apesar dos percalços, ele continuava decidido a alcançar o sucesso. "Estou procurando uma coisa grande, e há muitas coisas grandes em cidades como esta", declarou. A insistência em encontrar "algo grande", mais a ambição e o entusiasmo que o alimentavam, também o sustentaram e acabariam se mostrando a fonte de força pessoal por sua vida inteira. "Acho que a única coisa com que Deus me dotou foi uma pequena habilidade para tagarelar", ele brincou com seus pais. "Decidi que o trabalho de minha vida terá vendas e um pouco de ensino, e se eu tentar algo mais serão algumas palestras e um tanto de escrita."[151]

De fato, a receita final para o destaque de Dale Carnagie seria construída precisamente com esses elementos – ensino, vendas, palestras e escrita. Quase por acidente, esse futuro brilhante começou a reluzir em uma empreitada que ele iniciou como ocupação secundária para ganhar alguns trocados a mais no outono de 1912. Essa atividade se mostraria o caminho para sua salvação laica e seu sucesso.

5. Ensinar e escrever

No início de seu memorável livro de 1936, Dale Carnegie explicou os dois elementos principais na formação de sua mensagem. Primeiro, ele creditava a sua experiência como professor à descoberta dos princípios relativos à "arte delicada de se relacionar bem com as pessoas". O Curso Dale Carnegie de Oratória Eficaz e Relações Humanas, com seus milhares de alunos ao longo das duas décadas anteriores, consistira em um "laboratório de relacionamentos humanos para adultos", cujos resultados ele estudara cuidadosamente. Inicialmente, o curso fora projetado para ajudar as pessoas a se expressarem com clareza e desenvolver equilíbrio ao se apresentarem diante de um grupo, mas, aos poucos, se ampliou em um exercício mais abrangente a fim de auxiliar as pessoas a se relacionarem com os outros e influenciá-los. Como resultado, Dale aprendera que apenas o conhecimento era insuficiente para o progresso no mundo moderno – que também exigia habilidades no relacionamento humano. Após instruir diversos grupos de engenheiros, por exemplo, ficou claro que os profissionais de maior sucesso frequentemente não eram aqueles com maior conhecimento técnico, mas os que tinham "a habilidade de expressar suas ideias, de assumir a liderança e de provocar entusiasmo entre os homens". Essa lição o impressionou.[152]

Segundo, Dale observou que o próprio processo de escrever dera forma à natureza de seus conselhos. No prefácio, intitulado "Como e por que este livro foi escrito", ele contou aos leitores que "Eu próprio passei anos procurando por um manual prático e funcional sobre relações humanas. Como tal livro não existia, procurei escrever um para usar em meus cursos. E aqui está ele". Como escritor, ele se esforçou para transmitir ideias úteis em um estilo animado que evitava a falha compartilhada por milhares de livros publicados todos os anos: "A maioria deles é mortalmente aborrecida". Ele tentou explicar com clareza e descrever pitorescamente os princípios testados na prática que pareciam "funcionar como mágica". O teste rigoroso pelo qual passava seu texto, ele contou aos leitores, era o aspecto prático. "Se ao terminar de ler os três primeiros capítulos deste livro você não estiver um pouco melhor equipado para lidar com as situações da vida, então terei que considerar este livro um fracasso total", declarou ele. "Pois 'o grande objetivo da educação', disse Herbert Spencer, 'não é conhecimento, mas ação'. E este é um livro de ação".[153]

A ênfase de Dale na importância de ensinar e escrever em *Como Fazer Amigos* é justificável e tinha uma longa história em sua vida pessoal. Quando desistiu de atuar, e depois de vender carros, no início da década de 1910, ele se dedicou a dois empreendimentos. Primeiro, procurou emprego em meio período como professor de adultos, posição que logo se transformou em algo muito maior. Pouco tempo depois, começou a escrever para revistas na tentativa de alcançar popularidade de público, o que levou à publicação de seu primeiro livro. Nas duas áreas ele começou a enfocar diversos temas obscuros – desenvolvimento pessoal, autoconfiança, pensamento positivo, relações humanas – que logo assumiram forma mais consistente. Tudo isso aproximou significativamente o jovem do papel que acabaria tendo como guia da América moderna para o sucesso.

Anos mais tarde, depois que Dale Carnagie se tornou um escritor e orador mundialmente famoso, ele gostava de contar uma história sobre como desistiu das vendas e começou a ensinar oratória para adultos. Ele descrevia a revelação que teve em 1912 quando lutava para sobreviver em Nova York. Angustiado a respeito do que deveria fazer, ele chegou "ao Rubicão – àquele momento de decisão com que se depara a maioria dos jovens quando começa sua vida. Então, tomei minha decisão... Eu ganharia a vida dando aulas para adultos em cursos noturnos. Assim, eu teria os dias livres para ler livros, preparar palestras, escrever romances e contos". Essa decisão dramática, afirma ele, tinha raízes em sua experiência universitária, quando sonhava em realizar grandes coisas. "Você iria ter tempo para ler livros. Você iria ter tempo para escrever livros", ele dissera a si mesmo. Chegara, então, o momento de fazer aquilo acontecer. "Este é o momento decisivo da minha vida! Eu não quero ganhar dinheiro, mas quero viver".[154]

Sua vida cumpria assim a função tradicional do mito – contar a história de uma crise assustadora que primeiro ameaça o protagonista heroico de destruição e, então, o leva a tomar uma resolução que inspira mortais comuns. No entanto, assim como a maioria dos mitos, o conto só era parcialmente verdadeiro. Sua essência era essa, mas o drama foi exagerado. Na verdade, Dale emergiu como professor de oratória em 1912 a partir de um processo tranquilo, lento e indefinido. E isso só deu certo porque, ao contrário de seus outros esforços profissionais, nesse caso houve uma combinação de vários de seus entusiasmos com seus talentos. Ensinar lhe fornecia uma maneira de chegar às pessoas da forma prática que ele valorizava, e pela qual também conseguiria alcançar o sucesso pessoal.

No outono de 1912, Dale fez sua primeira tentativa de lecionar. Tendo sido recusado como instrutor de cursos de extensão noturnos nas universidades de Columbia e New York, ele procurou um objetivo mais modesto. Nova York tinha várias unidades da Associação Cristã de Moços que ofereciam uma variedade de cursos e palestras à noite, e Dale procurou a entidade com a proposta de ensinar oratória. Todas as unidades o rejeitaram. Finalmente, ele foi à menor ACM da cidade, na Rua 125, e fez sua oferta. O diretor, Maynard Clemens, não ficou entusiasmado, e observou que tentativas anteriores de aulas de oratória tinham falhado devido ao pequeno interesse. Mas Dale pediu uma chance. Clemens concordou em pensar no assunto e convidou o jovem candidato para um evento social ainda naquela semana, pedindo-lhe que preparasse uma fala ou brincadeira para entreter o grupo. Dale apareceu e apresentou a popular poesia "Afundado em Junho", de James Whitcomb Riley, e "Em Frente, Napoleão, Parece que Vai Chover", uma canção bem-humorada de um espetáculo de 1907, ambas acompanhadas pelo piano. A plateia ficou tão encantada que Clemens pediu a Dale que desse uma palestra noturna aos jovens da Associação Cristã de Moços, que tinham dificuldade para encontrar divertimento. Essa palestra também teve uma recepção entusiástica.[155]

Após testemunhar a atitude e o entusiasmo de Dale, Clemens cedeu e concordou em lhe dar uma chance como professor. O jovem pediu dois dólares por noite pela aula, mas o diretor resistiu a pagar um valor fixo, dizendo que o melhor que a ACM podia fazer era lhe dar oitenta por cento do faturamento. Mais tarde Dale brincaria que o cético Clemens pensava em lhe dar "80 por cento de nada". O ceticismo pareceu justificado quando apenas meia dúzia de pessoas se inscreveu para a aula, mas o professor otimista acreditava que o sucesso atrairia mais alunos. Além disso, ele considerava aquilo um projeto para ganhar dinheiro, complementando suas outras atividades, e não como sua carreira definitiva. "Pensei que poderia ganhar uns 25 dólares por semana – era tudo que eu queria ganhar", observou ele. "Dessa forma, meus dias ficariam livres para ler e escrever."[156]

Essa incursão no ensino para adultos fazia mais sentido, talvez, do que suas outras iniciativas devido a sua ligação com a vida, a educação e os talentos de Dale. Ele fizera sua primeira conquista com seu jeito para oratória na State Normal School, e então se perguntou: "Por que não deveria me beneficiar daquilo que sei fazer melhor e ensinar oratória?". Uma questão em particular o impressionara. "Olhando para trás e avaliando o que aprendi na faculdade, percebi que o treinamento e a experiência em oratória tiveram o maior valor prático para mim, profissional e pessoalmente, mais do que todas as outras coisas que eu estudei juntas", escreveu ele. "Por quê? Porque isso apagou minha timidez e minha falta de autoconfiança, além de me dar coragem e segurança para lidar com pessoas."[157]

Mas o Dale Carnagie que ingressou nessa experiência de professor era uma pessoa bastante diferente do jovem inexperiente que desembarcara em Nova York pouco tempo antes. Em certos aspectos ele mantinha muitas de suas características pessoais: o entusiasmo contagiante que tornava o otimismo frente à vida sua postura constante, o ser prolixo que atacava as dificuldades e os problemas com uma torrente de palavras, um desejo de obter reconhecimento que o levava a entreter as pessoas, uma inteligência nata que criava uma aura de competência e uma sensibilidade sincera, que transmitia sua preocupação com os outros. Ao mesmo tempo, de modo menos evidente, o jovem do Meio-Oeste estava mais endurecido. A série de fracassos profissionais acentuara atributos mais sombrios que ocasionalmente apareciam – uma insegurança profunda, uma tendência ao desespero emocional, um cinismo quanto à motivação dos outros, uma sensação de ser castigado pelo mundo e uma consciência de que sonhos da juventude frequentemente perdem força face à realidade.

A personalidade complexa de Dale refletia-se em uma aparência física mais madura. Em 1912, as fotografias mostram-no mais como um homem do que como um rapaz, resultado de sua chegada aos vinte e tantos anos e do recebimento de alguns golpes da vida. Tinham sumido os sinais da fanfarronice juvenil, as poses pretensiosas e brincalhonas, o ar impertinente de sucesso inevitável. Ele aparece sério e experiente, vestido de forma elegante com calças claras e um paletó escuro, destacados pela gravata-borboleta e pelo lenço no bolso. Com o cabelo mais curto e cuidadosamente repartido de lado, lábios finos e orelhas grandes, ele olha para o mundo através de óculos com armação de metal, mantendo uma expressão fria, pensativa e calculista, parecendo, ao mesmo tempo, determinado e ligeiramente cauteloso.

De muitas maneiras, a Associação Cristã de Moços (ACM) foi o local perfeito para o início da carreira de Dale como professor. Fundada em 1844, em Londres, a Associação Cristã de Moços começou como um grupo que oferecia socialização religiosa e instrução para os homens jovens que afluíram à cidade procurando empregos durante a Revolução Industrial. Entre eles estavam trabalhadores das fábricas e empreendedores, todos necessitando de proteção contra a imoralidade e a devassidão urbanas. A instituição se espalhou internacionalmente, chegando, em 1851, aos Estados Unidos, onde se estabeleceu em muitas cidades do norte. A ACM aliou-se a igrejas evangélicas protestantes, e, na virada do século, havia expandido seu escopo para incluir atividades recreativas, esportivas, sociais e educacionais a serviço de salvação espiritual, reerguimento moral e formação de caráter. Homens de negócios aplaudiam aquelas "fábricas de homens" por sua "promoção de virtudes protestantes, como frugalidade, honestidade, temperança, laboriosidade e benevolência", e contribuíam financeiramente para a construção de novas unidades, onde, além de todas as atividades desenvolvidas, quartos eram alugados para jovens. Com consciência cristã, pauta ética e disposição prática, a Associação Cristã de Moços proporcionava um palco natural para aquele jovem do Meio-Oeste que tinha um histórico religioso e ansiava por aperfeiçoamento.[158]

Dale Carnagie, elegantemente vestido, com três executivos na Associação Cristã de Moços, o primeiro lugar onde lecionou.

A natureza das aulas noturnas de Dale na ACM teve impacto imediato em seu método de lecionar. A grande maioria dos alunos era de adultos em posições de baixo e médio escalão no mundo dos negócios em rápida expansão do início do século XX. Eles não queriam se tornar oradores, mas buscavam progresso na carreira. Como Dale reconheceu rapidamente, instrução nas técnicas de controle de respiração, postura, gestualidade e projeção de voz "não era o que meus alunos – jovens querendo subir na vida; funcionários administrativos, vendedores e mecânicos – desejavam e precisavam. Estufar as bochechas e recitar 'Horácio na Ponte' não ajudaria o homem tentando vender seguros, ainda que fosse eloquente". Esse público prosaico não queria fazer discursos, mas falar com colegas e clientes de modo cativante. Na visão bem-humorada de Dale, sua primeira classe consistia "principalmente de empresários e empregados que queriam ser capazes de ficar de pé e dizer algumas palavras em uma reunião de negócios sem desmaiarem de medo... ou visitarem clientes difíceis sem ter que dar três voltas no quarteirão para ganhar coragem". O instrutor, que apenas alguns anos antes se sentira intimidado na faculdade devido a seu complexo de inferioridade, reagiu instintivamente a essa necessidade.[159]

A experiência inicial de Dale com seus alunos abriu-lhe os olhos. Em sua primeira aula, na noite de 22 de outubro de 1912, em um salão no primeiro andar da ACM da Rua 125, ele começou de modo tradicional. Partindo de sua experiência na faculdade, ele iniciou uma palestra que tinha preparado sobre a história e os princípios fundamentais da oratória. Depois de desenvolver esses temas por algum tempo, contudo, ele reparou que os alunos se remexiam em seus assentos, parecendo agitados e entediados. Ele ficou receoso, pois sabia, em suas próprias palavras, que "eles estavam pagando o curso em parcelas, e parariam de pagar se não obtivessem resultados, e como eu não receberia salário, mas uma porcentagem dos lucros, tinha que ser prático se desejasse ter o que comer". Então, num impulso, alimentado por certo desespero, ele interrompeu a palestra e pediu que um aluno se levantasse, para uma apresentação improvisada. Quando o aturdido aluno perguntou sobre o que deveria falar, Dale lhe disse para falar de si mesmo, de sua história pessoal, sua vida. Depois que o primeiro fez o que lhe foi pedido por alguns minutos, o professor circulou a sala pedindo que os outros estudantes fizessem o mesmo. Para sua surpresa, eles falaram razoavelmente bem e foram ficando mais à vontade conforme o exercício ia adiante. "Sem saber o que estava fazendo", escreveu Dale, "eu topei com o melhor método para conquistar o medo." Participação dos alunos – fazê-los falar de si mesmos ou de coisas que gostam – começou a se tornar a ponta de lança de seu método de ensino.[160]

Experiências posteriores na sala de aula produziram outros princípios pedagógicos. Dale teve a ideia de pedir aos alunos que falassem de algo que os deixara com raiva, uma técnica que logo produziria uma cena em que "jovens da Associação Cristã de Moços punham-se de pé num pulo, um após o outro, e soltavam suas indignações reprimidas em um rugido crescente de eloquência que logo os colocou gritando um com o outro". Outra vez, ele provocou astutamente um oficial reformado da Marinha, que em aulas anteriores estivera desmotivado e lutara com as palavras, ao pedir que outro aluno, um "radical do Greenwich Village", discursasse criticando o governo americano. O jovem cumpriu sua tarefa com prazer. O irado marinheiro pôs-se de pé e defendeu patrioticamente seu país, falando com "mais paixão, mais empolgação e mais sinceridade do que a maioria dos oradores profissionais. Ele não foi bom, foi magnífico!". Outro acontecimento em classe – em que um aluno convenceu seus colegas de que era possível criar grama-azul espalhando as cinzas da lareira no gramado – convenceu o professor do tremendo impacto que resultava da "crença sincera" do orador. Todos esses episódios levaram Dale a promover "emoção" e "entusiasmo" como chaves para o sucesso na oratória.[161]

Jogado no meio dessa experiência, o astuto Dale começou rapidamente a costurar um novo modelo para seu curso. Concluiu que o temor de ficar de pé sozinho diante dos outros e fazer uma palestra era o maior medo que seus alunos enfrentavam. Dale, então, passou a pedir que cada um deles falasse brevemente em cada aula, para superar esse medo. Por causa disso, ele também se convenceu de que turmas grandes eram contraproducentes. "Uma das ACMs de Nova York organizou um curso que mais atrapalhava que ajudava", contou. "Eles tinham quinhentos alunos em uma sala e o professor chamava ao tablado grupos de dez a quinze de cada vez. Ele levava os alunos a lerem trechos de um livro em voz alta, fazendo gestos idênticos. Aquilo era instrução pura, simples e imperdoavelmente ruim." Além disso, Dale identificou sinceridade, emoção e entusiasmo como ingredientes pessoais fundamentais para a oratória bem-sucedida. Essa abordagem, ele percebeu, fazia maravilhas. "Eu logo percebi que eles ensinavam a si próprios dez vezes mais do que eu conseguia ensiná-los", observou Dale. Anos mais tarde, ele confessaria que seu método foi criado "através de tentativa e erro e da reação dos alunos. Eu estava aprendendo e descobrindo um método de sucesso enquanto o ensinava".[162]

Os métodos inovadores de Dale começaram a dar frutos e suas turmas prosperaram ao lado de sua condição financeira. O número de alunos cresceu devagar, mas consistentemente. Um novo curso, iniciado em fevereiro de 1913, tinha triplicado de tamanho, com dezoito matriculados, e a ACM da Rua 125 também concordou em patrocinar um curso de debates, que conseguiu vinte alunos. Além disso, a ACM do Brooklyn resolveu participar e concordou em abrigar outra turma de oratória na primavera de 1913, com o número de alunos estimado em 25. Os vencimentos de Dale cresciam apoiados nessa expansão. Ele recebeu 59 dólares por doze aulas na Rua 125 e 99 dólares por doze aulas no Brooklyn, e tinha esperanças de que "minha turma de debates venha a me render de 7 a 9 dólares por noite". Em meados de maio de 1913 ele esperava levar para casa 12 dólares por noite durante o outono seguinte.[163]

E esse outono viu as investidas pedagógicas de Dale se expandirem ainda mais. Após ser procurado, ele abriu cursos em Newark e Baltimore, para onde ia de trem dar suas aulas. No fim de 1914, ele também estava lecionando nas ACMs da Filadélfia e Wilmington, Delaware, ganhava cerca de 500 dólares por mês e alugou um escritório no Carnegie Hall. Outras oportunidades começaram a aparecer. Com sua reputação espalhando-se na base do boca a boca, e com a ajuda de alguns folhetos de publicidade, também houve procura por aulas particulares de oratória. Organizações fizeram o mesmo. Por exemplo, Dale foi solicitado para dar treinamento em oratória para funcionários do Tammany Hall, o famoso grupo do Partido Democrata que ainda dominava a política de Nova York. Essa conexão deixou-o inquieto. "Se eu puder ganhar algum dinheiro treinando oradores do Tammany Hall, não vejo razão para não fazê-lo", ele escreveu defensivamente para seus pais. "Além disso, é um bom modo de ganhar prestígio. [William Jennings] Bryan teve que cooperar com o Tammany na primeira vez em que concorreu, pois precisava do apoio deles até crescer o bastante para conseguir enfrentá-los."[164]

Em 1914, Dale atingira um novo ambiente social que se mostrou receptivo à sua mensagem de que oratória era uma forma de expressão social que aumentava a autoconfiança. Os alunos de suas turmas na Associação Cristã de Moços – funcionários administrativos de baixo escalão, ansiosos para subir no mundo corporativo – intuíam que a comunicação eficaz e a habilidade nas relações humanas impulsionariam a ascensão deles ao sucesso. Intuindo o mesmo, o professor começou a adaptar seu método para atender a essa necessidade. A ênfase em sinceridade, entusiasmo, expressão pessoal e as interações confiantes com os outros tornaram-se a base da pedagogia de falar em público de Dale Carnagie. Sua plateia de homens comuns, que enfrentava as novas exigências de vendas na economia de consumo e circulava no mundo corporativo da América do século XX, respondeu com entusiasmo. Vinte e cinco anos antes de seu famoso livro, *Como Fazer Amigos e Influenciar Pessoas*, ele começou a moldar os princípios que o definiriam.

Mas a nova perspectiva advinda de suas investidas como professor na Associação Cristã de Moços ainda foi aprimorada por outra iniciativa. Nesse mesmo período, ansioso por reavivar sua criatividade, Dale começou a escrever para revistas. Em uma torrente de artigos publicados ao longo dos próximos anos, ele começou a analisar como os indivíduos bem-sucedidos da América tinham chegado lá. Com a intenção de alcançar uma audiência popular, ele internalizou, sem intenção, muitas das lições que revelou.

Em carta a sua mãe, no outono de 1913, Dale escreveu casualmente que "estou enviando para vocês uma cópia da *Leslie's Weekly* de 18 de outubro. Você vai ver meu artigo sobre "Guerra" na revista". O ar blasé de indiferença mal disfarçava a emoção do aspirante a escritor ao ver sua primeira publicação. O breve ensaio antibelicista refletia sua criação populista e evangélica, com sua suspeita bryanesca de conflito armado. "Em Nazaré, um carpinteiro largou sua serra para pregar uma irmandade de homens", escreveu ele, seguindo com descrições horrorizadas das vítimas da guerra – propriedade destruída, "uma mãe viúva chorando", "crianças sem pai", "homens doentes, aleijados e mortos". Sua prosa afetada evocava a tradição vitoriana com abundância de linguagem rebuscada, sentimental, efusivamente emocional. Em uma conclusão melodramática, por exemplo, Dale declarou: "Quando a humanidade se eleva acima de crenças, cores e países; quando nós formos cidadãos não de uma nação, mas do mundo, os exércitos e as marinhas da terra constituirão uma força policial internacional para preservar a paz, e, assim, a pomba tomará o lugar da águia".[165]

Mas os méritos do artigo "Guerra" de Dale eram menos importantes do que sua existência. Com esse feito, ele iniciou uma carreira no jornalismo. *Leslie's Illustrated Weekly*, um periódico popular, foi fundado em 1855, e na virada do século alcançava um público de sessenta e cinco mil leitores com artigos sobre assuntos do momento e muitas ilustrações. Dale ficou encantado ao aparecer diante de tantos leitores. Com seu entusiasmo típico, o jovem do Meio-Oeste imaginou um futuro literário distinto, mas a experiência lhe ensinara a necessidade de refrear o ânimo. "Não espero vender todo artigo que escrever", ele disse para sua família. "Tenho que me treinar nisso, da mesma forma que faria para ser um advogado".[166]

Na esteira dessa empreitada inicial, ele publicou outros onze artigos de 1914 a 1918. Esse trabalho apareceu em um novo e dinâmico meio jornalístico. Por volta de 1900, uma série de acontecimentos na vida americana – rápida urbanização, o aumento do número de trabalhadores administrativos, o crescente apelo do entretenimento comercial – provocou uma mudança importante no mercado de revistas. Periódicos mais antigos e elegantes como *The Atlantic*, *Scribner's*, *Harper's*, e *Century*, com sua pauta de melhorar o gosto de respeitáveis leitores vitorianos através de artigos de mérito literário, soerguimento moral e reflexão filosófica, começaram a ter a popularidade reduzida. Simultaneamente, no início da década de 1890, um novo tipo de revista irrompeu na vida americana. Publicações como *McClure's*, *Cosmopolitan*, *Ladies'*

Home Journal, Illustrated World, World Outlook, American Magazine, The World's Work, e *The Saturday Evening Post* vinham com uma atitude bem diferente. Baratas e com grandes tiragens, essas revistas eram produzidas a baixo custo e ganhavam dinheiro com publicidade, que aparecia em grande quantidade, buscando conectar os leitores à nova economia de consumo. Com uma linha de interesse geral, os variados artigos e histórias dessas revistas giravam em torno da apresentação de casos, descrevendo personalidades ousadas, trazendo contos oportunos da "vida real" na América, adotando uma voz pessoal e autêntica, em estilo ágil, acompanhado por ilustrações ou fotografias vívidas. As publicações também gostavam de trazer exemplos de aprimoramento pessoal no ambiente dinâmico da América no início do século XX. Essas revistas populares geraram um público grande, não entre os "leitores elegantes" antiquados da era anterior, mas entre os novos profissionais de escritório, gerentes e executivos, que construíam a nova ordem social. Dale encontrou nessas publicações o canal ideal para seu trabalho.[167]

Diversos temas e preocupações marcaram as investidas jornalísticas de Dale Carnegie. Quase todas analisavam personalidades míticas e explicavam como elas superaram obstáculos para conseguir sucesso, distinção ou celebridade. Em "Lutando Pela Vida no Gelo Antártico", publicado na *Illustrated World* de setembro de 1915, ele contou a emocionante história do Dr. Douglas Mawson, que lutou pela sobrevivência e "venceu a fome e a morte" após ser abandonado acidentalmente durante a expedição de Sir Ernest Shackleton. Em artigo publicado na *American Magazine*, em outubro de 1914, Dale examinou a vida ímpar e pitoresca de "O Morador de Rua Mais Conhecido do Mundo", Leon Ray Livingston, que ficou famoso viajando pelo mundo como andarilho, e depois escreveu livros a respeito de suas aventuras, tornando-se amigo de figuras como Theodore Roosevelt, Jack London e Thomas Edison. Histórias semelhantes falavam de Sarah J. Atwood, mãe que ficou tragicamente viúva e depois fundou uma das maiores agências de emprego dos Estados Unidos, e C. S. Ward, o maior arrecadador de dinheiro para caridade da época, que empregava apelos emotivos e uma organização sofisticada para arrecadar quantias de dinheiro sem precedentes em favor de projetos beneficentes.[168]

Dale escreveu um artigo fascinante para a *Illustrated World* em dezembro de 1915. Intitulado "Mirando o Futuro", o texto analisava uma invenção tecnológica que prometia solucionar um grande problema social – a dificuldade que os jovens tinham para encontrar uma vocação adequada. A América moderna, argumentava o autor, estava cheia de gente que não conseguia escolher uma profissão que aproveitasse seus talentos ou que havia feito a escolha errada. Dale começava contando um exemplo que refletia sua própria experiência recente: um vendedor de automóveis que odiava seu trabalho e sofria em suas tarefas diárias, "como um cavalo de arado com o equipamento colocado de forma errada". Uma nova máquina – feita de dois potes com uma solução de mercúrio e sal, nos quais um indivíduo deveria colocar um dedo de cada mão; então, uma corrente elétrica suave seria passada pelo sistema, e mudanças na resistência elétrica seriam medidas – prometia ajudar. A máquina era baseada no princípio de que a resistência elétrica do corpo humano varia de acordo com as menores mudanças emocionais, de modo que, quando imagens eram mostradas em uma tela, a resposta seria medida em uma escala que ia do arrebatamento à depressão. Dale acreditava que essa invenção pudesse fornecer "orientação vocacional científica" aos jovens confusos através da canalização de seus impulsos psicológicos e biológicos.[169]

Em outros artigos de revista, Dale analisou algumas das novas oportunidades que apareciam no entretenimento e nos negócios modernos. A nova indústria do cinema, ele sugeriu em 1916, tinha aberto as portas para os roteiristas, que se esforçavam para tirar vantagem do "dinheiro fácil da filmelândia". A popularidade crescente do teatro, da mesma forma, criava oportunidades para dramaturgos que pudessem invocar "inspiração e transpiração", conceitos originais e trabalho duro. O mundo dos negócios igualmente abrira suas portas para pessoas com ideias criativas. Em artigo elogioso a um banqueiro de sucesso, Dale avaliava a "campanha de ideias, que comecei a travar incessantemente", proposta por esse banqueiro, e suas grandes realizações. Criando inovações como juros sobre depósitos a prazo, serviço amigável e abrir o banco uma noite por semana, ele conseguiu se colocar no topo de seu ramo, assim como muitas figuras nas grandes e complexas organizações burocráticas que passaram a dominar as finanças, a produção e o comércio.[170]

Dale deixava explícito que ganhar dinheiro era o padrão para distinção no mundo corporativo. Altos salários ou pagamentos generosos por trabalhos criativos eram os troféus dados a pessoas de sucesso, como revelam os títulos de diversos de seus artigos: "Prêmios Valiosos para Dramaturgos", "Como Estabeleci a Base para um Alto Salário", "Ganhar Dinheiro Escrevendo para o Cinema". Ele observou que dramaturgos de sucesso frequentemente tinham "uma renda maior que os ocupantes de uma certa casa branca na Avenida Pensilvânia", e que roteiristas de cinema em atividade "estão praticamente nadando em dinheiro". Como lhe disse um homem de negócios, "Desde meu primeiro emprego como *office-boy* em um banco na minha cidade, com salário de quinze dólares por mês, até minha posição atual como presidente de uma empresa recebendo 60 mil dólares por ano, existe uma trilha muito clara".[171]

Em seu escrutínio dos progressos sociais e econômicos de sua época, Dale tentou identificar as características pessoais dos indivíduos de sucesso. Ele concluiu que entusiasmo, autoconfiança e afabilidade eram as mais críticas. O mestre em arrecadação C. S. Ward, por exemplo, procurava homens passionais, ambiciosos e confiantes para liderar seus comitês locais, "homens que pensam em grandes somas e se esqueceram do significado de f-r-a-c-a-s-s-o". Mas Dale observou também que interações tranquilas e gentis com os outros caracterizavam indivíduos bem-sucedidos. Sarah Atwood, por exemplo, não só contratava centenas de homens para projetos estupendos, como frequentemente participava com eles do trabalho, abria uma pequena loja para suprir as necessidades diárias, aprendia muitos de seus primeiros nomes e "estava sempre pronta para um cumprimento alegre". Eles a idolatravam. Um banqueiro de destaque contou que, embora sua dedicação ao trabalho tivesse impressionado seus superiores, sua carreira decolou somente quando ele adotou uma nova conduta de interação positiva com seus clientes. "Sociabilidade e cortesia, acredito, foram valiosas características comerciais", ele contou a Dale. "Com um sorriso eu perguntava ao cliente quais seus interesses e tentava tornar sua visita ao banco agradável."[172]

Ao mesmo tempo, Dale levantava uma questão difícil, que perturbaria seus pensamentos e trabalho pelo resto de sua vida: em que medida o aspirante ao sucesso deve equilibrar sua preocupação em relação aos outros com seus interesses próprios? As pessoas sobre quem ele escrevia mostravam um desprendimento admirável e antiquado. Ward declarou que "eu deixaria este trabalho imediatamente se pensasse que estaria apenas fazendo crescer dinheiro. É fazer crescer seres humanos que me interessa". Por outro lado, Dale admitiu que o interesse próprio parecia ser o principal impulso que motivava as pessoas a agir, como reconheciam os comerciantes ao fazer anúncios. "O cartaz mais atraente que se pode imaginar seria, se fosse possível, ter uma fotografia de cada cliente desejado colada na vitrine", escreveu ele. "A verdade é que, no fundo, estamos mais interessados em nós mesmos do que em qualquer outra coisa." De fato, o jovem jornalista sugeriu que publicidade e propaganda emergiam como forças poderosas da vida moderna exatamente porque encaravam as pessoas não como entidades morais, mas como criaturas motivadas por poderosas necessidades emocionais e desejos inconscientes. Gerentes de lojas de departamentos, por exemplo, usavam cores chamativas, objetos em movimento e figuras humanas para chamar atenção subconscientemente. Locais para publicidade eram "minas virgens ricas em tesouros", concluiu Dale.[173]

Ao escrever para um público abrangente, Dale desenvolveu uma versão precoce do estilo dinâmico, divertido e centrado em casos humanos pelo qual mais tarde ficaria famoso. O comentário de um dramaturgo a respeito de escritores amadores – "eles têm boas ideias, mas não sabem como expressá-las; escrevem discursos longos, fazem rodeios e se perdem, não sabem por onde começar e aonde querem chegar, apenas falam" – parece ter impressionado Dale. Mirando intencionalmente um público de massa composto de leitores médios, adotou uma prosa ágil, enriquecida por perfis pitorescos de personalidades, histórias de interesse humano e conclusões reconfortantes. Confiante em vez de reflexiva, evocativa em vez de analítica, a prosa de Dale Carnagie tentava pegar o interesse dos leitores e então mantê-lo. Ele disse que

Sarah Atwood contratou trabalhadores suficientes para "entupir a Sierra Nevada ou para construir outro Canal do Panamá"; a respeito do reverendo Russel Conwell, sobre quem escreveu quando este passava por um problema grave de saúde, disse que "ele está tão morto quanto uma siderúrgica de Pittsburgh durante uma greve". Quando um empresário lançou uma campanha publicitária bem-sucedida, Dale escreveu que "o efeito daquele anúncio ficou acima de todas as expectativas! Jornais escreveram editoriais a respeito; um evangelista usou suas ilustrações para mostrar como alguém pode estar perto do inferno; pessoas que nunca economizaram um dólar sequer abriram contas, centenas delas". Essa prosa coloquial, alegre, que continuou a desenvolver nos anos seguintes, tornou-se o segredo de seu apelo popular.[174]

Os esforços jornalísticos de Dale atingiram o ápice no último artigo que escreveu na década de 1910. Em novembro de 1918, ele publicou "Meu Triunfo Sobre os Medos Que Me Custavam Dez Mil Dólares Por Ano" na *American Magazine*. A história sobre um homem de negócios anônimo, que superou seus medos e chegou ao topo de sua profissão, explicava como aprender a falar em público fornecia um meio importante para conseguir distinção. Seu tema – um método para o indivíduo alcançar o sucesso – refletia a preocupação mais abrangente que viria a dominar a visão de mundo do autor.[175]

A história começava da maneira que se tornaria o estilo clássico de Dale Carnagie, com o protagonista, recém-casado, confessando que sentimentos de constrangimento, solidão e ansiedade diminuíam seu entusiasmo pela vida e o aprisionavam em um emprego sem futuro. Então, um dia, sua mulher falou que eles estavam mofando em uma pensão decrépita. "Você já reparou que a maioria dos hóspedes aqui são uns fracassados?", perguntou ela. "Estas pessoas continuam aqui porque são fracassadas e são fracassadas porque continuam aqui. Vamos sair deste lugar e pensar em sucesso!" Abalado pelo rompante dela e percebendo que ele "não era um bom propagandista" de si mesmo, o jovem decidiu transformar sua vida. O casal pendurou retratos de Napoleão, Abraham Lincoln, Henry Clay, Daniel Webster e William Gladstone para que servissem de exemplos de autoconfiança. Ele começou um programa de estudos noturnos enquanto a mulher passava as noites lendo em voz alta "livros inspiradores", como *O Homem É Aquilo que Ele Pensa*, de James Allen. Quando sua mulher lhe diz que ele não fala bem nem impressiona as pessoas, ele se matricula em um curso de oratória na Associação Cristã de Moços mais próxima. Sua carreira decola, conforme ele começa a falar eloquentemente sobre questões da empresa e atrai atenção com seu "entusiasmo" e suas "histórias de interesse humano". Logo ele é promovido a gerente da filial de St. Louis e, um ano depois, é enviado para Nova York para assumir o maior escritório da empresa. Finalmente, um industrial de destaque o contrata como vice-presidente de suas empresas com um alto salário. Agora o casal feliz vive em seu luxuoso apartamento no Central Park West e ele diz que foi sua mulher que "afastou meus medos e me inspirou confiança".[176]

Obviamente, essa "história verdadeira" de sucesso era uma parábola mal disfarçada da utilidade do curso de oratória de Dale. Tendo adotado a lição de autopromoção, ele não perdeu tempo para distribuir centenas de reimpressões desse artigo. Acrescentou ao artigo original que Dale Carnagie era o professor do curso de oratória e destacou um detalhe: "A Associação Cristã de Moços de sua cidade abriga o nacionalmente conhecido Curso Carnagie de Oratória – o curso feito pelo homem cuja história você acabou de ler. Você está convidado a assistir, sem nenhuma obrigação de sua parte, a uma das aulas deste curso em sua Associação Cristã de Moços".[177]

Assim Dale, tanto em suas aulas como em seus escritos da década de 1910, analisou a moderna cultura americana e sua nova medida de sucesso. Ele sentia que o progresso social, naquele momento, não envolvia mais tanto trabalho dedicado, autocontrole e frugalidade, mas outra constelação de qualidades – relações humanas, propaganda, autopromoção e entusiasmo. Como ele escreveu a seus pais na primavera de 1913, após o pai vender quatro hectares de terra com lucro considerável depois de manter aquela propriedade por vários anos: "Agora você viu como se ganha dinheiro", observou Dale. "Não é com trabalho duro."[178]

As investidas pedagógicas e jornalísticas de Dale, contudo, logo inspiraram um projeto mais abrangente de publicação que acabaria consumindo bastante tempo. Após lançar seus cursos na Associação Cristã de Moços, em 1912, e seus artigos de revista no ano seguinte, ele buscou combinar sua paixão por escrever com seu interesse em ensinar oratória de novas formas. O resultado foi seu primeiro livro.

Em 1915, Dale escreveu com Joseph Berg Esenwein um livro popular do tipo "como fazer", intitulado *The Art of Public Speaking* (*A Arte de Falar em Público*). Assim como seus cursos na Associação Cristã de Moços e artigos de revista, o livro era dirigido ao grande público de leitores que almejava por desenvolvimento pessoal, Publicado pela Escola de Estudos por Correspondência de Springfield, Massachusetts, o volume devia fazer parte de seu programa de instrução para adultos e englobava muitas das noções de Dale a respeito do caminho para o sucesso na América moderna.[179]

Não é claro como Dale se ligou à Escola de Estudos por Correspondência – provavelmente pela associação anterior com a Escola Internacional por Correspondência ou por sua crescente reputação como professor de cursos noturnos na ACM –, mas é quase certo que a associação com essa instituição renomada no campo da educação de adultos conferiu um selo de aprovação ao seu método. A Escola de Estudos por Correspondência fora fundada em 1897 e em 1910 já tinha crescido para se tornar uma das maiores escolas de educação à distância dos Estados Unidos. Com cinquenta mil alunos matriculados em seus primeiros doze anos de existência, a EEC oferecia mais de cem cursos organizados em cinco departamentos – Acadêmico e Preparatório, Cultura Agrícola, Comercial, Normal e Serviço Civil – e contava com os serviços de professor de escolas de prestígio, como Amherst, Harvard, Brown, Hartford Theological Seminary, Cornell, Wesleyan, Dartmouth e na Universidade de Nova York. Normalmente, um curso EEC, ao preço de vinte dólares, continha quarenta lições semanais que envolviam exercícios ou provas sobre cada lição, que eram corrigidos, comentados e devolvidos pelos instrutores. A escola buscava claramente atingir adultos que não frequentaram faculdade, mas que queriam melhorar sua instrução para progredir.[180]

O coautor de Dale desempenhava papel importante na EEC. Nativo da Filadéflia, Esenwein conquistara seu diploma de faculdade, trabalhara para a Associação Cristã de Moços e servira como professor de inglês na Pennsylvania Military College. Em seguida, ele passou ao jornalismo, tornando-se gerente da *The Booklovers Magazine*; editor da *Lippincott's Magazine*, um estimado periódico literário, de 1904 a 1914; e editor da *The Writer's Monthly* em 1915. Esenwein foi se dedicando cada vez mais à educação de adultos e lançou livros educacionais sobre como falar em público, escreveu contos e criou roteiros para filmes. Como diretor de ofertas literárias da Escola de Estudos por Correspondência, ele lecionou um curso de redação de contos que prometia aos alunos em potencial uma chance de "sair da mediocridade, ser uma força no mundo. assumir uma nova posição social". Pessoas com imaginação e ambição podiam aprender a escrever "histórias que transportem sua personalidade para o mundo". Ele era o parceiro que Dale estava esperando.[181]

The Art of Public Speaking pretendia funcionar como livro didático de um curso da EEC e manual independente de orientação para aspirantes a oradores. Em seus trinta e um capítulos, Esenwein focava na técnica discutindo "Eficiência através da Mudança de Tom", "Fluência Através da Preparação", "A Voz", "Influência pela Persuasão", entre outros itens. Já Dale evitava conselhos técnicos e se concentrava em temas que enfatizavam preparação mental e projeção emocional – "Sentimento e Entusiasmo", "Força", "A Verdade Sobre Gestualidade", "Pensamento e Força Reserva", "Pensar Certo e Personalidade".

Dale argumentava que o aspirante a orador deveria cultivar atitudes e atributos que criassem uma aura de energia positiva, obstinada e concentrada. Essas qualidades, insistia ele, melhorariam o desempenho do leitor quando fosse convocado a se dirigir aos outros, em reuniões de trabalho, ocasiões sociais ou em eventos profissionais formais. Ele destacou diversos princípios específicos em *The Art of Public Speaking*.

Primeiramente, Carnagie sublinhou a importância de se projetar um ar confiante. Segundo sua observação em seus cursos na Associação Cristã de Moços, o medo de simplesmente ficar diante dos outros e falar coerentemente era o maior obstáculo que atrapalhava seus alunos. Então, no livro ele incentivava os leitores a "banir a atitude temerosa; adquirir a atitude confiante". Confiança vinha da concentração de "energia mental" e de parecer confiante e competente: "Lembre-se que o único meio de adquirir isso é adquirindo-o". Força de vontade e determinação eram essenciais. "Nunca tolere, nem por um instante, a sugestão de que sua determinação não é absolutamente eficiente", escreveu Dale. "O caminho para a determinação é estar determinado – e na primeira vez em que se sentir tentado a desistir de uma resolução, e você sentirá isso, pode estar certo de que esse é o momento e o local para lutar. Você não pode se dar ao luxo de perder essa luta".[182]

Carnagie argumentava que o controle de seus pensamentos oferecia o melhor meio de criar uma personalidade confiante. Citando o Livro dos Provérbios – "Como o homem pensa, assim ele é" – Dale insistia que o orador poderia, literalmente, usar sua força mental para moldar a realidade. "Tudo que um homem é, toda a sua felicidade, sua tristeza, suas conquistas, seus fracassos, sua força, sua fraqueza, tudo é, em surpreendente e em grande medida, resultado direto de seu pensamento... Nós escolhemos nossos personagens escolhendo nossos pensamentos", escreveu ele a certa altura. "Nosso fluxo de pensamentos nos empurra ao nosso destino." Ele contou a história do aluno de uma de suas turmas que declarou: "Eu não ficarei desanimado!", após uma série de discursos ruins, e trabalhou com mais afinco para melhorar seu desempenho. "Não existe força sob o céu que possa derrotar um homem com essa atitude", concluiu.[183]

Em seguida, Dale afirmava que o orador deveria usar de entusiasmo para criar uma conexão vívida com sua plateia. Insistindo em que "sinceridade é a alma da eloquência", ele instigava os leitores a se deixarem absorver por seu assunto e a escolher a linguagem que transmitisse sua convicção. Em uma passagem entusiasmada, Dale voltou-se para sua experiência como ator. "Só existe um modo de colocar sentimento em sua fala: Você tem que realmente ENTRAR NO personagem que está representando, na causa que advoga, na teoria que sustenta – entre tão profundamente que ele o vista, arrebate e possua você completamente", declarou ele. "O sentimento genuíno em um discurso é a alma do próprio discurso e não algo que pode ser acrescentado ou retirado à vontade". Não só as plateias, mas a sociedade moderna exigem entusiasmo. "O discurso eficiente deve refletir a época", argumentava Dale. "Esta não é uma época áurea... este é o século da maquinaria pesada, de trens expressos que passam por baixo de cidades e através de túneis em montanhas, e você deve instilar esse espírito no seu discurso se quiser comover um público popular."[184]

Depois, Dale insistia em que o discurso eficaz exigia uma projeção de força interna do orador. Ele deve perceber que "a verdadeira fonte de força está dentro de si mesmo" e, assim, utilizar, fortalecer e concentrar seus recursos mentais para verdadeiramente se comunicar com o público. "Se o pensamento por trás de suas palavras for caloroso, novo, espontâneo, uma parte do seu ser, o que disser terá fôlego e vida", sustentava ele. Para Dale, "o homem dentro de você é o fator decisivo. Ele deve fornecer o combustível. A plateia, ou mesmo o próprio homem, pode acrescentar o fósforo – não importa quem o faça, mas deve existir fogo... Pois se faltar fogo ao seu discurso ele estará morto". [185]

Para Dale Carnagie, oradores envolventes devem reconhecer os limites da arrogância e evitar a aparência de presunção e egoísmo, pois isso afastaria o público. Ele citou Voltaire: "Devemos esconder o narcisismo", e ofereceu este aforismo: "Autopreservação é a primeira lei da vida, mas o sacrifício pessoal é a primeira lei da grandeza – e da arte". Um orador perspicaz consegue persuadir as pessoas apelando aos interesses e pontos de vista delas. "Quem defende uma ideia deve converter seus argumentos de acordo com o interesse dos ouvintes", argumentou Dale. "A humanidade continua egoísta e está interessada no que lhe é útil. Exclua do seu discurso as suas preocupações pessoais e apresente seu apelo em termos do bem geral". Essa noção de se expor à luz dos interesses e das preocupações dos outros fascinava Dale. "Uma pessoa que fale bem mas monopoliza a conversa será considerada tediosa, porque nega aos outros a satisfação da autoexpressão, enquanto alguém medíocre na forma de falar mas que ouve com interesse pode ser considerado um 'bom papo', pois permite que seus interlocutores se satisfaçam através da autoexpressão", escreveu ele. "Dinamite o 'eu' das suas conversas."[186]

Por fim, Dale convocava seus leitores a entender que a disposição psicológica das pessoas oferecia um caminho para chegar até elas. Convencido de que os humanos são essencialmente seres emocionais, ele sustentava que "a habilidade do orador em levar os homens à ação depende quase totalmente de sua capacidade de tocar suas emoções... os discursos que sobreviverão devem estar carregados de força emocional". Ao contrário do que se pensava, pesquisas modernas mostraram que as pessoas raramente usavam de razão e lógica, mas eram impulsionadas por forças das quais tinham uma vaga consciência: um "respeito natural" por autoridade, uma tendência "a seguir o caminho com menor resistência" em seus esforços mentais – reações emocionais que foram moldadas por "nossos ambientes". Os oradores devem pensar como publicitários modernos, afirmava Dale, que criou *slogans que transmitiam confiança e usavam o poder da sugestão, como uma grande loja de departamentos que gastou* "fortunas em um slogan: 'Todo mundo está indo à loja grande'. Isso faz todo mundo querer ir".[187]

A bateria de recomendações de Dale culminava em um capítulo intitulado "Pensar Certo e Personalidade". Ele anunciava a ideia principal na primeira frase: "O bem mais valioso de um orador é sua personalidade – aquela característica indefinível, imponderável que resume tudo que somos e nos faz diferentes dos outros; aquela força distintiva do eu que atua consideravelmente nas vidas que tocamos", escreveu ele. "É a personalidade, apenas, que nos faz desejar a grandeza". Aqui, de novo, havia um claro distanciamento do padrão vitoriano de "caráter" – o conjunto de princípios morais internalizados que mantinham o indivíduo no caminho da virtude – em favor de uma crença mais moderna. "Não vamos pensar, nem por um momento, que tudo isto é apenas uma pregação sobre a questão moral", escreveu ele. A realização, no mundo moderno, "toca o homem inteiro – sua natureza criativa, sua habilidade de controlar os sentimentos, o domínio de suas faculdades mentais e, talvez mais amplamente, sua força de vontade e de colocar suas escolhas em ação efetiva".[188]

Em outras palavras, para Dale Carnagie, "personalidade" significa mais autoexpressão do que desprendimento. Ela projeta emoções e imaginação, expressa energia mental e desejos, e apresenta um conjunto de imagens magnéticas, dominantes, que devem seduzir a plateia e fazê-la aceitar o que o orador está falando. E ele convidava seus leitores a concentrar seus pensamentos e sua força de vontade com esse objetivo em mente. "Você deve lutar como se a vida dependesse da vitória", declarou, "e, de fato, sua personalidade pode estar na linha de frente."[189]

Assim, em meados da década de 1910 – através de métodos novos de ensino, artigos para revistas e seu primeiro livro –, Dale Carnagie criou a base do trabalho que lhe traria fama mundial e faria dele um exemplo do sucesso americano moderno. Na ACM, ele encontrou um novo mundo corporativo cujos habitantes estavam famintos por técnicas que os guiassem através de um desconhecido labirinto burocrático de reuniões, trabalho em grupo e relações humanas. Nas revistas populares, ele encontrou uma nova cultura urbana de lazer comercializado, no qual as plateias abraçavam avidamente celebridade, inspiração e entretenimento. Em seu livro, ele juntou oratória à personalidade e à dinâmica da realização moderna. Essas referências ficariam com ele pelo resto de sua vida.

6. Poder da mente e pensamento positivo

A primeira página de *Como Fazer Amigos e Influenciar Pessoas* trazia, antes mesmo da folha seguinte, com o título, a promessa de que o livro iria "tornar fácil, para você, a aplicação dos princípios da psicologia em seus contatos diários". Na introdução, algumas páginas depois, o famoso radialista Lowell Thomas descrevia o autor do livro como um mestre da "psicologia aplicada". Dale Carnegie explicava no prefácio que se preparara para escrever aquela obra "investigando volumes eruditos de psicologia". Ele destacava uma observação de William James, famoso psicólogo, que a maioria de nós só utiliza uma pequena porção de nossos "recursos mentais", e declarou que "o único propósito deste livro é ajudar você a descobrir e desenvolver esses recursos dormentes e lucrar com eles".[190]

A forte ênfase psicológica continua por todo o livro. Além de James, Dale citava frequentemente outros teóricos como Sigmund Freud e Alfred Adler, e autores psicológicos como Harry A. Overstreet e Henry C. Link. Ele discute o impacto das influências mentais nos trabalhos de relações humanas, e repreende o leitor por sua falta de consciência a respeito da grande força que os impulsos psicológicos têm nos assuntos humanos. Ele argumenta que até os indivíduos mais instruídos frequentemente "aprendem a ler Virgílio e dominar os mistérios do cálculo sem nunca descobrir como sua própria mente funciona". Carnagie reserva seu maior entusiasmo, contudo, para uma vertente popular do pensamento psicológico que dominava a cultura americana no início do século XX: o Novo Pensamento, ou pensamento positivo. Essa vertente sustentava que a mente, focando em pensamentos afirmativos, poderia criar eventos benéficos no mundo material. Dale citou um acólito influente do Novo Pensamento – "Retrate na sua mente a pessoa capaz, séria e útil que deseja ser, e enquanto mantiver esse pensamento ele estará transformando você continuamente nessa pessoa".[191]

De onde veio a preocupação de Dale com psicologia – um elemento crucial em tudo que ele defende em seu livro de sucesso? Tudo começou em meados da década de 1910, quando o aspirante a professor e escritor iniciou um programa de aprimoramento pessoal intelectual que o colocou em contato com essa revolução do pensamento moderno originalmente lançada por Freud, James e outros. Enquanto se preparava para escrever uma apostila para seus cursos na Associação Cristã de Moços, ele mergulhou na psicologia popular, principalmente no Novo Pensamento. O resultado foi um modelo intelectual que enfatizava impulsos mentais, necessidades emocionais e desejos inconscientes no comportamento humano. Essa forma de pensar persistiria pelo resto de sua vida e influenciaria tudo que escreveu sobre a conquista do sucesso na América moderna.

Dale Carnagie lembrava uma vez, ainda adolescente, que ouviu sua mãe falar, empolgada, do "novo século que traria grandes e duradouras mudanças". Na opinião dele, contudo, a mãe subestimou a transformação avassaladora que alterou as condições da vida americana no início do século XX. "Era mais estarrecedor do que ela poderia ter sonhado", escreveu. "O automóvel mudou nossos hábitos de transporte; as vastas transformações no modo como passávamos nosso tempo livre – rádio, cinema, televisão; a luz elétrica e o telégrafo, o avião – invenções e eventos destinados a produzir um efeito profundo em nossa civilização e em todas as gerações que nos seguiram."[192]

Mas talvez o elemento mais notável da modernidade, para o jovem Dale, fosse o movimento intelectual que revisava a compreensão da natureza e do comportamento humanos no começo do século XX. Era a psicologia, claro, e, em meados da década de 1910, ele ficou fascinado por ela. Essa preocupação vinha de um projeto mais amplo. Como ele mesmo conta, ávido por se destacar na sociedade, Dale começou um programa de estudos e aprimoramento pessoal após chegar a Nova York. Ele cultivava o hábito de fazer anotações, e carregava um caderninho de notas no bolso o tempo todo. Sempre que via algo interessante, tinha uma ideia inusitada sobre um tópico importante ou se deparava com uma boa história ou uma ilustração admirável, ele os registrava em seu caderninho. Dale também começou um sistema de arquivo para organizar os artigos que lia, usando grandes envelopes amarelos como pastas, onde guardava recortes de jornal, revistas e anotações pessoais.[193]

Da mesma forma, Dale embarcou em um programa de leituras. Um orador mais velho, famoso, com quem ele desenvolveu amizade, o incentivou a construir uma "reserva de poder" de conhecimento com leituras sérias de história, literatura, ciências e filosofia. Isso lhe forneceria os meios para aumentar seu "magnetismo" pessoal. O jovem não revelou a identidade dessa figura, descrevendo-a apenas como "o palestrante mais notável de nosso estado", "venerável", "de cabelos brancos", e um analista da força mental dinâmica de figuras como Rudyard Kipling, o ator Richard Mansfield e Ida Tarbell. É provável que o mentor anônimo de Dale Carnagie fosse Orison Swett Marden, famoso palestrante e escritor de aprimoramento pessoal que se encaixava nessa descrição e desempenhou papel central nos textos de Dale a respeito de oratória, onde era frequentemente citado e exageradamente elogiado.[194]

Mas, independentemente da identidade de seu mentor, Dale começou a ler muito na década de 1910 enquanto trabalhava para construir sua "reserva de força mental". Em suas palavras, ele entrou no "delicioso domínio dos livros". Estabelecendo uma rotina de leituras nas noites de segunda, terça e sexta-feira, ele abasteceu seu armazém de conhecimento e passou a admirar "a diferença que normalmente se sente entre o homem instruído e o que não lê; o primeiro possui uma vasta reserva de força, enquanto os conhecimentos e as experiências do outros ficam limitados a seu mundo estreito". Esse projeto de autoinstrução colocou Dale em contato com uma ampla gama de iniciativas intelectuais conforme ele encontrava obras de história, filosofia, ciências naturais, tecnologia e invenções, e o que se tornaria seu interesse especial: biografias. Mas é significativo que ele demonstrasse preferência pela leitura de compêndios, resumos e esboços – seu bom amigo Homer Croy uma vez observou que Dale "quer tudo condensado: livros, discursos, jornais, revistas. Ele é o maior fanático pela condensação" – e assim devorou volumes como *Great Books as Life Teachers* (Grandes livros como mestres da vida), de Newell Dwight Hillis e *Ridpath' History of the World* (A história do mundo de Ridpath), de John Clarke Ridpath. Ele se tornou um entusiasta, principalmente, do Curso de Leitura Chautauqua, um programa de estudos que recomendava enfaticamente em suas aulas na Associação Cristã de Moços.[195]

O aumento de leituras pelo jovem Dale também o colocou em contato com correntes contemporâneas de pensamento e debate. Parte disso envolvia questões sociais e políticas de sua época, como evidenciam referências a figuras como Theodore Roosevelt e Woodrow Wilson, John D. Rockefeller e Andrew Carnegie. Mais significativa foi a atração de Dale por uma importante cruzada cultural dos Estados Unidos do início do século XX: o movimento do Novo Pensamento, ou "pensamento positivo". Surgindo no fim do século XIX e conquistando influência e partidários no início do século XX, esse movimento vago tinha como objetivo a aquisição de "saúde, riqueza e paz de espírito" através do poder da mente, que era a chave para a abundância material e emocional. Entre seus defensores importantes estavam Phineas P. Quimby, fundador autodidata da cura mental; metafísicos místicos como Ralph Waldo Trine, com seu livro de sucesso *Em Harmonia com o Infinito*; defensores da cura mental como Annie Payson Call; e Mary Baker Eddy, fundadora da Ciência Cristã. Os entusiastas do Novo Pensamento acreditavam que recursos mentais ocultos podiam ser acessados e mobilizados para aumentar o vigor emocional, o sucesso social e a acumulação material. De modo geral, esses pensadores positivos enfatizavam o poder galvanizante, restaurador e generativo da mente humana. Um grupo eclético, alguns de seus membros acreditavam em um impulso religioso de cura mental, enquanto outros seguiam o antiquado transcendentalismo emersoniano com suas noções de uma "superalma" e da intuição como janela para a realidade. Muitos seguiam a psicologia, a nova ciência engajada na exploração de impulsos e capacidades mentais.[196]

Sintetizando essa variedade de influências religiosas, científicas e filosóficas, o Novo Pensamento se espalhou pelo cenário cultural americano no início do século XX promovendo diversas ideias gerais. Seus discípulos sustentavam que a mente humana era a força causadora primária no universo; que a solução para as desordens e os defeitos humanos estava no domínio mental e espiritual; e que o mal não era uma realidade permanente no mundo, mas simplesmente a ausência temporária do bem. Finalmente, e o mais importante para Dale, eles insistiam em que riqueza e abundância material estavam disponíveis para quem mobilizasse seus recursos mentais para buscá-las. Para tanto, os discípulos do Novo Pensamento sublinhavam a importância de magnetismo pessoal, do pensamento positivo e do desenvolvimento da personalidade para o indivíduo. Conforme a influência do movimento crescia no início do século XX, ela passou a atrair partidários que iam do eminente filósofo e psicólogo William James a revistas populares como *Good Housekeeping*, que em 1908 tinha uma coluna regular para mulheres intitulada "Como se Tornar Linda com o Pensamento".[197]

Embora nunca tenha se afiliado formalmente a qualquer grupo do Novo Pensamento, Dale mostrava uma clara afinidade com suas crenças. Seu envolvimento era fortuito, claro – ele não pretendia se passar por um intelectual dedicado a disciplinados pensamentos críticos –, e ele tinha somente uma fraca noção das implicações mais amplas do Novo Pensamento. Mas numerosas referências e citações em seus escritos revelam sua atração e inspiração por figuras centrais, textos e ideias desse movimento. Ele pontuava diretrizes práticas para os candidatos a oradores – desenvolver autoconfiança, dominar o medo, gerar entusiasmo, irradiar sinceridade – com o martelar constante de conselhos sobre como fazer a coisa mais importante de todas: agregar e galvanizar o poder da mente.

Em 1915, Dale escreveu que a negligência do desenvolvimento mental por um indivíduo criaria estagnação, mas que "há expectativa de melhoras assim que a mente detecta sua própria falta de poder". Ele recomendava diversos livros sobre "o controle do pensamento", e citou um psicólogo que enfatizava a importância de se dominar o poder da mente: "Energia e atividade mentais, sejam de percepção ou pensamento, quando concentradas, portam-se como os raios solares concentrados pela lente de aumento. O objeto é iluminado, aquecido, incendiado". A certa altura, Dale declara sem rodeios "seu sucesso ou fracasso como orador será determinado, em grande parte, por seus pensamentos e sua atitude mental".[198]

O entusiasmo de Dale por psicologia e Novo Pensamento, embora se devesse parcialmente a seu engajamento intelectual, também se desenvolvia a partir de seu crescente sucesso com a instrução de adultos. Em 1916, ele deixou para trás os rendimentos intermitentes e as pensões infestadas de baratas de seus primeiros dias em Nova York. Os alunos corriam para se matricular em seus cursos na Associação Cristã de Moços, e sua renda aumentou e se consolidou. Ele conseguiu encontrar um apartamento em Manhattan e alugar um escritório no Estúdio 824, no Carnegie Hall. O jovem Dale "estava indo bem", escreveu um jornalista, e conseguiu "espaço em salões pela cidade onde jovens ambiciosos são exortados, todas as noites, a Falar, Ir Lá e Lutar, Causar Impacto e Manter as Mãos Fora dos Bolsos".[199]

Um dos alunos de Dale nessa época descreveu o professor confiante e inspirador que encontrou na classe. Frank Bettger era jogador profissional de beisebol – ele era o terceiro *baseman* dos Cardinals de St. Louis – quando uma feia fratura no braço encerrou prematuramente sua carreira em 1911. Voltando para Filadélfia, sua cidade, ele tentou ganhar a vida como cobrador de dívidas e depois como vendedor de seguros, mas a personalidade tímida tolhia seus esforços e ele começou a passar dificuldades. Bettger então percebeu, em suas próprias palavras, que tinha que "superar aquela timidez e o medo de falar com estranhos". Quando ouviu a respeito do curso de Dale Carnagie na Associação Cristã de Moços da Rua Arch, e de seu sucesso em ajudar as pessoas a superar problemas como os dele, se matriculou em 1917. Bettger conheceu o professor, que imediatamente o colocou na frente da classe para falar brevemente por que estava ali. O aterrorizado Bettger sobreviveu à provação e começou a trabalhar para fortalecer sua autoconfiança. O progresso foi lento. Então, certa noite, Dale o interrompeu em meio a um discurso apático e insistiu em que ele "colocasse um pouco de vida e animação no que falar". Nas palavras de Bettger, o professor deu "a nossa classe uma palestra estimulante sobre o poder do entusiasmo. Ele ficou tão animado enquanto falava que jogou uma cadeira contra a parede e quebrou assim uma perna". O aspirante a vendedor foi para casa e concluiu que precisava colocar nas vendas o mesmo entusiasmo que punha no beisebol, e assim conseguiu um sucesso fabuloso em sua área. A decisão que tomou naquela noite, sob a tutela de Dale Carnagie, escreveria Bettger mais tarde, "foi o momento de transformação da minha vida".[200]

Tão bem-sucedidos foram os esforços de Dale como professor que ele expandiu seu curso de oratória nacionalmente. Em 1917 ele fez um panfleto anunciando o Curso Carnagie de Oratória, que trazia endossos de uma série de homens de negócios de Nova York, Filadélfia, Baltimore, Newark e Scranton. Ele começou a treinar instrutores e a codificar seus métodos em uma série de manuais, lições e panfletos. Dale reuniu esse material e o publicou em 1920 como *Public Speaking: The Standard Course of the United Y.M.C.A. Schools* (Oratória: O Curso Padrão das Escolas da Associação Cristã de Moços). Esse volume – uma coleção de quatro "livros" e dezesseis "lições" de múltiplas seções – oferecia um mapa completo de suas técnicas pedagógicas e um esboço de sua filosofia sobre sucesso individual e relações humanas.[201]

O livro utilizava grandes passagens de *The Art of Public Speaking*, mas também promovia as técnicas que ele desenvolvera nas salas de aula – o estímulo aos estudantes para que dominassem seu medo, o estabelecimento de sessões regulares de discurso, estímulo ao entusiasmo, encorajamento de interpretação e gestos naturais, desenvolvimento da autoconfiança e da autoexpressão. Essas qualidades tornaram-se marcas de seu método pós-vitoriano de instrução.

Mas talvez o mais notável seja que o pensamento positivo permeava muitas partes de *Public Speaking: The Standard Course*. "Todo homem tem em si poderes dormentes com os quais nem sonha", afirmou Dale, e argumentou que falar era "o eixo que, enterrado na mina de nossa mente, revela aos outros as riquezas plantadas ali". Observando novamente a afirmação de William James de que "o homem médio desenvolve apenas 10 por cento do poder de sua mente", Dale garantiu que sua maior recompensa como professor era "a percepção interna do meu próprio progresso e a descoberta e fruição dos meus poderes ocultos". Ele enfatizou que a liberação das capacidades mentais abafadas criaria uma poderosa força de vontade no indivíduo. "Deseje vencer e continue desejando; assim você possuirá um poder tão real quanto uma bala de canhão", escreveu. "Você não pode vê-los. Você não pode tocá-los. Você mal pode descrevê-los. Mas esses poderes tornarão você irresistível."[202]

Dale recheou o livro – mais até do que em sua obra anterior com Esenwein – com referências frequentes a figuras icônicas da cruzada do Novo Pensamento. Ele destacou, em especial, um quarteto de homens que ajudaram a popularizar a mensagem de que empenho mental e pensamento positivo levariam à felicidade e ao sucesso material. O primeiro, o reverendo Russell H. Conwell, foi uma das maiores personificações do sucesso na história americana. Nascido em uma família modesta na zona rural de Massachusetts, em 1843, ele lutou na Guerra de Secessão e depois viajou pelo mundo, tendo experimentado uma série de vocações quando jovem – advogado, jornalista e, finalmente, ministro batista. Na década de 1880, tornou-se chefe da igreja batista da Graça, em Filadélfia, que logo fez crescer, levando-a ao assombroso número de quatro mil membros. Conwell, homem de prodigiosa energia, também fundou a Temple University (Universidade do Templo) e três hospitais na região da Filadélfia. Ele ficou mais famoso, contudo, por seu discurso "Acres de Diamantes", que escreveu nos anos 1870 antes de cruzar o país para apresentá-lo mais de seis mil vezes nas décadas seguintes. (Ele destinou boa parte da riqueza que acumulou com esse discurso para mandar jovens pobres à faculdade.) O discurso lendário defendia duas ideias básicas, que Conwell apresentava com grande energia e um dom teatral para imitação e interpretação dramática. Primeiro, ele declarava que existiam oportunidades em toda a sociedade americana, mais provavelmente no ambiente próximo de cada um, e que a atenção ao que as pessoas querem ou precisam renderia "acres de diamantes". Depois, ele atacava a velha ideia religiosa de que a virtude estava ligada à pobreza e declarava: "Eu digo que vocês devem ficar ricos, é seu dever ficarem ricos. Dinheiro é poder, e vocês devem ser razoavelmente ambiciosos para obtê-lo. Vocês devem fazer isso porque conseguirão fazer mais bem com dinheiro do que sem ele".[203]

Na década de 1910, contudo, Conwell começa a dar destaque a algo que seguidores do Novo Pensamento como Dale considerariam especialmente atraente: o papel crucial do pensamento e da vontade individuais na conquista da riqueza. Em um artigo de 1916, na *American Magazine*, Conwell enfatizou que "força de vontade é seu maior bem" e citou o Livro dos Provérbios: "Como o homem pensa, assim ele é". Em um livreto impresso no ano seguinte, Conwell avançou nessa direção. A "primeira coisa essencial" na conquista do sucesso era "obter uma compreensão completa da força latente ou não usada que cada indivíduo possui", declarou ele. Um Dale empolgado aplaudiu a demonstração feita por Conwell de que "se o pensamento por baixo de suas palavras é caloroso, novo, espontâneo, uma parte do seu eu, o que falar terá fôlego e vida". Ele também reproduziu o discurso "Acres de Diamantes" inteiro como "Lição Especial" em *Public Speaking: The Standard Course*.[204]

Um segundo herói do Novo Pensamento foi Elbert Hubbard, que, da mesma forma, se tornou inspiração para Dale. Nascido em 1856, perto de Bloomington, Illinois, esse filho de uma família religiosa do campo começou sua carreira como o bem-sucedido gerente de uma fábrica de sabão. O intelecto agitado, contudo, levou-o a abandonar o emprego em 1890. Ele se tornou discípulo de William Morris e do movimento Arts & Crafts (Artes e Ofícios), fundando a *The Philistine*, revista iconoclasta que promovia inovações literárias, reforma política e tradições de artesanato. Descrevendo-se como "um homem de negócios com pendor literário", Hubbard tornou-se escritor e editor, produzindo um fluxo constante de livros e artigos sobre sucesso e felicidade. Obteve fama nacional com "Mensagem para Garcia", ode à iniciativa individual ambientada durante a Guerra Hispano-Americana, que criticava severamente a "incompetência ou falta de vontade de se concentrar em algo e fazê-lo" do americano médio. Isso, defendia Hubbard, criava uma atmosfera em que "serviço desleixado, negligência tola, indiferença deselegante e trabalho sem empenho parecem dominar". O homem de sucesso, insistia, era o indivíduo que decidia "ser leal ao que faz, agir prontamente e concentrar suas energias: fazer a coisa [tarefa] diante de si". Para Hubbard, "civilização é uma busca longa e anseia por indivíduos assim".[205]

Como Conwell, Hubbard desenvolveu uma afinidade com o Novo Pensamento no início do século XX. Em livros como *Love, Life and Work* (Amor, vida e trabalho, 1906) e *The Book of Business* (O livro dos negócios, 1913), ele enfatizava que indivíduos ambiciosos precisavam aprimorar seu poder mental para ter sucesso. "Sucesso é resultado de atitude mental, e a atitude mental certa trará sucesso em tudo que você fizer", instruía. "O Homem Mestre é a pessoa que desenvolve Diligência Sábia, Concentração e Autoconfiança até que se tornem hábitos em sua vida." Dale tornou-se um devotado admirador de Hubbard. Ele descreveu "Mensagem Para Garcia" como um "folheto tremendo" e ficou especialmente encantado com os axiomas de Hubbard a respeito do desenvolvimento da "atitude mental certa". Ele frequentemente usava este: "Tente fixar firmemente na sua própria mente o que você gostaria de fazer, e então, sem mudar a direção, você caminhará diretamente para a meta... Mantenha seu pensamento na coisa grande e esplêndida que gostaria de fazer, e então, conforme os dias passam, você se verá inconscientemente agarrando as oportunidades necessárias à realização do seu desejo".[206]

James Allen, excêntrico escritor e metafísico inglês, tornou-se a terceira influência do Novo Pensamento sobre Dale. Nascido em 1864, ficou órfão quando seu pai migrou para a América e foi assassinado. Allen saiu da escola e arrumou um emprego para sustentar a família, depois trabalhou para diversos fabricantes ingleses até 1902. Interessado em questões espirituais e filosóficas, ele começou a escrever para *The Herald of a New Age*, até que finalmente se demitiu para lançar sua própria revista, *The Epoch*. Ao mesmo tempo, Allen começou a escrever uma série de volumes curtos, reflexivos e inspiradores sobre sucesso individual e felicidade, que lançou ao longo dos próximos nove anos até sua morte em 1912. Homem magro, frágil, com cabelo comprido e escuro, habitualmente vestindo um terno de veludo preto, esse sábio atraiu muitos discípulos nos círculos do Novo Pensamento com seus escritos exaltando as possibilidades do poder da mente.[207]

Seu trabalho mais conhecido, *O Homem É Aquilo Que Ele Pensa*, apresentou a crença de Allen de que esforços mentais podem alterar tanto estados internos quanto circunstâncias externas. A mente humana é como um jardim, afirmava ele, e "o homem pode fazer a jardinagem de sua mente, arrancando as ervas daninhas que são pensamentos errados, inúteis e impuros, buscando cultivar a perfeição de flores e frutas de pensamentos corretos, úteis e puros". Isso produziria muito mais que bondade abstrata. "O mundo externo das circunstâncias molda-se de acordo com o mundo interno do pensamento", defendia ele. "Se um homem alterar radicalmente seus pensamentos, ficará admirado com a transformação rápida que isso terá nas condições materiais de sua vida." Quem busca o sucesso precisa começar a moldar sua própria mente. "Tudo que um homem realiza e tudo que ele não consegue realizar é resultado direto de seus pensamentos", sustentava Allen. "Um homem só pode se erguer, conquistar e realizar se melhorar seus pensamentos. Ele só continuará fraco, desprezível e miserável caso se recuse a melhorar seus pensamentos."[208]

Curioso a respeito do inglês, Dale tentou desencavar informações sobre sua vida misteriosa, até enviando cartas ao editor de *The Business Philosopher* (O filósofo dos negócios), que publicara alguns dos textos de Allen. A respeito do livreto deste, Dale disse que "exerce hoje uma influente dominante em muitas vidas", e o reproduziu como "lição especial" em *Public Speaking: The Standard Course*.[209]

Orison Swett Marden tornou-se a influência mais poderosa do Novo Pensamento sobre Dale Carnegie na década de 1910. A própria vida de Marden era a tradução perfeita do hino americano de escalada para o sucesso. Nascido em 1850 na zona rural de Nova Hampshire, ele ficou órfão aos sete anos, tendo passado por diversos lares adotivos onde sofreu maus tratos e foi obrigado a trabalhar excessivamente. Inspirado pelo escritor escocês Samuel Smiles, cujo popular livro *Self-Help* (Autoajuda) encontrou por acaso em um sótão, Marden batalhou ao longo dos ensinos fundamental e médio, do Seminário Andover Theological e da Universidade de Boston até conseguir o título de médico da Escola de Medicina de Harvard e o de bacharel em Direito da Escola de Direito da Universidade de Boston. Nas décadas de 1880 e 1890, ele seguiu a vocação empresarial, tornando-se proprietário de diversos hotéis e resorts antes de sofrer severos reveses na Depressão de 1894.

Marden rapidamente recomeçou sua carreira em Boston como

escritor de sucesso com a publicação, em 1894, de *Pushing to the Front, or Success Under Difficulties* (Seguindo em frente, ou sucesso sob dificuldades), best-seller que teve doze edições no primeiro ano. O autor incansável deu sequência a seu trabalho fundando a revista *Success* em 1897 (ele a editaria pelo resto de sua vida); contribuindo regularmente com a revista do Novo Pensamento *Nautilus*, de Elizabeth Towne; e escrevendo sessenta e cinco livros sobre sucesso, força de vontade e pensamento positivo antes de sua morte em 1924. Originalmente, Marden era um defensor da abnegação e do trabalho duro vitorianos como receita para o sucesso, o que ilustrou em livros como *Character: The Grandest Thing in the World* (Caráter, a coisa mais grandiosa do mundo, 1899). No início do século XX, contudo, ele mudou para a defesa da personalidade e seus atributos – magnetismo pessoal, popularidade, carisma e dinamismo – sobre a qual discorreu em livros como *The Masterful Personality* (A personalidade magistral, 1921). Essa mudança também ficou evidente nas diferenças entre as edições de 1894 e 1911 de *Pushing to the Front*, sendo que a primeira trazia capítulos como "Caráter é poder", enquanto a outra acrescentou capítulos como "Personalidade como meio para o sucesso".[210]

Marden tornou-se entusiasta do Novo Pensamento no início do século XX. Em livros como *Little Visits with Great Americans, or Success Ideals and How to Attain Them* (Pequenas visitas a grandes americanos, ou ideais de sucesso e como alcançá-los, 1903), *Peace, Power and Plenty* (Paz, poder e abundância, 1909) e *The Miracle of Right Thought* (O milagre do pensamento certo, 1910), ele proclamava a mensagem do poder da mente. Marden incentivava seus leitores ambiciosos a se concentrar nas "características pessoais, o sortimento variado que no indivíduo constitui o que chamamos de personalidade, aquilo que diferencia um homem de outro". E propunha estes princípios: "O corpo não é senão a mente exteriorizada, o estado mental habitual personificado; a condição corporal segue o pensamento, e se estamos doentes ou bem, felizes ou infelizes, se somos amados ou não, isso varia de acordo com nossos processos mentais... Antes que um homem possa se erguer, ele precisa erguer seu pensamento". Marden concluía que "não existe hábito que traga tanto valor à vida como o de sempre portar uma atitude otimista e esperançosa de realmente esperar que coisas boas, e não más, aconteçam conosco, que vamos ter sucesso e não fracassar, que vamos ser felizes e não infelizes".[211]

Dale reconhecia com frequência o impacto de Marden em seu próprio pensamento. Ele possuía em sua biblioteca um exemplar de *Pushing to the Front*, de 1911, repleto de anotações, e adotou muito do estilo do livro: destaques biográficos, histórias de interesse humano, escrita animada. Ele também adotou muitos de seus temas centrais: entusiasmo, personalidade magnética, ser agradável, dominar o medo. Descrevendo Marden como "o grande apóstolo das coisas melhores", Dale recomendava seus livros aos alunos, citando-o frequente e extensamente em seus escritos de oratória. Ele reciclou diversos aforismos de Marden sobre a necessidade de indivíduos bem-sucedidos aprimorarem as habilidades para se dirigir aos outros. "Quantas pessoas devem muito de seu progresso, sua posição, a sua capacidade de falar bem", dizia um deles. "Nada irá extrair o melhor de um homem, tão rápida e eficientemente, quanto o esforço constante de se expressar bem diante de uma plateia", dizia outro. "A prática da oratória, o esforço para ordenar todas as forças de alguém de modo lógico e enérgico, para trazer à atenção todo o poder que alguém possui, é um grande despertador de todas as faculdades." Dale até incluiu um ensaio de Marden, intitulado "Oratória", em seu *Public Speaking: The Standard Course*.[212]

O envolvimento de Dale com o Novo Pensamento levou-o, em última análise, ao contato com a pesquisa intelectual mais atual da América no início do século XX. A doutrina do poder da mente, como notaram muitos observadores, tinha uma ligação especial com o rápido desenvolvimento da psicologia. De acordo com um historiador, "a ideologia do sucesso através do poder da mente está intimamente ligada ao crescimento da psicoterapia neste século". No início do século XX, uma variedade de psicólogos começava a sondar ainda mais profundamente a complexidade da mente humana, produzindo a noção de que por baixo do pensamento racional jazessem poderes mentais que moldavam nossa percepção do mundo ao nosso redor e da nossa ação nele. Esses recursos poderiam ser fortalecidos caso fracos, ajustados caso desiguais, concentrados caso dispersos e curados caso doentes. Psicoterapias americanas de muitas vertentes foram propostas por figuras como o neurologista James Jackson Putnam; o psicólogo anormal Morton Prince; o psicopatologista G. Stanley Hall; o médico da "personalidade inteira" Richard Clarke Cabot; o estudioso eclético do subconsciente William James; e o psicanalista freudiano A. A. Brill. Todos eles promoviam a ideia de que estratégias terapêuticas podiam ensinar a mente, aumentar seus poderes, resolver seus problemas e, assim, melhorar a qualidade de vida das pessoas.[213]

Intrigado, Dale começou a pesquisar psicologia, que passou, cada vez mais, a permear suas percepções, análises e fórmulas na década de 1910. Em *The Art of Public Speaking*, ele cita psicólogos com frequência e apresenta breves exegeses sobre suas ideias. Dale anotou o comentário de Walter Dill Scott, eminente psicólogo empresarial e publicitário, além de futuro presidente da Associação Americana de Psicologia, sobre a necessidade de eliminar o medo: "Sucesso ou fracasso nos negócios é causado mais pela atitude mental, até, do que pela capacidade mental". Ele citou Daniel Putnam, autor de *Elementary Psychology: Or, First Principles of Mental and Moral Science* (Psicologia elementar: ou, primeiros princípios de ciência mental e moral), quanto à eficácia de o indivíduo concentrar sua atenção para produzir "a melhor condição do trabalho mental mais produtivo". Dale baseou-se no livro de sucesso de Gerald Stanley Lee, *Crowds: A Moving Picture of Democracy* (Multidões: um retrato tocante da democracia), para analisar "a psicologia das multidões", e destacou sua argumentação de que os homens de negócios tinham ultrapassado os pregadores em influência na era moderna porque "são estudantes mais próximos e desesperados da natureza humana e chegaram ao cerne da arte de tocar a imaginação das multidões". Dale encerra seu capítulo final "Pensando Certo e Personalidade" com uma citação de Stanton Davis Kirkham, autor de *The Philosophy of Self-Help: An Application of Practical Psychology to Daily Life* (A filosofia da autoajuda: uma aplicação da psicologia prática na vida cotidiana). Ele expressou poeticamente as satisfações internas advindas da realização: "Agora você se tornou o mestre... pode descansar a serra e a plaina para aplicar em você mesmo a regeneração do mundo".[214]

Em *Public Speaking: The Standard Course*, Dale apoia-se mais fortemente em interpretações e temas psicológicos. Ele discute "a psicologia do gesto", a psicologia do combate", "a psicologia dos negócios" e "alusões à psicologia das multidões". Ele apresenta uma seção inteira intitulada "Poder da Sugestão", na qual analisa o campo crescente da psicologia aplicada e seu foco em tirar vantagem da tendência das pessoas a tomar decisões irracionais. "Atos de pura razão são tão raros quanto pensamentos românticos antes do café da manhã", assegurou Dale. "A maioria de nossas ações é resultado da sugestão". Esse processo, ele explica, envolve afirmações dispersas ou sugestão de ideias que "mergulham em nossa mente subconsciente e ditam nossas ações". Vendedores experientes e publicidade eficaz utilizam amplamente a sugestão, explica Dale, e isso também constitui "o maior poder do orador. É uma força tremenda que você pode empregar diariamente em seus negócios com os outros".[215]

Dale frequentemente tempera o livro com referências a uma série de especialistas em psicologia. Felix Arnold, autor de *Attention and Interest: A Study in Psychology and Education* (Atenção e interesse: um estudo em psicologia e educação), chamou atenção com sua afirmação de que as pessoas esquecem metade do que ouvem em menos de trinta minutos, dois terços em nove horas e três quartos em uma semana. Dale citou G. Stanley Hall, psicólogo respeitado que levou Freud aos Estados Unidos para diversas palestras em 1909, como uma autoridade na "psicologia do vestir", cujos estudos indicaram que roupas atraentes e boa aparência aumentam o amor-próprio e a respeito pelos outros. O poder da sugestão, observou Dale, era confirmado por números crescentes de psicólogos, como Walter Dill Scott, que argumentavam que o indivíduo é "razoável, mas é muito mais sugestionável". Forbes Lindsay, autor de *The Psychology of a Sale: Practical Application of Psychological Principles to the Processes of Selling Life Insurance* (A psicologia de uma venda: aplicação prática dos princípios psicológicos aos processos de venda de seguros), argumentava, de modo semelhante, que "sugestão é o fator mais poderoso em nossos processos mentais e, consequentemente, exerce grande influência sobre nossas ações físicas".[216]

As referências de Dale a duas figuras ilustram, de modo especial, as ligações entre psicologia e Novo Pensamento. Primeiro, ele se baseou em William James, o eminente intelectual que estudou a consciência humana em profundidade, como psicólogo e filósofo, no fim do século

XIX e início do século XX. James, ao contrário de muitos pensadores sérios, respeitava o Novo Pensamento como um método legítimo para a compreensão do comportamento humano. Em seu famoso *The Varieties of Religious Experience* (As variedades da experiência religiosa), ele descreveu o movimento como quase uma religião, que sancionava "o poder salvador de atitudes mentais saudáveis", demonstrava "um uso ótimo e sem precedentes da vida subconsciente" e atendia "as necessidades mentais de uma grande porção da humanidade". O Novo Pensamento devia ser levado a sério, concluiu James, pois "a cura da mente confere serenidade, atitude moral e felicidade para alguns de nós, além de prevenir certas formas de doença tão bem quanto a ciência". Em "Os Poderes dos Homens", outro ensaio famoso, James defendeu que o Novo Pensamento começava a descobrir e usar "reservas guardadas de energia que não são normalmente utilizadas" pelos humanos, normalmente satisfeitos em "continuar a viver desnecessariamente perto da superfície".[217]

Dale reverenciava James, descrevendo-o como um "grande psicólogo". Em *Public Speaking: The Standard Course* (bem como em diversos outros livros ao longo de sua carreira), ele citou, elogiosamente, a crença de James de que o indivíduo médio desenvolve apenas uma pequena fração de seus "possíveis poderes mentais". Ele também utilizou, tendo compreendido mal, uma das frases mais famosas de James: "Vontade de acreditar". Enquanto James a usou para definir a dificuldade de se adotar uma fé religiosa no mundo moderno, e forneceu bases no pragmatismo filosófico para fazê-lo, Dale interpretou erroneamente a frase para dizer que "o homem médio gosta de ouvir aquilo em que ele já acredita". Isso se tornou base para seu argumento de que oradores precisavam estudar a psicologia de seu público e apelar para "seus gostos, suas experiências e crenças". Assim, o William James de Dale Carnagie era um promotor de poder mental e de crescimento psicológico.[218]

Dale também respeitava H. Addington Bruce, jornalista que fez mais que qualquer outro, provavelmente, para explicar a convergência do Novo Pensamento com a psicologia. Divulgador do Movimento Emmanuel, cruzada do início do século XX que mesclava religião e psicologia, Bruce tornou-se conselheiro psicológico da Associated Newspapers, um grupo editorial dos EUA. Escreveu uma série de livros – *The Riddle of Personality* (O enigma da personalidade, 1908), *Scientific Mental Healing* (Cura mental científica, 1911), *Nerve Control and How to Gain It* (Controle dos nervos e como consegui-lo, 1919) e vários outros – que buscavam popularizar a psicologia como uma espécie de poder mental. Ele também escrevia com regularidade para revistas populares como *Appleton-s*, *Good Housekeeping* e *American Magazine*. Bruce argumentava que os novos estudiosos da "psicopatologia" estavam estabelecendo uma base verdadeiramente científica para os trabalhos dos curandeiros. Ele defendeu em seu artigo "Mestres da Mente" que psicólogos como Pierre Janet, Boris Sidis, Morton Prince e Sigmund Freud mostravam ao mundo que "a mente humana possui poderes que, quando direcionados cientificamente, são quase incrivelmente eficazes na derrota de doenças desconcertantes e amplamente disseminadas".[219]

No entendimento de Dale, Bruce servia como uma autoridade em poder psicológico do entusiasmo. Ele citava o argumento do jornalista de que "o entusiasmo dobra o poder de pensar e fazer... o homem ou a mulher de tendência entusiástica exerce sempre uma influência magnética sobre aqueles com quem entra em contato". Bruce afirmou que o entusiasmo ajudaria seu detentor a dominar qualquer situação e a produzir "dólares em seus bolsos e um brilho corado em suas faces". Esse princípio alimentou a crença cada vez maior de Dale de que uma postura de pensamento positivo poderia empurrar o indivíduo para o sucesso e estabeleceu uma ligação mais forte entre seu programa de oratória e o Novo Pensamento.[220]

A adoção por Dale, na década de 1910, das principais doutrinas do Novo Pensamento – poder da mente, pensamento positivo e aperfeiçoamento psicológico – serviu para ampliar seus objetivos como professor e escritor. Aos poucos ele foi além da oratória para abordar um tópico muito maior: como ser bem-sucedido na sociedade americana. Há muito ele acreditava que as habilidades necessárias para se dirigir a um público poderiam aumentar a autoconfiança e melhorar a reputação pública de alguém, mas começou a utilizar essas habilidades para um objetivo maior de mobilidade social e ganho material. "Toda vez que você fala está se preparando para o sucesso definitivo", escreveu. Dale imaginava o primeiro esboço tênue de uma ideologia do sucesso enraizada em pensamento positivo e psicologia popular, arte de vender e relações humanas, imagem pessoal magnética e poder mental. Essa abordagem moderna incentivava seus adeptos a aceitar o dinamismo da América no início do século XX. "Atraia-nos com um tópico viril. Algo com sangue quente e bíceps grandes. Nós somos americanos", declarou ele em 1920. "*Ragtime* é nossa música nacional. Beisebol e futebol americano são nossos esportes. Não estamos interessados em croquet. É necessário algo de ímpeto ianque para nos interessar". Dale pode ter vislumbrado seu futuro: "Aquele que nos contar como ganhar mais dinheiro e aumentar nossa felicidade terá garantida uma plateia atenta", escreveu ele. "Se você souber o que as pessoas querem e puder lhes mostrar que conseguirão isso se seguirem suas propostas, o sucesso será seu".[221]

Conforme Dale avançava pela década de 1910, suas realizações como professor e escritor lhe garantiam uma dose importante de respeito social. Também lhe trouxe certa segurança financeira que permitiu ao jovem escapar das dificuldades e da pobreza de seus primeiros anos em Nova York e viver com mais conforto. Um de seus poemas favoritos capturava seu bom estado de espírito – "Invictus", de William Ernest Henley – e ele o reproduziu em *Public Speaking: The Standard Course*. Esse hino à "alma inconquistável" do indivíduo tornou-se "uma influência tão decisiva em minha vida" que ele também o decorou e recitou em numerosas ocasiões. A última estrofe oferecia uma conclusão estimulante:

> *Não importa quão estreito o portão,*
> *Quão carregada de punições a sentença.*
> *Eu sou o mestre do meu destino;*
> *Eu sou o capitão da minha alma.*[222]

No entanto, o papel de Dale como professor de oratória, discípulo do Novo Pensamento e escritor de sucesso chegou a um impasse inesperado no fim da década de 1910. Primeiro, a deflagração da guerra no palco mundial atrapalhou o progresso de sua carreira, depois, uma dificuldade de caráter mais pessoal ameaçou sua integridade e situação profissional. Por fim, os dois eventos convergiram para afastá-lo de escrever e lecionar, além de, até mesmo, para levá-lo para longe dos Estados Unidos por algum tempo. A longo prazo, esse hiato ajudou a aguçar a visão de mundo de Dale e a moldar sua carreira. Em curto prazo, contudo, isso colocou seu florescente negócio em desordem absoluta.

Em 2 de abril de 1917, o presidente norte-americano Woodrow Wilson foi ao Congresso para pedir uma declaração de guerra contra o Império Alemão e seus aliados. No conflito armado que assolava a Europa desde 1914, uma aliança composta por Alemanha, Império Austro-Húngaro e Turquia lutava contra outra, integrada por Inglaterra, França e Rússia. Após vários anos de tensão crescente com os alemães devido à questão da liberdade nos mares, a administração Wilson decidiu, finalmente, entrar na briga. O Congresso aprovou a declaração de guerra em 6 de abril por maioria avassaladora, e o presidente trabalhou rapidamente para mobilizar os recursos econômicos e militares da nação. Uma iniciativa-chave foi o Ato de Serviço Seletivo, enviado ao Congresso em maio de 1917 e colocado em ação nos meses seguintes. Aproximadamente três milhões de jovens americanos seriam convocados para as forças armadas durante a Primeira Guerra Mundial. Dale Carnagie foi um deles.

De acordo com os registros oficiais, ele se alistou no serviço militar em 5 de junho de 1917, indicando como endereço um apartamento no Brooklyn e observando a amputação de seu dedo e o "sustento parcial" de seus pais como circunstâncias mitigantes. Mas o Exército dos Estados Unidos convocou o jovem professor naquele verão e o enviou para Camp Upton, perto de Yaphank, Long Island, com milhares de outros convocados do nordeste americano. O acampamento montado durante o verão de 1917, e cujo nome homenageava Emery Upton, general da Guerra Civil, foi projetado para abrigar e treinar quarenta mil soldados. Os alistados começaram a chegar de trem em setembro, e, em dezembro, as instalações estavam repletas. Os recrutas recebiam equipamento e uniformes, eram acomodados em beliches, e se submetiam ao treinamento implacável em manobras militares básicas e nos pontos específicos de guerra de trincheiras, tanques e gás, ministrado por instrutores militares – alguns eram oficiais dos exércitos britânico e francês. Tiro com rifle, granadas de mão e metralhadoras recebiam tanta atenção quanto o combate corpo a corpo, ensinado, frequentemente, por pugilistas profissionais. A famosa Divisão 77 do Exército, que ficaria célebre por seu combate decisivo na floresta de Argonne em agosto de 1918, foi formada em Camp Yupton. Um de seus soldados, o sargento Irving Berlin, depois escreveria *Yip, Yip, Yaphank,* um musical da Broadway, baseado em sua experiência no exército em Long Island, que continha uma de suas músicas mais famosas: "Oh, Como Eu Odeio Acordar Cedo de Manhã".[223]

Inapto ao combate devido ao dedo amputado, Dale foi designado para um trabalho de escritório em Camp Upton. Com a patente de sargento – sem dúvida por sua formação acadêmica – ele se tornou assistente de um major e recebeu a responsabilidade de organizar o escritório, fazendo pequenos serviços e atendendo ao telefone. Ele devia realizar qualquer tarefa, mesmo que inusitada, solicitada por seu superior. "Eu tinha acabado de comprar um carro Chevrolet, e ele me pedia para levá-lo de Camp Upton a Nova York – e trazê-lo de volta – todo fim de semana", contou Dale. "É claro que eu gostava de fazer isso, porque significava um fim de semana longe da rotina aborrecida do Exército". O major, um advogado na vida civil, protegia ciosamente seu status. "Ele sempre tinha um exemplar do *New York Times* sobre a mesa, todas as manhãs", escreveu Dale. "Uma manhã, após ficar sentado horas sem fazer nada, eu tive a ousadia de abrir o *Times*. Ele ficou indignado por um reles sargento ter ousado olhar para seu jornal de três centavos".[224]

Durante sua estada em Camp Upton, Dale observou dois incidentes que marcaram sua forma de pensar a respeito de falar em público. Um dia, ele participou de uma reunião de soldados "negros analfabetos" – que estavam para ser despachados para o front europeu – que ouviram a fala de um bispo inglês sobre as razões pelas quais iriam lutar. O visitante declamou extensamente sobre a importância da "amizade internacional" e do "direito da Sérvia a um lugar ao sol". As tropas encaravam-no com o olhar vazio. "Ora, metade daqueles negros não sabia se Sérvia era uma cidade ou uma doença. Ele poderia, com o mesmo resultado, ter feito um sonoro panegírico sobre a Hipótese da Nebulosa", observou o jovem sargento. Em outra ocasião, em Nova York, durante o fim de semana, Dale ouviu um congressista ser expulso sob vaias de um palco. Ele falava à multidão sobre os complicados preparativos do governo americano para a guerra, quando o que as pessoas queriam era divertimento. Após vinte minutos lutando contra o sono, vaias, assobios e gritos da plateia finalmente forçaram-no a "se retirar humilhado". A lição desses acontecimentos era clara: os oradores precisam avaliar suas plateias e encontrar a forma adequada de se comunicar com elas.[225]

Na maior parte do tempo o jovem professor e escritor achava a vida em Camp Upton completamente desprovida de interesse. Após tentar, sem sucesso, obter uma posição na campanha de arrecadação de fundos do governo, em 1918, ele continuou em seu aborrecido trabalho de escritório até o armistício de novembro. Recebeu licença para passar o feriado com os pais, e, então, lhe foi ordenado que retornasse. Finalmente, no fim de janeiro de 1919, Dale recebeu sua dispensa das forças armadas. "Graças ao Senhor eu saí do Exército na manhã de sábado às 8h47", escreveu ele para a mãe. "Certamente estou feliz desde então. É um prazer recuperar a liberdade."[226]

Ao retornar à vida civil, Dale imediatamente retomou seu projeto de ensino na Associação Cristã de Moços. Ele reorganizou seus cursos em Nova York e viajou a Filadélfia para fazer o mesmo, ao mesmo tempo em que criava novos programas educacionais para o Rotary Club e o Advertising Men's Club. Em poucos meses, estava recuperado. Em 11 de maio de 1919, Dale escreveu a sua família em papel de carta timbrado que trazia uma impressionante inscrição gravada no alto: "O Curso Carnagie de Oratória. Dale Carnagie – Autor e Diretor. Leciona nas Escolas Associação Cristã de Moços, Rotary Club de Nova York, Advertising Club, American Institute of Banking, Clube dos Engenheiros da Filadélfia e Organizações Comerciais. Oitava Temporada".[227]

As aulas de Dale destacavam, ainda mais fortemente do que antes, que a habilidade de falar em público produziria sucesso social e econômico. O programa de um curso declarava que "A habilidade de falar convincentemente vale dinheiro vivo", enquanto o professor esmagava seus alunos com testemunhos de ex-alunos, como o vendedor que afirmava que "aquele curso aumentou minha renda anual em três mil dólares", ou o corretor de imóveis que "aumentou suas comissões anuais em quatro mil dólares como resultado de seu treinamento". Dale também destacava sutilmente a dimensão Novo Pensamento de seu curso. Cada aluno, afirmava ele, iria adquirir "força de vontade, concentração mental, autoconfiança e tom convincente", precisamente as qualidades que dariam a um homem "uma reputação e um poder desproporcionais à sua capacidade".[228]

Mas Dale exagerou no entusiasmo ao retomar sua carreira de professor de oratória. Alguns meses após deixar o exército ele se envolveu em um escândalo com o maior jornal acadêmico no campo da oratória, que o acusou de fraude em um de seus panfletos promocionais da Associação Cristã de Moços. O golpe o deixou abalado.

As dificuldades começaram com o artigo "Meu Triunfo sobre os Medos que Me Custavam Dez Mil Dólares por Ano", a história de um homem de negócios anônimo cuja matrícula em um curso de oratória o catapultou ao topo de sua profissão. Após a dispensa do exército, Dale revisou o artigo e o enviou para o editor de uma publicação acadêmica, *The Quarterly Journal of Speech Education* (Jornal trimestral de Educação em Oratória). Ele insistiu com o jornal para que republicasse o artigo, observando que ficaria feliz de conseguir a permissão da *American Magazine* para tanto.[229]

Na verdade, Dale fez vários acréscimos ao artigo da *American Magazine* que enviou para republicação. A maioria deles era sem importância, simplesmente detalhes acrescidos aos argumentos originais, mas duas mudanças tiveram maior consequência. Primeiro, o novo artigo identificava o inspirador professor de oratória do protagonista – Dale Carnegie – e acrescentava uma declaração da Associação Cristã de Moços que atestava a eficácia de seus cursos: "Já tivemos mais de quatro mil alunos em nossas várias turmas, e mais homens de nossas classes de oratória obtiveram benefícios do que todas as outras turmas juntas". Depois, a revisão acrescentava uma seção informando aos leitores que "o nacionalmente conhecido Curso Carnagie de Oratória" era ministrado na ACM de sua cidade, e convidava-os a assistir a uma aula. Além do mais, a carta de Dale a *The Quarterly Journal of Speech Education* incluía um segundo panfleto intitulado "Como Promover Cursos de Oratória da ACM" com esta passagem:

> Vocês devem distribuir um grande número dos livretos intitulados *Meu Triunfo sobre os Medos que Me Custavam Dez Mil Dólares por Ano...* Trata-se do artigo biográfico de um homem que entrou para o curso de oratória da ACM e lucrou muito com isso. Escrito em estilo de revista popular, é uma leitura interessante. A história de interesse humano contada no artigo fará com que mesmo homens nada interessados em educação o leiam. E essa é a melhor literatura de vendas da Cristandade para este curso. Ficarei feliz de lhes enviar cópias da reimpressão. Vocês devem dar uma cópia para cada homem que perguntar sobre o curso ou for à aula inaugural... Essa reimpressão pode ser obtida comigo aos seguintes preços: USD 1,50 o cento, USD 10 o milhar.[230]

Então, os problemas começaram. Um pouco surpreso pelo exagero autopromocional de Dale, o sóbrio e acadêmico *Quarterly Journal of Speech Education* decidiu investigar o homem e seu artigo, e descobriu um problema sério. O professor J. M. O'Neill, da Universidade de Wisconsin, contou as descobertas do jornal em um artigo intitulado "A Verdadeira História dos Medos de Dez Mil Dólares", publicado em março de 1919. Depois de ser questionado sobre os fatos relativos a seu artigo, conta O'Neill, o jovem professor admitiu que o texto não era a respeito de um homem real, mas "era a história das experiências de vários de seus alunos". Mesmo após admitir a fraude, continuou O'Neill, Dale continuava a insistir em que o jornal publicasse o artigo e em "dizer que era uma história verídica, porque é um grupo de histórias verdadeiras". A investigação chegou a uma conclusão vexatória: "A evidente presunção de que o editor de *The Quarterly* estivesse disposto a republicar esse artigo e dizer aos leitores que se trata de uma história real, sabendo a verdade dos fatos desse caso, não foi agradável nem elogiosa".[231]

Esse também não foi um incidente isolado. Na mesma época, em *Public Speaking: The Standard Course*, Dale apresentou uma extensa narrativa sobre "minha própria história, que, eu espero, possa servir de orientação para o aluno previdente". Aquele conto inspirador era, para dizer o mínimo, uma lorota. Dale começava dizendo que durante boa parte de sua carreira ele permaneceu mentalmente adormecido, até que sua empresa criou um departamento novo. Profundamente desapontado quando passado para trás em uma promoção para dirigi-lo, Dale continuava, ele decidiu mudar seu comportamento e se tornar "alegre, entusiasmado e otimista". Ele havia se forçado a ser alegre todos os dias, a ler literatura inspiradora e histórica e a concentrar sua força de vontade em ser bem-sucedido. Ele descobriu as virtudes da oratória e a estudou para desenvolver autoconfiança. Então, de acordo com Dale, "o gerente-geral da nossa empresa foi morto enquanto caçava veados no Maine. Eu recebi o cargo dele". Apenas dois anos mais tarde, seu sucesso levou-o à liderança de uma empresa ainda maior que fabricava ferramentas e peças automotivas. Esse trabalho lucrativo e prestigioso, concluiu Dale, deu-lhe "mais tempo para dedicar ao meu hobby favorito: a oratória". Ainda que alguns dos detalhes refletissem aspectos da vida de Dale Carnegie, essa história de vida era uma invenção completa em sua descrição de cargos corporativos e promoções.[232]

Tanto a confusão com *The Quarterly Journal of Speech Education* quanto a história de vida enfeitada em seu livro revelam um excesso temerário por parte de Dale. Aquilo sugeria uma disposição, àquela altura de sua vida, de usar publicidade enganosa como tática para chegar ao sucesso. O jovem soldado desmobilizado, esforçando-se para recuperar sua carreira, tornou-se demasiadamente diligente e permitiu que seu entusiasmo claramente atrapalhasse seu discernimento. Deve ter sido um constrangimento o principal jornal de professores de oratória o repreender em público. Dale nunca falou dessa polêmica, seja particular seja publicamente, mas o fato de nunca mais ter empregado comportamento semelhante indica que ele aprendeu uma lição.

Por outro lado, contudo, as dificuldades de Dale após a Primeira Guerra Mundial ajudam a explicar seu estranho afastamento nos anos seguintes. Atrapalhado pela guerra, que interrompeu seus negócios, e constrangido pela discussão quanto à sua ética nos círculos de oratória, ele ficou suscetível à atração do novo projeto, incomum, mas convidativo, que apareceu do nada. Essa empreitada o enviaria para uma aventura fascinante que o levou para longe, geográfica e vocacionalmente.

7. Rebelião e a geração perdida

A IDEIA DE REINVENÇÃO PESSOAL PRATICAMENTE DEFINE *Como Fazer Amigos e Influenciar Pessoas.* Desde as páginas de abertura, Dale Carnegie insiste em que os leitores precisam mudar sua forma de encarar problemas e pessoas, distanciar-se de padrões conhecidos de comportamento e pensamento, e criar uma nova persona para encarar o mundo de modo a influenciar os outros e conseguir sucesso. Sua própria experiência de vida ilustrava essa necessidade. Dale aprendeu que as circunstâncias mutáveis da vida frequentemente tornam antigos valores e crenças arcaicos. "Hoje não acredito em quase mais nada do que acreditava vinte anos atrás – a não ser pelas tabuadas, e começo a duvidar até disso quando leio sobre Einstein", admitiu. "Em mais vinte anos posso não acreditar no que escrevi neste livro. Hoje já não tenho tanta certeza das coisas como costumava ter." Mas, apesar do fluxo contínuo da vida, continuou Carnegie, praticamente todo mundo mantém hábitos confortáveis e "vive dentro de seus limites. A pessoa tem poderes de vários tipos que habitualmente não usa."[233]

Reunir coragem para superar os impasses da vida e dedicar-se à transformação pessoal prometia benefícios enormes. Dale descreveu o exemplo de um de seus alunos, um *marchand* sofisticado, que falava vários idiomas fluentemente, formado em duas universidades estrangeiras, mas que entrara em crise quando forçado a enfrentar sua desordem pessoal e sua falta de eficácia. Ele "ficou tão abalado pela percepção de seus próprios erros, tão inspirado pela visão de um mundo novo e mais rico se abrindo diante de si, que não conseguiu dormir" durante dias. Então, decidiu renovar sua vida e energizar sua carreira tornando-se um praticante mais habilidoso de relações humanas. Dale acreditava que as ideias em seu livro, claro, seriam catalisadoras da mudança – "Por incrível que pareça, eu vi a aplicação desses princípios literalmente revolucionar a vida de muita gente" –, mas que a transformação pessoal tem que vir, em última análise, de dentro. "Você conhece alguém que gostaria de mudar, controlar-se e melhorar? Ótimo! Isso é bom. Sou totalmente a favor", exclamou ele. "Mas por que não começar com você mesmo?... 'Quando a luta de um homem começa dentro dele', disse o poeta Robert Browning no século XIX, 'ele vale algo.'"[234]

O segundo grande livro de Dale Carnegie, *Como Evitar Preocupações e Começar a Viver*, alonga o tema. Atender as expectativas tradicionais, sugere ele, pode trazer segurança, mas frequentemente asfixia a vida de outras formas. "De onde é que tiramos a ideia de que uma vida segura e agradável, a ausência de dificuldades, e o conforto do que é fácil, torna a vida boa ou feliz?", pergunta ele. Dale cita o exemplo de uma mulher que mudou o rumo de sua vida após se dar conta de sua obsessão de atender às expectativas dos outros e ignorar suas próprias necessidades. "De repente, percebi que tinha provocado todo esse sofrimento em mim mesma ao tentar me encaixar em um padrão no qual eu não cabia", confessou ela. A chave, concluiu Dale, é descobrir quem você é, e não copiar os outros. "Você e eu temos essas habilidades, então não vamos gastar nem um segundo nos preocupando porque não somos iguais aos outros", proclamou ele. "Você é algo de novo neste mundo. Nunca antes, desde o começo dos tempos, houve alguém exatamente como você; e nunca mais, através de todas as épocas que virão, existirá alguém exatamente como você."[235]

A adoção da reinvenção pessoal tem raízes na própria experiência de Dale Carnegie durante a década de 1920, quando ele subverteu praticamente tudo que já estava estabelecido em sua vida. Ele abandonou sua tradição como protestante do Meio-Oeste, seus prósperos cursos em Nova York e até seu país, embarcando em uma aventura de entretenimento comercial que o enviou para fora dos Estados Unidos pela primeira vez. Embora a recompensa financeira do novo projeto tenha sido menor do que ele esperava, a experiência cultural e a ampliação do seu mundo tornou esse um dos episódios mais importantes de sua vida. Na verdade, essa aventura causaria um exílio prolongado, pois Dale casou-se com uma mulher europeia, tornou-se escritor de ficção e lançou uma crítica pungente à vida nos Estados Unidos. De muitas maneiras, sua vida nunca mais seria a mesma.

No início da primavera de 1917, o telefone tocou no escritório de Dale Carnagie no Edifício Carnegie, em Nova York. Quando ele atendeu, uma voz disse "Aqui é Lowell Thomas. Eu gostaria de uma reunião com o senhor". O muito viajado Thomas, então professor visitante no Departamento de Inglês da Universidade de Princeton, fora convidado pelo ministro do Interior, Franklin K. Lane, para falar a respeito do Alasca no Instituto Smithsonian em Washington, como parte da promoção do turismo doméstico pelo governo face à guerra na Europa. Ele aceitara, mas queria um professor de oratória para ajudá-lo a diminuir e melhorar sua palestra. Thomas, que havia ouvido falar do curso de sucesso de Dale, entrou em contato com o jovem instrutor e o convenceu a ajudar. Eles se encontraram várias vezes e trabalharam juntos nas revisões. Thomas apresentou o discurso aprimorado com muito sucesso, algumas semanas depois, e isso o ajudou a lançar sua carreira de enorme sucesso.[236]

Grato pelos conselhos e lições de Dale, Thomas escreveu uma carta de recomendação descrevendo o instrutor de Nova York como "um dos melhores professores de oratória da América". Ele relata que usou material didático de Dale com seus alunos de Princeton e teve grande sucesso. "Conheci muitos estudantes que aumentaram sua autoconfiança, desenvolveram sua personalidade e expandiram sua capacidade de ganhar dinheiro após estudarem com o sr. Carnagie", continuava ele. "Seu curso deve valer milhares de dólares para cada homem que lucrar com suas sugestões e críticas." Dale usou a carta para divulgar seus cursos na Associação Cristã de Moços em diversas cidades do Leste.[237]

Esse foi o começo da amizade de uma vida inteira entre os dois homens. Ambos se tornariam mundialmente famosos, Dale como professor, palestrante, apresentador de rádio e escritor de autoajuda, e Thomas como escritor viajante, personalidade de mídia e aventureiro. Ao longo das quatro décadas seguintes, eles mantiveram um relacionamento próximo, com Dale visitando com frequência a fazenda de

Thomas no norte do estado de Nova York, e Thomas escrevendo elogiosas introduções a diversos livros de Dale. Este dedicou seu livro de sucesso *Como Evitar Preocupações e Começar a Viver* "ao homem que não precisa lê-lo – Lowell Thomas", enquanto Thomas escreveu em um exemplar de seu *Pageant of Life* (O espetáculo da vida): "Para Dale, autoridade maior mundial no espetáculo da vida!"

Em 1919, os dois jovens ambiciosos se uniram em uma empreitada, cujas origens estão na Primeira Guerra Mundial. Thomas tinha estado na Europa como correspondente de guerra para preparar uma série de boletins para os jornais americanos. Ele não só escreveu seus boletins como empregou um operador de câmera, Harry Chase, para filmar os acontecimentos. A princípio concentrando seus esforços em França e Itália, Thomas depois voltou sua atenção para o Oriente Médio, onde o general britânico Edmund Allenby acabara de comandar a tomada de Jerusalém pelos Aliados. Viajando primeiro para o Egito, e, de lá, voando para a Palestina, para cobrir a captura de Jericó, Thomas acabou aterrissando em Jerusalém, onde foi apresentado ao major T. E. Lawrence, em fevereiro de 1918. Este nada ortodoxo oficial britânico, que lutou ao lado dos guerreiros árabes em sua rebelião contra o Império Otomano, fascinou Thomas, que, dentro de poucas semanas, recebeu permissão para se unir a Lawrence na Arábia. Ele passaria os meses seguintes com o inglês iconoclasta, filmando diários de guerra e tirando muitas fotografias antes de retornar à Europa.[238]

Thomas voltou para os Estados Unidos após o armistício, decidido a obter vantagem financeira de suas fascinantes experiências na guerra. Utilizando centenas de fotografias e milhares de metros de filme, ele montou uma palestra ilustrada intitulada "Com Allenby na Palestina e Lawrence na Arábia" para apresentação em um teatro de Nova York. Thomas fez a introdução, depois saiu do palco para servir como narrador invisível enquanto três máquinas projetavam *slides* coloridos, filmes e efeitos de iluminação. Embora tenha conseguido algum sucesso, a apresentação de Thomas foi tosca e amadora, com as imagens aparecendo de modo desigual e a narração nem sempre acompanhando o que a plateia via na tela. Não ajudava que Thomas falasse um inglês estranho.

Apesar de tudo, Percy Burton, empresário inglês, tomou providências para apresentar o espetáculo no Royal Opera House de Londres, em Covent Garden.[239]

Percebendo que seu show precisava de "uma reformulação completa", Thomas, mais uma vez, pediu ajuda a Dale Carnagie. Também ofereceu ao professor de oratória um emprego como gerente comercial da turnê, posição que lhe daria uma porcentagem dos lucros. Dale concordou em ajudar e assistiu a diversas apresentações de Thomas, "até eu me familiarizar com seus filmes e materiais". Rapidamente eles fizeram planos para a adaptação para a Inglaterra, pois a temporada em Londres estava marcada para começar em breve.[240]

Thomas, Dale e o câmera Harry Chase foram para a Europa no navio francês *La Lorraine.* Enquanto cruzavam o Atlântico, os três trabalharam freneticamente, geralmente doze horas por dia, em uma nova versão do espetáculo. "O dia todo e boa parte da noite Dale, Chase e eu nos amontoamos sobre nossos roteiros e o projetor, trabalhando sob a pressão de uma estreia em menos de duas semanas", disse Thomas. "Quando atracamos em Southampton, tínhamos montado as duas partes de um espetáculo preciso e ágil: 'A Última Cruzada – Com Allenby na Palestina e Lawrence na Arábia.'" A equipe também criou a propaganda que seria usada em cartazes e jornais.[241]

Ao chegarem, os três americanos e Percy Burton rapidamente uniram forças e montaram tudo, acertando os últimos detalhes. O show abria espetacularmente. Burton conseguira alugar o cenário da ópera *José e Seus Irmãos*, de Händel, e contratara a prestigiosa Banda de Guardas Galeses, com quarenta componentes, que apresentou a abertura no palco e depois foi para o fosso da orquestra, de onde tocou o acompanhamento musical. O espetáculo começava com um tom misterioso, sugestivo, como contou Thomas:

> A cortina abria e revelava o cenário do Nilo, a lua iluminando fracamente as pirâmides distantes. Nossa dançarina deslizava pelo palco em uma breve dança oriental dos sete véus. Nós musicamos a chamada muçulmana à oração e, da lateral, um tenor lírico lançava aquela

melodia misteriosa para os cantos mais distantes do teatro. Dois minutos depois, eu entrei sob o holofote e comecei a falar... "Agora venham comigo às terras de mistério, história e romance".

Ele então contava à plateia como conhecera o personagem central do espetáculo andando por uma rua de Jerusalém. "Eu encontrei um homem vestindo os trajes maravilhosos de um potentado oriental; na sua cintura estava a espada curva de ouro que somente os descendentes do profeta Maomé usavam. Mas a aparência daquele homem não tinha nada de árabe. Seus olhos eram azuis, e os olhos dos árabes são sempre pretos ou castanhos." Tratava-se, é claro, de T. E. Lawrence.[242]

O espetáculo reformulado funcionou maravilhosamente; a narrativa cuidadosamente elaborada, filme e fotografia bem sincronizados, cenário, música e luzes fundindo-se em um todo homogêneo. Foi um triunfo, e a reação, popular e crítica, extasiada. "Ao término, o público se levantou e aplaudiu por dez minutos", contou Thomas, enquanto os jornais de Londres – *The Times, Morning Post, Daily Mail, Lloyd's Weekly News* – exibiam artigos de primeira página sobre o show. "Um jornal comentou que aquele era o filme mais maravilhoso já visto na Inglaterra e que logo toda Londres estaria falando só disso", Dale escreveu para sua mãe. De acordo com o *Lloyd's Weekly News*, "imensos públicos ficam sentados durante duas horas, sem se mexer; tal é o encantamento das imagens que veem e da história emocionante que ouvem". De fato, o sucesso do espetáculo foi tão avassalador que o compromisso de sete dias na Royal Opera House foi estendido para quase cinco meses e a temporada de ópera teve que ser adiada em seis semanas para compensar. Conforme a demanda por ingressos disparava, o espetáculo foi levado ao Royal Albert Hall por seis semanas, e depois para o Queen's Hall por mais diversas semanas. O jornal *The Times* relatou que "até mesmo o Royal Albert Hall (maior sala de concertos do mundo) está se mostrando pequeno para as multidões que querem assistir ao show. Trata-se de um entretenimento singular e maravilhoso". Mais de um milhão de pagantes assistiriam às apresentações de Londres.[243]

Dale teve um papel central nesse sucesso. Todos os materiais promocionais de *Com Allenby na Palestina e Lawrence na Arábia* diziam que o espetáculo estava "Sob a direção de Dale Carnagie", mas, na verdade, o trabalho dele era muito mais amplo. Ele atuou como gerente-geral de toda a operação: contratou dois gerentes comerciais, supervisionou as reservas, resolveu questões tecnológicas com filme, lâmpadas e projetores e lidou com mil e um detalhes dessa complexa apresentação. Por trabalho tão importante, Dale combinou um plano de participação nos lucros com Thomas, pelo qual receberia uma porcentagem do faturamento semanal depois de deduzidas as despesas operacionais e uma taxa especial pelo aluguel dos filmes de Thomas.[244]

Com o sucesso do espetáculo em Londres acima de qualquer dúvida, Dale cruzou novamente o Atlântico no fim do outono de 1919 para supervisionar uma versão do show no Canadá e no nordeste dos Estados Unidos. Desta vez, tudo estava sob sua direção. Na esperança de obter mais lucro a longo prazo, ele recusara um salário em troca de outra porcentagem do faturamento. Mas as dificuldades logísticas, organizacionais e financeiras que enfrentou foram enormes. Como explicou: "Eu tive que ensaiar a fala com o operador da máquina, colocar anúncios nos jornais, cuidar das datas de exibição, copiar alguns filmes, colorir *slides* e mil outras coisas que você nem sonharia". Ele também treinou palestrantes para substituírem Thomas. A pressão aumentou porque o comparecimento canadense se mostrou bastante irregular. Dale conseguiu mais algumas datas em Nova York e Baltimore, mas em março de 1920 encerrou a temporada e voltou para a Inglaterra.[245]

Embora Dale visse o espetáculo de Thomas primeiramente como uma empreitada para ganhar dinheiro, uma motivação pessoal também entrava em seus cálculos. Para o jovem que deixara o Meio-Oeste a fim de estudar interpretação, mas que depois abortou sua carreira teatral, a produção servia como um desagravo. Em 1920, ele escreveu para seus pais em um papel de carta com o seguinte cabeçalho: "Os Diários de Viagem de Lowell Thomas: 'Com Allenby na Palestina e Lawrence na Arábia', sob a direção de Dale Carnagie". A mensagem era triunfante. "Você costumava dizer para mim, mãe, que eu nunca mais me dera tão bem quanto na Armour. O que você me diz agora?", escreveu ele. "Acho que tanto você como meu pai pensaram que eu estava cometendo um erro ao ir a Nova York para atuar no teatro, mas pode ver aonde isso me levou indiretamente."²⁴⁶

Dale Carnagie em cartaz para a versão do espetáculo em Londres, no qual colaborou com Lowell Thomas.

De volta à Inglaterra em 1920, Dale reuniu-se a Thomas para terminar uma turnê por Manchester, Liverpool, Birmingham, Glasgow e Edimburgo. Quando a popularidade da produção motivou um convite para montá-la na Austrália e na Nova Zelândia, Thomas decidiu aceitar. Dale ficou na Inglaterra para levar uma nova versão de *Com Allenby na Palestina e Lawrence na Arábia* a várias cidades menores por todo o país. Mais uma vez, o jovem americano enfrentou uma montanha de trabalho. "Temos que alugar espaços ou conseguir montar o show com acordos de participação em toda cidade inglesa com mais de 50 mil habitantes", explicou ele. "Tenho dois homens fazendo isso por mim... [mas] todas as decisões passam por mim".[247]

Dale Carnagie montado em um camelo; fotografia publicitária para o espetáculo Allenby e Lawrence, *de Lowell Thomas.*

Thomas embarcou para a Oceania em julho de 1920, e Dale pôs o show na estrada para levá-lo ao interior da Inglaterra. Mas problemas logo surgiram. As pessoas identificavam tanto o espetáculo com Thomas que números significativos de potenciais espectadores não compareciam ao saber que um narrador substituto faria a apresentação. Além do mais, dificuldades para conseguir lugares adequados também criaram uma série de problemas e os lucros começaram a desaparecer. Dale decidiu fazer ele mesmo as apresentações, uma decisão que só criou mais dificuldades. Embora fosse um excelente orador, ele nunca estivera no Oriente

Médio, e uma evidente insegurança tornava-se óbvia quando as fotografias e os filmes passavam pela tela. De acordo com uma revista, durante um dos espetáculos "ele desconcertou a plateia ao dizer simplesmente 'esta é uma linda imagem do Oriente. Vamos apreciá-la em silêncio.'"[248]

Por fim, Dale acabou esmagado sob o peso desses problemas. "Uma notícia ruim nos esperava quando atracamos em Melbourne – um telegrama de Londres relatava que a companhia itinerante Allenby-Lawrence fechara; o pobre Dale Carnagie sofreu um colapso nervoso por causa dela", escreveu Thomas mais tarde. "Perdemos uma boa quantia de dinheiro e Dale estava passando mal, culpando-se. Não havia nada que eu pudesse fazer a quinze mil quilômetros de distância, a não ser lhe enviar um telegrama dizendo que eu tinha plena confiança em que ele fizera tudo que se poderia esperar." A memória de Thomas falhou em um detalhe – o espetáculo na Inglaterra ainda não se encerrara completamente, mas o entusiasmo de Dale, com certeza, sim.[249]

Após recuperar seu equilíbrio emocional, Dale se arrastou com a produção até o fim daquele ano. Então, em dezembro de 1920, ele examinou o livro de contabilidade e descobriu que "nós faturamos cerca de vinte mil dólares e gastamos mais ou menos a mesma quantia". Dale estava farto e telegrafou a Thomas informando que queria se desligar do espetáculo. Ele concordou em ficar até março de 1921, mas com um salário.[250]

Enquanto isso, no começo de 1921, Dale teve grande sucesso ao ajudar o popular herói inglês Sir Ross Smith a fazer uma palestra. Em 1918, Smith completou o primeiro voo da Inglaterra até a Austrália, ganhando título de cavaleiro e um prêmio de dez mil dólares oferecido pelo governo australiano. Então, a organização de Thomas o levou de volta a Londres e providenciou que ele estrelasse outro espetáculo de viagens baseado em suas aventuras. Dale organizou essa nova produção, escreveu o texto e treinou Smith para apresentá-lo. *O Voo de Ross Smith: Da Inglaterra à Austrália*, uma produção de "Diários de Viagem Lowell Thomas, Sob a Direção Pessoal de Dale Carnagie", teve uma temporada de quatro meses no Philharmonic Hall, em Londres.[251]

Na primavera de 1921 a associação de Dale com Thomas se encerrou. Poderia parecer óbvio que o jovem professor voltaria a Nova York para retomar sua lucrativa empreitada com a Associação Cristã de Moços. Mas um acontecimento inesperado turvou seu caminho e tornou seu futuro incerto. Dale Carnagie tinha se apaixonado.

A edição de 4 de agosto de 1921 do *Belton Herald* trouxe uma breve notícia de casamento. Um comunicado assinado por James e Amanda Carnagey informava que seu filho Dale casara-se com Lolita Harris, de Baltimore, em 4 de julho de 1921, em Dorking, uma cidadezinha junto ao rio Mole, no condado de Surrey, Inglaterra, a cerca de setenta quilômetros ao sudeste de Londres. De acordo com os registros britânicos, o casal entrou com os documentos, registrou seu casamento e recebeu uma certidão de casamento das autoridades locais. "A cerimônia foi realizada na Igreja Congregacional e um almoço foi servido na Mansão Deepden, anteriormente casa de campo de Lord Francis Hope", informava o *Belton Herald*. A notícia dizia ainda que os recém-casados haviam voado de Londres para Amsterdã dois dias depois, passaram duas semanas conhecendo Holanda e Bélgica, seguindo de navio de Antuérpia para os Estados Unidos, em 21 de julho.[252]

A decisão de Dale se casar foi bastante impulsiva. Tendo conhecido sua noiva poucos meses antes, ele sabia pouco a respeito dela em termos de personalidade, hábitos e valores. Na verdade, ela tinha um passado interessante e incomum. Nascida Lolita Baucaire em 29 de outubro de 1886, em Ulm, Alemanha, em uma família de ascendência francesa, ela morou na Alemanha até 1903, quando emigrou para os Estados Unidos, onde se tornou atriz em uma empresa de teatro itinerante. Mais tarde ela afirmaria ser condessa, mas isso parece improvável. Ela se casou em 1909 com Charles C. Harris, próspero dentista de uma família de dentistas de Baltimore. Ele fora presidente da Associação Dental do Estado de Maryland na década de 1890, e seu pai, James H. Harris, fez parte do corpo docente da Baltimore College of Dental Surgery, uma das mais influentes instituições para formação de dentistas nos Estados Unidos. Charles fora casado antes – com Grace Harris desde 1888 – e, aparentemente, se divorciou para se casar com Lolita. Dada sua fortuna e o fato de que nascera em 1860, o que o tornava vinte e seis anos mais velho que sua nova esposa europeia, parece claro que ela era um tipo de alpinista social.[253]

Ao lado de Charles Harris, Lolita aproveitou a década de 1910 como "esposa de um elegante dentista de Baltimore", em suas palavras, que era "membro do Baltimore Country Club, e proeminente nos círculos sociais da cidade". Falando quatro línguas fluentemente, ela cruzou o Atlântico mais de uma dúzia de vezes para viajar pela Europa. Mas o casamento não durou. Lolita e o marido se divorciaram em 1920, e ela ficou com Dale, que, aparentemente, conhecera em Baltimore quando ele estava na cidade com a versão americana do espetáculo de Lowell Thomas. Em setembro de 1920, ela o seguiu de volta à Inglaterra.[254]

Lolita Baucaire – vários anos após se casar com Dale Carnagie em 1921.

Para o garoto de fazenda do Missouri, a figura cosmopolita de Lolita Baucaire deve ter exercido uma forte atração. Fotografias do período revelam uma mulher jovem e atraente, com olhos escuros e cabelo castanho curto, que tinha o hábito de se vestir com roupas elegantes. Cartas e postais destacam seu gosto por esquiar e caminhar, além de uma inclinação para jogar pôquer. Em outras palavras, Lolita era o protótipo da Nova Mulher dos anos 1920 – liberada das convenções vitorianas, aventureira e revestida de uma pátina de sofisticação europeia. Mais vivida em questões românticas e sexuais, e desprovida de apoio após se divorciar do marido rico, ela atraiu e encantou rapidamente o jovem Dale. Escritor, professor e gerente comercial de uma das mais populares iniciativas de entretenimento da época, ele deve ter parecido um partido interessante, promissor e potencialmente lucrativo. De fato, o casamento dos dois em 1921 inaugurou um período despreocupado na Europa que perdurou pelos quatro anos seguintes. Com a desordem econômica no continente, fruto da Primeira Guerra Mundial, a Europa tornou-se um lugar barato para americanos com dólares morarem. Os Carnagies aproveitaram-se plenamente da situação.[255]

Após uma breve viagem aos Estados Unidos, no começo de 1922, Dale e Lolita Carnagie passaram a maior parte do ano viajando por Açores, Espanha, Argélia e Itália. Nos Açores, ele fez um curso-relâmpago sobre a privação econômica europeia, e descobriu que um policial local recebia salário equivalente a oito dólares por mês. Após algum tempo em Cádiz, Espanha, o casal cruzou o Mediterrâneo e chegou à Argélia, onde encontraram um cenário de pobreza generalizada e cultura islâmica, muito diferente do que conheciam. Depois de viajarem até Palermo, na Sicília, foram para Nápoles e passaram várias semanas percorrendo a Itália antes de chegarem a Roma, em fevereiro de 1922. Em junho, os dois foram a Cortina, no extremo norte do país, nas Dolomitas. Instalado em um hotel lindo, mas barato, desfrutando de comida deliciosa, passeando e colhendo flores silvestres, além de se maravilhar diariamente com as vistas impressionantes dos Alpes italianos, Dale transpirava uma alegria palpável. "Isso que é viver", comentou ele com Lolita em Cortina. "É mesmo, quem quer viver em Nova York quando pode viver aqui?", respondeu ela.[256]

Os Carnagies passaram boa parte de 1923 e 1924 viajando pela Europa Central, onde moram por alguns períodos na Alemanha,

Áustria, Suíça e Hungria. Em carta de setembro de 1923 para o jornal de sua cidade natal, o *Maryville Democrat-Forum*, Dale contou que passara o último inverno na "Floresta Negra da Alemanha" e que se encontrava, então, nos Alpes austríacos. Ele forneceu descrições pitorescas dos rios de montanha – "nada dos riachos borbulhantes de que os poetas escrevem, mas verdadeiras torrentes, que rugem e espumam em cascatas sobre milhares de rochas de granito" – e das geleiras "com 60 metros de espessura, e que estão nas encostas das montanhas desde os tempos de Baltazar da Babilônia". Os Carnagies passaram boa parte do verão em uma estância balneária nos Alpes austríacos perto de Salzburgo, onde ficaram em um hotel adjacente a uma linda igreja antiga. "Nós jantamos no jardim, sob as castanheiras, e perto o bastante da igreja para acertá-la com uma pedrada", escreveu ele. "É católica e foi construída em 1789."[257]

Eles passearam por diversas outras cidades – Zurique e Wehrliverlag, na Suíça, e Kitzbehel, na província do Tirol, na Áustria – acompanhados da irmã de Lolita e de seu marido. Dale descreveu a estada em Viena, onde visitaram o palácio de Francisco José em que "os soberbos Habsburgos moraram até 1910". Eles também se embrenharam no continente. Os Carnagies permaneceram seis meses em uma ilha em Budapeste, e Dale contou que caçou gansos selvagens "no deserto Hortobagy, na Hungria, perto da fronteira com a Romênia". Ele também observou que "Não peguei nenhum ganso, mas fiquei à distância de um tiro da Rússia".[258]

Em setembro de 1924, os Carnagies se estabeleceram na França, onde passariam a maior parte do ano seguinte. "No momento, estou morando em Versalhes, nos limites de Paris", escreveu ele ao *Maryville Democrat-Forum*."Praticamente todo dia passo uma hora caminhando pelo parque, que é, provavelmente, o jardim mais famoso do mundo. Todos os dias eu passeio perto do grande palácio do rei mais ostentador que já governou mal e oprimiu a humanidade". Empolgando-se com o tema antiaristocrático, ele declarou que Luís XVI "teve o que merecia – a guilhotina, que ele e toda a sua turma mereciam, e o que o czar russo merecia, e também Guilherme e outros que não vou mencionar". Jogando para sua torcida no Missouri, ele também afirmou que os jardins de Maria Antonieta em Versalhes empalideciam perto da beleza natural do campo perto de Maryville, e que a agricultura na França, em termos de eficiência e produtividade, "é uma piada comparada à agricultura do condado de Nodaway".[259]

Ainda na França, Dale recebeu uma visita de Homer Croy, acompanhado de mulher e dois filhos, e as duas famílias passaram algum tempo de férias na Riviera Francesa. Os velhos amigos de Maryville também fizeram uma viagem de mil quilômetros a bordo de um automóvel pelo interior da França, onde ficaram maravilhados com a falta de cercas, observaram mulheres lavando roupa nos riachos porque não tinham dinheiro para aquecer a água, fingiram ser provadores de vinho e ficaram atônitos quando viram grãos sendo colhidos a mão com foice. Em Paris, Dale questionou o valor que os turistas americanos davam aos negócios. Ele observou que muitos deles iam à Europa para relaxar e aprender, mas depois só falavam "das vantagens ao comprarem barganhas, a soma de dinheiro que economizaram ou o quanto foram esfolados". Dale defendia um comportamento diferente. "Eu gostaria que meus filhos estivessem preparados para apreciar as coisas boas da vida; que fossem capazes de vir a Paris e apreciar sua música e arte, pois existem dois mundos nos quais um homem pode viver: o mundo da realidade, dos feijões e das batatas, ou do ferro e do aço... e outro mundo, maior, mais apurado e nobre, que dá à vida sua beleza, seu conteúdo e sua cor, o mundo da mente e o mundo da alma", escreveu ele. "Portanto, eu educaria meus filhos para o lazer, pois o que um homem faz em suas horas de lazer é tão importante quanto o que ele faz durante o expediente de trabalho."[260]

Durante sua prolongada estada na Europa, Dale pagou a conta da existência viajante do casal. Dada a fraqueza das moedas europeias e a força do dólar americano, ele conseguiu estender sua renda incerta de modo a atender suas necessidades. "Em comparação à América, é tudo ridiculamente barato", relatou a respeito dos custos de alimentação e hospedagem. Ele estava recebendo três mil dólares por ano em direitos autorais de seus livros e também obtinha fundos a partir de palestras e aulas esporádicas. Em Paris, por exemplo, ele apresentou uma palestra sobre oratória na Biblioteca Americana, em novembro de 1924, para um público de "banqueiros, exportadores, estudantes, um diplomata e homens de negócios americanos e franceses". A reação foi tão positiva que Dale passou as próximas dezessete semanas oferecendo seu curso de oratória no mesmo lugar. Ele também apresentou outra versão do curso, em suas palavras, "com a ajuda da Câmara Americana de Comércio. Alguns dos principais membros da colônia americana, aqui, são estudantes".[261]

Apesar disso, os Carnagies às vezes sentiam falta de dinheiro. Isso resultou em um empreendimento bastante improvável: a criação de pastores alemães para vender. Usando contatos alemães de Lolita, o casal estabeleceu a Fazenda Carnagie de Criação e Treinamento de Pastores na terra de seu pai em Belton, Missouri, com escritórios no Edifício Hayes, em Kansas City, sob a direção de seu irmão, Clifton. Eles compraram um pastor alemão campeão como base da operação e o enviaram ao oeste do Missouri acompanhado de diversos outros cães alemães. Eles também elaboraram um panfleto publicitário com dezesseis páginas brilhantes, recheado de fotografias de seus pastores alemães e um texto escrito por Dale, que destacava: "Nosso sr. D. B. Carnagie passa parte de cada temporada na Europa, onde consegue alguns dos famosos cães premiados para nossa fazenda de criação". Mas esse empreendimento estava destinado ao fracasso. No fim de 1925, após perder dinheiro, em um texto escrito por Dale, James Carnagey anunciou uma "Venda de Encerramento". Sempre um promotor, Dale escreveu: "Esta é a primeira vez na história da criação de pastores americanos que uma coleção tão famosa de animais é colocada em liquidação… Se tiver interesse, não demore para agir".[262]

Conforme os anos na Europa se passavam, um elemento corrosivo entrou em cena. Foi ficando cada vez mais evidente que Dale e Lolita não combinavam. O jovem entusiasmado, mal saído do campo no Meio-Oeste, com sua formação religiosa, seu humor autodepreciativo e jeito sério, estava a quilômetros de distância da cosmopolita "condessa" franco-germânica, com seu jeito sofisticado e exigentes padrões sociais. De fato, os problemas apareceram logo. No dia de seu casamento, Dale depois contou, ele "estava casando em uma igreja na Europa e as primeiras palavras que minha mulher pronunciou após a cerimônia foram 'você deu gorjeta ao zelador?'". Ele foi ficando cada vez mais ressentido com as tentativas de sua mulher de mudar seu comportamento, que ela via como proletário. Uma vez, quando um casal visitou os dois para jogar cartas, o assunto nobreza russa foi mencionado e Dale, em suas próprias palavras, "chamei-os de uma boa e velha expressão viril do oeste: 'filhos da puta'... Lolita quase desmaiou". Ele concluiu, magoado, "evite essa frase no futuro quando estiver falando ao leste do Mississippi". Durante outro jogo de cartas com dois aristocratas italianos, sua mulher ficou aborrecida quando ele se esqueceu de dizer "por favor" quando pediu novas cartas após o descarte. "Lolita tinha vergonha de mim", contou.[263]

Dale e Lolita Carnagie, a tensão entre eles evidente durante uma caçada com o conde alemão e seu secretário.

Em seus arquivos privados, um Dale irado explodiu de ressentimento, "EU AQUI DECIDIDAMENTE RESOLVO, na presença de meu Anjo de Luz, ditar uma análise dos meus erros até alcançar um grau de perfeição que me aproxime do nível de Lolita!!!!". Após alguns anos, o casal incompatível começou a se distanciar visivelmente e o casamento aos poucos se desfez. Uma carta da Europa informava que, em um hotel italiano, ele estava dormindo em "um quarto com cama de solteiro no segundo andar", enquanto "Lolita tem um quarto grande, no andar de baixo, com cama de casal, duas janelas e uma sacada". Durante uma de suas visitas aos Estados Unidos, os Carnagies ficaram na Fazenda Cloverbrook, de Lowell Thomas, em Pawling, Nova York, e foram caçar com o conde Felix von Luckner e seu secretário. O quarteto foi fotografado ao retornar, sentado sobre uma cerca e exibindo sua caça. A disposição dizia tudo: Dale e o secretário estavam próximos e, a cerca de um metro de distância estavam os outros dois, com Lolita do outro lado, separada do marido, mas bem próxima do conde. A fotografia simbolizava o estado de seu casamento.[264]

Durante sua vida Dale recusou-se a discutir seu primeiro casamento ou a separação. Um jornalista, por exemplo, na década de 1930, extraiu dele a admissão cáustica de que o casamento durara "dez anos e 40 dias". Mas ele também confessou, com relação a seu casamento, que a biografia que escreveu em 1932, *Lincoln, Esse Desconhecido*, era "estritamente autobiográfica, em todos os aspectos". Assim, o retrato que Dale fez da miserável vida doméstica de Lincoln pode ser visto como um relato mal disfarçado de seu próprio relacionamento com Lolita. A sra. Lincoln, escreveu o autor, "fora educada em uma esnobe escola francesa", possuía "modos educados e soberbos e uma opinião inflamada a respeito de sua própria superioridade", e ficava constantemente irritada com as roupas, os modos e o comportamento de seu marido. Nas palavras de Dale, "ela queria transformá-lo" e tentava pressioná-lo a se submeter:

> Ela estava sempre reclamando, sempre criticando seu marido; nada do que ele fazia estava certo. Ele andava de modo esquisito, tinha os ombros caídos e levantava e baixava os pés como um índio. Ela reclamava que os passos dele não tinham vigor, que seus movimentos não eram graciosos; ela imitava a maneira como ele andava e ficava dizendo para ele caminhar com os dedos apontados para baixo, como

ela fora ensinada por Madame Mentelle. Ela não gostava de como as orelhas enormes dele saíam da cabeça em ângulo reto. Ela até mesmo disse para ele que seu nariz não era reto, que o lábio de baixo se projetava, que ele parecia tuberculoso, que seus pés e suas mãos eram grandes demais, sua cabeça muito pequena... Seus modos à mesa eram exagerados e descuidados. Ele não sabia segurar a faca e não a colocava da maneira certa sobre o prato... Uma vez, quando ele colocou ossos de galinha no prato em que a alface lhe foi servida, ela quase desmaiou.[265]

Além do mais, Dale acusou, Mary Todd Lincoln esbanjava dinheiro, principalmente "em coisas que serviam para se mostrar". Ela comprou uma bela carruagem na qual era levada à cidade e gastava em roupas chiques, embora os Lincolns não pudessem arcar com isso. Aos poucos, seu marido foi concluindo que, nas palavras do autor, "ele e Mary eram opostos em tudo: educação, experiência de vida, temperamento, gostos, atitude mental. Eles irritavam um ao outro constantemente". Finalmente, Lincoln chegou ao seu limite quando ela começou a ter surtos de raiva e a atacá-lo fisicamente. Em uma dessas ocasiões, quando a agressão foi especialmente intensa e duradoura, ele "perdeu o autocontrole, agarrou-a pelo braço, arrastou-a pela cozinha e a empurrou na direção da porta, dizendo 'Você está arruinando minha vida. Está fazendo desta casa um inferno. Agora, infeliz, saia daqui'".[266]

Enquanto Lincoln aceitou a mulher de volta após esse episódio, Dale não o fez. Ele e Lolita se separaram, aparentemente por iniciativa dele, após tentarem viver em Nova York por um tempo em 1926 e 1927, e depois viajarem juntos pela Europa novamente. Ela permaneceu no exterior e Dale voltou aos Estados Unidos, em 1928. Lolita certamente reconheceu a história de seu casamento contida na biografia de Lincoln escrita pelo marido. Depois que a leu, ela escreveu para Dale e confessou que "o tempo todo eu tive uma sensação que me fez pensar que, se Dale não tivesse se colocado no personagem de Lincoln, e sentido que sua vida era a de Lincoln, ele não teria me mandado embora como fez, não teria se livrado de mim dessa forma". Incomodada pelo "sentimento que se apossou de mim", ela perguntou, lamuriosa: "Isso é verdade? Você atacou Mary Todd com crueldade".[267]

O casamento de Dale – emocionante e venturoso em seus estágios iniciais, doloroso e desesperador no período final – fornece apenas parte da história de sua vida na Europa no começo da década de 1920. Outro aspecto veio de suas repetidas tentativas de deixar uma marca no mundo das artes. Em meio às belezas naturais e aos tesouros culturais do Velho Mundo, Dale mergulhou no mundo da literatura de ficção.

Em novembro de 1919, Dale retornou a Nova York por alguns dias durante a temporada da versão americana do espetáculo *Allenby e Lawrence de Lowell Thomas*. Ele ajeitou algumas de suas pendências antes de embarcar novamente rumo à Europa. Alguns amigos, incluindo o velho camarada Homer Croy, organizaram um jantar de despedida especial. O tema da noite foi surpreendente. Um jornal falou sobre o banquete, observando que "o jantar homenageou a desistência do trabalho de palestrante e do início de sua carreira de escritor". Dale havia decidido se tornar romancista.[268]

Desde que saiu da faculdade, o jovem do Missouri era periodicamente atraído pelas artes. Estudou para ser ator, escreveu vários artigos para revistas e até coordenou um curso de redação criativa no Instituto de Artes e Ciências do Brooklyn, durante o qual persuadiu vários proeminentes escritores de Nova York a participarem como convidados. Depois de sua experiência com o projeto Lowell Thomas e seu casamento repentino com Lolita Baucaire, a fagulha da criação reacendeu e irrompeu em chamas. Mais tarde, Dale escreveria que "quando eu tinha trinta e poucos anos decidi passar minha vida escrevendo romances. Eu seria o segundo Frank Norris, Jack London ou Thomas Hardy".[269]

A expedição pela Europa foi o pano de fundo para seus esforços literários. Enquanto viajava pelo continente com Lolita, de 1922 a 1925, trabalhou continuamente para produzir uma novela. A história era ambientada no interior do Missouri de sua infância. "O sr. Carnagie espera escrever a respeito de cenas ao redor de Maryville", relatou o

Maryville Democrat-Forum, em dezembro de 1919, após receber uma mensagem do autor. Dale descreveu o projeto como "um romance do condado de Nodaway" e brincou que "Vou recolocar aquela fonte com o peixinho dourado no mercado Shumacher & Kirch, e a barra para amarrar cavalos no tribunal". Acabou considerando exaustivo o trabalho de "martelar esta novela todo dia. Debulhei milho... ordenhei vacas, bati leite e cortei lenha... trabalhei tanto sob o sol escaldante que faria uma mula cair de fraqueza, exaurida, se tentasse me acompanhar", disse ele em comunicado ao jornal de sua cidade natal, "mas todas essas coisas juntas são brincadeira de criança em comparação a escrever um romance".[270]

Dale escrevendo no campo durante sua expedição de 1920 pela Europa.

Dale originalmente iria chamar seu romance de "A Nevasca", em homenagem à lendária tempestade que marcou seu nascimento em 1888, mas o título evoluiu para se tornar "Tudo Que Eu Tenho". O romance contava a história de três personagens envolvidos em um conto melodramático, triangular, de amor perdido e paixão frustrada. Boa parte da narrativa acompanhava uma jovem, que lutava para escapar às amarras da moral vitoriana, e um pregador, que se emprenhava para apresentar um cristianismo iluminado, reformista, para um público rural desconfiado e teimoso. À sua maneira, "Tudo Que Eu Tenho" incorporava a ampla atitude literária e cultural da década de 1920, com Dale aparecendo como a versão pobre dos famosos escritores expatriados que abandonaram os Estados Unidos nessa década, rejeitando a tradicional conformidade da classe média, pelos encantos da vida boêmia na Europa.

A famosa Geração Perdida – assim batizada por Gertrude Stein – saiu dos Estados Unidos nos anos que se seguiram à Primeira Guerra Mundial para adotar um etos libertador na Margem Esquerda do Sena em Paris. Escritores como Ernest Hemingway, John Dos Passos, T. S. Eliot, Hart Crane, F. Scott Fitzgerald e muitos outros participaram de uma odisseia literária que os arrancou de seus portos na vida americana e os lançou em busca de novos padrões de expressão e conduta. Exilada na Europa, essa turma aparentava desafiar a cultura da terra natal, embora sofresse eventuais pontadas de nostalgia. Nas palavras de um participante, enquanto eles "escreviam, bebiam, assistiam a touradas ou faziam amor, continuavam a desejar uma cabana no Kentucky, uma casa de fazenda em Iowa ou Wisconsin, os bosques do Michigan... [ou] Como dizia Thomas Wolfe, um lar para o qual não pudessem voltar". Aquela era uma geração profundamente cínica em relação a muitas coisas da América tradicional: virtude política (devido à experiência decepcionante da Primeira Guerra Mundial), repressão moral e emocional (por causa do contínuo ataque aos valores vitorianos desde a década de 1890), devoção religiosa (pela influência cada vez maior da ciência) e ganância material (devido ao rápido avanço, e adoção da economia de consumo no início do século XX).[271]

Um impulso literário semelhante ganhou força na "revolta contra a cidadezinha", como classificou o crítico Carl Van Doren. Dela participavam escritores como Sherwood Anderson, com *Winesburg, Ohio* (1919) e sua dolorosa autópsia dos "grotescos" da cidadezinha; Sinclair Lewis, em *Rua Principal* (1920), com seu diagnóstico penetrante do "vírus da cidadezinha" da América; e Edgar Lee Masters, em *Spoon River Anthology* (1915), com sua mordaz descrição da vida acolhedora na cidadezinha, que, na verdade, é estagnada e cruel, complacente e apática, invejosa e maldosa. Ao contrário da Geração Perdida, esses críticos da vida nas cidades pequenas nunca foram ao exílio físico, mas embarcaram em uma migração espiritual interna para fugir dos valores americanos tradicionais que, sentiam, os estavam sufocando.[272]

Algo hesitante, Dale Carnagie alistou-se nessa insurreição cultural. Como a Geração Perdida, ele se exilou na Europa durante vários anos, longe das principais tendências da vida americana que o produziram. Como os revolucionários da cidadezinha, ele também rejeitava, com frequente amargura, os padrões e as tendências das cidades pequenas. E como os dois grupos, ele periodicamente demonstrava uma nostalgia sutil por certos elementos do passado das cidadezinhas americanas, mesmo quando afirmava ter deixado isso de lado. Todos esses elementos apareceram no manuscrito do romance que ele se esforçou para terminar enquanto viajava pelo Velho Mundo, durante a primeira metade da década de 1920.

"Tudo Que Eu Tenho" passava-se em 1917-18, na região da infância de Carnagie, ao longo do rio 102, no noroeste do Missouri, com a cidade fictícia de Carson Oaks como substituta de Maryville. A trama girava ao redor de três figuras. Jean Burns, uma jovem inteligente e sensível, que fazia faculdade em sua cidade natal, desejava se libertar de suas opressoras raízes religiosas e conhecer o mundo. Forrest Croy, o jovem mais rico do noroeste do Missouri, banqueiro e grande latifundiário, cujo pai fora vice-governador e deputado, apaixona-se por Jean e a convence a se casar com ele bem quando se alista no Exército para servir na guerra. E o reverendo Wendell Phillips Curnutt, jovem pregador dinâmico e idealista, que, igualmente encantado pela moça, afasta-se quando ela aceita se casar com Forrest. Desesperado, Wendell deixa Carson Oaks para aceitar nova posição religiosa. Vários eventos viram de cabeça para baixo a vida de todos. Primeiro, antes que Forrest e Jean possam se casar, ele é repentinamente enviado para a frente de batalha na Europa. Depois, ela fica vergonhosamente grávida após um interlúdio apaixonado ao visitar o campo de treinamento do noivo, nos dias que antecedem sua partida. Algumas semanas mais tarde, ela recebe um telegrama dizendo que Forrest fora morto em combate.[273]

Wendell, ao ouvir a notícia terrível, retorna e apela à jovem que se case com ele. Mesmo ouvindo a notícia chocante de que Jean carrega um filho ilegítimo, ele insiste e os dois ficam noivos. Mas, quando vão para a nova paróquia dele, o relacionamento provoca um escândalo enorme por causa "da namorada grávida do pastor". Há trocas de socos e xingamentos, condenações moralistas e defesas passionais. Então, espantosamente, Forrest reaparece. Ele apenas ficara inconsciente com um disparo de artilharia e fora levado prisioneiro pelos alemães. Jean sente-se obrigada pela honra a levar adiante seu casamento com Wendell. Mas, antes que isso possa acontecer, Wendell morre numa tempestade de neve no campo. No fim do livro Jean e Forres estão finalmente casados e dão a seu filho um lar cheio de amor.

A narrativa de "Tudo Que Eu Tenho" destacava diversos temas que iluminavam a visão de mundo de Dale no início da década de 1920. Eles sugerem que o autor, no começo de sua terceira década de vida, repudiava grandes partes de sua herança religiosa e rural no Meio-Oeste, enquanto, ao mesmo tempo, nutria uma profunda nostalgia por certas partes dela. Esses temas também revelam um autor lutando para formular, de certa forma, novos padrões de comportamento que seriam mais realistas, satisfatórios e humanos.

A descrição que Dale faz da vida em Carson Oaks é, em parte, uma lembrança afetuosa. As pessoas passando de trem pelo noroeste rural do Missouri, escreveu ele, "imaginam que este é um vale prosaico, que nada nunca acontece aqui, que as pessoas se arrastam por uma vida entediante e sem graça. E muitas vivem assim, da mesma forma que muitas o fazem em Paris, Nova York e Palm Beach. Muitas, mas não todas, pois há romance aqui, ao longo do 102". Dale retrata com carinho a Feira Chautauqua anual, mostrando-a como uma característica vibrante da vida na cidadezinha, e que seus moradores "adotam música, oratória e cultura". Ele elogia o espírito comunitário de Carson Oaks no começo da guerra, quando seus habitantes lançam uma campanha da Cruz Vermelha e "trabalhadores contribuem com um dia de salário, e profissionais liberais doam os rendimentos de um dia".[274]

Ao mesmo tempo, Dale ridiculariza os valores das cidadezinhas do Meio-Oeste, principalmente devido a seu credo moral repressivo e implacável. Os limites vitorianos tornavam-se facilmente repressão intolerante, argumentava ele, ilustrando com o problema da gravidez de Jean. Carregar uma criança ilegítima tornava-a uma pária, pois teve que encarar a expulsão da escola, o despejo da pensão onde morava e ser evitada pelas antigas amigas, que tinham medo de ser vistas falando com ela em público. Pior do que toda essa maldade, na apresentação de Dale, era a hipocrisia enraizada nessas atitudes. Toda criança é um "milagre divino", escreveu ele, porém Jean aguentou ataques que faziam sua transgressão parecer pior do que "mentir, ser egoísta, roubar e beber, tudo junto, mais do que qualquer coisa que ela pudesse imaginar menos assassinato". No entanto, a indignação da comunidade iria evaporar no momento em que ela se casasse, mesmo que seu marido fosse vil, profano e preguiçoso.[275]

Um Wendell desafiador enfrenta essa hipocrisia quando faz um sermão listando os bastardos famosos da história e pedindo o perdão cristão. Mas os paroquianos da cidadezinha reagem mal e correm até a biblioteca para investigar a legitimidade do nascimento das pessoas famosas, começam discussões acaloradas e bisbilhotam as certidões de nascimento das pessoas importantes da cidade. Nessa atmosfera de ódio e preconceito, ataca Dale, se "o próprio Cristo viesse incógnito a esta cidade, pregando e associado à Maria Madalena, a meretriz reformada, ele também seria expulso da cidade".[276]

Na visão do autor, a religião estava na raiz dessa atmosfera rançosa e purulenta da intolerância nas cidadezinhas. A mãe de Jean, Amanda Burns (uma evidente dublê de Amanda Carnagey), simbolizava padrões religiosos ultrapassados que glorificavam a ignorância e as restrições em lugar do conhecimento e das possibilidades. Essa personagem intensamente devota adorava uma divindade toda-poderosa e vingativa, estudava a Bíblia diariamente e viajava quinze quilômetros até a igreja local para lecionar na Escola Dominical, onde se deleitava em "combater as forças da escuridão". Amanda tinha uma fé militante e "não conhecia alegria maior do que participar de encontros de renovação, promovidos por evangelistas itinerantes, nos quais ocupava um lugar bem na frente, onde ficava murmurando 'améns' fervorosos".[277]

Em contraste com essa teologia tão estrita, o reverendo Curnutt, com quem Dale obviamente se identifica, representa um impulso reformista que busca melhorar, não limitar, a vida dos crentes. Esse atraente ex-astro do futebol e ex-caubói desenvolveu uma crença vigorosa, viril, após ser convertido pelo evangelista Dwight L. Moody. Na verdade, Curnutt adota uma visão radical, segundo a qual "o cristianismo deve tocar toda a gama da vida" e propõe a inclusão de princípios cristãos nos negócios, na agricultura e na vida em comunidade. Nas palavras do autor, "Ele era o centro de uma tempestade aonde quer que fosse".[278]

O ataque de Dale à tradição do protestantismo evangélico e do moralismo vitoriano, como o de muitos da Geração Perdida, tem como alvo especial a brutalidade da Primeira Guerra Mundial. Da mesma forma, mas com menos habilidade do que a de romancistas como Hemingway, em *Adeus às Armas* e *O Sol Também se Levanta*, e Dos Passos, em *1919*, ele execra o banho de sangue brutal que varreu o Velho Continente na década de 1910. As pessoas comuns não sabiam nada da política europeia que criou a imensa carnificina da guerra, acusava Dale, mas, apesar disso, se perfilavam para insistir em que "o mundo precisa se tornar um lugar seguro para a democracia". O resultado foi um pesadelo de guerra em que grandes exércitos pulavam de suas trincheiras e criavam "matança, matança pavorosa... matança em escala nunca antes concebida pela mente humana".[279]

Assim, "Tudo Que Eu Tenho" representava o embate de Dale com sua herança cultural de devoção rural, firmeza moral e moderação cultural. Tratava-se de uma expressão autêntica da revolta contra a cidadezinha e o protestantismo evangélico que a sustentava. Era um lamento da Geração Perdida, que lutava para se afastar da conformidade sufocante do comportamento vitoriano. Era um apelo por um cristianismo mais amplo, que pudesse encorajar possibilidades em vez de punições, e por uma cultura mais tolerante que encorajaria relacionamentos em vez de repressão.

O jovem escritor não planejava parar por ali. Durante suas viagens pela Europa no início da década de 1920, ele escreveu esboços de três contos e fez planos para romances adicionais. Ele imaginou uma história fictícia com Abraham Lincoln, outra ambientada no armistício que encerrou a Primeira Guerra Mundial e uma terceira centrada em um viajante explorador do mundo. Dale enchia seus arquivos com recortes de jornais relativos à técnica de escrever: um ensaio sobre como "Tornar-se um Escritor Popular", lembranças de um romancista britânico que discutia estilo e técnica, uma história sugerida pela sinistra manchete "Missionária Admite Criança Ilegítima" e uma lista de nomes da página social do *Maryville Democrat-Forum* de onde extrair nomes de personagens.[280]

No entanto, os planos de Dale se tornar um romancista foram torpedeados por um fato implacável – seu talento não se equiparava a sua ambição. O agente literário de Dale disse-lhe secamente que ele não possuía talento para escrever ficção, e que seu romance "não valia nada". Muitas evidências apoiam essa conclusão. "Tudo Que Eu Tenho" traz personagens sem vida, diálogo afetado, trama artificial e voos de linguagem altamente sentimental que se chocavam com sua essência libertária. Em praticamente todos os sentidos o romance era decididamente amador. Mas a crítica do agente assombrou Dale. Em suas palavras, quando ouviu os comentários ao seu romance, "meu coração quase parou. Eu não poderia estar mais aturdido se tivessem me acertado com um porrete na cabeça. Eu fiquei estupefato… O que eu deveria fazer? Para onde me virar? Semanas se passaram antes que eu saísse do meu torpor".[281]

O choque de seu fracasso como romancista levou Dale a "uma crise em minha vida – uma crise em que fico observando evaporarem meus sonhos, meus planos para o futuro e meu trabalho de anos". A essa catástrofe vocacional somava-se a dissolução de seu casamento com Lolita. Ainda assim, fiel ao lado prático e otimista de sua personalidade, ele conseguiu absorver e digerir esse tremendo golpe emocional. Após considerável sofrimento e reflexão, ele foi capaz de aceitar "dois anos de trabalho nesse romance pelo que realmente representam – uma experiência nobre" e seguir em frente a partir disso. Anos depois, ele chegou a brincar sobre a inesperada descoberta de que "'Tudo Que Eu Tenho' não foi suficiente".[282]

Então, Dale retornou à América, física e emocionalmente. Apesar de seu fastio de expatriado, de todo o seu desdém pelos valores das cidadezinhas, o aspirante a escritor nunca abandonara seu país. Claro que ele achou "mentalmente muito estimulante" jantar no navio com um bispo da Igreja Anglicana e o pró-reitor acadêmico da Universidade de Londres enquanto cruzava o Atlântico. E ainda rapidamente repreendeu a mãe pela estreiteza de mente quando ela criticou mulheres que fumam, retrucando que "seria absurdo dizer que elas são moralmente más em outros aspectos simplesmente porque fumam. Imagino que metade das mulheres que vemos nos restaurantes de Londres fumem". Dale claramente admirava o Velho Mundo por sua sofisticação, seu intelecto e *savoir faire*. Mas ele reclamava de falta de ambição e ânimo entre os europeus, argumentando que eles "não têm a pressa e o entusiasmo dos americanos". A revolta contra a pátria foi temporária. "Viver aqui é um aprendizado esplêndido, mas confesso que, quanto mais conheço a Europa, mais respeito tenho pela América", observou. Em despacho ao *Maryville Democrat-Forum*, ele concluiu que "a pessoa comum de Nodaway está muito melhor do que pensa. Isso se aplica a quase todo mundo na América". Apesar das atrações da cultura europeia, no fim ele resistiu ao chamado cosmopolita.[283]

Assim, ao contrário de muitos da Geração Perdida, Dale Carnagie, apesar de toda a sua crítica, reconciliou-se totalmente com a América. Com nova perspectiva sobre a vida e os valores em seu país obtida em suas andanças pelo exterior, ele voltou à pátria com o desejo vago de se livrar de seus grilhões provincianos e adotar uma nova crença de possibilidades dinâmicas. Após exaurir suas capacidades artísticas, primeiro com o teatro, no início da década de 1910, e depois com a literatura de ficção, no início da década de 1920, Dale finalmente se rendeu a fazer aquilo para o que estava mais bem preparado – ensinar e escrever sobre oratória. Foi somente a partir daí que ele fez isso com um sentimento renovado de compromisso. Ao longo dos próximos anos, Dale começaria a se aproximar de algo ainda maior: a formulação de um modelo de sucesso para os americanos modernos. Em breve suas realizações nessa área o tornariam mais famoso e lido do que ele sonhara em seus mais grandiosos sonhos de glória literária.

8. Negócios e autorregulamentação

Em sua animada introdução a *Como Fazer Amigos e Influenciar Pessoas*, Lowell Thomas descreveu uma característica comum aos oradores que desfilaram pelo palco de um hotel de Nova York, promovendo o curso de educação de adultos de Dale Carnegie. Eles representavam, em suas palavras, "um recorte da vida corporativa americana". De fato, enfatizou Thomas, o autor do livro treinara mais de quinze mil profissionais de grandes organizações, como a Westinghouse, a editora McGraw-Hill, a Companhia de Gás do Brooklyn, o Instituto de Engenheiros Elétricos Americano e a Companhia Telefônica de Nova York. Era claro, escreveu Thomas, que os ensinamentos de Dale atendiam a uma demanda dos indivíduos que operavam "os desafios da vida profissional e corporativa. Eles haviam visto que alguns dos feitos comerciais mais importantes foram realizados por homens que tinham, somadas ao seu conhecimento, a habilidade de falar bem e conquistar as pessoas para o seu modo de pensar, além da capacidade de 'vender' a si próprios e suas ideias". Dale reforçou esse tema em sua explicação do porquê de ter escrito o livro. Ele explicou que, desde que começara, em 1912, a dar aulas para "profissionais e homens de negócios em Nova York", isso lhe ensinou um fato crítico: "Lidar com pessoas é provavelmente o maior problema que você irá enfrentar, principalmente se for um homem de negócios".[284]

Essa ênfase nos negócios – tanto seus valores e suas oportunidades como em sua receptiva clientela – tornou-se uma marca de *Como Fazer Amigos*. Dale discute constantemente como suas regras para as relações humanas possibilitam sucesso comercial através de promoções, salários melhores e influência crescente nas burocracias corporativas. Ele conta como "o presidente de um importante banco de Wall Street", que fez seu curso, dedicava-se ao autoaperfeiçoamento, reservando todas as noites de sábado para "o processo iluminador de autoexame, análise e avaliação", quando refletia sobre os erros que cometera, como poderia corrigi-los e como melhorar seu desempenho no futuro. "Eu pedi a milhares de homens de negócios que sorrissem para alguém a cada hora do dia por uma semana e então viessem discutir na classe sobre os resultados", disse Dale. Ele relata, com orgulho, o comentário de um corretor de ações: "Eu percebi que os sorrisos estão me trazendo dólares, muitos dólares todos os dias". Ele fornece, a seguir, uma lista longa de homens de negócios que atestaram a eficácia de seus princípios, incluindo os famosos (Henry Ford, Walter Chrysler, Charles Schwab, Andrew Carnegie, John D. Rockefeller, J. P. Morgan, Harvey Firestone) e os quase famosos (George Eastman, presidente da Eastman Kodak Company; Cyrus H. K. Curtis, editor de *The Saturday Evening Post* e do *Ladies' Home Journal*; Samuel Vauclain, presidente da Baldwin Locomotive Works).[285]

A imersão de Dale na cultura empresarial do início do século XX ocorreu durante o fim da década de 1920, período em que voltou da Europa para abraçar o vibrante ambiente comercial dessa era. Com o lançamento de seus cursos para adultos em 1912, grandes números de funcionários administrativos de nível baixo e médio afluíram para se matricular, em busca de algo que lhes permitisse progredir na nova atmosfera corporativa do início do século XX. Mas, ao voltar aos Estados Unidos após seu interlúdio rebelde no exterior, Dale conectava-se, algo a contragosto, à efervescente economia do período pós-Primeira Guerra Mundial. Com a prosperidade enchendo bolsos e bolsas com volumes de dinheiro nunca vistos, a oportunidade estava no ar. Determinado a tirar vantagem disso, o jovem professor e escritor focou seu apelo no público corporativo. Seus membros, ele avaliou com sagacidade, seriam os mais prováveis beneficiários de sua mensagem de autoaperfeiçoamento, autogestão e sucesso. Dale nunca se arrependeu da decisão que o colocou pela primeira vez em evidência nacional.

Em 1926, Dale Carnegie retornou aos Estados Unidos com uma determinação renovada de retomar sua carreira de escritor e professor de oratória. Ele também voltou com um nome novo. Em algum momento do ano anterior, ele decidiu mudar tanto a pronúncia quanto a escrita do nome. Em carta aberta ao *Maryville Democrat-Forum* de novembro de 1924, ele assinou seu nome da forma tradicional, "Dale Carnagey", que se pronunciava com a segunda sílaba tônica. Mas um ano depois, em outubro de 1925, outra carta para o mesmo jornal estava assinada "Dale Carnegey", agora pronunciada com a primeira sílaba tônica. Em 1926, o lançamento de um livro novo enfatizava a mudança, trazendo orgulhosamente em sua capa: "por Dale Carnegie".[286]

O que provocou essa alteração? Dale nunca a explicou completamente. Ele discutiu a mudança de nome brevemente com um entrevistador uma década depois, que escreveu: "Todo mundo em Nova York já pronunciava Carnegie, enfatizando a primeira sílaba; além disso, ia contra todos os princípios da autodivulgação, que já funcionavam dentro dele, alugar escritório no Carnegie Hall e se apresentar como 'Carnagie'". Então, alguns anos depois ele afirmou que estava andando com seu bom amigo Homer Croy em um bosque de faias, nos arredores de Interlaken, na Suíça, durante seu interlúdio na Europa, quando Croy o persuadiu a "escrever seu nome de um modo mais fácil de lembrar". Mas essas explicações parecem um tanto frívolas, não carregam peso emocional suficiente para motivar uma mudança dessa magnitude pessoal e profissional.[287]

De fato, a alteração de nome simbolizou muito mais do que Dale jamais admitiu (ou, talvez, tenha se dado conta). De diversas formas, isso simbolizava uma transição importante em sua vida. Primeiro, diferenciar seu nome do de seus pais significava uma rejeição final à cultura devota, provinciana e repressiva que o produzira, ao credo da cidadezinha americana que ele primeiro esnobara ao se casar com uma europeia divorciada e depois atacara em seu manuscrito de romance "Tudo Que Eu Tenho". Segundo, uma perspectiva psicológica (algo que o próprio Dale estava ansioso para adotar) sugere que, para um homem contagiosamente devoto do pensamento positivo, retirar o "nay"* acentuado no

---

* (N.T.) *Nay: forma arcaica de negação em inglês.*

cerne de seu nome tradicional removia um símbolo negativo e o ajudava a se libertar emocionalmente para acelerar sua busca por distinção. Terceiro, ao adotar o nome geralmente associado ao famoso e poderoso industrial Andrew Carnegie, aquele jovem ambicioso sinalizava uma vontade crescente de se identificar com a cultura corporativa em expansão da América do início do século XX e sua riqueza de oportunidades. Em entrevista a um periódico, muitos anos depois, ele até sugeriu uma conexão oculta com o poderoso magnata do aço. Dale disse ao entrevistador que, quando jovem, sonhara uma noite que estava conversando com a esposa do industrial e perguntou a ela como estava seu marido. A sra. Carnegie teria respondido: "Ele está morto". Dale teria ficado espantado ao abrir o jornal na manhã seguinte e ler a notícia do falecimento de Andrew Carnegie na noite anterior.[288]

Em outras palavras, "Carnegie" representava uma nova identidade para esse ex-ator, ex-vendedor, ex-jornalista, ex-religioso e romancista fracassado de trinta e sete anos. O nome simbolizava o abandono do passado e a adoção de um novo mundo de prosperidade e possibilidades. Ele simbolizava sua determinação em aceitar escrever e ensinar a respeito de oratória não só como vocação, mas como um chamado. De forma mais imediata, isso afirmava sua determinação em ligar seu futuro à dinâmica atividade econômica da América da década de 1920. Voltando de sua excursão pela Europa, Dale reconstruiu aplicadamente sua rede de aulas na Associação Cristã de Moços em Nova York, Baltimore, Filadélfia e em outras cidades do nordeste americano. Em poucos meses, os alunos voltaram a lotar suas classes, sendo que a maioria deles eram homens de negócios – de fato e aspirantes. Eles não estavam interessados em fazer discursos cheios de floreios, mas tinham um interesse utilitário: queriam resultados, e os queriam rapidamente; eles desejavam técnicas práticas que pudessem usar imediatamente nas reuniões de trabalho com colegas e clientes.

Respondendo a essa demanda, Dale publicou seu terceiro livro, *Public Speaking: A Practical Course for Business Men* (*Falar em Público: Curso Prático para Homens de Negócios*). Ele trabalhara intermitentemente nesse projeto durante suas viagens pela Europa. Insatisfeito com seu livro-texto de 1920 para a Associação Cristã de Moços, apesar de seu sucesso, ele escreveu para um correspondente, em 1925, que o livro "nunca teve minha completa aprovação" devido a mudanças de última hora feitas pelos editores, quando ele estava embarcando para a Europa. Além disso, havia uma contenda com a ACM a respeito dos direitos autorais. O diretor da organização afirmava que incorrera em despesas extras para acrescentar material adicional ao texto, conforme exigência do autor, de modo que ele deveria aceitar uma porcentagem menor. Essa proposta desagradou a Dale. "Peço-lhes gentilmente que mantenham pendente, por ora, a questão dos direitos autorais. Não é necessário que a Association Press me envie um cheque até que essa questão seja discutida com vocês", respondeu ele por escrito, esforçando-se para mostrar tato. "As Escolas da Associação Cristã de Moços podem ficar tranquilas que todas as questões levantadas serão resolvidas, tenho certeza, para a total satisfação de todos os envolvidos."[289]

Dale decidiu que a solução definitiva para o problema estava em uma nova versão do livro que ele comporia em sua totalidade. Assim, por todo o início da década de 1920, enquanto viajava pela Inglaterra e pelo Velho Continente, ele tirava algum tempo do trabalho em seu romance para reescrever o livro-texto de acordo com suas próprias especificações. Em 1922, em Cortina, na Itália, Dale escreveu uma carta para um jornal de Maryville descrevendo sua rotina diária como uma divisão entre literatura de ficção e não ficção. "Estou dedicando seis horas por dia a escrever – três para revisar o curso de oratória [livro] e três para a história de Forrest Croy", observou ele. Dale deve ter feito bons progressos no manuscrito do novo livro-texto, porque pouco depois de seu retorno aos Estados Unidos a obra foi publicada. Embora tomasse partes e conceitos de seus escritos anteriores, em quase todos os aspectos tratava-se de um livro novo, que refletia as ideias amadurecidas do autor.[290]

Public Speaking traz, tecido em seu texto, uma série de temas que refletem várias das notáveis experiências de vida de Dale Carnegie. Ele menciona diversas vezes que o orador bem-sucedido utiliza interpretação, porque esse ofício concentra-se na dinâmica emocional de aparecer diante de um grupo. "É necessária prática para ser natural diante de uma plateia", observa Dale. "Os atores sabem disso". Às vezes, ele quase coloca a oratória como impulso religioso. Ele comenta "A Arte de Pregar", uma série de palestras do reitor da Yale Divinity School, que insistia na importância das "energias vitais" do pregador, e frequentemente cita o famoso evangelista Dwight L. Moody quanto à necessidade de entusiasmo e envolvimento ao se dirigir aos ouvintes. "A coisa mais importante em falar não é física nem mental. É espiritual", acrescenta Dale. "Se você quer um ótimo texto sobre falar em público, por que não lê o Novo Testamento?" Por fim, ele se utiliza de suas raízes no Novo Pensamento para enumerar as virtudes do pensamento positivo. "Veja-se, em sua imaginação, falando em público com autocontrole perfeito", instrui. "Você possui o poder de fazer isso. Acredite que terá sucesso. Acredite firmemente e, então, você fará o necessário para que o sucesso aconteça".[291]

O estilo confiante do texto do novo livro de Dale também atingiu o leitor. Liberto de restrições anteriores, impostas por editores, colaboradores e sua própria inexperiência, Dale desenvolvera um modo de expressão que era exclusivamente seu. Ele utilizava diversos elementos: um tom conversacional, jovial; arroubos frequentes de inspiração; uma abundância de casos; muitos apartes informais e lampejos de humor seco. Uma passagem da abertura do livro, ao lidar com o desenvolvimento da confiança, ilustra o estilo emergente de Dale. "Existe a mais tênue sombra de motivo pelo qual você não possa pensar tão bem estando em posição perpendicular diante de uma plateia quanto ao estar sentado? É claro que você sabe que não existe", escreveu ele.

> Não imagine que seu caso seja extraordinariamente difícil... William Jennings Bryan, por mais veterano que fosse, admitiu que em suas primeiras tentativas seus joelhos mal o sustentaram. Mark Twain, na primeira vez que se levantou para falar, sentiu como se estivesse com a boca cheia de algodão e com o pulso acelerado após uma corrida. O general

> Grant tomou Vicksburg e comandou um dos maiores exércitos que o mundo já tinha visto, mas admitiu que, quando tentou falar em público, teve algo parecido com ataxia locomotora... Então, coragem.[292]

Mas muito do alcance de *Public Speaking: A Practical Course for Business Men* está em seu subtítulo. É clara sua intenção de mirar o livro diretamente nos desejos, nas perspectivas e necessidades de milhões de homens que tentavam progredir nos negócios na América. De seus temas a seus exemplos, de suas referências a seu estilo, de suas técnicas a suas conclusões, o autor imagina seu leitor como um indivíduo buscando traçar um rumo em meio à dinâmica atmosfera econômica da América nos anos 1920.

Tudo isso teve impacto, pois o pulsante clima comercial da década mostrou-se enormemente receptivo aos esforços de Dale. Os anos 1920 marcaram uma era de prosperidade nos negócios quando, no rastro da Primeira Guerra Mundial, a manufatura, as vendas e o consumo de bens alcançaram níveis sem precedentes na história dos Estados Unidos. Os esforços profissionais identificavam-se, na imaginação do público, não apenas com o avanço do indivíduo trabalhador, mas também com o progresso do país. Calvin Coolidge, que chegou à presidência em 1923, após a morte de Warren G. Harding, ajudou a estabelecer o tom dominante da discussão pública com seus pronunciamentos. "O negócio principal do povo americano é o negócio", declarou ele em um discurso muito comentado de 1925. Outro comentário elevou a atividade econômica ao nível de uma religião. "O homem que constrói uma fábrica está construindo um templo. O homem que trabalha lá está rezando lá, e nenhum deles merece escárnio ou culpa, mas reverência e louvor", entoou Coolidge.[293]

De fato, a efervescente expansão dos negócios tornou-se um dos fatos da vida nos Estados Unidos da década de 1920 e seu impacto aparecia em toda parte. Mais significativamente, a economia de consumo, que lentamente ganhava força desde a década de 1890, chegou ao estágio de decolagem e foi lançada na estratosfera econômica. Com a eletricidade alcançando mais de sessenta por cento dos lares em 1925, e o aperfeiçoamento das técnicas de produção em massa em muitas indústrias, as fábricas despejavam no mercado uma série imensa de bens, que iam de comida enlatada a roupa pronta, de móveis a máquinas de lavar, de aspiradores de pó a tacos de golfe – tudo consumido avidamente pela classe média. De 1922 a 1929 o desemprego caiu a três por cento, os preços ficaram estáveis e o produto nacional bruto pulou de setenta bilhões para cem bilhões de dólares. Nessa atmosfera de abundância, o automóvel surgiu como um grande símbolo da revolução consumista. Como disse o pioneiro fabricante de automóveis, Henry Ford, durante a década de 1920, seu produto popular (primeiro o Modelo T, depois substituído pelo Modelo A, de mais estilo, em 1927), aproximava a nação da realização de uma visão utópica de abundância. "O automóvel, ao permitir às pessoas que se desloquem com rapidez e facilidade, dá a elas a oportunidade de descobrir o que está acontecendo no mundo", escreveu ele, "o que as leva a uma vida mais abrangente, que requer mais comida, mais e melhores produtos, mais livros, mais música, mais tudo."[294]

O surto consumista da década de 1920 alterou o cenário americano. Sob sua influência, certas instituições e ideias alcançaram destaque inédito. Lojas de departamentos e redes de supermercados tornaram-se a base da vida econômica da classe média em áreas urbanas, servindo como canais comerciais para o fluxo de bens que iam das fábricas para os lares. A rede de supermercados A&P, por exemplo, expandiu de cinco mil lojas, em 1922, para 17.500, em 1928. A disciplina de "economia doméstica" – que treinava as jovens para se tornarem gerentes eficazes da casa centrada no consumo e mestres nas técnicas de utilização dos novos eletrodomésticos, produtos de limpeza e na elaboração de dietas nutritivas – emergiu como parte central dos currículos educacionais. Compras a prazo tornaram-se onipresentes, com o crédito ao consumidor elevando-se dramaticamente, de 4,5 bilhões de dólares no começo da década para 7,1 bilhões em seu final. No front cultural, a fascinação pelos bens materiais ajudou a estabelecer um novo conjunto de valores, que substitui o comedimento vitoriano por autogratificação, redenção por realização pessoal e escassez por abundância. Como descreveu um historiador, na década de 1920, a sociedade americana tornara-se "empenhada em consumos, confortos e o bem-estar do corpo, com luxo, gastos e aquisições".[295]

Um indicador especialmente significativo da prosperidade do consumidor na década de 1920 apareceu na ideologia social e política, quando proeminentes porta-vozes da América corporativa articularam uma ideologia comercial frequentemente descrita como "capitalismo popular". Essa posição, de acordo com seu principal historiador, representava "uma visão melhorada dos indivíduos esclarecidos, que colaboravam com o país e trabalhavam com agências públicas para promover o bem de todos". Figuras como Owen D. Young, da General Electric, Edward A. File, da Filene's Department Stores, e o ministro do Comércio (depois presidente do país), Herbert Hoover, em vez de defenderem a busca irrestrita do lucro, promoviam um credo capitalista que adotava a aproximação com o trabalho organizado, produção e gerenciamento eficientes e colaboração com o governo. Essa abordagem de seus interesses próprios, eles defendiam, iria se sobrepor às divisões sociais e aos problemas econômicos com uma inundação de prosperidade. Desse pensamento nasceu uma cultura plenamente desenvolvida de consumismo que dominou a América dos anos 1920. Essa abundante "terra do desejo", como o comerciante John Wanamaker uma vez a chamou, prometia um padrão de vida elevado, buscava políticas públicas para concretizar esse objetivo e redefinia felicidade em termos de abundância material.[296]

Até certo ponto, é claro que Dale, em sua carreira anterior, tinha consciência da evolução do dinamismo comercial da América e abordara, de forma intermitente, as questões que surgiam em meio ao turbilhão gerado pela competição corporativa e pelo sucesso nos negócios. Em sua cartilha da Associação Cristã de Moços, ele elogiou o livro *Ginger Talks: The Talks of a Sales Manager to His Men* (Conversas com Ginger: Conversas de um gerente de vendas com seu pessoal, 1905), uma seleção de discursos motivacionais para vendedores. "Vender bens é uma batalha e só os guerreiros conseguem vencer", escreveu Holman. "Leve sua coragem com você quando entrar no jogo de vendas". Dale também expôs o caso de

John H. Patterson, presidente da National Cash Register Company, que demonstrara sua habilidade moderna de gerenciamento quando explicou, claramente, as vantagens do novo modelo de caixa registradora da empresa, que era mais caro, e "conseguiu que seus agentes se pusessem de pé e o aplaudissem entusiasticamente". A crescente consciência que Dale adquiria de sua clientela também aparece na literatura promocional de seu curso. Em um panfleto de publicidade de 1917, ele observou que muitos estudantes lucravam com seu curso em "reuniões de negócios, cartas de vendas e anúncios. Esse treinamento é tão valioso para as transações comerciais que os bancos de Nova York contrataram o sr. Carnagie para ensinar seus empregados a falar em público". O panfleto também incluía cartas de recomendação de diversos formados em seu curso nas áreas de imóveis, propaganda e seguros.[297]

Mas, naquele momento, em que retornava da Europa com uma dedicação renovada à sua carreira de professor, Dale adotou completa e entusiasticamente a vibrante cultura comercial da América. *Public Speaking: A Practical Course for Business Men* (Falar em público: um guia prático para homens de negócios) apresentava numerosas diretrizes para o sucesso no mundo comercial, que se inseriram com perfeição ao tecido do ufanismo corporativo da década de 1920. Desde o início do projeto, o autor explicava que direcionara o livro para o público corporativo. "Na minha opinião, o texto ideal sobre este assunto para homens de negócios deve ter algo além de conhecimento insípido", escreveu ele em uma carta de 1925. "Precisa ter amplitude, alcance e espírito. Precisa ter inspiração além de transpiração. Precisa ter frases que brilhem, respirem e marchem. Esse tem sido meu objetivo."[298]

O argumento básico de Dale era simples. Seu livro novo defendia que a capacidade de falar em público faria avançar quem a tivesse, na estrutura de negócios da América dos anos 1920. "Mais de dezoito mil homens de negócios foram alunos, desde 1912, dos vários cursos de oratória do autor", declara Dale na frase que abre seu livro. E a maioria deles se matriculou pela mesma razão. Ele cita um de seus alunos: "Eu queria organizar meus pensamentos de forma lógica e queria ser capaz de falar de modo claro e convincente em uma reunião ou um grupo de trabalho". O primeiro exemplo de Dale era o chefe de uma manufatura da Filadélfia, que usara as técnicas aprendidas no curso Carnegie para obter uma posição importante na empresa e na vida cívica de sua cidade. "Pense no que autoconfiança adicional e a habilidade de falar mais convincentemente podem significar para você", declara Dale. "Pense no que isso pode significar, e no que deve significar em dólares e centavos." De fato, ele continua, muitos dos principais líderes do país endossam o valor da oratória, como ilustram citações do magnata do aço Andrew Carnegie, do chefão das ferrovias e mais tarde senador dos EUA Chauncey M. Depew, e do magnata da indústria de carne Philip D. Armour.[299]

Sobre esse alicerce o livro constrói um edifício que é parte instrução, parte inspiração. Os conselhos práticos de Dale centram-se nas técnicas que ele ensinara ao longo dos últimos catorze anos: falar de forma natural, mas convincente, preparar-se diligentemente, abrir uma palestra com alegria, encerrá-la convincentemente, manter a atenção do público, demonstrar confiança, utilizar ilustrações dramáticas ou pitorescas dos pontos principais e usar gestos naturais. Ele também incluiu muitos conselhos sobre como aquecer e soltar as cordas vocais, relaxar a garganta e melhorar a articulação. Ao mesmo tempo, o autor recheou seu texto com exortações cujo objetivo era provocar as emoções e acelerar o entusiasmo de seus leitores-palestrantes. Aqueles que sabem se dirigir aos outros, insiste Dale, projetam convicção. "Você não se sente inconscientemente atraído pelo orador que, você percebe, tem uma mensagem real na cabeça e no coração que ele zelosamente deseja comunicar para sua cabeça e seu coração? Essa é metade do segredo de falar", argumenta Dale. "As pessoas se aglomeram à volta do orador animado, o dínamo humano de energia, como gansos selvagens à volta de um trigal de outono."[300]

Embora o esboço dessas habilidades forneça a estrutura do livro, sua energia básica vem da aplicação delas no mundo dos negócios. Dale inunda os leitores com uma série de citações de figuras literárias como William Shakespeare, William Butler Yeats, Rudyard Kipling e Mark Twain; políticos como Thomas Jefferson, Alexander Hamilton,

Ulysses S. Grant, William Jennings Bryan, Woodrow Wilson e, com frequência, Abraham Lincoln; líderes religiosos como Martinho Lutero, Dwight L. Moody, Henry Ward Beecher e Harry Emerson Fosdick; e os filósofos Herbert Spencer, Ralph Waldo Emerson e William James. Mas volta e meia ele traz a discussão novamente para o mundo moderno dos negócios e suas questões, necessidades e perspectivas.

Desde o início Dale define os homens de negócios como seu público natural, como o grupo mais provável a utilizar os resultados gratificantes gerados por seu curso. "Tem sido o dever e também o prazer profissional do autor ouvir e criticar seis mil discursos por ano, a cada temporada, desde 1912", explica ele no começo do texto. "Esses discursos foram feitos não por alunos de faculdade, mas por homens de negócios e profissionais maduros". Observadores no banquete de encerramento de uma de suas turmas em Nova Jersey ficaram atônitos ao ouvir uma série de discursos confiantes e impecáveis "feitos por homens de negócios que alguns meses antes tinham a língua paralisada por medo do público. Eles não eram aprendizes de Cícero, esses profissionais de Nova Jersey; eles eram os típicos homens de negócios que encontramos em qualquer cidade americana". De fato, continua o autor, seus alunos bem-sucedidos não eram especialmente brilhantes. "Em sua maior parte, eles eram a média dos profissionais que você pode encontrar em sua própria cidade."[301]

Conforme prossegue com suas lições, Dale usa consistentemente situações e dilemas profissionais para explicar as técnicas da arte de construir apresentações orais persuasivas. "Vamos supor que você tenha decidido falar em seu negócio ou sua profissão", era a introdução típica de um ponto a ser ensinado. Ao discutir as vantagens de uma organização clara e concisa sobre a memorização, ao se dirigir aos outros, ele pergunta: "Quando tem uma importante reunião de negócios, você se senta e decora, palavra por palavra, o que vai dizer? Claro que não. Você reflete até ter em mente com clareza suas ideias principais". Ao considerar a importância de apresentar uma conclusão firme, ele escreve: "Seu problema, talvez, será como encerrar uma conversa simples com um grupo de homens de negócios. Como fazer isso?". A necessidade de colocar números e contas sob a luz mais favorável produz este exemplo: "Por exemplo, o presidente de uma seguradora, ao se dirigir à área de vendas de sua empresa, impressionou seus homens com o custo baixo do seguro desta forma: 'Um homem de 34 anos que fuma 25 centavos em charutos por dia pode ficar mais tempo com sua família, e deixar-lhes três mil dólares a mais, se gastar o dinheiro do charuto em seguro.'"[302]

Em todo *Public Speaking: A Practical Course for Business Men*, Dale invoca famosos homens de negócios americanos para apoiar seus argumentos. No início de cada capítulo, por exemplo, ele apresenta suas declarações epigramáticas. John G. Shedd, presidente da Marshall Field & Company, e Walter H. Cottingham, presidente da Sherwin-Williams Company, testemunham quanto ao valor do entusiasmo no começo de um capítulo intitulado "Mantendo o Público Acordado". O rei da ferrovia E. H. Harriman comenta a necessidade de comprometimento e trabalho duro no capítulo "Elementos Essenciais para Falar com Sucesso". Eugene Grace, presidente da Bethlehem Steel Corporation, prefaciou "O Segredo da Boa Apresentação" ao enfatizar a importância da energia concentrada: "Faça uma coisa de cada vez, e faça essa coisa como se sua vida dependesse disso".[303]

Dale, com frequência, dava exemplos de figuras lendárias dos negócios para ilustrar sua argumentação de que homens ricos tinham a tendência de viver com simplicidade e cultivar hábitos singelos, qualidades que os leitores deveriam emular. "John D. Rockefeller, Sr., tinha um sofá de couro em seu escritório na Broadway, 26, e tirava um cochilo todos os dias, na hora do almoço. O falecido J. Ogden Armour costumava se deitar às nove da noite e se levantar às seis", escreveu o autor. "O falecido John H. Patterson, presidente da National Cash Register Company, não fumava nem bebia. Frank Vanderlip, que já foi presidente do maior banco da América, faz apenas duas refeições por dia. Leite e biscoitos de gengibre constituíam o almoço de Harriman... O prato favorito de Andrew Carnegie era mingau de aveia com creme."[304]

Um dos empregos que Dale fez de homens de negócios legendários, contudo, mostra um nível mais profundo de análise. Ao discutir a necessidade de usar casos concretos que deem suporte às generalizações, ele citou um artigo que mostrava como os principais executivos americanos estavam desenvolvendo as grandes organizações. "Woolworth disse-me uma vez que durante anos sua empresa foi, em essência, uma organização de um homem só. Então, ele acabou com sua saúde e despertou para o fato de que, se quisesse expandir sua empresa como desejava, teria que delegar responsabilidades gerenciais", escreveu o autor. "A Eastman Kodak, em seus estágios iniciais, consistia basicamente de George Eastman, mas ele foi sábio o bastante para criar, há muito tempo, uma organização eficiente... A Standard Oil, ao contrário da noção popular, nunca foi empresa de um homem só depois que assumiu grandes proporções. J. P. Morgan, embora um gigante, acreditava ardentemente em escolher os sócios mais capazes com os quais compartilhar seu fardo."[305]

Essa observação de uma tendência mais ampla nos negócios modernos destaca um aspecto importante da mensagem de Dale Carnegie. Nas novas e extensas estruturas empresariais que evoluíram na América dos anos 1920, e mesmo por todo o início do século XX, apareceu uma figura pouco familiar: o executivo. Tentando manobrar em um estranho mundo novo, ele precisava muito de uma nova orientação para avançar em sua carreira. Dale forneceu isso.

Carnegie acreditava que uma nova exigência tinha surgido para se conseguir crescer no moderno mundo dos negócios. "De acordo com experiências realizadas pelo Instituto Carnegie de Tecnologia, a personalidade tem maior relação com o sucesso nos negócios do que conhecimento superior", explicou ele. "Isso é tão verdadeiro em relação a falar como em relação aos negócios." Como resultado, *Public Speaking: A Practical Course for Business Men* bombardeia os leitores com conselhos sobre como cultivar e projetar uma imagem pessoal atraente. Um discurso envolvente, insiste Dale, expressa sua personalidade. Isso significava, em suas palavras, "combinar seus pensamentos, suas ideias, suas convicções, seus impulsos... toda a sua existência foi preenchida de sentimentos e experiências. Essas coisas estão no fundo do seu subconsciente formando uma camada tão espessa quanto a areia numa praia. Preparação significa pensar, refletir, relembrar, selecionar quais desses elementos apelam mais a você, lustrá-los, montá-los em um padrão, um mosaico só seu". Para conseguir se comunicar com seus ouvintes – principalmente colegas, clientes, compradores e consumidores – o homem de negócios moderno precisa ir além da competência profissional, do domínio dos fatos, da dedicação ao trabalho e do compromisso com a qualidade. Ele precisa fazer mais que vender seu produto; ele precisa vender a si mesmo.[306]

De onde veio essa ênfase crescente em personalidade? Em parte, ela deriva de uma cultura mais ampla, em que o inexorável processo de erosão que estava em curso desde o fim do século XIX solapava, aos poucos, a velha mentalidade vitoriana. Com o declínio da economia centrada no produtor, de escassez, com seus valores de trabalho duro, comedimento, abnegação, frugalidade e caráter, uma emergente economia do consumidor, da abundância, apareceu para criar uma "cultura da personalidade" que enfatizava satisfação, expressão e gratificação pessoais. Assim, uma estrutura socioeconômica em transformação encontrou a redefinição da personalidade. "A antiga visão [de caráter] não era mais adequada às necessidades pessoais ou sociais", concluiu um historiador; "A nova visão [de personalidade] parecia particularmente adequada aos problemas do indivíduo em uma ordem social nova, a sociedade de consumo em massa que se desenvolvia".[307]

Mas um desenvolvimento prático provou ser igualmente influente – uma mudança revolucionária na estrutura dos negócios. Quando *Public Speaking: A Practical Course for Business Men* apareceu, em 1926, a transformação do antigo modelo empresarial em complexas burocracias corporativas estava quase completa. Começando no fim do século XIX, as empresas de um só dono, as sociedades e os pequenos negócios que caracterizaram a revolução no mercado do início do século XIX cediam espaço às grandes corporações. Em cada segmento importante da economia, imensas organizações empresariais, com milhares de empregados, dezenas de gerentes, numerosos acionistas e divisões complexas de autoridade e responsabilidade, tinham alcançado uma situação de domínio na década de 1920. Nessas estruturas empresariais racionalizadas, uma "revolução gerencial" criara burocracias complexas em que hostes de empregados administrativos assalariados integravam vários escritórios e grupos cujos esforços, em última análise, convergiam para criar e distribuir os produtos da corporação. "Gerentes eram responsáveis por contratar e organizar o número cada vez maior de trabalhadores de colarinho branco que processavam as resmas de papel usadas pelas corporações", escreveu um historiador dessa tendência. Esses trabalhadores de escritório eram compostos por "novos grupos de americanos de classe média, que preenchiam estruturas corporativas hierárquicas e promoviam novas formas de trabalhar, viver e interagir uns com os outros." Esse era exatamente o público de Dale Carnegie na década de 1920, e ele assumiu a liderança na definição de novos modos de atuação, trabalho e busca do progresso nessa atmosfera empresarial burocratizada.[308]

O autor sentiu claramente uma necessidade dominante no seu público corporativo. O mundo de colarinho branco da burocracia empresarial já não dava valor ao empreendedor obstinado, que agia apenas conforme sua cabeça, que se empenhava diligentemente para obter *seus lucros e sucesso pessoal*. Em vez dessa figura, começou a ser valorizado o profissional que joga para o time, que consegue trabalhar com os outros – frequentemente muitos outros – em um sistema altamente racionalizado para o bem da corporação. Ao mesmo tempo, é claro, o impulso para o progresso pessoal continuava forte nesse novo mundo do colarinho branco. Situação tão complexa exigia novas abordagens a cada momento – novos modos de comportamento e novas qualidades pessoais. Dale volta repetidamente a esses tópicos em *Public Speaking: A Practical Course for Business Men*. E ele propõe incansavelmente um argumento central: o desenvolvimento da personalidade facilitaria as interações com os outros em um ambiente administrativo moderno, e assim facilitaria o caminho para o progresso e o sucesso na carreira.

Em certa extensão, Dale compreendera a direção geral dessa mudança econômica e cultural em seus esforços anteriores. No fim da década de 1910, ele começava a oferecer aconselhamento direcionado ao aprimoramento das qualidades pessoais. O sumário de um curso seu para a Associação Cristã de Moços, de 1919, por exemplo, contém seções breves sobre "O Poder da Personalidade" e "Personalidade Pode Ser Desenvolvida". Seu livro-texto de 1920 para a ACM oferecia dicas sobre "Construindo uma Personalidade". "A maioria dos homens de sucesso irradia realização em sua voz e suas maneiras. Quando você os encontra, imediata e inconscientemente sente que eles estão acostumados a fazer as coisas acontecerem", escreveu ele. O orador bem-sucedido, adverte Dale, deve se dirigir ao seu público com confiança, autoridade, e entusiasmo. "Então, quando você falar, fale com força e sinceridade", ordena o autor. "Deixe que seus tons de voz sejam coloridos por seus sentimentos e a força de sua personalidade será triplicada."[309]

Em 1926, contudo, desenvolvimento de personalidade tornou-se o cerne do programa de Dale. Desde seu início, *Public Speaking: A Practical Course for Business Men* bombardeia o leitor com instruções sobre como mobilizar características pessoais para dar forma a um discurso eficaz. Para fazer uma palestra envolvente, ele insiste, é necessário em grande parte "cavar fundo em sua mente, seu coração e sua vida e trazer desses lugares convicções e entusiasmos que são essencialmente seus! Seus! SEUS! Cave. Cave. Cave. Está lá. Nunca duvide". Ele continua: "Lembre-se sempre que você é o fator mais importante de sua palestra. Ouça estas palavras de ouro ditas por Emerson! Elas contêm um universo de sabedoria: 'Use a linguagem que quiser, você não pode dizer nada que não seja quem você é.'"[310]

A personalidade de cada pessoa é única, insiste Dale, e ninguém "vai falar e se expressar como você quando está falando naturalmente. Em outras palavras, você possui uma individualidade. Como orador, essa é sua posse mais preciosa. Apegue-se a ela. Cuide dela. Desenvolva-a. Essa é a fagulha que colocará força e sinceridade no seu discurso". De fato, sustenta o autor, em vez de conter a emoção ou reprimir seus impulsos, eles devem ser usados para atingir os outros. "Quando um homem está sob a influência dos seus sentimentos, seu verdadeiro eu aflora à superfície", escreveu ele. "As barreiras foram baixadas. O calor de suas emoções incendiou todos os obstáculos. Ele age espontaneamente. Ele fala espontaneamente. Ele é natural."[311]

Essas exortações alcançam o ápice na metade do livro, em um capítulo intitulado "Presença no Púlpito e Personalidade". Dale abre com uma declaração audaciosa: "Personalidade – com a exceção da preparação – é provavelmente o fator mais importante da oratória". Personalidade é algo impreciso, que quase desafia a análise, admite ele, mas sua existência (e importância) é muito real. A personalidade expressa "a combinação completa do homem, o físico, o espiritual e o mental; suas características, predileções, tendências, seu temperamento, vigor, sua mentalidade, educação, experiência e vida". Além disso, embora muitas características de personalidade sejam herdadas, o indivíduo esforçado ainda assim pode aprimorar sua personalidade pessoal e "fortalecê-la em certa medida e torná-la mais convincente, mais atraente. Podemos nos esforçar para tirar o máximo possível dessa coisa estranha que a natureza nos deu. O assunto é de vasta importância para cada um de nós".[312]

No desenrolar do capítulo, Dale explora como a imagem pessoal pode ser formada e projetada para os outros de maneira envolvente. Ele começa com a característica de entusiasmo. "Não faça nada para abafar sua energia. Ela é magnética. Vitalidade, vivacidade, entusiasmo" são cruciais, ele escreve. Aparência física também é importante, pois a higiene e um bom traje instilam autoconfiança no orador e ganham respeito da plateia. Outras técnicas ajudam a melhorar a personalidade: exibir um sorriso vencedor, manter uma postura ereta com o peito para fora, ter compostura no púlpito, assumir modos dignos. Um orador convincente, enfatiza Dale, deve se lembrar de "ficar parado de pé e controlar-se fisicamente, o que passará uma impressão de controle mental, de equilíbrio". Até mesmo os gestos são uma expressão de personalidade. A gestualidade de uma pessoa "é meramente uma manifestação da condição interna", argumenta Dale. "Os gestos de um homem, assim como sua escova de dentes, devem ser muito pessoais. E, como todos os homens são diferentes, seus gestos serão individuais apenas se eles agirem com naturalidade."[313]

O poder da personalidade, contudo, consiste em mais do que a projeção de uma imagem magnética e convincente. Assim como a condução de eletricidade, o processo de conexão pessoal requer outro polo – a plateia – para completar o circuito e criar a carga de energia. E estabelecer uma relação com a plateia, seja esta de uma pessoa ou de muitas, insiste Dale, requer sensibilidade pelos sentimentos, interesses e perspectivas dos outros. Os três assuntos mais interessantes do mundo seriam sexo, propriedade e religião, propõe ele, porque envolvem a criação, o sustento e a continuidade da vida. Mas o ponto mais importante a se lembrar é que são "nosso sexo, nossa propriedade e nossa religião que nos interessam. Nossos interesses dizem respeito ao nosso ego... Então, lembre-se de que as pessoas a quem você está se dirigindo passam a maior parte da vida preocupadas com problemas no trabalho ou em como se justificar e se glorificar".[314]

Essa característica social tem profundas implicações na criação de uma personalidade atraente. "Você não está constantemente tentando conquistar as pessoas para seu modo de pensar – em casa, no escritório, no mercado? Como você começa?", pergunta Dale. A resposta está em "pensar nos pontos de vista e desejos do outro, tentar encontrar algo em comum sobre o que concordar". O homem de negócios envolvente evita confrontar verbalmente as pessoas porque isso as coloca na defensiva. Discutir com outra pessoa, afirma Dale, só a torna mais obstinada em sua oposição, porque isso desafia "suas opiniões e ameaça sua preciosa, indispensável autoestima; seu orgulho fica em perigo". Assim, a formação de uma personalidade envolvente, carismática, requer uma sensibilidade especial pelos sentimentos dos outros, uma consciência psicológica das fraquezas da natureza humana que facilita a conexão com os demais.

A Psicologia, um dos principais interesses de Dale desde a década de 1910, compunha parte importante de sua defesa do paradigma da personalidade. A conexão era natural. A mudança cultural de caráter para personalidade, na América do início do século XX, estava entrelaçada a um espírito de época que se solidificava enfatizando a compreensão psicológica do comportamento humano. No século XIX, um historiador escreveu que "os filósofos da antiga escola buscavam cultivar a consciência e instalar a virtude" como código de conduta para os indivíduos no início do século XX, "enquanto os filósofos da nova escola concentram-se no cultivo do poder pessoal e no domínio de si mesmo". Em termos freudianos, através dessa "importante mudança de ênfase, a nova ideologia do sucesso coloca o aprimoramento do ego, em vez do superego, no centro de sua mensagem". Dale mostra-se como um filósofo prático desse novo movimento da personalidade-como-ego. Ele pergunta retoricamente em um capítulo dedicado a fazer o orador parecer impressionante e convincente: "A Psicologia tem sugestões que se mostrarão úteis nessa conexão? Enfaticamente, sim. Vamos ver quais são".[315]

As técnicas psicológicas de Dale incluíam ter "algo que valha a pena ser dito e dizê-lo com convicção contagiosa" por causa do impacto emocional. Ele diz que "a coisa estupendamente importante na hora de fazer uma palestra é o aspecto psicológico disso". E também destaca os méritos do pensamento positivo: "Pense em ser bem-sucedido neste curso. Enxergue-se, em sua imaginação, falando em público com perfeito autocontrole. Você consegue facilmente fazer isso. Acredite que terá sucesso. Acredite nisso firmemente e, então, você fará o que é necessário para obter o sucesso". Ele instiga o orador bem-sucedido a imprimir no público um conceito central e, através de repetição e sugestão, negar a influência de conceitos contrários, perturbadores.[316]

De fato, os negócios modernos – a arena para a qual Dale se volta com frequência em *Public Speaking: A Practical Course for Business Men* – fornecem oportunidades abundantes para efetivar o potencial de personalidade e psicologia. Astutamente, ele foca em dois pontos cruciais da economia de consumo: vendas e propaganda. Ele destaca que "vendas e propaganda moderna estão baseadas principalmente na sugestão", e mergulha em livros como *Scientific Selling and Advertising* (Venda e propaganda científicas, 1919), de Arthur Dunn, que expunha um esquema para atrair atenção, ganhar confiança e apelar à egolatria e ao orgulho de clientes e consumidores. O resultado era um plano que enfatizava apelo pessoal e manobras psicológicas, um modelo para apelar aos "motivos que fazem os homens agir".[317]

Dale insistia em que a arte de vender, por exemplo, frequentemente dependia mais da sugestão que da lógica. Uma garçonete inexperiente, explica Dale, pode dizer ao cliente, no fim da refeição: "O senhor não quer café, quer?", facilitando, assim, que a resposta seja "não". Uma garçonete mais experiente poderia perguntar: "O senhor quer um café?", e assim colocar argumentos a favor e contra o café na cabeça do cliente. Mas a melhor garçonete vai sempre perguntar "'O senhor quer seu café agora ou daqui a pouco?' O que acontece? Ela sugeriu, astutamente, que não há dúvida quanto a você querer café, e ela concentra toda a sua atenção em *quando você irá querer*". Essa estratégia de encorajar respostas positivas, afirma ele, traz resultados em qualquer tipo de venda.[318]

Dale coloca a propaganda como outro exemplo da influência da personalidade e da psicologia na moderna cultura de negócios. A propaganda, é claro, estava se desenvolvendo como um lubrificante vital na operação da moderna economia de consumo desde o fim do século XIX. Em um discurso de 1926 para a Associação Americana das Agências de Propaganda, o Presidente Calvin Coolidge reconheceu sua importância, descrevendo-a como "o método pelo qual é criado o desejo por coisas melhores".

> Trata-se da influência mais potente na adoção e na mudança de hábitos e estilos de vida, afetando o que comemos, o que vestimos e o trabalho e o lazer de toda a nação... A produção em massa só é possível quando há demanda em massa. E esta foi criada quase inteiramente através do desenvolvimento da propaganda... Os negócios modernos requerem propaganda constantemente. Não é suficiente que os produtos sejam feitos – a demanda por eles também precisa ser feita.[319]

Para Dale, contudo, a propaganda fazia mais do que simplesmente vender bens de consumo através da publicidade. Ela envolvia um processo mais profundo, que ligava significado, imagem e realização pessoal ao consumo de certos tipos de produtos. "Somos criaturas sensíveis, que desejam confortos e prazeres", escreveu ele. "Bebemos café, vestimos meias de seda, vamos ao teatro e dormimos na cama em vez de no chão, não porque chegamos à conclusão lógica de que essas coisas são boas para nós, mas porque são agradáveis. Então, mostre que aquilo que você está propondo ajudará nosso conforto e prazer e terá tocado um nervo poderoso". Com frequência, a propaganda utiliza a força psicológica da sugestão exatamente com esse fim, apelando sutilmente para emoções e impulsos, e não à razão, das pessoas. "Passamos a ver camisas Arrow, fermento Royal, picles Heinz, farinha Gold Medal, sabonete Ivory como os principais, se não melhores, produtos de seu tipo. Por quê? Temos motivos adequados para esse juízo?", escreveu ele. "Nós passamos a acreditar em coisas para as quais nenhuma prova nos foi dada. Asserções preconceituosas, parciais e reiteradas, não a lógica, formaram nossas crenças. Somos criaturas sugestionáveis."[320]

A articulação de propaganda, psicologia e culto à personalidade não era exclusiva de Dale nesse período. Outros pioneiros culturais faziam a mesma conexão, incluindo um escritor popular imerso na cultura de negócios dos anos 1920. Bruce Barton, em *The Man Nobody Knows* (O homem que ninguém conhece, 1925), escreveu uma biografia best-seller de Jesus que o apresenta como homem de negócios, gênio da propaganda e personalidade fascinante. Ele descreve Jesus como "o fundador dos negócios modernos", interpretando o Messias como um gerente corporativo que pegou "homens sem treinamento, simples, com fraquezas elementares e paixões", e "os transformou em uma organização que seguiu em frente vitoriosamente". Jesus passa pelas páginas do livro como um vendedor habilidoso que entendia as pessoas e a motivação humana; de fato, "cada um dos 'princípios da moderna arte de vender' de que se orgulham os homens de negócios estão exemplificados brilhantemente no trabalho e nos sermões de Jesus", escreveu Barton. Jesus também era, de acordo com o autor, um publicitário astucioso que compreendia a importância de contar um caso, usar linguagem pitoresca e divulgar mensagens. Através de parábolas incisivas e milagres assombrosos, ele era, nas palavras de Barton, "o maior publicitário de sua época". Talvez mais importante, contudo, foi que Jesus se tornou bem-sucedido devido a sua personalidade reluzente. Barton o descreve não como um ícone moral pudico, mas como uma figura carismática, fascinante, que tinha "uma afeição abrangente pelas pessoas" e as atraía com seu "magnetismo pessoal" e "sinceridade intensa", "vigor viril", "convicção ardente", "paciência inabalável" e um "instinto maravilhoso para descobrir os poderes latentes dos outros". Em última análise, argumenta Barton, Jesus carregava a mensagem de que Deus não era uma entidade vingativa, irada, interessada apenas em justiça espiritual, mas "um grande Companheiro, um Amigo maravilhoso, um Pai compreensivo, tolerante e alegre".[321]

Dale oferece uma lição menos grandiosa quanto à importância da personalidade e o sucesso nos negócios. Em vez de se apropriar de Jesus de Nazaré, ele conta um caso mais modesto de dois homens de negócios que foram colegas na faculdade de Engenharia. Um era inteligente e trabalhador, mas muito antiquado e "conservador", o tipo fazia uma tabela em que marcava qual "lavava melhor, durava mais e dava mais retorno por dólar investido... Sua cabeça estava sempre nos centavos". Orgulhoso e confiante em sua capacidade, apesar de tudo ele definhava em um emprego sem importância após a formatura, esperando por uma promoção que nunca veio. Por outro lado, seu colega era "popular. Todos gostavam dele". Estava sempre procurando por oportunidades, trabalhava bem em equipe e viajava para cidades diferentes a pedido de seu empregador para assumir projetos especiais. "Com sua personalidade cordial", escreveu Dale, esse executivo conquistou a amizade de um empresário local, com quem fez sociedade em uma empresa, e começou enriquecer. "Hoje ele é multimilionário", observa o autor, "e um dos principais donos da Western Union."[322]

No fim, o apelo que Dale faz aos homens de negócio em *Public Speaking: A Practical Course for Business Men* deu frutos. Os conselhos do livro sobre comportamento profissional, aspiração pessoal e apresentação social provaram-se adequados aos trabalhadores administrativos que operavam o ambiente comercial dinâmico em expansão da América dos anos 1920. As instruções práticas de Dale quanto a usar o discurso para influenciar os outros nas burocracias corporativas calavam fundo em seus alunos e leitores, assim como suas reflexões mais abstratas quanto à necessidade de se desenvolver a personalidade como meio de progredir no ambiente comercial.

Os conselhos de Dale Carnegie também rebateram e tiveram impacto em sua própria vida. Em nível pessoal, eles provocaram uma mudança em seu código de comportamento. Em nível mais abrangente, trouxeram reconhecimento e aclamação do público que cultivou enquanto se tornava um conselheiro confiável, amplamente reconhecido, da mesma cultura corporativa que ele ajudava a formar.

Em dezembro de 1927, Dale começou a criar um novo arquivo em sua volumosa coleção de artigos, transcrições de entrevistas, programas de cursos e anotações para discursos que se amontoavam em seu escritório. Intitulado "Coisas idiotas que eu fiz", era um tipo de diário irregular, que listava áreas nas quais ele poderia melhorar suas qualidades e conduta pessoais. Esse esforço representava uma velha tradição na cultura protestante, que datava de séculos atrás. No século XVII, os puritanos engajaram-se em um autoexame disciplinado para avaliar sua pureza religiosa e, esperavam, mapear seu progresso constante rumo à salvação. No século XVIII, figuras como Benjamin Franklin tornaram laico o processo para medir a "virtude republicana" de uma pessoa, que servia tanto como responsabilidade cívica quanto "O caminho para a riqueza". No século XIX, "Cavalheiros Cristãos" vitorianos avaliavam constantemente a própria conduta segundo os termos de uma ética burguesa do caráter, que incluía autocontrole, trabalho diligente, frugalidade e boas maneiras.[323]

Mas as "Coisas idiotas que eu fiz" de Dale era algo diferente. "Eu pus naquele arquivo, mês após mês, registros escritos das coisas idiotas pelas quais eu era culpado", escreveu ele. "Às vezes ditava memorandos para minha secretária, mas às vezes eram tão pessoais, tão bobos, que eu ficava com vergonha de ditá-los, então os escrevia à mão". Esse exercício vinha do impulso tradicional de examinar minuciosamente a própria conduta. Alguns dos registros desse arquivo listavam as preocupações costumeiras: desperdiçar tempo, hábitos de trabalho ineficientes, atrasos, preguiça. Mas a grande maioria das preocupações de Dale, e que contrastam com a de seus predecessores, não eram relacionadas a defeitos espirituais, lapsos de virtude ou problemas de caráter. Em vez disso, eram atitudes e palavras que pudessem ter ofendido os outros e diminuído a estima que eles nutriam por Dale.[324]

Os registros percorrem descortesias sociais e mancadas profissionais. Em dezembro de 1927, ele se repreendeu por repetições verbais enquanto lecionava: "Peguei-me dizendo 'a propósito' pelo menos quatro vezes quando dava aula para a turma de dentistas". Procrastinação também provocava sua ira, como quando ele demorava a entrar em contato com alunos em potencial aos quais prometera um curso, o que os irritaria: "Eu deveria ter escrito para eles no meio de outubro, mas adiei até 25 de novembro, e alguns deles acharam que eu não pretendia cumprir meu contrato". Aconteciam explosões de raiva: "Gastei dez minutos em uma arenga desnecessária com a telefônica sobre as deficiências dela". Não demonstrar admiração pelos outros também provocava repreensão: "H. P. Gant fez um sucesso extraordinário com seu brinde esta noite. Eu deveria tê-lo elogiado com entusiasmo, mas estava tão preocupado comigo mesmo que não demonstrei meu apreço".

No ano seguinte, Dale mencionou uma fraqueza pessoal recorrente: fazer generalizações que magoavam ou irritavam os outros. Em um registro intitulado "Não faça declarações generalizadas que possam ofender alguém", ele fornece estes detalhes: "Na primavera de 1928, eu disse, quando lecionava para a turma das 17-19 horas, que 'todos os políticos Tammany são bandidos', ou algo parecido com isso". Ele observa que "Joseph Davern, um católico fervoroso, sentiu-se ofendido com isso. Foi nessa época que estava em curso a polêmica envolvendo a religião de Al Smith. Davern fez um excelente discurso sobre intolerância, no qual atacou o fato de eu fazer uma acusação infundada e indefensável. Eu me desculpei". Em agosto de 1928, Dale lamentou sua incapacidade de mostrar paciência e admiração, um defeito que impossibilitava uma resposta "acolhedora" dos outros. Ele visitava um escritório da American Express e se aborreceu quando os funcionários continuaram a conversar e demoraram a atendê-lo. "Fiquei exasperado e minha voz demonstrou isso", escreveu ele. "Eu irritei o funcionário e com isso fui muito mal atendido... Aquilo não produziu nada de bom.

Eu, que recebo dinheiro dos outros para lhes dizer como lidar com a natureza humana, fui rude e ineficiente como um homem das cavernas. Fiquei envergonhado com o incidente."

Carnegie se criticava com frequência por interações atrapalhadas que manchassem sua imagem. Um discurso inaugural insípido que ele fez em um de seus cursos ganhou esta reprimenda: "Se é para que essas reuniões tenham algum entusiasmo, Dale Carnegie e somente Dale Carnegie deve providenciá-lo... Qualquer sucesso que tive em meu trabalho foi conseguido mais com entusiasmo do que qualquer outra coisa, e, ainda assim, tentei começar um curso sem essa qualidade indispensável". Em outra ocasião, quando um conhecido o elogiou pela propaganda do curso no *The New York Times,* ele respondeu que o anúncio produzira resultados decepcionantes, e tentou emendar sugerindo que o homem se inscrevesse no curso. "Eu pareci um homem batido e derrotado, que lutava para não se afogar, e estou certo de que aquilo teve um efeito psicológico muito ruim", escreveu ele. No fim de 1928, Dale arruinou uma apresentação diante da diretoria do Elks Club ao se levantar para falar. "Reparei imediatamente que era um grupo muito pequeno para fazer isso. De fato, um dos homens me falou para que eu sentasse e ficasse à vontade. Eu mesmo deveria ter pensado nisso", relata ele. "Acredito que teria sido mais sábio, para mim, encontrar-me pessoalmente com cada membro da diretoria e apresentar-lhe minha ideia antes dessa reunião."

Dale tirou lições importantes de todas essas autoadmoestações em seu arquivo "Coisas idiotas que eu fiz". "Quando eu pego minhas pastas CIQEF e releio as críticas que escrevi para mim mesmo, elas me ajudam e orientam mais do que qualquer coisa que Salomão pudesse ter escrito", admite ele. "As críticas me ajudam a lidar com o maior problema que eu tenho que lidar: administrar Dale Carnegie." Esse esforço sustentado de autoadministração – aparar as arestas dos relacionamentos com os outros, polir sua imagem pessoal para maximizar impacto e influência – teve profunda repercussão histórica. Ele representava o crescente poder da cultura da personalidade nos negócios, algo que o autor promovia publicamente e tentava, então, inculcar em *sua própria vida.*

Ao mesmo tempo em que Dale procurava internalizar seu próprio conselho de *Public Speaking: A Practical Couse for Business Men* quanto à necessidade de moldar a personalidade, o sucesso desse livro (e das aulas) elevaram dramaticamente sua fama. Pela primeira vez, Dale tornava-se um especialista amplamente reconhecido pela América corporativa. Professor e palestrante muito requisitado, com uma reputação crescente de consultor de confiança, ele começou a se movimentar com facilidade nos círculos corporativos e entre organizações comerciais.

Numerosos apartes em seu livro de 1926 indicam como, poucos meses após voltar da Europa, ele emergia como figura conhecida na América corporativa. Dale observa que conduziu "um curso de oratória para os funcionários graduados dos bancos de Nova York", foi a almoços no Rotary Club de Nova York para ouvir palestras "nas quais praticamente todo homem de negócios de Nova York estava interessado" e treinou funcionários "da divisão nova-iorquina do Instituto Americano de Bancos para falar em uma campanha de economia". Depois, ele falou para a 13ª Convenção Anual da Associação Nacional de Conselhos de Corretagem Imobiliária, a Câmara de Comércio de St. Louis e lecionou um curso de oratória patrocinado por essa mesma organização.[325]

Em 1930, Dale tinha ampliado seu alcance ao estabelecer ligações com algumas das maiores corporações dos Estados Unidos. Um panfleto publicitário de 1930 trazia uma foto do autor-professor vestindo um terno risca de giz, camisa branca e gravata, e listava as empresas e associações comerciais para quem ele conduzira cursos: Câmara de Comércio do Brooklyn, Câmara de Comércio da Filadélfia, Associação de Crédito de Nova York, Associação de Seguradoras da Filadélfia, Companhia Telefônica Bell da Pensilvânia, Westinghouse Companhia Elétrica e Manufatureira, Companhia de Gás do Brooklyn, Clube dos Fabricantes e muitos outros. O panfleto também informa que *Public Speaking: A Practical Course for Business Men* tornara-se livro-texto oficial da Associação Americana de Bancos e era usado em programas educacionais em suas cem divisões nacionais.[326]

*Dale Carnegie em uma banca de jornal de Nova York em 1930,
após retomar sua carreira de professor.*

Cartas com testemunhos de clientes corporativos também começaram a chegar. Uma promoção de 1930 para um curso Carnegie patrocinado pelo Clube dos Engenheiros de Filadélfia continha endossos de graduados felizes de empresas como a American Telephone and Telegraph (AT&T), Westinghouse e Companhia Edison de Nova York. "Não é exagero afirmar que este curso marcou um momento decisivo na minha vida", escreveu um executivo da National Broadcasting Company (NBC – Companhia Nacional de Difusão). Um gerente da General Electric parecia quase um devoto: "Esse curso foi um presente de Deus para mim. Muitos de nós, aqui na General Electric, com frequência dizemos 'Dale Carnegie jamais será esquecido em nossa vida.'"[327]

O prestígio empresarial de Dale, em ascensão, foi confirmado em dois artigos que ele publicou em veículos dirigidos ao público corporativo. "Oratória para executivos de indústrias" apareceu no periódico profissional *Factory and Industrial Management*. Então, em janeiro de 1927, ele publicou "Por que bancários deve estudar oratória" no *Boletim do Instituto Americano de Bancos*. Após garantir aos seus leitores que possuía muitos contatos entre os altos executivos de bancos em Nova York, Filadélfia e Baltimore, ele abrangia muitos pontos conhecidos enquanto argumentava por que os bancários deveriam fazer um curso de oratória (de preferência o seu): cultivo de entusiasmo e sinceridade, auxílio para superar o medo e desenvolvimento de autoconfiança.[328] Fiel a si mesmo, ele também enfatizava as qualidades pessoais: "uma personalidade superior tem maior relação com o sucesso nos negócios do que conhecimento superior... A pergunta mais importantes que qualquer bancário pode se fazer é 'Como posso desenvolver minha personalidade?'". As habilidades aprendidas no curso de oratória, ele sustentava, eram exatamente aquelas exigidas pelas organizações em que a maioria dos bancários trabalhava: "Você já passou pela experiência de, trabalhando em uma dessas organizações, deixar um homem com talvez menos conhecimento e habilidade que você se destacar e chefiar o setor simplesmente porque ele teve a coragem e a capacidade de expressar suas ideias claramente e com convicção?". O autor sabia que eles tinham passado por isso.

A posição proeminente de Dale como consultor e analista de empresas americanas também foi destacada em um veículo mais popular. De 1929 a 1931, ele escreveu uma série de artigos para a *American Magazine* intitulada "Como Eles Chegaram Lá". Em parceria com o notável cartunista do Kansas Albert T. Reid – cujos desenhos apareciam no *Kansas City Star*, no *Chicago Record* e no *New York Herald*, bem como em revistas nacionais como *The Saturday Evening Post* e *McClure's* – Dale compôs uma dúzia de painéis com texto e desenho (eles ocupavam o terço superior de uma página da revista) que exaltavam o sucesso profissional de muitos personagens destacados do mundo dos negócios. Esses perfis breves e pitorescos celebravam homens como William Durant, da General Motors, George Eastman, da Eastman Kodak, Owen D. Young, da General Electric, Walter Chrysler, da Chrysler Motors, James G. Harbord, da RCA, Adolph Zukor, da Paramount Pictures, e

George F. Baker, o "decano dos banqueiros de Wall Street". Dale fornecia informações sobre a vida desses homens, breves comentários sobre seus interesses e *hobbies* e, então, amarrava seu sucesso a determinação, atenção às oportunidades e uma personalidade atraente.[329]

O perfil que fez de Charles Schwab, presidente da U. S. Steel, foi típico. O magnata fora criado na zona rural da Pensilvânia, onde se divertia atuando como diretor de pequenas feiras rurais. Seu trabalho era conduzir uma carruagem de aluguel das estações de trem para vários pontos. Enquanto isso, estudava em seu tempo livre e dava aulas de música para complementar sua renda magra. Schwab começou como trabalhador no chão de fábrica da Carnegie Steel Mill (Siderúrgica Carnegie), de Andrew Carnegie, e em quinze anos chegou a presidente da empresa. Schwab, então, abriu mão de seu contrato de um milhão de dólares por ano para facilitar a aquisição da Carnegie Steel pela U.S. Steel Corporation, da qual se tornou presidente.[330]

Dessa forma, no fim da década de 1920, Dale Carnegie pisava no palco nacional pela primeira vez. Compondo uma visão de mundo sintonizada com a nova e dinâmica sociedade de consumo abundante, a burocracia corporativa e a realização pessoal, ele emergia como um intérprete da moderna cultura empresarial americana, que compreendia tanto suas exigências como suas oportunidades. Bem para trás ficou a velha cultura "Carnagie", instilada por seus pais, com suas exigências vitorianas de abnegação e frugalidade, devoção e decoro, autocontrole e caráter. O novo programa "Carnegie" endossava com confiança a ideia de que o progresso dependia de duas habilidades: primeiro, projetar uma imagem pessoal atraente para os outros; segundo, interagir hábil e suavemente com eles.

O profundo entendimento de Dale a respeito da América moderna, no fim da década de 1920, culminou o primeiro estágio de sua vida, um que o levou das regiões rurais do Meio-Oeste protestante para a dinâmica sociedade burocrática e orientada ao consumidor do nordeste urbano. Esse entendimento seria o material de construção da nova ética do sucesso que começou a tomar forma em sua cabeça antes de ser formulada em um livro incrivelmente popular que conquistaria o país alguns anos mais tarde. Mas o ambiente inicial para o segundo estágio da vida de Dale Carnegie veio em um evento imprevisto. Como todos os americanos, ele foi forçado a enfrentar um desastre econômico e social de magnitude nunca vista. Esse trauma, embora inquietante, também ofereceu grandes oportunidades.

PARTE DOIS

FAZENDO AMIGOS E INFLUENCIANDO PESSOAS

9. "Faça aquilo de que tem medo"

No outono de 1929, os Estados Unidos foram devastados pelo maior desastre econômico de sua história. A Bolsa de Valores despencou no fim de outubro e quebrou, enquanto investidores, financistas, acionistas em geral e correntistas de bancos em todo o país entraram em pânico devido à queda brusca nos preços das ações. Uma esperada recuperação não se materializou nos meses seguintes. Ao contrário, a economia avançou em mergulho contínuo, produzindo um fracasso econômico calamitoso. No início da década de 1930, a Grande Depressão se instalara; milhões de americanos perderam seus empregos e suas casas, milhares de bancos e empresas faliram e uma pobreza colossal se espalhou por todos os cantos do país. Os números eram desconcertantes: desemprego em torno de 25 por cento, nível de investimento 90 por cento menor do que em 1929, e o produto interno bruto e o índice de preços ao consumidor permaneciam 25 por cento abaixo dos números anteriores à quebra. Nesse contexto de riqueza e oportunidade em evaporação, uma atmosfera de desespero e medo tomou conta dos Estados Unidos.[331]

O tsunami econômico foi um golpe duro para Dale Carnegie, mas não foi fatal. Ele perdeu uma parte substancial de suas economias na quebra de 1929, e brincou amargamente em uma carta dizendo que, "quando penso nos meus resultados no mercado de ações, parece uma piada que eu queria dar conselho financeiro de qualquer tipo". Mas ao longo dos anos seguintes ele economizou "uma nova cesta pequena de ovos" e conseguiu manter a casa que comprara na Wendover Road, 27, em Forest Hills, Queens, na cidade de Nova York. Seu bom amigo Homer Croy não teve tanta sorte. O romancista do Missouri tinha uma casa perto da de Dale em Forest Hills, e, em 1933, recebeu ordem de despejo quando o banco executou a dívida do financiamento da casa por falta de pagamento. Diversos investimentos imprudentes em imóveis condenaram Croy, em suas próprias palavras, "a Grande Depressão devastou-me qual um ciclone do Kansas e destruiu-me como um tornado destruiria um galinheiro".[332]

Várias experiências pessoais tornaram Dale muito consciente da pobreza que se espalhava. Quando os pais de sua dedicada secretária, Abbie Connell, estavam para perder sua fazenda por não pagar o financiamento, Dale emprestou-lhes a grande quantia de duzentos dólares para que salvassem a propriedade, dizendo para Abbie lhe pagar conforme pudesse. No fim de 1930, ele reuniu cento e vinte dólares – principalmente de suas aulas, com vinte e cinco de seu próprio bolso –, que trocou por mil e duzentas moedas de dez centavos para serem distribuídas na Casa dos Pobres de Nova York. "Eu gostaria que você e meu pai pudessem estar comigo. Vocês passariam o resto da vida agradecendo a Deus Todo-Poderoso por estarem tão bem situados", ele escreveu para a mãe. "É lamentável ver essa gente vivendo nessa pobreza... Uma senhora idosa, negra, disse-me 'eu sonhei que tinha uma moeda de prata, e agora você me deu uma'... Um homem desmoronou e começou a chorar quando lhe dei dinheiro... Havia mais de 2.500 pessoas lá. Se você estivesse comigo no Dia de Natal, mãe, nunca mais se queixaria."[333]

Em última análise, para Dale, a Depressão foi menos um trauma econômico e mais um desafio mental e emocional. Sem inclinação política nem orientação ideológica, ele não viu esse desastre como uma crise do capitalismo, um perigoso estímulo à luta de classes ou uma evidência da necessidade de se repensar o papel regulador do governo federal. Em vez disso, ele enxergou a crise como um teste para a eficácia de seus princípios básicos: pensamento positivo, entusiasmo e desenvolvimento de personalidade. À luz do desemprego, do desespero econômico e da quantidade de gente sem teto que havia no começo da década de 1930, tal visão poderia aparecer como alienada para um observador moderno. Mas a atitude de Dale, na verdade, mostra uma tendência universal na América da Depressão. Milhões de cidadãos de classe média também viam a Depressão, principalmente, como um desafio à resiliência de sua fibra pessoal, uma provação emocional que exigia coragem, confiança e ajuste para ser superada. Como explicou com muito discernimento o historiador Warren I. Susman, a classe média dos Estados Unidos reagiu aos tempos difíceis de modo conservador: abalada e envergonhada pelo fracasso, real ou próximo, ela não adotou nenhum radicalismo, mas buscou definir e defender um "Modo de Vida Americano" que estava ameaçado pelas circunstâncias, ajustando seus esforços para sustentá-lo. Nas palavras de Susman, a Grande Depressão produziu "uma classe média americana assustada e humilhada, que sentia uma total falta de ordem no mundo à sua volta, com a tendência frequente a internalizar a culpa por seus temores e se sentir envergonhada pela incapacidade de lidar com a situação, em vez de hostilizar abertamente uma ordem tecnológica e econômica que nem sempre compreendia". Os americanos não buscaram derrubar o sistema, mas reformá-lo e consertá-lo; eles não desejaram abandonar o individualismo pelo coletivismo, mas quiseram reparar sua abalada noção de eficácia pessoal.[334]

Dale compartilhava dessa reação da classe média à Grande Depressão, e reagiu de diversas formas que refletiram os valores e a sensibilidade dessa classe média. Ele atualizou seu curso de oratória destacando métodos para a superação da ansiedade desenfreada e as inseguranças dessa época. Escreveu um livro celebrando um herói popular americano, algo que capturou um impulso comum dos anos 1930 – a adoção de uma fé inabalável e sentimental pelas pessoas comuns. Depois, apresentou um programa de rádio que destacava outra poderosa corrente cultural em uma atmosfera de fracasso econômico: o encanto escapista da celebridade. De todas essas formas, Dale alinhou-se com uma cultura corrente que buscava resgatar O Modo de Vida Americano daquele que era, talvez, seu maior desafio moderno. Ironicamente, a Grande Depressão, com todas as suas privações, forneceu a Dale Carnegie uma grande oportunidade para que começasse a forjar um novo credo de sobrevivência e sucesso.

Em 4 de março de 1933, Franklin D. Roosevelt tomou posse, assumindo a presidência dos Estados Unidos após esmagar o concorrente, Herbert Hoover, na eleição nacional. Ele ficou diante de uma multidão grande e ansiosa, bastante desanimada, de milhares de pessoas que apareceram diante do Capitólio em Washington, enquanto milhões escutavam a cerimônia pelo rádio. Roosevelt encarava uma nação que se debatia durante os dias mais sombrios da Depressão e começou seu discurso de posse com uma declaração vibrante e reconfortante, que abriu espaço em meio à melancolia. O problema que impedia a recuperação nacional, afirmou ele, não era de natureza fundamentalmente política, social ou econômica. Era emocional. Nas palavras famosas que funcionaram como ponto de partida para os cidadãos desanimados, ele proclamou "acredito com firmeza que a única coisa da qual devemos ter medo é do próprio medo – o terror anônimo, irracional e injustificado que paralisa os esforços necessários à conversão da retirada em avanço". A superação desse medo, ele insistiu, abriria o caminho para os Estados Unidos resolverem muitos problemas urgentes e retomarem "a vida nacional harmoniosa e permanente".[335]

De muitas formas, Dale Carnegie, então com quarenta e quatro anos, oferecia um corolário cultural à memorável avaliação que FDR fez das dificuldades americanas durante a Grande Depressão. Até mais que o presidente, ele via essa crise econômica como um trauma emocional que trouxera medo e incerteza, isolação e dúvidas debilitantes em seu rastro. Em artigo intitulado "Siga em frente", publicado na *Collier's*, uma revista de classe média muito popular, ele descreveu as tribulações econômicas da nação como um ataque às emoções que ameaçava acabar com a confiança do povo, tanto no futuro como em si mesmo. "Ora! Ora! Recessões são ruins. Estamos no meio de uma e tudo que conseguimos enxergar são ondas negras caindo sobre nós, esmagando-nos e afogando-nos", ele escreveu, na linguagem alegre de Roosevelt. "Claro, o medo está no último lugar da nossa lista de preocupações. E que sujeito dissimulado ele é! Mas o pior medo, de todos os medos, é o medo do desconhecido. Estar consciente de um medo e não saber o que se teme – esse é o pior terror do mundo."[336]

Era essencial, continua Dale, encarar o medo de frente e aprender a lidar com ele efetivamente. Ele dava conselhos antigos com um toque novo: siga em frente, mas faça isso psicológica e emocionalmente, não nos termos da antiga dedicação ao trabalho. Para o autor, "uma mudança de atitude mental" era crítica. Mas ele não estava advogando que se evitassem as dificuldades e os problemas à moda de Pollyana. "Não estou aconselhando você a não ter nenhum medo, pois isso seria bobagem; mas não deixe o medo dominá-lo", esclarece. "Ralph Waldo Emerson tinha uma ideia sobre isso: 'Aja como se não tivesse medo, e a morte do medo é certa'. E é isso mesmo que devemos fazer nestes dias de dúvida e incerteza. Encare o futuro, aja sem medo e nós iremos, em grande parte, dominar o medo." Dale incita os americanos a cultivarem "pensamentos esperançosos" e um "espírito arrojado" ao se defrontarem com a perspectiva de perder o emprego ou a casa. Uma atitude mental positiva garantiria que "os pensamentos que tivermos sejam úteis e não desanimadores". Os americanos precisavam analisar seus medos, determinar uma linha de ação lógica, manter-se fisicamente em forma, lembrar que os tempos difíceis sempre passam e pensar com coragem. Se o indivíduo puder dominar o medo e agir positivamente, escreve Dale, "garanto que, em vez de se sentir torturado e derrubado pela recessão, você a enfrentará corajosa e bravamente – e triunfará".[337]

A visão otimista e confiante de Dale quanto aos problemas americanos (e seu potencial de recuperação) foi profundamente influenciada por uma viagem que ele descreveu como "a maior aventura da minha vida". No verão de 1932, ele visitou a China por várias semanas, e isso produziu um impacto profundo no seu pensamento sobre a Grande Depressão. Quando ele partiu, escreveu que "As condições são trágicas nos Estados Unidos. As filas da sopa tornaram-se comuns – homens vagavam pelas ruas aos milhares, implorando por trabalho – e o desemprego assombrava o país". Depois que seu navio aportou em Xangai e ele começou a viajar pela China, contudo, Dale percebeu que "A América não tem a mais pálida ideia do que é uma depressão". Chocado pela esquálida condição de vida e pelo desemprego quase universal, ele concluiu que durante séculos "a China não conheceu outra coisa que não a pobreza cruel e opressora", enquanto doenças, inundações e fome matavam milhões de camponeses e trabalhadores urbanos a cada ano. Isso alterou profundamente sua perspectiva dos problemas americanos e renovou o valor que dava às oportunidades que ainda existiam em casa.

"Imagine que eu tenha perdido as economias de uma vida na Bolsa de Valores. E daí? Eu estou vivo. Saudável. Não tenho que dormir no chão", ponderou. "A América seria um verdadeiro Eldorado se comparada à pobreza, doença e miséria que 400 milhões de chineses suportam no Oriente".[338]

A Grande Depressão teve um impacto importante no curso de oratória de Dale, que continuava sendo sua principal fonte de renda e a base de seu reconhecimento público. Continuamente afinando formato e conteúdo do curso, ele o remodelou no início da década de 1930, de modo a refletir as ansiedades e necessidades do período. Ele utilizou a tradição americana da autoajuda com uma urgência renovada e informou seus alunos de que, "se você tem um desejo sincero de melhorar, venha. Nós podemos ajudar você a se ajudar. Mas, se você não sente uma urgência verdadeira em se aperfeiçoar, economize seu tempo e dinheiro, pois ninguém poderá ajudá-lo". Ele foi além. Convencido de que a crise econômica poderia ser superada ensinando as pessoas a agirem com mais eficiência no complicado mundo moderno dos negócios através de entusiasmo, apresentação pessoal adequada e, principalmente, pensamento positivo, ele expandiu o Curso Carnegie para alcançar esses objetivos.[339]

Utilizando-se das bases sólidas que estabeleceu no fim da década de 1920, ele ampliou seu Curso Dale Carnegie de Como Falar com Eficácia e Influenciar os Homens nos Negócios chamando vários convidados de prestígio para ajudar em sua apresentação. Ele convenceu seu bom amigo Lowell Thomas, então bem-sucedido escritor de viagem e aventura e apresentador da rádio NBC, a conduzir uma das sessões em Nova York. Dale escreveu um apelo divertido a Thomas: "Pense como será engraçado... Você pode vir depois da sua transmissão, encher o cachimbo, derramar um pouco de sua sabedoria, criticar palestras longas e ganhar dinheiro bastante para comprar a carcaça de um cavalo morto para alimentar as raposas [de sua fazenda no norte do estado] por algum tempo, ao menos". Ele também recrutou dois professores da Universidade de Nova York: Richard C. Borden, autor de três livros sobre vendas e antigo supervisor de vendas da Hearst Newspapers, e

Charles A. Dwyer, experiente professor de oratória. Além disso, Dale reuniu homens de negócios estabelecidos, como Richard Ford, gerente-assistente da Rogers Peet Company em Nova York, e George H. Wright, gerente de propaganda da Jacob Reed's Sons em Filadélfia.[340]

Mas o conteúdo do Curso Carnegie, mais que seus professores, revelava o impacto da Grande Depressão. Ele começava aceitando uma atmosfera de problemas. Dale pediu a seus alunos para que começassem seu treinamento falando a respeito de seu negócio ou sua profissão. Ele deu estas diretrizes:

> Você está feliz no seu trabalho?... Quais são seus problemas mais desconcertantes? Vendas? Publicidade? Contas a receber? Mão de obra? Competição arrasadora?... Ao preparar sua fala, lembre-se de que seus ouvintes estarão mais interessados neles mesmos e nos problemas deles do que em você e seus problemas. Então, se quiser fazer uma palestra para captar a atenção de todos, selecione alguma característica do seu negócio que ajudará seus ouvintes a resolver os problemas deles.[341]

Na sessão dedicada a como abrir e encerrar uma palestra, ele forneceu aos alunos cem tópicos em potencial dos quais poderiam escolher um; muitos refletiam as insatisfações sociais, econômicas e pessoais trazidas pela Depressão. Entre eles:

> Quais foram os maiores obstáculos em sua luta pelo sucesso, e como você tentou superá-los?... O quanto me custaram algumas lições que aprendi trabalhando... O que Wall Street fez comigo – e como... Erros que cometi e que desejo que meu filho evite... Os erros que as pessoas fazem ao se candidatarem a um emprego... O que há de errado com nossos bancos?... Os maiores medos que eu tive e como os superei... O melhor modo de se suicidar... Você acha que a América já viveu

e deixou para trás o período de maior prosperidade de que desfrutou durante nossa vida?[342]

Em certo sentido, o Curso Carnegie tornou-se um teste para os nervos, no qual ansiedade e medo do fracasso forneciam a argila que o professor usava para moldar novas personalidades. Como informou a *American Magazine*, Dale observou o profundo terror que frequentemente envolvia seus alunos quando se defrontavam com a perspectiva de falar em público. "Eu os vi se contorcer em dor física real. Eu os vi, centenas de vezes, tão nervosos que aplaudiram entusiasticamente seu próprio discurso depois que se sentaram", disse Dale. "Eu vi seus joelhos dobrarem. Um homem, executivo experiente, chegou a desmaiar." Para aumentar essa ansiedade natural, havia a infame "sessão de apartes" – também chamada de "sessão de ruptura" – na metade do curso, em que o orador era bombardeado com abusos da plateia. A revista descreve como o vice-presidente de uma empresa suportou essa provação:

> A atmosfera estava pesada de tanta tensão nervosa... O rosto do vice-presidente estava vermelho... O público batia os pés, socava as mesas, balançava os punhos fechados. O suor escorria pela face do vice-presidente. Seu rosto ficou branco. Nesse momento infeliz, um homenzinho magro, de óculos [Dale] aproximou-se por trás do desventurado vice-presidente e acertou-lhe um golpe impressionante nas costas com um jornal dobrado. "Agora é sua vez", exclamou ele. "Arrebente. Solte o entusiasmo. Domine esses vira-latas gritalhões. Acabe com eles. Faça-os comer na sua mão." O vice-presidente olhou para seu professor e, então, voltou-se para encarar seus algozes. Timidez e nervosismo sumiram ante sua ira crescente. Ele combateu aqueles desordeiros, fez com que o ouvissem e terminou seu discurso em triunfo.[343]

Dale Carnegie, em 1932, liderando a famosa – e difícil – "sessão de ruptura" de seu curso de oratória.

A sobrevivência da carreira estava em jogo, afirmou Dale. "Muitos homens que fizeram este treinamento tornaram-se líderes em seus negócios ou nas comunidades porque conseguiram expressar suas ideias com clareza e vigor. Eles ocuparam o centro do palco enquanto os homens desarticulados foram ignorados e esquecidos", afirmou. Anúncios do Curso Carnegie enfatizavam esse tema, mostrando um executivo sendo sufocado por duas mãos que agarravam seu pescoço pelas costas. A legenda dizia: "Você é estrangulado pelo MEDO quando lhe pedem para dizer algumas palavras?" Um artigo longo sobre Carnegie e sua empresa no *The Saturday Evening Post* abordou a atmosfera ameaçadora que sutilmente impregnava seu curso. "A existência normal passou a ser fortemente considerada uma batalha cruel por Carnegie, que via o mundo como um lugar cheio de pessoas se debatendo contra probabilidades assustadoras, tateando em uma vasta escuridão assombrada por espectros", relatou a revista. "Um homem de sucesso, para ele, é um homem intrépido, que está preparado para o pior." Na essência, o Curso Carnegie operava como uma reflexão alegórica da Grande Depressão, na qual indivíduos lutavam para se desenvolver enquanto sob ataque.[344]

Para um homem prático como Carnegie, o valor de seu curso não estava em conexões abstratas com o ambiente social, mas em técnicas concretas para lidar com ele. Assim, ele criou dois objetivos para seu curso que, se alcançados, poderiam ajudar seus alunos a sobreviver, e, talvez, até prosperar durante os dias difíceis da Depressão. Primeiro, Dale buscava superar o medo e instilar confiança entre os indivíduos traumatizados. Segundo, ele buscava aumentar o poder de faturamento deles em um ambiente econômico ameaçador. Esses objetivos permeavam tanto o conteúdo quanto o tom do Curso Carnegie, que atraía centenas de homens de negócios no início de 1930.

Dale apoiava-se em uma de suas citações favoritas para dar o tom. "Emerson disse que o modo de dominar o medo é fazer o que amedronta", declarava. Ele trabalhava para ajudar os alunos a superarem seu temor de público fazendo com que falassem a cada sessão, criticando suavemente seus esforços e levando-os para uma zona de conforto na qual a apresentação de suas ideias para os outros tornava-se uma empreitada natural. A superação do medo de estar diante de uma plateia, repetia ele, desenvolveria "uma nova coragem, uma nova atitude". Ele insistia em que uma atitude positiva e confiante separava os indivíduos de sucesso dos fracassados no mundo moderno. "Fui convencido, observando a experiência de milhares de homens, de que a coisa mais valiosa que eles obtêm em um curso de oratória não é a habilidade de falar em público, mas uma maior autoconfiança", argumentava. "Você não conhece homens, na sua cidade, que nunca irão muito longe simplesmente porque eles não acreditam que possam? Homens que estão derrotados antes de começar?" Dale ministrava uma dose elevada de pensamento positivo, dizendo aos alunos: "Lembrem-se, nada os atrasa, a não ser seus próprios pensamentos". De modo mais prático, ele criou sua infame "sessão de ruptura" não como um exercício de sadismo, mas como técnica para forjar confiança, determinação e coragem em um "batismo de fogo". Ele disse a um repórter da *American Magazine,* em 1932, que "aprender a falar em público é como nadar. O melhor professor para as duas atividades é praticar, e o maior obstáculo para ambas é medo".[345]

Dale enfatizava consistentemente seu segundo objetivo – aumentar o status financeiro dos alunos – prometendo que seu curso iria "Aumentar Sua Renda" e "Aumentar Seu Poder de Faturamento". Em uma economia moderna dominada por corporações, burocracias e complicadas teias de interação humana, ele dizia aos alunos que o sucesso dependia cada vez mais do cultivo de personalidade, entusiasmo, comunicação clara com os outros e relações humanas. "O principal propósito deste curso é desenvolver essa habilidade em homens de negócios e, consequentemente, aumentar seu poder de faturamento", afirmava Dale. Empresários convidados para discursar sobre "Como Ganhar Dinheiro", invariavelmente, destacavam a importância de confiança, atitude positiva e a habilidade de influenciar as ações dos outros. Como disse um orador entusiasmado a seus alunos, o Curso Carnegie "ajudará praticamente todo homem a aumentar seu poder de faturamento. Eu vi com frequência, e tenho certeza de que vocês também, alguns dos sucessos empresariais mais importantes serem conquistados por homens que possuíam... a habilidade de falar bem e conquistar os outros para seu modo de pensar e 'vender' a si mesmos e suas ideias".[346]

Assim, Dale desenvolveu seu curso como uma força para recuperação, tanto emocional quanto financeira, durante os dias sombrios da Grande Depressão. E pelo menos alguns observadores compreenderam a importância de seus esforços. "Dale Carnegie vende para as pessoas aquilo de que elas mais precisam", escreveu o *The Saturday Evening Post*. "Ele lhes vende esperança". Outro jornalista notou "a técnica engenhosa de Carnegie para expulsar o nervosismo que paira sobre o homem comum". Seu velho amigo Lowell Thomas, ao escrever uma nova introdução para a edição de 1935 de *Public Speaking and Influencing Men in Business* (Falar em público e influenciar homens nos negócios), acrescentou sua própria observação perspicaz: "Dale Carnegie vai lhe dizer que ganhou a vida, todos esses anos, não ensinando a falar em público – isso foi consequência", escreveu ele. "Ele afirma que sua função principal tem sido ajudar homens a dominar seus medos e desenvolver coragem".[347]

Mas Dale também lidou com a Grande Depressão de formas mais indiretas nos anos 1930. Como muitos de seus concidadãos, durante esse período árduo ele buscou conforto e apoio no alicerce da tradição americana. Vasculhando o passado, ele tentou descobrir uma inspiração para superação com raízes nos impulsos democráticos dos cidadãos comuns. Operando como escritor, e não professor, ele descobriu alguém que, na sua narrativa, personificava as virtudes resilientes do povo americano.

No início da década de 1920, enquanto trabalhava no espetáculo de Lowell Thomas em Londres, Dale se deparou com uma coluna de jornal quando tomava café da manhã no hotel. A coluna examinava a vida de Abraham Lincoln, especialmente suas experiências pessoais e particulares. Na verdade, o artigo era o primeiro de uma série, e os demais foram publicados nos dias seguintes. Dale sempre se interessou pela história americana e sentia um carinho especial pelo Grande Emancipador, um homem do Meio-Oeste, como ele. Naquele momento, ele encontrou um lado do lendário presidente que desconhecia completamente. Ele ficou absolutamente intrigado. "Eu, um americano, precisei vir a Londres e ler uma série de artigos escritos por um irlandês, em um jornal inglês, para aprender que a história da carreira de Lincoln foi uma das mais fascinantes nos anais da humanidade", brincou.[348]

Dale passou a visitar a biblioteca do Museu Britânico em seu tempo livre, debruçando-se sobre todo livro a respeito de Lincoln que conseguia encontrar. Logo, em suas próprias palavras, "Peguei fogo e resolvi escrever eu mesmo um livro sobre Lincoln". Originalmente pensando em escrever um romance histórico, ele trabalhou intermitentemente nesse manuscrito ao longo dos anos de seu interlúdio na Europa, mas fez progressos modestos. Foi somente no começo da década de 1930, após a destruição de seus sonhos de escrever ficção, e no início da Depressão, que Carnegie retomou seu estudo de Lincoln. Primeiro, ele tentou escrever o que chamou de "romance biográfico" e admitiu na introdução que sua história era "5% ficção". Mas Homer Croy o convenceu a simplesmente observar que "este livro é expressão da verdade, o mais próximo da verdade a que se pode chegar, com uma pequena admissão de dramatização". Dale também descreveu seu esforço como resultado da "necessidade genuína de uma biografia curta que conte os fatos mais interessantes da carreira [de Lincoln], de modo breve e conciso, para o cidadão ocupado e apressado de nossos dias". Após dois anos de intenso trabalho, incluindo vários meses que passou na cidade do biografado, Springfield, Illinois, o resultado foi *Lincoln, Esse Desconhecido* (1932), a homenagem de Dale Carnegie ao mártir salvador da União Americana.[349]

Mas o Lincoln de Dale Carnegie não era o presidente, político e estadista que teve praticamente todos os seus pensamentos e políticas examinados e dissecados por historiadores profissionais durante as seis décadas que se passaram após seu assassinato, em 1865. No livro de Dale, ele era um homem talentoso e atormentado que simbolizava duas irresistíveis características americanas: primeiro, era um ícone de sucesso, que superou obstáculos e contratempos severos (geralmente com a ajuda de princípios parecidos com os de Dale); e segundo, um ícone das pessoas comuns, que manifestavam suas virtudes fundamentais de decência, resiliência, justiça e democracia. Em outras palavras, Dale apresentava seu personagem famoso evidentemente como um reflexo da América da Depressão e suas preocupações.

"Lincoln, esse desconhecido" era um homem que, assim como uma multidão de cidadãos da década de 1930, lutava para sobreviver a uma longa série de tribulações que o mundo colocava em seu caminho. Sua vida consistia em esforços recorrentes para superar fracassos e decepções. Quando, ainda jovem, foi à falência um mercado em Nova Salem, Illinois, no qual era sócio, ele "teve que fazer qualquer tipo de trabalho manual que encontrasse: cortou mato, recolheu feno, construiu cercas, trabalhou em uma serraria e para um ferreiro". Ao embarcar na carreira legal em Springfield, alguns anos mais tarde, lutava com uma dívida de mil e cem dólares; Lincoln procurou seus credores e lhes prometeu "pagar de volta cada dólar com juros, se eles lhe dessem tempo". Depois, mesmo subsistindo com uma renda miserável, continuou sensível à pobreza de muitos de seus clientes, de quem cobrava menos. "Uma vez, um homem enviou vinte e cinco dólares para Lincoln, que lhe devolveu dez, dizendo que o outro fora muito generoso". Mesmo na política, que se tornou sua paixão, sua sorte subia e descia com as poucas vitórias eleitorais ofuscadas por numerosas derrotas. Em 1858, após perder a corrida ao senado para Stephen Douglas, o Lincoln de Dale se desesperou. "'Para mim', confessou ele, 'a corrida da ambição tem sido um fracasso, puro fracasso.'"[350]

Essa ladainha de decepções continuou durante sua presidência, com os sucessivos desastres militares da União durante os primeiros anos da Guerra Civil. "Fracasso e derrota não eram experiências novas para Lincoln", escreve Dale. "Faziam parte de toda a sua vida, mas nunca o esmagaram; sua fé no triunfo final de sua causa permaneceu firme, sua confiança, inabalável." Em 1864, quando a obstinada perseguição do general Ulysses S. Grant ao Exército do Norte da Virgínia, de Robert E. Lee produziu enormes baixas, muitos nortistas o acusaram de ser um carniceiro desalmado. "Ano após ano, seu riso tornou-se menos frequente; as rugas em seu rosto ficaram mais fundas; seus ombros vergaram", escreve Dale. "Ele disse para um amigo: 'Sinto como se nunca mais fosse me alegrar.'"[351]

A tendência de Lincoln à melancolia exacerbava seus momentos difíceis. Em Nova Salem, durante a década de 1830, a morte da namorada, Ann Rutledge, mergulhou-o em depressão. "Ele não conseguia dormir. Ele não comia", conta Dale. "Ele repetia sem parar que não queria viver e ameaçou se matar. Seus amigos ficaram assustados, tomaram seu canivete e ficaram de olho nele para que não se jogasse no rio." O casamento infeliz drenou-o emocionalmente, e a morte daquele que talvez fosse seu filho preferido, Willie, afundou-o em profundo desespero. Um de seus melhores amigos, o sócio na advocacia William Herndon, afirma, no livro: "Se Lincoln teve um dia feliz em vinte anos, eu não fiquei sabendo. Um olhar perpétuo de tristeza era sua expressão mais conhecida. Escorria melancolia dele quando andava".[352]

Mas Lincoln superou as grandes decepções de sua vida, destaca Dale, através de diversos hábitos que cultivou ao longo dos anos. No início da vida, ele assimilou uma capacidade para o trabalho duro. A vida na fronteira exigia trabalho incessante, e, quando sua família se mudou para Illinois, "Lincoln ajudou a cortar árvores, construir cabanas, cortar mato, limpar a terra, abrir quinze acres de terra com uma junta de bois, plantar milho, cortar madeira e cercar a propriedade. No ano seguinte, ele trabalhou como empregado na vizinhança, fazendo trabalhos eventuais: arar, recolher feno, consertar certas, matar porcos". Lincoln também descobriu uma sede por conhecimento e estudava muito. Devido ao preço proibitivo do papel, ele "escrevia com um pedaço de carvão em tábuas. Às vezes fazia anotações nas faces planas dos troncos que formavam as paredes da cabana". Lincoln devorou obras de Shakespeare, Burns, Blackstone, Gibbon e Tom Paine, e frequentemente caminhava com um livro aberto nas mãos. "Quando encontrava um trecho difícil, ele ficava parado, concentrado no que lia até compreender perfeitamente", conta Dale. "Ele ficava estudando até absorver vinte ou trinta páginas, e seguia em frente, até a noite cair e ele não poder mais enxergar as letras."[353]

Lincoln sobreviveu e prosperou devido à sua dedicação aos vários princípios que Dale também cultivava. Ele enfrentava a melancolia com humor e uma determinação de pensar positivamente sobre o futuro, fosse em sua carreira de advogado fosse na conclusão da Guerra Civil. Como o autor, Lincoln tornou-se um orador hábil para ganhar autoconfiança e tocar as pessoas. Ainda jovem, trabalhando nos campos, "ele de vez em quando largava o forcado, subia numa cerca e repetia os discursos que ouvira advogados fazer em Rockport ou Boonville. Em outras ocasiões, ele imitava a gritaria dos pregadores batistas que falavam na igreja de Little Pigeon Creek aos domingos". Ao se mudar para Nova Salem e decidir tentar a carreira política, ele aprendeu a falar em público e "descobriu que tinha uma habilidade incomum para influenciar os outros com seu discurso". Na década de 1850, em debates acalorados sobre a expansão da escravidão, ele falava apaixonadamente, um homem "movido em seu âmago por um erro fundamental, um Lincoln que pedia por uma raça oprimida, um Lincoln tocado, comovido e erguido por sua grandeza moral". Na visão de Dale, essa trajetória retórica teve seu ápice no discurso inaugural do segundo mandato de Lincoln, quando ele apresentou "um discurso que soava como a fala de algum grande personagem dramático. Parecia um poema sagrado".[354]

Finalmente, o Lincoln de Dale conseguiu o sucesso através da compreensão das relações humanas. Ele compreendeu a importância de vários princípios que melhoraram sua capacidade de influenciar pessoas: valorizar o ponto de vista dos outros, solicitar respostas positivas e lidar habilmente com as pessoas, em vez de atacá-las ou denegri-las. Uma vez, quando um subordinado levou uma ordem ao ministro da Guerra, Edwin Stanton, este intempestivo e obstinado ministro explodiu: "Se o presidente deu essa ordem, ele é um maldito tolo". Ao saber disso, Lincoln respondeu calmamente: "Se Stanton disse que eu sou um maldito tolo, então devo ser, pois ele está quase sempre certo. Vou até lá falar com ele". Quando Stanton o convenceu de que a ordem seria danosa, o presidente a revogou. Lincoln explicou que "eu não posso aumentar os problemas do Sr. Stanton. Sua posição é a mais difícil do mundo... A pressão sobre ele é imensa e interminável... Eu não sei como ele sobrevive, como não é esmagado e despedaçado. Sem ele eu seria destruído". Em outra ocasião, depois da Batalha de Gettysburg, quando o general George Meade permitiu que o general sulista Robert E. Lee escapasse com seu exército, Lincoln, furioso, escreveu uma carta, repreendendo o comandante da União. Mas após ponderar sobre a situação, ele não enviou a missiva. De acordo com Dale, Lincoln concluiu que "se eu tivesse passado tantas noites acordado como ele, e tivesse visto tanto sangue, eu também poderia ter deixado Lee escapar". Com essas ações, o presidente conquistou o respeito e a lealdade de quase todos no governo e no exército.[355]

Se o retrato que Dale fez de Lincoln como ícone do sucesso moderno inspirou o público cuja confiança fora abalada pela Grande Depressão, outra dimensão de *Lincoln, Esse Desconhecido* também se mostrou atraente. Por todo seu texto, o autor apresenta seu personagem como um homem do povo. O Lincoln de Dale é uma figura heroica, sem dúvida, mas é também um homem cujo triunfo em meio à maior crise da história americana podia ser ligado a seu profundo respeito e a sua identificação com o homem comum. A capacidade de superar problemas públicos avassaladores, o autor sugere, está nas virtudes e na decência dos americanos comuns.

Aqui, Dale não trabalhou sozinho. Na verdade, ele fazia parte de uma cruzada cultural mais ampla lançada por uma multidão de escritores, artistas, jornalistas e líderes civis que, durante a Depressão, buscavam identificar a sobrevivência nacional com as tradições de trabalho árduo dos cidadãos comuns que formavam a espinha dorsal da república. Como decretou o poeta popular Carl Sandburg em seu poema livro de 1936, *O Povo, Sim*:

> *O povo, sim,*
> *O povo sobreviverá.*
> *O povo que aprende e erra sobreviverá.*
> *Ele será enganado e vendido e novamente vendido*
> *E voltará à terra nutritiva atrás de raízes,*
> *O povo tão peculiar em sua renovação e seu retorno,*
> *Não se pode rir de sua capacidade de aguentar.*

O historiador Warren Susman destacou que a cultura dos anos 1930 tornou-se obcecada por "encontrar e glorificar um Modo de Vida

Americano" enraizado nas práticas e lealdades do povo comum. Esse "mito do povo", como ele o chamou, fazia parte de "uma busca maior por fontes simbólicas e míticas de identidade". Muitos acreditavam que o trauma causado pelo colapso econômico na década de 1930 poderia ser mitigado pela confiança nas práticas e nos valores que haviam sustentado "o povo" no passado.[356]

De fato, evidências do "populismo sentimental" da época da Depressão apareciam em todas as instâncias da vida americana. Uma grande onda de nostalgia e tradição cobriram os Estados Unidos conforme diversos detetives culturais desencavavam e investigavam os elementos vigorosos da vida americana comum. Norman Rockwell, o artista do povo, produzia pinturas comoventes sobre a vida nas cidadezinhas e os rituais de classe média durante essa década, enquanto o cantor *folk* Woody Guthrie transmitia um otimismo democrático com sua música. A retórica de "cada homem é um rei", do político Huey Long, invocava a virtude do povo, assim como a música *Fanfare for the Common Man* (Fanfarra para o homem comum), do compositor Aaron Copland. A série Construtores e Descobridores, do crítico Van Wyck Brooks, exaltava a tradição democrática da literatura americana enquanto pintores regionalistas como Thomas Hart Benton, Grant Wood e John Steuart Curry retratavam o heroísmo cotidiano dos moradores rurais do Meio-Oeste. Archibald MacLeish clamava por uma nova poesia nos moldes do discurso coloquial, enquanto Lewis Mumford promovia sua pauta de reintegrar a tecnologia industrial à "cultura do povo". O industrial Henry Ford criou a Greenfield Village, uma reunião de casas, igrejas e edifícios públicos históricos e artefatos da vida cotidiana dos séculos XVIII e XIX, e transformou-a em uma das principais atrações turísticas da nação. Esse sentimental surto populista, de acordo com uma avaliação, "incorporava uma fascinação pelo povo e sua cultura, passada e presente... um tipo de identificação coletiva com tudo da América e seu povo".[357]

Dale Carnegie abraçou essa cultura do povo. Ele efetivamente mergulhou nela e destruiu os poucos esboços de capítulos de seu livro sobre Lincoln que escrevera na Europa. Depois, viajou para o centro rural de Illinois, onde "encontrou, andou, conversou e sonhou com gente que conhecia relatos autênticos [sobre Lincoln]. Assim, ele passou a conhecer o homem como ele era – não como poderia ter sido, ou como os historiadores pensam que ele deveria ter sido". Dale começou "quase a adorar Lincoln", conforme admitiu a um jornalista, "o simples construtor de cercas que fazia seus discursos mais dramáticos vestindo calças curtas e sem colarinho". Ele visitou várias vezes a casa e o escritório de advocacia de Lincoln, em Springfield, passeou pelas florestas e campos próximos de onde Lincoln vivera quando jovem e escreveu parte de seu livro sob galhos dos carvalhos imensos de Nova Salem, por onde seu personagem passara décadas antes. As andanças quase místicas de Dale por Nova Salem refletiam, sem querer, os impulsos populistas da década de 1930: "Eu costumava ir lá sozinho nas noites de verão, quando os pássaros noturnos chiavam ao longo da margem do Sangamon, quando o luar delineava a taverna de Rutledge contra o céu; e fiquei emocionado quando me dei conta de que, há quase cem anos, os jovens Abraham Lincoln e Ann Rutledge passearam por este mesmo solo, de braços dados, sob o luar". O vilarejo pioneiro que capturou a imaginação do autor era, na verdade, uma reconstrução histórica financiada pelo *New Deal* de Roosevelt e completada pelo Corpo de Conservação Civil no início dos anos 1930.[358]

O Lincoln de Dale tomou forma como um produto do povo americano e de seus hábitos vigorosos, despretensiosos e virtuosos. Ele vinha de um lar terrivelmente pobre, nasceu no inverno de 1809 "em uma cama de estacas coberta com palha de milho... [enquanto] o vento de fevereiro soprava a neve pelas fissuras entre as toras e continuava por sobre a pele de urso que cobria Nancy Hanks e seu filho". Ele suportou uma pobreza horrenda na adolescência e, jovem adulto, lutou para ganhar a vida no ambiente pioneiro do Illinois rural. Mas, em Nova Salem, ele entrou para o processo político democrático "indo de cabana em cabana, apertando mãos, contando histórias, entendendo-se com todos e fazendo discursos sempre que encontrasse uma multidão". Mesmo após se tornar advogado de sucesso em Springfield, ele manteve seus hábitos comuns e podia ser visto andando pela cidade sem casaco nem colarinho, com "apenas um suspensório segurando suas calças, e quando o botão caía ele o prendia com um prego".[359]

Dale Carnegie demonstrando seu amor por cachorros, que remontava a sua infância na fazenda e a seu cãozinho Tippy.

Durante os debates de 1858 com Douglas, os correligionários de Lincoln o transportavam pela região em uma carroça puxada por mulas, enquanto seu oponente viajava em uma bela carruagem puxada por cavalos brancos e aparecia vestindo ternos e chapéus elegantes. Lincoln, nas palavras de Dale, "detestava toda aquela parafernália e viajava em trens de classe econômica ou de carga, carregando uma sacola de lona velha e surrada, um guarda-chuva verde sem cabo, amarrado por um cordão para que não abrisse sozinho". Ele conservou um aspecto comum após assumir a presidência, demonstrando frequentemente grande benevolência em relação aos soldados do Exército da União que desrespeitavam regras militares e apelavam a ele por perdão. Embora Lincoln não confiasse nos impulsos dos altos oficiais de carreira militar, "ele amava os voluntários de quem dependia para ganhar a guerra – homens que, como ele, tinham vindo da floresta e da fazenda".[360]

Assim, a prospecção que Dale fazia de um passado que pudesse utilizar corria em paralelo a seus esforços de professor no começo dos anos 1930. As duas empreitadas buscavam ajudar os americanos a sobreviver às atribulações da Depressão fornecendo-lhes sustentação emocional e princípios com os quais enfrentar a crise. Ele fazia o mesmo com outro projeto. Nessa mesma época, ele se envolveu com o rádio, um meio com impacto cada vez mais poderoso na vida popular da América. Assim como o presidente Roosevelt e seus bate-papos ao pé da lareira, Dale Carnegie usou o rádio para transmitir sua crença no poder da personalidade e alcançar novos níveis de influência.

No fim do verão de 1933, uma série de reportagens de jornal, em todos os Estados Unidos, anunciou um novo programa de rádio a ser transmitido pela estação principal da rede NBC, situada em Nova York, a WEAF. Em 20 de agosto, o popular professor, palestrante e escritor Dale Carnegie começaria a apresentar um programa semanal de meia hora intitulado *Fatos Poucos Conhecidos a Respeito de Pessoas Muito Conhecidas*. A cada tarde de domingo, começando às cinco e meia, ele apresentaria indivíduos famosos do passado e do presente e "faria o possível para enfatizar o lado humano de seus personagens, trazendo para o microfone fatos interessantes sobre cada um deles que o público ainda não conhece". O programa, patrocinado pelo Maltex Cereal e promovido pela Agência de Propaganda Samuel C. Croot, também trazia o apresentador John Holbrook e a Harold Sanford Orchestra. Essa incursão no rádio deu um grande impulso à estatura nacional de Dale Carnegie. Sua entrada em um novo meio de comunicação incrivelmente popular não apenas fortaleceu seu trabalho de professor e palestrante, mas também realçou sua carreira de escritor quando algumas de suas histórias do rádio foram reunidas e publicadas como livro em 1934.[361]

Lowell Thomas deu uma grande ajuda a Dale nessa empreitada. Já estabelecido com seu próprio programa diário na NBC, o *Notícias do Dia*, Thomas começou a atrair uma audiência de massa que o tornaria uma das figuras mais populares do rádio ao longo dos quarenta anos seguintes. Suas patenteadas saudação ("Boa noite, todo mundo") e despedida ("Até breve, até amanhã") estavam se tornando legendárias, bem como sua voz calorosa e ressonante. Thomas instou a NBC a dar uma chance a seu antigo gerente. A Agência Croot convenceu Thomas a participar do primeiro programa de Dale e apresentá-lo ao público do rádio. Em troca, o novo apresentador de rádio fez de Thomas seu primeiro personagem biográfico, afirmando que "Lowell Thomas é um dos homens mais extraordinários que já conheci".[362]

Dale Carnegie ao lançar seu programa de rádio na NBC, Fatos Pouco Conhecidos a Respeito de Pessoas Muito Conhecidas, *em 1933.*

O programa de Dale estreou com sucesso, embora um pouco claudicante no início. Dale ficou chocado pela sensação de caos quase incontrolável dentro do estúdio. "Minha primeira transmissão esteve longe de ser satisfatória para mim", ele escreveu; "havia muita confusão na sala e o maestro ficava andando e falando com todos os músicos da orquestra enquanto eu fazia minha apresentação. Foi a minha primeira vez no ar e eu estava um pouco confuso. Na verdade, todo aquele barulho e conversa quase me deixaram maluco." Ele se consolou com o fato de que a Maltex Company e a agência de propaganda pareciam satisfeitas com o programa. Um amigo, J. R. Bolton, do Advertising Club de Nova

York, também avaliou o esforço inicial como bem-sucedido e cumprimentou seu apresentador pela "maravilhosa transmissão na última tarde de domingo, e o esplêndido começo da série". Dale acertou o passo na segunda transmissão ao se adaptar às condições do estúdio, ajeitar seu material e melhorar a forma de falar. Sucesso no rádio, ele concluiu rapidamente, dependia da mesma coisa que o sucesso em oratória. "Você tem que pôr sua personalidade nisso", disse ele. "Se Kipling escrevesse meus discursos, eles provavelmente seriam milhares de vezes melhores do que os que eu escrevo, mas eu não conseguiria ficar diante do microfone e colocar entusiasmo neles, porque eles não me serviriam, do mesmo modo que as roupas de Kipling não me serviriam. Quanto mais estudo a arte da autoexpressão, mais me convenço de que cada homem deve ser ele mesmo, com todas as suas falhas, e não imitar os outros".[363]

Ao longo dos dois anos seguintes, *Fatos Pouco Conhecidos a Respeito de Pessoas Muito Conhecidas* ofereceu aos ouvintes de rádio uma série de perfis biográficos de gigantes históricos como Cleópatra, Cristóvão Colombo e Lênin; escritores e artistas como Edgar Allan Poe, H. G. Wells e Mozart; figuras contemporâneas como Greta Garbo, George Gershwin e Albert Einstein. Qualquer que fosse o personagem escolhido, contudo, Dale mantinha uma abordagem consistente: aspectos sentimentais, cômicos ou de interesse humano, ou peculiaridades e esquisitices que iluminassem sua personalidade. Concentrado mais em abrangência que profundidade, ele e seus assistentes vasculhavam artigos de revistas, biografias publicadas e às vezes faziam entrevistas. Como enfatizou em uma promoção do programa, "ele gasta duas horas de pesquisa para cada 60 segundos no rádio".[364]

Dale Carnegie estudou o meio que buscava dominar. Ele percebeu, imediatamente, uma diferença importante entre fazer discursos diante de uma plateia ao vivo, no que tinha vasta experiência, e falar ao microfone do rádio, algo em que era um novato. Concluiu que a segunda atividade era mais difícil. "Quando você faz uma palestra, sabe que as pessoas, de modo geral, estão ali porque assim o desejam. Elas vieram ouvi-lo falar e prestam atenção. Mas com o rádio é diferente. Você nunca sabe se é ou não um visitante bem-vindo. Seu público é invisível e não tem como você avaliar a reação dele enquanto fala". Apesar de tudo, Dale convenceu-se de que um denominador comum ligava todas as formas de comunicação – apresentar "uma série de declarações surpreendentes e interessantes" com entusiasmo era a chave para se alcançar uma audiência de massa. "Quando vou fazer minhas transmissões, escrevo a palavra 'alegria' com caneta vermelha no alto de cada página do meu roteiro. Aquela palavra simboliza meu próprio prazer naquilo que estou fazendo." Ele atribuiu parte de seu sucesso no rádio a seu treinamento como ator. A técnica que ele aprendera para o teatro – "presença de palco, dicção, poder de atrair e segurar uma plateia – todas essas lições provaram-se valiosíssimas".[365]

O programa de rádio de Dale refletia muitas preocupações e tendências – as suas próprias e as de seu público – comuns ao início dos anos 1930. Alguns dos episódios tocavam em temas da Depressão, como dificuldades e sucesso, embora com um inabalável tom otimista. Um episódio, intitulado "Eles Passaram a Vida Mantendo o Lobo Mau à Distância", observava que indivíduos como Mark Twain, Ulysses S. Grant, Daniel Webster e Abraham Lincoln passaram a vida lutando com dívidas e "não tinham mais juízo do que você e eu tivemos – em 1929". Dale pesquisou vários heróis populares da época. Walt Disney apareceu como um homem do povo que sonhava com Mickey Mouse enquanto trabalhava em um escritório atulhado em cima de uma oficina mecânica, onde "o cheiro de graxa e gasolina daquela garagem lhe deu uma ideia que valia um milhão de dólares", enquanto Will Rogers, "um homem que nunca teve muita instrução", chegou à notoriedade e "veste roupas velhas e esfarrapadas, e com frequência vai até Hollywood sem gravata, usando botas e um macacão jeans com rebites de latão".[366]

Com maior frequência, no entanto, Dale abordava outro tema em seus perfis biográficos de rádio: o indivíduo como celebridade. O desenvolvimento da personalidade há muito era sua preocupação, claro, mas naquele momento ele elevava o carisma pessoal à condição de influência predominante na vida moderna. Como ele escreveu em *Public Speaking: A Practical Course for Business Men*, "você possivelmente irá entediar as pessoas se falar de coisas e ideias, mas dificilmente não conquistará a atenção do público se falar de pessoas... [e] personalidades". Ele reforçou essa ideia na década de 1930, quando discutia rádio com um jornalista. "Se você falar sobre um assunto abstrato, é provável que seus ouvintes comecem a bocejar", observou ele. "Fale de pessoas – personalidades, lutas humanas, alegrias e tragédias – e seu público se esforçará para captar cada palavra."[367]

Assim, em seu programa semanal de *Fatos Pouco Conhecidos a Respeito de Pessoas Muito Conhecidas* Dale tratava quase exclusivamente da personalidade de seus personagens famosos, seus dramas pessoais, dificuldades e triunfos, enquanto dava pouca atenção às ideias ou realizações deles. H. G. Wells tornou-se um dos escritores mais famosos do mundo quando uma fratura séria da perna o confinou à cama, onde "ele devorou todo livro que conseguia pegar... e desenvolveu um gosto por livros, um amor pela literatura". O magnata das ferrovias Cornelius Vanderbilt, homem excêntrico e supersticioso, "mandara colocar cada pé de sua cama sobre um prato cheio de sal, para evitar que espíritos do mal o atacassem enquanto dormia". Gandhi aparece como um santo esquisitão que "carrega uma dentadura em uma dobra de sua tanga. Ele só a coloca na boca quando quer comer". Lênin, citado apenas como inspirador de uma "experiência econômica", foi retratado como "exímio enxadrista", "feliz no casamento" e um "revolucionário" que usava bigode falso, comunicava-se por cartas escritas em tinta invisível, que só podiam ser lidas quando mergulhadas em água, e "dormia em uma caixa". Desse modo, Dale ajudou a promover uma cultura da celebridade nesse período, na qual charme e personalidade eram componentes cruciais no cálculo da fama. Nessa atmosfera, como Daniel Boorstin uma vez gracejou, as celebridades modernas tornavam-se "conhecidas por serem conhecidas".[368]

A compulsão de Dale por celebridades tornou-se evidente no tratamento que dava às estrelas de cinema. Homer Croy tinha ligações com Hollywood devido às diversas adaptações de seus livros para o cinema. Assim, o incipiente apresentador de rádio o contratou para conduzir entrevistas e ajudá-lo a escrever roteiros a respeito de atores famosos. "Você é meu especialista em Hollywood, sabe", escreveu Dale, e crivou o amigo de pedidos para entrar em contato com celebridades do cinema. "Vou fazer apenas seis transmissões no início do ano, e, se você me mandar Mickey Mouse e Mary Pickford, isso significaria três pessoas de Hollywood. Eu gostaria de entrevistar Eddie Cantor", ele escreveu para Croy em dezembro de 1933. "Que tal um sobre Greta Garbo?... Que tal entrevistarmos Harold Lloyd? Que tal Lionel e John Barrymore?" Após Croy ter lhe enviado uma série de textos sobre atores e atrizes famosos, Dale lhe pediu que arrumasse o texto para se adequar ao seu estilo. "Se você escrevesse esses roteiros da forma como eu quero, não vou precisar gastar horas alterando, o que seria uma ajuda enorme para mim e eu não teria palavras para lhe agradecer", instruiu Dale. "O modo como eu os quero pode ser horrível, mas você me ensinou a não imitar os outros, e sim a arregaçar as mangas, cuspir nas mãos e ser eu mesmo, e isso é o que estou tentando fazer."[369]

Mais uma vez, com sua capacidade de captar o gosto popular, Dale identificou uma tendência forte na década de 1930. Celebridades exerciam uma poderosa atração na América da Depressão. Em uma época em que muitos lutavam para sobreviver, multidões de indivíduos trabalhadores e de classe média agarravam-se a imagens de riqueza, glamour e personalidades radiantes como se fossem o raio de sol em sua escuridão. As pessoas iam ao cinema em números sem precedentes, por exemplo, para encontrar consolo na sala escura, pois os filmes, nas palavras de um crítico, "tornaram-se a vida de fantasia de uma nação sofredora". Grandes públicos acompanhavam, com a respiração suspensa, as aventuras de debutantes ricas, como Barbara Hutton, e as dificuldades da "pobre menina rica" Gloria Vanderbilt; eles devoravam revistas de celebridades, como *Photoplay* e *Motion Picture*, que fantasiavam a vida de estrelas de Hollywood; essas revistas inseriam anúncios que empregavam figuras da alta sociedade para transmitir imagens atraentes de abundância aos consumidores. Embora escapista, claro, a cultura da celebridade também tinha outra função. Ela ajudava a reafirmar o Sonho Americano – sob ameaça ao "focar nas infinitas possibilidades de sucesso individual", como disse um analista. Só que, naquele momento, personalidade e carisma era o que fazia alguém progredir, não trabalho duro e retidão de caráter.[370]

O programa de rádio de Dale Carnegie desfrutou de um sucesso moderado, emplacando duas temporadas de 1933 a 1935. Ele mudou de formato e periodicidade no segundo ano, passando para uma transmissão diária de cinco minutos, das 13:45 às 13:50, e atraindo a American Radiator Company como patrocinadora. Em 1934, Dale resolveu lucrar com a divulgação gerada por suas transmissões de rádio e reuniu os perfis da primeira temporada, que publicou pela editora Greenberg Press com o título *Little Known Facts About Well Known People* (Fatos pouco conhecidos a respeito de pessoas muito conhecidas). O livro teve resenhas variadas, com alguns críticos considerando-o fascinante e encantador, enquanto outros diziam que era superficial e irritante. "É escrito em estilo pitoresco e anedótico, que prende a atenção do leitor do começo ao fim", disse uma resenha da Associated Press que apareceu em muitos jornais. Mas o *New York Herald Tribune* discordou, caracterizando as apresentações de Dale como "desfiguradas por uma intimidade artificial, um esforço excessivo por uma linguagem coloquial e a adoção de um denominador comum muito baixo para a inteligência e o repertório dos ouvintes a quem elas são direcionadas... Um bom exemplo é a conjectura do autor sobre o que César disse quando viu Cleópatra pela primeira vez: 'Minha nossa! Uh-la-lá! Por que não temos garotas assim em Roma?'"[371]

Mas, sejam quais fossem seus méritos, o programa de rádio ajudou a fazer de Dale Carnegie uma celebridade menor em 1935. Além das transmissões e do livro que delas resultaram, os esforços promocionais da NBC deram grande impulso a sua estatura nacional. A NBC Artists Services, por exemplo, promoveu Dale para grupos e organizações empresariais como "um conhecido apresentador de rádio", cujo patrocinador "já renovou o contrato para seus serviços, que começam no outono. De acordo com uma declaração feita pela Maltex Company, seu programa de rádio, apresentado pelo sr. Carnegie, de fato aumentou suas vendas em 30 por cento na última temporada. Podemos sugerir que vocês levem Dale Carnegie para falar com seus empregados em palestras, reuniões de vendas ou encontros sociais a respeito do tema 'Como Fazer Amigos e Influenciar Homens nos Negócios?'". Outro folheto promocional, intitulado "Personalidades da NBC – Dale Carnegie", enviado a várias organizações publicitárias, descrevia um cronista vigoroso e fascinante da condição humana: "Ele foi aos confins da terra para entrevistar os maiores personagens de nossos dias. Ele gastou anos vasculhando arquivos e recordações há muito esquecidos. A partir de suas meticulosas explorações do passado e de suas extensas amizades, Dale Carnegie, celebrado autor e palestrante, traz ao microfone novas informações sobre personalidades interessantes do passado e da atualidade."[372]

O conjunto de atividades de Dale nos primeiros anos da Grande Depressão criou as condições para o maior acontecimento de sua carreira. Com um curso de oratória incrivelmente bem-sucedido, uma carreira florescente de escritor, uma presença nacional no rádio e, acima de tudo, uma sensibilidade aguçada para os sentimentos e os valores dos americanos comuns, ele se encontrava na iminência do grande sucesso. Mesmo assim, poucos teriam previsto a fama, riqueza e influência que conquistaria ao escrever um dos livros mais vendidos e influentes na história dos Estados Unidos.

10. "Homens e mulheres famintos por autoaperfeiçoamento"

Em meados da década de 1930, a vida de Dale Carnegie se estabilizara em todos os aspectos. Profissionalmente, suas experiências durante a década anterior deram lugar a uma carreira sólida e lucrativa que combinava seu popular curso de oratória, livros de não-ficção e o programa de rádio. Entrincheirado firmemente como figura confiável na comunidade empresarial americana, mas ainda sensível às atribulações e aos medos das pessoas comuns em uma era ameaçadora, ele reagira à Grande Depressão dirigindo-se a um público de massa com receitas para sobrevivência, entretenimento escapista e prescrições tranquilizadoras populistas.

Pessoalmente, Dale também resolveu muitos de seus problemas que se arrastavam da década anterior. Ele se instalou em uma casa confortável em Forest Hills, Queens, depois de se divorciar de Lolita Baucaire em 1932, terminando o conflituoso casamento que durou uma década. Embora o rompimento definitivo tenha sido um alívio, Lolita ainda jogou desavergonhadamente com a simpatia do ex-marido durante os anos que se seguiram. Após receber uma cópia de *Lincoln, Esse Desconhecido*, por exemplo, ela respondeu com uma carta que buscava induzir culpa em Dale, ao afirmar que a leitura era "um grande presente para mim, pois em minha solidão pude viver novamente com você... O livro me fez imaginar que eu estava sentada no sofá enquanto você conversava comigo e me contava coisas interessantes". Reclamando constantemente de problemas físicos – antraz, reumatismo, fatiga crônica – ela extraía de Dale quantias regulares de dinheiro. "Acabei de receber sua carta com o cheque", escreveu ela em uma missiva escrita em uma clínica no interior da Pensilvânia. "Muito obrigada, Dale, por me ajudar a melhorar". Mais tarde, Dale compraria uma casa para ela em Nova Jersey, além de lhe pagar uma pensão generosa. Ainda assim, ela continuava a aborrecê-lo ao aparecer periodicamente em seu escritório e se apresentar como "Sra. Carnegie". [373]

A harmonia reinava em sua família imediata. A princípio, a dissolução de seu casamento provocara um encontro doloroso com sua mãe devota, então com 74 anos, que afirmava que Dale fora "contra o desejo de Deus" ao se casar com Lolita, mulher divorciada, e que aconteceria o mesmo, caso se casasse novamente após o divórcio. Mas Dale superou essa dificuldade, prestou apoio financeiro a seus pais e foi, feliz, comemorar as bodas de ouro dos dois em 1932. Uma multidão de parentes e velhos amigos se reuniu para celebrar na fazenda da família em Belton. Um pastor metodista fez a cerimônia de casamento e perguntou a James se ele aceitaria a antiga Amanda Harbison para amá-la e obedecê-la. Nas palavras de Dale, seu pai "falou com um brilho nos olhos que 'tentei obedecer minha esposa durante 50 anos, e acho que não estou interessado em obedecê-la por mais 50!'". Com a família de seu despreocupado irmão instalada perto dos pais, no papel de cuidadora, Dale aprofundou ainda mais a tranquilidade familiar ao receber Josephine, filha de Clifton, em sua casa, no Queens, como assistente e secretária. A sobrinha se tornaria próxima do tio e trabalharia com ele por muitos anos. [374]

Ocorreu, então, um evento fortuito que virou essa vida tranquila de cabeça para baixo. Um editor de uma grande editora de Nova York matriculou-se no Curso Carnegie e ficou muito impressionando com a mensagem e a personalidade de seu criador. Após uma aula, ele se aproximou de Dale e o estimulou a transformar suas apresentações em um livro. Essa solicitação simples colocou em movimento uma cadeia de eventos que mudaria permanentemente a vida do autor e o rumo da cultura americana.

Leon Shimkin, um jovem inteligente, agressivo e ambicioso, descendente de imigrantes russos do Brooklyn, ingressou na recém-criada Simon and Schuster em 1924, como escriturário. Fundada por Richard L. Simon e M. Lincoln "Max" Schuster, essa editora ganhou destaque em meados dos anos 1930, e o talentoso Shimkin cresceu com ela como seu gerente comercial (e editor de aquisições não oficial). Em 1934, ele se deparou com uma oportunidade, ao aceitar um convite para participar de uma reunião de jovens executivos em um subúrbio de Nova York, onde Dale Carnegie, o famoso professor de oratória, explicava seu curso e convidava os presentes a se matricular. Shimkin, intrigado pela estratégia do professor para dar autoconfiança às pessoas, matriculou-se. A fascinação logo cedeu lugar à admiração. Shimkin ficou profundamente impressionado pelas ideias do professor quanto às relações humanas e suas técnicas práticas, "com os pés no chão", para transmiti-las aos alunos. Ele decidiu que "Dale Carnegie tinha algo muito particular para oferecer e que ajudaria as pessoas".[375]

Assim, no fim de uma aula, Shimkin se aproximou do professor com uma proposta. Ele observou que as apresentações do curso, não importava se feitas com genialidade ou recebidas com entusiasmo, estavam confinadas ao espaço físico da sala de aula. Mas, se Dale "escrevesse um livro sobre a arte de lidar com as pessoas, sua voz seria ouvida em todo o país". Shimkin propôs que Dale escrevesse esse livro, que seria publicado por sua editora. Quando o professor perguntou para quem ele trabalhava, e o jovem respondeu Simon and Schuster, Dale imediatamente demonstrou frieza e disse que não apresentaria um livro para eles, "porque já tinham rejeitado dois de seus originais anteriores e, além disso, estava muito ocupado". Mas Shimkin insistiu. Ele tentou outra abordagem, e sugeriu que um estenógrafo registrasse algumas das palestras e depois as transcrevesse como base para um original, e que Dale "olharia o material para ver se concordava em que possuía ingredientes para se fazer um livro". O professor, relutante, concordou. Então Shimkin, mais Verna Stiles, secretária e pesquisadora de Dale, trabalharam juntos durante várias semanas compilando um primeiro rascunho. Após ver o esboço do trabalho dos dois, Dale passou a gostar do projeto e começou um processo sério de reescrever e refinar o texto, conferindo-lhe seu estilo pessoal.[376]

A penosa tarefa de escrever o livro foi facilitada, em certa medida, pela existência das palestras bem estruturadas do curso de Dale, além dos princípios e exemplos de *Public Speaking and Influencing Men in Business*. "Na verdade, eu não escrevi Como Fazer Amigos", comentou Dale muitos anos depois. "Eu o montei. Eu simplesmente pus no papel as palestras que dava às pessoas para equipá-las para a vida social e profissional, acrescentando as dicas de sucesso que elas me contaram". Especialmente útil – na verdade, isso se tornou o tema central do texto – foi uma palestra que Dale apresentara centenas de vezes para alunos, Rotary Clubs, associações empresariais e até públicos de faculdade. Originalmente chamada "Como Conseguir uma Reação Acolhedora", Dale mudou o título, em meados da década, para "Como Fazer Amigos e Influenciar Pessoas".[377]

Nos intervalos entre sua apertada agenda de professor e as obrigações no rádio, Dale trabalhou no livro durante todo o ano de 1935 e parte de 1936. Com planos para publicá-lo no fim do outono, a Simon and Schuster, nas palavras do autor, "estava me perseguindo diariamente atrás dos originais". Mesmo sem o capítulo final concluído, "finalmente eu decidi que eles poderiam ficar com o texto como estava", lembrou Dale mais tarde. Ele decidiu escrever esse capítulo depois – "ele deveria debater a forma como se portar nas poucas vezes em que as relações humanas não podem acontecer". O autor submeteu o texto ao editor no início do verão e pegou um trem a caminho de várias semanas de férias no lago Louise, no oeste do Canadá. Quando voltou para Nova York, em setembro, o livro estava pronto para publicação, a não ser por um pequeno problema. Dale sugerira "Como Conquistar Amigos e Influenciar Pessoas" como título, mas o departamento de arte estava com dificuldade para colocá-lo artisticamente na sobrecapa. Concluíram que o título estava muito grande. De acordo com Dale, ele sugeriu a mudança de "conquistar" para "fazer", igual ao título de sua palestra, e Shimkin "não gostou disso, mas disse que teria que ficar assim. Não havia tempo para se perder com isso".[378]

A Simon and Schuster montou uma elaborada campanha de divulgação. Além de utilizar os canais tradicionais de livrarias, ela publicou anúncios de página inteira em jornais de algumas das principais cidades. O anúncio, depois saudado como um dos "100 melhores anúncios da história americana", foi criado pela destacada agência Schwab e Beatty. Seu *layout* de impacto mostrava o título do livro e a fotografia de Dale, transmitindo, de acordo com um especialista, que "havia ali algo importante, algo que valia a pena ser lido, em termos de benefícios ao leitor". O texto vigoroso, escrito pelo famoso redator Victor O. Schwab, abrangia diversos aspectos: comemorava a experiência de Dale como professor de homens de negócios; contava a história de Michael O'Neill, um vendedor fracassado que se transformara em um dos melhores da nação após aplicar os princípios de Dale Carnegie; listava as grandes corporações cujos executivos haviam sido treinados no sistema Carnegie e incluía um depoimento de Lowell Thomas, que descrevia seu amigo como "um mago em seu ramo especial". O anúncio indicava milhares de beneficiários e insistia que "o que Dale Carnegie fez por eles poderá fazer por vocês", afirmando que o livro "vai ajudá-lo mais do que QUALQUER livro que você já leu". E também incluía um cupom de venda pelo correio. Endereçado diretamente à Simon e Schuster, o cupom dizia: "Por favor, envie-me *Como Fazer Amigos e Influenciar Pessoas*. Eu pagarei ao carteiro apenas $1,96 mais alguns centavos de frete. Eu entendo que posso ler o livro por cinco dias e devolvê-lo para reembolso se achar que ele não está à altura das afirmações a seu respeito".³⁷⁹

Anúncio de 1937 em jornal e revista que ajudou a transformar Como Fazer Amigos e Influenciar Pessoas *em best-seller.*

Como Fazer Amigos e Influenciar Pessoas foi publicado em novembro de 1936 com expectativa modestamente otimista, tanto do editor como do autor, quanto a grandes vendas. Mas, para surpresa de todos os envolvidos, uma maré de entusiasmo imediatamente superou as expectativas. Em poucas semanas após seu lançamento, o livro vendeu setenta mil exemplares. Sentindo que tinha um sucesso em mãos, a Simon and Schuster rapidamente aumentou o esforço de divulgação e, em janeiro de 1937, espalhou o anúncio por trinta e seis jornais e revistas em todos os Estados Unidos. A campanha de venda por correspondência revelou-se uma manobra astuciosa: ela ajudou a criar uma agitação no público, pois os compradores falavam do livro e o recomendavam para os outros, criando uma forte demanda. A Simon and Schuster anunciou: "Acreditamos que este livro será o mais vendido de 1937 na categoria de não ficção", e os fatos superaram as previsões. Em agosto, ele já tivera dezessete edições e, ao fim do ano, *Como Fazer Amigos* havia vendido 650 mil exemplares, subido ao topo da lista de mais vendidos e rendido 180 mil dólares para seu autor. Em novembro de 1939, o livro atingiu a marca de um milhão de cópias. Ao longo da década seguinte, o livro venderia cinco milhões de exemplares, e, com o advento da brochura, na década de 1950, ele se tornaria um dos maiores best-sellers da história americana, com cerca de trinta milhões de cópias compradas ao longo de oitenta anos.[380]

Dale ficou aturdido com a reação do público e as vendas colossais. "Para meu total espanto, *Como Fazer Amigos* foi um sucesso imediato", lembrou ele muitos anos depois. "Eu sabia que as pessoas ansiavam por amizade, mas não imaginava o quanto elas ansiavam por isso." A experiência toda foi irreal, e atingiu sua casa quando ele recebeu seu primeiro cheque com os direitos autorais, no início de 1937. "Quando Abbie [Connell] abriu a correspondência naquela manhã, ela pôs o cheque na minha frente sem falar nada", disse ele. "Eu fiquei ali, sentado olhando para o número escrito no cheque, completamente incapaz de compreender o que aquilo significava: 90 mil dólares. Vinte anos antes daquele dia eu não conhecia nenhuma pessoa na terra que tivesse tanto dinheiro". Quando as vendas chegaram a cem mil cópias, o estupefato Dale Carnegie enviou um bilhete para Shimkin dizendo: "Todas as manhãs eu me levanto, olho para o Oriente e agradeço a Alá por você ter entrado em minha vida". Depois que o impacto inicial se assentou, o autor ficou espantado com a amplitude e o volume do apelo do livro. "Um dia, meus editores receberam dois pedidos", ele contou rindo a um jornalista. "Um era de um seminário teológico, que solicitava 50 exemplares para seus alunos. O outro pedido era da madame de um bordel de alta classe em Paris. Ela precisava de nove cópias para suas garotas. Sou o único autor que você conhece que escreveu um livro usado como material didático em duas áreas tão distintas."[381]

Então, por que *Como Fazer Amigos e Influenciar Pessoas* teve recepção tão entusiástica pelo público americano? Em certo sentido, o livro sintetizava todos os elementos da vida de Dale Carnegie: o garoto do campo que foi da pobreza ao sucesso, o ator que dramatizava suas ideias, o vendedor que vendia a si mesmo além de seus produtos, o jornalista que buscava um público popular, o autor que ligava a cultura americana a seus valores básicos e o professor inspirador que queria ajudar os outros a ter sucesso. Por outro lado, o livro também tocava um ponto popular que fora profundamente sensibilizado pela Grande Depressão. Esta crise traumática despedaçara muitas noções tradicionais de conduta e aspiração pessoais, jogando ao mar milhões de cidadãos que ficaram se debatendo, desesperados por um salva-vidas que os levasse à segurança econômica e ao sucesso social. O conselho otimista de Dale parecia fornecer isso. Ele apareceu com as ideias certas no momento certo.

Mas a natureza do livro seminal de Dale, e a necessidade social que atendeu, é muito mais complicada do que pode ter parecido à primeira vista. Embora ligado à Grande Depressão, esse volume também refletia a mudança maior da cultura americana, que se afastava das tradições devotas e bem-comportadas do século XIX vitoriano e se aproximava das demandas e dos desejos gerados pelo moderno consumismo burocrático do século XX. A natureza volúvel do individualismo americano, bem como as demandas e expectativas que se tinha dele, forneceram o solo fértil no qual o livro de Dale Carnegie brotou e floresceu.

Para quem conhecia a carreira de Dale, uma característica notável de *Como Fazer Amigos e Influenciar Pessoas* era seu total esquecimento da oratória. Além de um encarte convidando os leitores interessados a se matricular nos "Cursos Dale Carnegie de Oratória Eficaz e Relações Humanas", desapareceram quaisquer menções a discursos e oratória desse livro best-seller. Essa omissão falava muito. Ela revelava a característica mais importante da obra de Dale: ele ampliara sua mensagem para torná-la parte do mais antigo dos gêneros populares americanos; a busca do sucesso. Atualizando os conselhos dados por escritores em momentos anteriores, Dale explicava as qualidades modernas que produziriam maior riqueza material e ascensão social. "Carnegie percebeu então que somente a oratória não era suficiente para tornar os homens irresistíveis", observou um jornalista astuto. "Ele não se contentava mais em ensinar os homens a fazer discursos em público; ele queria ensinar cada homem a ser um sucesso impressionante em todas as áreas da vida."[382]

Assim, Dale abandonou suas recomendações anteriores a respeito de retórica, oferecendo em seu lugar um tratado sobre o sucesso para a América contemporânea que se desenvolvia de forma ágil, concisa, caseira, mas também inspiradora. Depois da introdução de Lowell Thomas, intitulada "Rumo certo à distinção", que fornecia um perfil biográfico da ascensão do autor a partir de sua infância humilde, Dale apresenta um breve prefácio, "Como e por que este livro foi escrito". Ele explica ter se dado conta de que "os adultos precisam muito de treinamento em oratória, mas necessitam ainda mais de instrução na arte de se relacionar com as pessoas nos negócios e contatos sociais diários". Pesquisas mostram, ele escreveu, que em todas as áreas "cerca de 15 por cento do sucesso financeiro de uma pessoa se determina por seu conhecimento técnico enquanto 85 por cento deve-se à habilidade no trato humano – à personalidade e à habilidade de liderar os outros". Então, Dale começou a desenvolver em seus cursos ideias e regras para produzir sucesso, e os alunos, que ele descreveu como "homens e mulheres famintos por autoaperfeiçoamento", adotaram sua fórmula com resultados esplêndidos. "Funciona como mágica", escreveu Dale. "Ainda que possa parecer incrível, eu vi como a aplicação desses princípios literalmente revolucionou a vida de muita gente."[383]

Como Fazer Amigos foi organizado formalmente em seis partes, e era baseado em três grandes temas. O primeiro, abrangendo as partes um e dois, propunha que todo mundo estava interessado, principalmente, em seus próprios problemas e possibilidades, e que o segredo para lidar com as pessoas era demonstrar apreciação pelos pontos de vista e desejos delas. Dale desenvolve esse conceito em "Técnicas fundamentais para lidar com as pessoas". Ele então explica, em "Seis maneiras de fazer as pessoas gostarem de você", como o leitor pode demonstrar simpatia sorrindo, lembrando-se do nome dos outros, sendo um bom ouvinte e interessando-se genuinamente pelas atividades e crenças dos outros.

Nas partes três e quatro Dale enfoca o segundo tema: como a demonstração de sensibilidade para os outros pode ser colocada em ação e usada para influenciar o comportamento deles. Em outras palavras, ele se concentra na recompensa a ser conseguida adotando-se esses princípios. Em "Como conquistar as pessoas a pensarem do seu modo" ele argumenta que usando diversos expedientes – evitar discussões, respeitar a opinião dos outros, nunca dizer para alguém que ele está errado, encorajar respostas positivas em vez de negativas e deixar que a outra pessoa pense que a ideia é dela – o indivíduo habilidoso consegue levar as pessoas para a direção que ele quer que elas sigam. Dale argumenta, em "Seja um líder: como mudar as pessoas sem ofendê-las nem deixá-las ressentidas", que elogiar e demonstrar apreciação genuína, perguntar em vez de dar ordens, admitir seus próprios erros enquanto aponta indiretamente os dos outros, deixar que as pessoas salvem as aparências e usar encorajamento em vez de crítica ajudaria a deixar que o outro ficasse feliz em fazer o que o leitor sugerisse.

Finalmente, após expor o núcleo de seu argumento, Dale desenvolve um terceiro tema, de forma mais breve, nas duas seções finais do livro*. Ele oferece dois exemplos concretos de como seus princípios poderiam ser aplicados com grandes vantagens na redação de comunicados comerciais e na condução do casamento. Em "Cartas que produziram resultados miraculosos", ele mostra como a redação habilidosa de cartas comerciais pode conferir reconhecimento e transmitir simpatia aos destinatários, conquistando assim a cooperação na promoção dos interesses do leitor do livro. "Sete regras para fazer a vida do seu lar mais feliz" discute o uso do método de Dale na vida doméstica. O autor defende que

---

* (N.T.) Essas duas seções finais foram consideradas obsoletas e excluídas das edições mais recentes da obra nos EUA e, consequentemente, também nas edições brasileiras.

cônjuges deveriam evitar reclamar e criticar para, ao contrário, expressar admiração, dar atenção um ao outro e "ler um bom livro sobre o sexo no casamento" a fim de conquistar a felicidade matrimonial.

O estilo envolvente da escrita torna dinâmico *Como Fazer Amigos e Influenciar Pessoas*. Em seus livros anteriores Dale foi refinando um texto desenvolto, anedótico, descontraído, mas aqui ele acrescentou, habilmente, elementos que atraem qualquer tipo de público. Mais evidente, talvez, seja a linguagem "Como isso é possível? Vou lhe dizer como!", que sugere a abertura de um baú de tesouros secretos. Por exemplo, ele começa a discussão a respeito de comunicação comercial deste modo:

> Aposto que sei o que você está pensando agora. Você provavelmente está dizendo para si mesmo algo assim: "*Cartas que produzem resultados miraculosos! Absurdo! Cheira a anúncio de remédio fajuto.*" Se você está pensando isso, eu não o culpo. Eu mesmo provavelmente pensaria assim se tivesse aberto um livro como este quinze anos atrás...
>
> Vamos ser honestos. O título "Cartas que produzem resultados miraculosos" está correto? Não, para ser franco com você, não está.
>
> A verdade é que se trata de um eufemismo proposital. Algumas das cartas produzidas neste capítulo colheram resultados classificados como tão bons quanto um milagre.

Dale aponta, então, para o exemplo de sucesso de um dos seus ex-alunos, Ken Dyke, que se tornara gerente de publicidade da Colgate-Palmolive-Peet Company. "Como ele conseguiu? Esta é a explicação, nas palavras do próprio Ken Dyke."[384]

Dale também recheou o livro com numerosos aforismos folclóricos. Ao discutir a importância de evitar a crítica aos outros, ele instrui: "se você quer mel, não chute a colmeia". Advogando a admissão rápida do próprio erro, ele observa que "qualquer tolo pode tentar defender seus erros – e a maioria dos tolos faz isso". Ao indicar que a maneira de chegar ao coração de uma pessoa está em ouvi-la com atenção, ele comenta: "Um furúnculo no pescoço dela a interessa mais que 40 terremotos na África". Observando que pessoas bem-sucedidas são motivadas pelo "jogo" da competição, Dale conclui que "isso é o que está por trás de corridas a pé, concursos de chamada de porcos e competições para ver quem come mais tortas. O desejo de se sobressair". Essas frases tão singelas estabelecem um sentimento de igualdade entre autor e público, uma sensação de que gente comum está dando sua aprovação à sabedoria comum.[385]

O humor frequente ajuda a suavizar a mensagem. Ao discutir como o ambiente e as experiências formam as pessoas, Dale observou ironicamente que "a única razão, por exemplo, pela qual você não é uma cascavel é que seu pai e sua mãe não eram cascavéis. A única razão pela qual você não beija vacas e considera cobras sagradas é que você não nasceu em uma família hindu nas margens do Brahmaputra". Ao defender a importância de elogiar os outros, ele observou secamente que "você não tem que esperar até que seja o embaixador na França ou o presidente do Comitê de Churrasco na Praia do Clube dos Alces para poder usar esta filosofia da apreciação". Dale advertia seus leitores para que evitassem dizer aos outros que estes estavam errados, brincando que, "se você tem certeza que está certo 55 por cento do tempo, pode ir até Wall Street para ganhar milhões de dólares e se casar com uma atriz". Essas tiradas afastavam qualquer ideia de pregação pretensiosa e criavam uma ligação entre autor e leitor.[386]

Por todo *Como Fazer Amigos e Influenciar pessoas* Dale utiliza exemplos célebres para enfatizar a mensagem de que quem prestou atenção às suas máximas chegou ao topo. Os famosos, os proeminentes, os ricos e os realizados lotam as páginas do livro do começo ao fim. Entre eles estão líderes políticos, como Abraham Lincoln e Benjamin Disraeli; generais, como Napoleão e Ulysses S. Grant; artistas, como Florenz Ziegfeld e Douglas Fairbanks; intelectuais, como William James e John Dewey; escritores, como Charles Dickens e Ralph Waldo Emerson; filósofos, como Sócrates e Immanuel Kant, e industriais legendários, como John D. Rockefeller e Harvey Firestone. Episódios sobre eles ou citações profundas desses personagens bem conhecidos tornam-se prova da validade dos princípios de Dale Carnegie – ele fornece aos leitores um vislumbre do segredo do sucesso dessas pessoas. Por exemplo, Dale conta como Franklin D. Roosevelt, um dos indivíduos mais sobrecarregados e ocupados do mundo, encontrava tempo para elogiar as pessoas à sua volta. Quando representantes da Chrysler entregaram um carro especial para a Casa Branca, cheio de "acessórios incomuns", Roosevelt chamou o diretor do projeto pelo nome e fez questão de elogiar as características especiais e os detalhes elegantes do carro. Então, ele reforçou sutilmente a sensação de importância de seus visitantes ao anunciar que deixara a Diretoria do Banco Central esperando por trinta minutos e precisava voltar ao trabalho. Alguns dias mais tarde, os envolvidos no projeto do automóvel receberam um bilhete pessoal do presidente. Dale conclui dizendo que "Franklin D. Roosevelt sabe que uma das maneiras mais simples, óbvias e importantes de se conquistar os outros é lembrando seus nomes e fazendo-os se sentir importantes".[387]

Finalmente, Dale utiliza suas próprias técnicas para se dirigir aos leitores. Ele assume um tom de entusiasmo inabalável e conclama seus leitores a adotarem "um desejo profundo, determinado, de dominar o princípio da conduta humana". Ele aparece à disposição dos desejos e discernimento dos leitores em detrimento dos seus quando pergunta, retoricamente, no fim de seu livro: "Eu o escrevi, mas por que você deveria se preocupar em lê-lo?". Ele estabelece uma noção de território comum ao notar que "lidar com pessoas é provavelmente o maior problema que você enfrentará se for um homem de negócios. Sim, e isso também é verdade se você for dona de casa, arquiteto ou engenheiro". Ele demonstra simpatia em vez de superioridade quando diz que, "em vez de condenar as pessoas, vamos tentar compreendê-las. Vamos tentar entender por que elas fazem o que fazem". Mesmo quando estabelece regras de conduta, ele o faz de modo positivo, não negativo. Em vez de dizer para o leitor que não fale de si mesmo, ele sugere gentilmente que, "se você quiser que as pessoas gostem de você, a Regra 3 é: 'Lembre-se que o nome de um homem é, para ele, o som mais doce e importante em qualquer língua'".[388]

No cerne de *Como Fazer Amigos*, contudo, por baixo de seu estilo entusiasmado e seus princípios de conduta, está uma ideia central que o impulsiona para a frente. Após anos de ensino, observação e leitura, Dale convenceu-se de que todo mundo anseia, acima de tudo, por reconhecimento, e que no entendimento firme desse fato está a chave do sucesso na América moderna. Ele insiste em que os seres humanos, além de seus instintos animais de procriação e sobrevivência, compartilham de um poderoso "desejo de ser importante... uma ânsia de ser admirado. Esse é um apetite humano corrosivo e onipresente". O anseio por se sentir importante chama sua atenção frequentemente no livro. "Se você me contar de onde tira seu sentimento de importância, eu lhe digo o que você é... Essa é a coisa mais importante a seu respeito", escreveu ele. "Você quer a aprovação daqueles com quem entra em contato. Você quer o reconhecimento de seu verdadeiro valor. Você quer a sensação de que é importante em seu mundinho", acrescentou Dale. "Três quartos das pessoas que encontrará amanhã estarão famintas e sedentas por simpatia. Dê-lhes isso e elas o amarão", concluiu.[389]

Essa vaidosa necessidade humana de reconhecimento é a base de quase todos os conselhos de Dale para quem busca o sucesso. A chave para o progresso está em atender essa ânsia por estima, e na postulação de Dale, uma massagem sutil na necessidade de se sentir importante dos outros poderia "conquistar as pessoas para o seu modo de pensar", promover seus interesses e impulsionar seu sucesso. Ele volta a esse argumento central repetidamente em *Como Fazer Amigos:*

> Existe uma regra absolutamente importante para a conduta humana. Se obedecermos a essa regra, quase nunca teremos problemas. Na verdade, essa lei, se obedecida, nos trará incontáveis amigos e felicidade constante... Essa regra é: sempre faça o outro se sentir importante.
>
> O resto de nós é igual a você: estamos interessados naquilo que queremos. Então, a única forma que existe para influenciar outra pessoa é falar do que ela quer e mostrar-lhe como conseguir.

Assim, a essência do conselho de Dale para se atingir o sucesso resumia-se a esta máxima: se você consistente e sinceramente fizer os outros se sentirem importantes, eles adotarão suas ideias, aceitarão sua liderança e o seguirão aonde for.[390]

A condição de vida americana na década de 1930 deu tremenda influência cultural à ideia central de Dale em *Como Fazer Amigos*. Desde 1929 a Grande Depressão abria furos no tecido do individualismo tradicional americano e enfraquecia a noção de que trabalho duro produzia sucesso. Essa calamidade havia demolido a noção de autoestima das pessoas e a perspectiva de elas se sentirem importantes, principalmente as da classe média. Colocando em questão a capacidade de realização de muitos, e destruindo-a completamente para alguns, a Depressão criou uma grande onda de vergonha, culpa e medo que engolfou o país.

Evidências de frustração e angústia apareciam em toda parte. Studs Terkel, que entrevistou dezenas de sobreviventes da Depressão, colecionava numerosas histórias de constrangimento e humilhação. Um homem de negócios falido contou: "Vergonha? Você está me perguntando? Eu ficava naquela fila da sopa olhando para os lados, para ver se não havia ninguém que pudesse me reconhecer. Eu mantinha a cabeça baixa para que ninguém me reconhecesse". Uma jovem que foi obrigada a sair do colégio interno quando seu pai perdeu o emprego, contou que "Eu fiquei mortificada além da conta". Um psiquiatra que tratava de pacientes de classe média não se esquecia da "agonia" entre seus pacientes que ficavam desempregados. "Um homem sem emprego sentia-se um vagabundo preguiçoso", explicou ele. "Naquela época todo mundo aceitava seu papel, sua responsabilidade por seu próprio destino. Todos, mais ou menos, culpavam-se por sua negligência, falta de talento ou má sorte. Havia uma aceitação de que a culpa era pessoal".[391]

Na cultura popular, muitas atrações icônicas dos anos 1930 iluminavam a luta dos indivíduos perseverando contra as probabilidades. O famoso cineasta Walt Disney colocava o ratinho Mickey em situações que terminavam com "o triunfo do pequenino", enquanto seus *Três Porquinhos* apareciam como uma parábola das pessoas comuns derrotando o Lobo Mau da Depressão. Super-Homem, o popular herói das histórias em quadrinho, mostrava Clark Kent, o homem fraco, sem ânimo, de óculos, que corria para a cabine telefônica mais próxima, de onde retornava como o super-herói que salvava Metrópolis do desastre. Aquela era a fantasia perfeita da Era da Depressão: o indivíduo menosprezado que vivia em segredo e tornava-se objeto de admiração das massas. Jack Benny, talvez o comediante mais popular do rádio nessa época, conquistava audiências imensas como anti-herói autodepreciativo, que sofria com várias afrontas antes de superá-las com humor. Essas figuras refletiam uma experiência muito comum na década de 1930: indivíduos que passavam por grandes humilhações e lutavam para aguentar o pior que a sociedade podia fazer com eles.[392]

Essa inquietação emocional amplamente disseminada não resultou em agitação revolucionária, mas em reforço das instituições básicas. Foi durante esse período que vemos, pela primeira vez, referências frequentes ao "Modo de Vida Americano" e também a expressão "grass roots"* tornar-se característica, como apontou um historiador da cultura na Era da Depressão. Em vez de se voltarem contra o sistema, as pessoas comuns buscaram definir um padrão americano de vida e mergulhar nele. Essa busca popular das raízes – que ia de pintores regionais, como Thomas Hart Benton a pesquisadores de música folclórica, como Alan Lomax, críticos literários, como Van Wyck Brooks, e recriadores do passado, como Henry Ford – buscava segurança emocional nas tradições folclóricas. Esse era o tempero das novelas de rádio, que estendiam as mãos para as tensas donas de casa com histórias de crises pessoais e recuperação, promovendo a sensação de que não estavam sozinhas com seus problemas e que valores amplamente compartilhados acabariam triunfando. Esse também era o tempero da política popular de Roosevelt. "Nós éramos contra a revolução", observou o presidente a respeito de sua eleição e do *New Deal*. "Na América de 1933, o povo não tentou consertar os erros derrubando suas instituições. Os americanos se deram conta de que os erros podiam e seriam consertados dentro de suas instituições." Sob a pressão dos acontecimentos, os americanos lançaram "um esforço para encontrar e caracterizar o Modo de Vida Americano e se adaptar a ele".[393]

Assim, a disseminação de traumas pessoais e incerteza social durante a grande Depressão, e a busca por soluções dentro das tradições americanas, formaram um público receptivo a *Como Fazer Amigos e Influenciar Pessoas*. Dale mostrava uma saída para o atoleiro. Ao reconhecer por instinto que as pessoas estavam desesperadamente ansiosas para se sentirem importantes e percebidas em um momento de

---

* (N.T.) Raízes de grama, em inglês, *grass roots* é um tipo de movimento político que nasce natural e espontaneamente, do esforço de uma pequena comunidade, sem ser articulado pelas estruturas de poder tradicionais.

condições socioeconômicas que pareciam aniquilar as possibilidades para tal reconhecimento, ele ofereceu um novo modelo eficaz de ação individual. "Os homens ficam frequentemente surpresos com os resultados novos que conseguem", escreveu Dale. "Tudo parece mágica." Ele afirma que o domínio de seus princípios ajudaria "você em sua corrida por melhores recompensas sociais e financeiras. Repita para você, sem parar: 'Minha popularidade, minha felicidade e minha renda dependem, em grande medida, da minha habilidade em lidar com as pessoas.'" O autor também reproduzia duas características tradicionais da literatura de autoajuda: autoexame e ação. Ele recomenda os leitores a reservarem, regularmente, um tempo para revisar suas ações para que pudessem avaliar "que erros você cometeu, os progressos que fez e as lições que aprendeu para o futuro". E insiste em que seu livro era "de ação", por colocar os princípios em prática. "Você está lendo este livro há um bom tempo", declara. "Feche-o agora, limpe seu cachimbo e comece a aplicar a filosofia de admiração com a pessoa que estiver mais próxima de você – e veja a mágica funcionar."[394]

Alguns observadores perceberam o apelo extraordinário que a obra tinha como livro de autoajuda. "Dale Carnegie é um grande profeta para milhares de americanos diligentes, ambiciosos e trabalhadores", escreveu um jornalista. "Para eles, Dale é um guru, um oráculo disposto a compartilhar com os fiéis suas revelações sobre os mistérios antigos de como ser popular e progredir". Uma avaliação do *The Saturday Evening Post* chegou ainda mais perto do alvo. "Para um observador distante, o segredo do sucesso deste livro parece bastante simples. Todo homem e toda mulher que o compra recebe, pelo valor de 1,96 dólar, a informação de que ele ou ela é potencialmente tão poderoso, brilhante, rico e bem-sucedido quanto qualquer um do planeta, e talvez seja até melhor que a maioria", afirmou. "Igual aos médicos da beleza e os professores de charme, Dale Carnegie vende às pessoas o que a maioria necessita desesperadamente. Ele lhes vende esperança."[395]

Dale, é claro, não era o único escritor de autoajuda na década de 1930. Livros populares como *Desperta e Vive!* (1936), de Dorothea Brande, *Pense e Enriqueça* (1937), de Napoleon Hill; *The Art of Living* (A arte de viver, 1937) e *You Can Win* (Você pode vencer, 1938), de Norman Vincent Peale, também atraíram o público com receitas para o progresso pessoal que incluíam elementos de pensamento positivo, psicologia e espiritualidade. Mas *Como Fazer Amigos e Influenciar Pessoas*, de Dale Carnegie, voava muito acima de qualquer concorrência no campo da literatura de autoajuda. Ele conseguia isso oferecendo não pensamentos abstratos sobre como ganhar dinheiro, conquistar estabilidade emocional ou encontrar tranquilidade espiritual, mas um método prático para reconstituir a iniciativa individual em uma época que parecia ameaçada de extinção. Dale insistia em que o indivíduo podia agir com eficácia e ter sucesso, e mostrava-lhe como fazê-lo. E ele transmitia seus conselhos com um estilo esperançoso, vivo, entusiasmado, que irradiava o mesmo otimismo que o presidente dos Estados Unidos. Talvez não seja exagero dizer que, assim como Franklin Roosevelt salvou o capitalismo durante a Grande Depressão, Dale Carnegie salvou a cultura do individualismo que o acompanhava.[396]

Anúncio da mensagem de "Ficando à Frente", transmitida por Dale Carnegie pelo rádio em torno de 1940.

A mensagem de sucesso do livro de Dale era mais do que uma resposta à crise do individualismo na década de 1930. Ela também refletia uma tendência mais duradoura e profunda. As regras estabelecidas por *Como Fazer Amigos e Influenciar Pessoas* para criar uma personalidade brilhante e desenvolver habilidades de relacionamento pessoal refletiam uma mudança na cultura americana do início do século XX, uma mudança que varreu os últimos vestígios da tradição vitoriana e criou um novo cenário institucional e pessoal.

Charles Schwab desempenhou um papel de astro em *Como Fazer Amigos e Influenciar Pessoas*. Esse industrial influente galgara posições na Carnegie Steel, de trabalhador comum a chefe de seção, depois a braço direito de Andrew Carnegie e, por fim, a presidente da empresa em 1897. Então, em 1901, quando J. P. Morgan comprou a Carnegie Steel e criou a U.S. Steel, a primeira corporação nacional de um bilhão de dólares, indicou Schwab como seu primeiro presidente. Schwab chamara a atenção de Dale Carnegie, pela primeira vez, em novembro de 1916, quando o industrial publicou um artigo na *American Magazine* intitulado "Sucesso com o que Você Tem". Schwab escreveu sobre a importância da dedicação ao trabalho, é claro, mas enfatizou ainda mais a importância de motivar os outros, estabelecer parcerias, manter uma atitude positiva e utilizar o charme pessoal.[397]

No best-seller de Dale Carnegie, o magnata da indústria assumia um papel principal. "O sucesso extraordinário de Schwab vem quase que totalmente de sua personalidade, seu charme e sua habilidade para fazer as pessoas gostarem dele; um dos fatores mais encantadores de sua personalidade é seu sorriso cativante", explica Dale. Mas havia mais. Schwab também mostrava talento abundante para negociar situações humanas difíceis. Quando uma de suas siderúrgicas estava abaixo da meta e seu gerente não conseguia melhorar a produção, ele não demitiu executivos nem censurou empregados. Em vez disso, aumentou a produção perguntando ao chefe do turno da noite quantas unidades haviam sido finalizadas. Depois, escreveu o número no chão com giz e foi embora sem fazer comentários. O turno do dia viu o número e quis mostrar sua habilidade – então, ultrapassou o pessoal da noite e marcou no chão o número maior. O turno da noite reagiu e logo a produção da siderúrgica melhorou dramaticamente. "A vontade de se sobressair! A provocação! O lançamento de um desafio! Uma forma infalível de apelar aos homens de espírito", derrama-se Dale. Em outra ocasião, Schwab andava por uma de suas siderúrgicas quando observa um grupo de homens fumando sob um avisto de "Proibido Fumar". De novo, ele não os repreendeu. "Ele caminhou até os homens, entregou um charuto para cada um e disse: 'Vou gostar, rapazes, se vocês os fumarem lá fora'. Eles sabiam que o chefe sabia que eles tinham violado uma regra – e eles o admiraram porque o homem não disse nada a respeito e ainda lhes deu um pequeno presente, fazendo com que se sentissem importantes", escreveu Dale, embevecido. "Era difícil não amar um homem assim, não acha?"[398]

Esses talentos ajudaram Schwab a se tornar, talvez, a primeira pessoa a receber um salário anual de um milhão de dólares, e Dale apontou o motivo. "Porque Schwab é um gênio? Não. Porque ele sabe mais de manufatura de aço que outras pessoas? Bobagem", escreveu o autor. Ele creditava isso à habilidade de Schwab de lidar com as pessoas e citou as palavras do próprio industrial: "Eu considero minha habilidade de provocar o entusiasmo dos homens como o maior recurso que possuo... e a forma de extrair o que existe de melhor em um homem é valorização e encorajamento... Eu ainda tenho que conhecer o homem, ainda que de posição elevada, que não trabalhe melhor e se esforce mais sob o espírito de aprovação do que sob o espírito de crítica". Para Dale, esse conselho tornou-se um evangelho, e uma das frases favoritas de Schwab – "Sou caloroso na aprovação e pródigo nos elogios" – tornou-se um mantra.[399]

Schwab era o exemplo de um ingrediente potente na receita de sucesso dada em *Como Fazer Amigos e Influenciar Pessoas* – sendo uma personalidade envolvente e um mestre nas relações humanas. No processo de resgate do individualismo americano da devastação da Grande Depressão, Dale utilizou uma transformação na estrutura da vida pessoal que durava décadas. Como foi dito antes, uma mudança do "caráter" vitoriano para a "personalidade" moderna acompanhou a evolução do capitalismo do consumidor e das complexas estruturas sociais no início do século XX. Como observou um historiador, "em uma sociedade cada vez mais dominada por corporações burocráticas, lida-se mais com gente do que com coisas: 'magnetismo pessoal' começou a substituir caráter como fundamento para o progresso". Afinado com esse processo, Dale enfatizara a importância da personalidade em seus livros anteriores e convidava seus alunos a desenvolver e projetar qualidades entusiásticas, vigorosas e atraentes.[400]

Dale, então, foi mais longe. Fiel à fórmula, ele menosprezou "o velho adágio de que o trabalho árduo sozinho seja o passe de mágica que realizará nossos desejos". Enquanto anteriormente a personalidade tinha função importante na oratória, em *Como Fazer Amigos* ela se tornava o centro absoluto de um processo maior de busca do sucesso. Libertada de suas amarras na oratória, a personalidade carismática, envolvente, pulou à frente para se tornar a própria essência do credo de Dale no individualismo rejuvenescido. Leitores do seu livro podiam absorver seus princípios e, como Schwab, rumar ao sucesso com base no charme pessoal.[401]

Dale desenvolveu esse tema com habilidade. Ele dispôs as qualidades da personalidade agradável em "Seis Maneiras de Fazer as Pessoas Gostarem de Você", começando com abnegação. Uma persona sutil, sensível, que irradia preocupação e cuidado, mostra-se perfeita para o mundo impessoal e desanimado das interações burocráticas que estavam solidificadas na década de 1930. O sucesso nas instituições modernas, entendia Dale, não vinha de as pessoas obedecerem, respeitarem ou temerem você, mas de gostarem de você. A personalidade de uma pessoa, dizia, servia para "fazer amigos".[402]

Dale avançou para uma área mais complicada, mas estrategicamente fundamental em sua campanha pelo desenvolvimento de personalidade. Esta, quando atraente, poderia fazer amigos, mas como produziria o elemento de "influenciar pessoas", crucial para se obter sucesso? Em outras palavras, de alguma forma a personalidade tinha que ser colocada em ação para impulsionar a pessoa para a frente. Antes, Dale afirmara que mostrar confiança, entusiasmo e realizações automaticamente atrairia seguidores porque "as pessoas reúnem-se em volta do orador enérgico, o dínamo humano, como gansos selvagens em torno de um trigal no outono"; foi o que afirmou em 1926. Mas Dale percebeu que o modelo de "aprovação calorosa e elogios pródigos" que então defendia era mais complexo e precisava ser empregado com sutileza. Isso o levou a entrar no campo das "relações humanas", como o chamava. Era necessário influenciar, não coagir, os outros para que adotassem seu modo de pensar. As relações humanas, nas mãos inovadoras de Dale, tornaram-se o sustentáculo emocional em que se apoiou a moderna cultura da personalidade.[403]

Ele rapidamente invocou um legendário empresário americano como testemunha especialista nessa questão em *Como Fazer Amigos*. Em seu auge, escreveu Dale, John D. Rockefeller afirmou que "a habilidade de lidar com pessoas é uma mercadoria que se pode comprar da mesma forma que açúcar ou café... E eu pago mais por essa habilidade do que por qualquer outra que exista". Dale acrescenta sua experiência pessoal quanto à importância das relações humanas. Após conhecer milhares de alunos ao longo dos anos, "percebi que, embora esses adultos precisassem desesperadamente de treinamento em oratória eficaz, eles precisavam ainda mais de treinamento na arte de se relacionar bem com pessoas no trabalho cotidiano e nos contatos sociais", afirma. "Também fui percebendo aos poucos que precisava desesperadamente desse mesmo treinamento. Quando olho para trás, depois de todos esses anos, fico horrorizado com minha frequente falta de sutileza e discernimento." Na verdade, ele continua, "eu mesmo procurava há anos um guia prático e eficaz de relações humanas. Como um livro assim não existia, procurei escrevê-lo".[404]

Como Fazer Amigos e Influenciar Pessoas fornece bastante orientação para lidar com os outros em ambientes profissionais. Dale concentrou-se, principalmente, em uma máxima central de relações humanas: a personalidade bem-sucedida convence as pessoas a segui-la sem que percebam. Ao evitar críticas, demonstrar apreciação e expressar "aprovação calorosa e elogios pródigos", faz-se com que os outros se sintam importantes, e assim a personalidade agradável assume, imperceptivelmente, uma posição de força, enquanto seus colegas, com a autoestima satisfeita, aguardam orientação. Convencer os outros de que eles detêm as rédeas seria crucial. "Quando temos uma ideia brilhante, em vez de fazer a outra pessoa pensar que a ideia é nossa, por que não deixá-la refletir e desenvolver essa ideia?", aconselha Dale. "Ela, então, irá vê-la como sua própria; irá gostar dela e talvez sirva-se de mais algumas porções da mesma."[405]

No capítulo apropriadamente intitulado "Faça as Pessoas se Sentirem Satisfeitas Fazendo o que Você Sugere", Dale fornece exemplos luminares dessa habilidade em relações humanas no trabalho. Quando o presidente americano Woodrow Wilson convidou William McAdoo para participar do seu governo como ministro da Fazenda, fez com que a aceitação da posição por McAdoo parecesse um grande favor à presidência. McAdoo aceitou, com um sentimento ampliado de importância e de lealdade ao presidente. J. A. Want, chefe de uma grande gráfica em Nova York, deparou-se com um mecânico que reclamava constantemente das horas extras e do trabalho excessivo necessário para manter funcionando bem as impressoras. O chefe da empresa reagiu dando um escritório para o mecânico e mandando escrever em sua porta "Gerente do Departamento de Manutenção", concedendo assim ao homem reconhecimento e um sentimento de importância. As reclamações cessaram. Esses ardis falam às necessidades das pessoas – "assim é a natureza humana", observou Dale – e fornecem evidências convincentes deste princípio central das relações humanas: "Faça com que a outra pessoa fique feliz de fazer aquilo que você está sugerindo".[406]

Mais uma vez Dale reúne endossos célebres para sua estratégia de desenvolvimento de personalidade e enredamento emocional. Os ricos e famosos, os realizados e aqueles em altos postos, estrelas de cinema, líderes mundiais, homens de negócios bilionários e escritores de prestígio fazem fila para testemunhar a eficácia do método Carnegie. Fosse Henry Ford quanto à necessidade de enxergar pelo ponto de vista do outro, fosse Henry James quanto a permitir que cada um escolhesse seu caminho para a felicidade, Harvey Firestone quanto a dar às pessoas a oportunidade para que se sobressaiam, Sol Hurok quanto ao benefício de mostrar simpatia pelos outros ou Dorothy Dix quanto ao grande valor do elogio e da admiração entre cônjuges, o livro traz uma multidão de personalidades proeminentes cujos exemplos, assim como suas palavras, reforçavam a mensagem maior do autor.[407]

Assim Dale, em seu incrivelmente popular *Como Fazer Amigos e Influenciar Pessoas*, criou uma mensagem dinâmica de sucesso para a América moderna. O que foi Benjamin Franklin para a incipiente república do século XVIII e Horatio Alger para a sociedade industrial vitoriana do século XIX, Dale Carnegie tornava-se para a dinâmica sociedade do consumidor na América do século XX. Reunindo muitos dos impulsos do início de sua vida e carreira – um desejo intenso de se destacar, uma crença no desenvolvimento da personalidade, uma noção aguçada do contexto burocrático da vida moderna, uma consciência crescente do papel central das interações humanas – ele apresentou um conjunto de princípios que prometia realizações e mobilidade social. Com o trauma da Grande Depressão servindo como catalisador e a mudança de caráter para personalidade servindo como recipiente, o processo de fusão cultural dos anos 1930 produziu o credo Carnegie. Com sua insistência em fazer os outros se sentirem importantes e ao aprimorar habilidades nas relações humanas, essa mensagem de sucesso atendia a uma necessidade bem moderna: vender a si mesmo como forma de ascensão. Essa noção de "fazer amigos e influenciar pessoas" remodelava totalmente o individualismo americano tradicional para o século XX.

Além de sua importância como um tratado moderno sobre o sucesso, contudo, o best-seller de Dale Carnegie também ressoava mais profundamente. Utilizando o antigo interesse de seu autor em pensamento positivo e psicologia, o volume explora muitos dos recessos da psique humana e analisa a atuação de emoções e impulsos ocultos no comportamento humano. Ele emerge como um texto de referência, ainda mais poderoso por sua popularidade, no avanço da moderna cultura terapêutica pela América.

11. "Estamos lidando com criaturas emotivas"

A Psicologia era uma influência forte em Dale Carnegie, como fica claro em *Como Fazer Amigos e Influenciar Pessoas*. Lowell Thomas, em sua empolgante introdução ao livro, descreve os esforços de seu velho amigo como "uma combinação notável de oratória, arte de vendas, relações humanas e psicologia aplicada". Em seu próprio prefácio, Dale conta de seu envolvimento com a obra de Alfred Adler, William James e Harry A. Overstreet enquanto dedicava seu tempo a "estudar volumes eruditos de psicologia". Observadores notaram essa influência. Uma resenha no *The Literary Digest* concluiu que Dale, com seu foco no "desejo por autoestima" e nos anseios que irrompem quando "o ego está malnutrido", com certeza prestara atenção no que "os psicólogos lhe disseram". Homer Croy, escrevendo para a Esquire, começa seu longo artigo sobre "o texto de ouro de Dale Carnegie" citando o comentário de William James a respeito de que os humanos "usam apenas uma pequena fração de seus recursos físicos e mentais". "Se os psicólogos modernos sustentam ou não essa crença não interessa", brinca Croy. "Dale acredita e isso é o que importa."[408]

De fato, o notável conteúdo psicológico de *Como Fazer Amigos* mostrava que o livro era algo mais que um manual moderno para o sucesso destinado a americanos ansiosos. O autor foi fundo nos impulsos humanos, em busca de elementos para sua fórmula de desenvolvimento pessoal. O entusiasmo de Dale com a psicologia datava da década de 1910, quando ele foi atraído, pela primeira vez, pela "psicologia positiva" e pela "cura mental", o que influenciou seus primeiros ensinamentos e escritos. Mas então, no coração da crise da Depressão, ele colocava a perspectiva psicológica em um lugar proeminente de seu best-seller. Logo no início do texto, Dale revela sua intenção de "tornar os princípios da psicologia fáceis de serem aplicados em seus contatos diários". Ele enfatiza essa noção um pouco depois. "Ao lidarmos com pessoas, precisamos nos lembrar que não estamos lidando com criaturas lógicas", lembra aos leitores. "Estamos lidando com criaturas emotivas."[409]

O recurso a análises, formulações e recomendações psicológicas faz de Dale uma figura-chave na criação de um novo e poderoso paradigma na cultura americana moderna. Desde o início do século XX o discurso psicológico vem emergindo com força crescente em muitas áreas diferentes. Em vez da antiga certeza moral vitoriana, emerge um novo etos que se preocupa com desenvolvimento da personalidade, felicidade pessoal, relações interpessoais e autorrealização. Uma forma de individualismo menos preocupada com salvação religiosa ou lucro econômico evidente do que com bem-estar emocional – o que Philip Rieff chamou de "homem psicológico" – emergiu visivelmente nas primeiras décadas do século XX. Dale, operando na atmosfera pressurizada da Grande Depressão, surgiu como talvez o maior divulgador do discurso psicológico nas décadas intermediárias do século XX. Ele revelou uma visão de mundo persuasiva em que o status psicológico e as manipulações do *self* estão no centro da vida social e pessoal. Essas noções tornaram-se a base da cultura terapêutica moderna.[410]

A fascinação de Dale pela psicologia, que influenciara seus ensinamentos e escritos durante anos, floresceu completamente nos anos 1930. Ela teve um papel importante no Curso Dale Carnegie de Oratória e Relações Humanas, em que seus alunos foram "treinados para usar as importantes descobertas da psicologia moderna – descobertas que aumentam substancialmente a eficácia de suas reuniões de negócios". Dale enfatizava que o curso promovia "o desenvolvimento da expressão pessoal, individualidade e personalidade. Ele revela e estimula as faculdades latentes de uma pessoa como nada mais consegue". Anúncios descreviam a pauta do curso como "Oratória para Homens de Negócios, Vendas Científicas e Psicologia Prática" e caracterizavam-no como um programa "para homens que se dão conta de que devem usar todas as descobertas da psicologia moderna na fina arte de conseguir que os outros façam o que eles querem".[411]

O interesse duradouro em psicologia era fortalecido pelo envolvimento profissional de Dale com diversos psicólogos, psiquiatras e terapeutas na área da Grande Nova York. Quando *Como Fazer Amigos e Influenciar Pessoas* apareceu com grande estardalhaço, artigos de jornais e revistas observaram a quantidade de professores e escritores com orientação psicológica que rodeavam o criador do Curso Carnegie, fosse como parte do corpo discente habitual fosse como palestrantes convidados. Esse grupo revela muito da mentalidade de Dale Carnegie em meados da década de 1930, bem como a natureza de seu livro popular.[412]

Harry A. Overstreet estava no alto da lista. Psicólogo social e pioneiro na educação de adultos, ele influenciou tremendamente o pensamento de Dale Carnegie. Formado na Universidade da California, em Berkeley, Overstreet lecionava no Departamento de Filosofia e Psicologia da Universidade da Cidade de Nova York e dava cursos de educação continuada na Escola Nova de Pesquisa Social. Ele primeiro chamou a atenção de Dale com seu livro instigante e muito discutido *Influencing Human Behavior* (*Influenciando o Comportamento Humano*, 1925). Essa obra originou uma série de palestras na Escola Nova sobre "como o comportamento humano pode realmente ser mudado à luz do novo conhecimento conquistado com a psicologia". O livro resultante – que um crítico descreveu como "psicologia posta para trabalhar" – afirmava que "o indivíduo humano é movido por uma multidão de desejos, cuja maioria ele nem tem consciência". Qualquer um que busque influenciar as ações humanas deve compreender a avassaladora influência da vida mental não racional, argumenta ele com vigor.[413]

Overstreet sustentava que "nossa principal tarefa na vida é tornar nossa personalidade, e o que esta tiver para oferecer, eficaz em nosso ambiente particular de seres humanos". A vida envolve muitas coisas, claro – procurar comida, abrigo e gratificação sexual; brincar, lutar, almejar, sofrer – mas no centro de tudo isso está "o processo de nos fazermos acreditados e aceitos". Assim, Overstreet explorava métodos pelos quais o indivíduo poderia conquistar a atenção dos outros, ganhar sua admiração e induzi-los a pensar e a agir de acordo com o que ele queria. "Nessa busca por meios, encontraremos muita ajuda no que a psicologia moderna tem para oferecer", escreveu ele. "O homem de negócios já descobriu, em certa medida, o que o entendimento psicológico pode lhe proporcionar; o gerente de fábrica está começando a descobrir. A educação, em seus aspectos mais progressivos, está entrando vigorosamente nos campos psicológicos." Overstreet foca na importância de se conseguir "respostas sim" dos outros, uma tática que "colocava os processos psicológicos do ouvinte em uma direção afirmativa". Ele também argumenta que "desejamos ser admirados – por alguém, de preferência por tantos quanto possível... De fato, o desejo de que pensem bem de nós, especialmente aquelas pessoas de quem pensamos bem, é fundamental".[414]

Aqueles que influenciam os outros, de acordo com Overstreet, usam esses impulsos psicológicos. Eles manobram para conseguir "respostas sim", concedem admiração e estima e compreendem que as pessoas agem de acordo com sua percepção de um "querer real", que era seu termo para "desejo humano". "Este, talvez, seja o melhor conselho que pode ser dado a quem deseja ser persuasivo no trabalho, em casa, na escola ou na política", observou Overstreet; "primeiro desperte no outro um querer ardente. Quem conseguir fazer isso terá o mundo a seu lado. Quem não conseguir caminhará sozinho." Ou, como ele coloca em outro momento, "o segredo de toda persuasão verdadeira é induzir a pessoa a se persuadir. A principal tarefa de quem quer ser persuasivo, portanto, é induzir a experiência. O resto tomará conta de si mesmo".[415]

As ideias de Overstreet tiveram profundo impacto em Dale Carnegie. Já em 1928, Dale escreveu em seu arquivo "Coisas Idiotas que Eu Fiz" que "como diz o professor Overstreet, implica 'Faça com que o outro fique feliz por se tornar aquilo que você deseja que ele se torne'... Eu preciso praticar essa regra conscientemente até que se torne parte de mim, parte do meu comportamento inconsciente". Ele também observou que um artigo de Overstreet na *McCall's* continha um ponto importante. "A arte de influenciar com sucesso as pessoas consiste em conseguir respostas 'acolhedoras' e nunca, sob quaisquer circunstâncias, obter respostas "inóspitas", cita Dale. "Agora, quais são as maneiras de conseguirmos respostas 'acolhedoras'? A primeira é o uso da apreciação – a mais fácil das técnicas psicológicas e que quase não é usada. Como isso é verdadeiro. Tragicamente verdadeiro!!" Em meados da década de 1930, Dale apresenta-se para Overstreet e o convence a apresentar palestras de psicologia das relações humanas no Curso Carnegie. Muitas das ideias desse psicólogo social se tornariam centrais em *Como Fazer Amigos e Influenciar Pessoas*.[416]

Henry C. Link tornou-se outra figura importante no círculo psicológico de Dale Carnegie. Esse psicólogo versátil e talentoso, criado perto de Buffalo, Nova York, em uma devota família metodista, frequentou uma pequena faculdade religiosa em Illinois antes de se transferir para Yale, onde estudou filosofia e psicologia e recebeu um PhD em 1916. Depois da formatura ele supervisionou testes psicológicos de empregados em diversas empresas e publicou artigos a respeito de psicologia industrial, além de diversos livros, entre eles *Employment Psychology: The Application of Scientific Methods to the Selection, Training and Grading of Employees* (Psicologia do emprego: aplicação de métodos científicos em seleção, treinamento e avaliação de empregados, 1919). Em 1931, Link ingressou na Psychological Corporation, uma empresa fundada pelo eminente psicólogo James M. Cattell, cujo objetivo era fornecer conhecimento psicológico para instituições com uma "base comercial". Link tornou-se diretor de pesquisa social e mercadológica, desenvolvendo um "barômetro psicológico" para interpretar comportamento de consumidores e um teste de "quociente de personalidade" que pretendia medir qualidades pessoais. Em 1932, Link escreveu *The New Psychology of Selling and Advertising* (A nova psicologia de vendas e propaganda) – com introdução do famoso psicólogo comportamental John B. Watson – e prestou consultoria ao Serviço de Ajuste de Nova York, que administrava testes psicológicos para ajudar quinze mil homens e mulheres desempregados a encontrarem emprego.[417]

Link chamou a atenção de Dale, contudo, com seu *best-seller* de 1936, *The Return to Religion* (O retorno à religião). Esse volume, que teve trinta e quatro reimpressões em cinco anos e uma "edição de um dólar" em 1941, fala do retorno do autor às tradições religiosas de sua juventude após muitos anos de agnosticismo. Ele explica, contudo, que a restauração de sua fé não era um caso de volta do filho pródigo, mas um movimento provocado pela psicologia comportamental, uma "ciência matemática e quantitativa", "tão precisa em seus métodos quanto química e física o eram há cem anos".

Rejeitando as "teorias especulativas" de Freud e seus sucessores, Link argumentava que a religião tem uma função utilitária importante – moldar uma "personalidade" saudável, formada por "hábitos e habilidades que interessam e são úteis a outras pessoas". Testes psicológicos, afirmava ele, indicavam que "indivíduos que acreditam em religião ou frequentam a igreja têm personalidade significativamente melhor do que os que não fazem o mesmo". De acordo com a perspectiva behaviorista de Link, "a mente, aliada à religião, fica mais forte por causa dessa união, e é uma mente não facilmente influenciada por paixões que desfilam como razão".[418]

A chave para o argumento de Link, e o aspecto que intrigou Dale, era sua noção de personalidade saudável. Não era a "introvertida", que consistentemente se volta para dentro para cuidar de suas próprias preocupações, mas a "extrovertida", que buscava encorajar e ajudar os outros, que devia ser emulada. "A pessoa introvertida, ou egoísta, evita o transtorno de encontrar outras pessoas; a extrovertida se dá ao trabalho de encontrá-las. A introvertida foge às obrigações e exigências de associações e comitês, enquanto a extrovertida as aceita. A pessoa introvertida, ou egoísta, pode pensar em fazer boas ações, enquanto a extrovertida as executa", escreveu Link. Além do mais, a religião desempenha papel crucial na modelação do extrovertido. "Jesus Cristo, o ideal de altruísmo e grande expoente da vida altruísta, era um extrovertido", escreveu. Como os humanos seriam naturalmente egoístas e inclinados a seguir impulsos, "é necessária a religião, ou alguma coisa mais elevada que o indivíduo, ou mesmo uma sociedade de indivíduos, para superar os impulsos egoístas do homem natural e conduzi-lo a uma vida mais plena e bem-sucedida".[419]

O ideal de extrovertido cordial de Link, e seu endosso à religião como ferramenta poderosa no desenvolvimento da personalidade, provocou a admiração de Dale. Assim como fez com Overstreet, Dale convenceu Link a apresentar palestras especiais no Curso Carnegie e divulgou essa colaboração. Em *Como Fazer Amigos e Influenciar Pessoas* Dale apoiou-se nas formulações de Link para construir seu modelo de busca do sucesso. "Se você quer desenvolver uma personalidade mais agradável, uma habilidade mais eficiente nas relações humanas, deixe-me instá-lo a ler *The Return to Religion*, do Dr. Henry Link", escreveu Dale. "Ele é um psicólogo famoso que *entrevistou e aconselhou pessoalmente mais de três mil pessoas que o procuraram com problemas de personalidade."*[420]

Vash Young, embora não tivesse a formação profissional de Link ou Overstreet, aparece como outra importante influência psicológica em Dale devido a sua defesa ardente do pensamento positivo e da cura mental. Descendente de uma importante família mórmon de Salt Lake City, Young sofria de depressão, insegurança e medos debilitantes, enquanto tentava encontrar o sucesso como vendedor. Após anos patinando, ele finalmente desenvolveu uma filosofia que o lançou ao sucesso como vendedor de seguros de vida. Ansioso por compartilhar seus segredos com os outros, escreveu dois livros populares na década de 1930 sobre desenvolvimento pessoal e a busca do sucesso. Foi aí que Dale o descobriu.

A fórmula de Young apoiava-se em dois pilares primários: pensamento positivo e a determinação de ajudar os outros. Em seu primeiro livro, *A Fortune to Share* (Uma fortuna para compartilhar, 1931), este defensor do poder da mente detalha sua "vitória sobre meus próprios processos mentais" ao lutar para erradicar pensamentos negativos e cultivar "pensamento afirmativo". Da mesma forma que os pensadores positivos anteriores – Elbert Hubbard, Russell Conwell, James Allen e Orison Swett Marden –, Young concluiu que felicidade ou infelicidade, sucesso ou fracasso eram devidos, em grande parte, ao alinhamento dos pensamentos em um padrão afirmativo que levaria a pessoa irrevogavelmente adiante. Todo mundo possuiria uma "fábrica de pensamento", como ele a chama, a certa altura: "Nada pode entrar aí, nem matérias-primas, nem produtos manufaturados, sem a sua permissão. Nada sai daí, exceto os produtos que você mesmo projetar". O momento decisivo de sua vida, ele acreditava, surgiu quando conquistou "domínio sobre minhas emoções e meus pensamentos" e baniu "hábitos mentais danosos e fraquezas emocionais". Ele concluiu que "Nós, seres humanos, temos muito poder mental que não percebemos. O problema é que nós destruímos esse poder deixando medo e pânico destronar o funcionamento adequado de nosso intelecto".[421]

Young discorreu extensivamente sobre seu segundo tema – ajudar os outros – em *The Go-Giver: A Better Way of Getting Along in Life* (O doador: uma maneira melhor de progredir na vida, 1934). A partir de sua crença no pensamento positivo ele defende uma mudança de paradigma na forma de uma pessoa pensar sua carreira. Young argumenta que a antiga tradição da pessoa que busca as coisas para si – o indivíduo insistente que se oferece insistentemente em busca de progresso social e lucro – deve dar lugar a "um programa positivo de entrega", abandonando velhos hábitos como "autopiedade", "medos e dúvidas secretas", "falso orgulho" e "complexo de inferioridade produzido pela decepção por não conseguir algo". Em vez disso, as pessoas deveriam adotar uma nova mentalidade de "autoconfiança baseada no desejo de se doar" e "alegrar-se com o sucesso dos demais", elevando-se acima da "cobiça" e servir os outros: "o ganancioso ganha bem. O plano do doador é diferente. Primeiro de tudo, ele vive bem".[422]

Young deu um novo significado a essa mensagem. O altruísmo, em sua formulação, tem consequências sutis que retornam em benefício do doador. Enquanto o doador busca, sinceramente, dar o seu melhor em termos de serviço, simpatia, lealdade e produtos aos outros, estes lhe devolveriam esse investimento emocional com juros. Young aconselha seus leitores: "Dê, sem pedir nada em troca. E por quê? Porque, se você se tornar um doador sincero, não precisará pedir nada em troca. O sucesso irá procurá-lo e pedirá o privilégio de lhe pagar aluguel. A vida boa do doador quase sempre traz consigo ganhos, inclusive recompensas financeiras, que o ganancioso frequentemente não obtém". Young sugeria uma fórmula para se dar bem fazendo o bem.[423]

Essas ideias atraíram Dale. Suas próprias raízes no pensamento positivo tornaram o argumento de Young incrivelmente atraente. Para qualquer indivíduo tentado a se concentrar em seus próprios e estreitos interesses e pontos de vista, escreveu Dale em *Como Fazer Amigos*, "eu deveria lhe dar exemplares dos excelentes livros de Vash Young, *The Go-Giver* e *A Fortune to Share*. Se esse indivíduo ler esses livros e praticar sua filosofia, isso lhe possibilitará ter mil vezes mais lucro". De fato, Dale adota grandes partes do plano de Young. Uma lista de perguntas para leitores de *The Go-Giver* poderia ser encontrada em praticamente qualquer seção de *Como Fazer Amigos*: "As pessoas confiam em você? Elas gostam de você? Você sabe ser altruísta?... Você dá o melhor retorno possível pelo investimento que os outros fazem em você? Você é um pensador afirmativo, esperançoso?". Assim como Link e Overstreet, Young também se tornou um palestrante convidado no Curso Carnegie na década de 1930.[424]

Arthur Frank Payne, outro psicólogo de destaque, entrou na órbita de Dale Carnegie nos anos 1930 e contribuiu para seu sistema. Com formação ímpar, graduado pelas universidades de Chicago, Columbia e Harvard, Payne desfrutou de uma longa carreira como professor em diversas instituições proeminentes. Durante a Primeira Guerra Mundial, coordenou pesquisas psicológicas para o Ministério da Guerra dos EUA e, por boa parte da década de 1920, dirigiu a New York Guidance Clinic. Payne escrevia sobre psicologia aplicada, editando vários textos de orientação vocacional e trabalhando na revista *Vocational Education* (Orientação vocacional). Um de seus artigos, "A Seleção Científica de Homens", transmitia sua crença nas possibilidades profundas abertas pela psicologia. Uma característica notável de "nossa civilização atual e, especialmente, de nosso desenvolvimento comercial e industrial é a aplicação da ciência a todas as fases de nossa vida cotidiana", insistiu ele. "A nova ciência da psicologia padronizou certas escalas, medidas e testes para medirmos a inteligência geral", e isso prometia dividendos enormes na "seleção de certos homens para certos empregos, posições e tipos de trabalho".[425]

Nos anos 1930 Payne procurou o público e chamou a atenção de Dale. Ele publicou *My Parents: Friends or Enemies* (Meus pais: amigos ou inimigos,1932), que defendia uma abordagem psicologicamente instruída na educação das crianças. Um de seus dez mandamentos aos pais intima: "Você não desenvolverá nos seus filhos aquela coisa ruim chamada 'complexo de inferioridade', fazendo-os se sentir continuamente inferiores a você, aos outros ou ao mundo de forma geral. Você deve sempre ajudá-los a desenvolver a confiança neles próprios". Em outro mandamento, ele instrui: "Ao corrigir ou repreender seus filhos, fale sempre em tom de recomendação, e expresse decepção em vez de raiva, violência ou amargura". Esse conselho influenciou a ênfase de Dale no reforço positivo aos outros em *Como Fazer Amigos e Influenciar Pessoas*. Além disso, Payne apresentou o popular programa de rádio *O Psicólogo Diz*, na estação WOR, de Nova York, de 1929 a 1936. Ele mostrava perspectivas psicológicas de problemas atuais e aconselhava seus ouvintes a superar problemas pessoais que podiam estar prejudicando sua vida. Dale o contratou como palestrante especial de seu Curso Carnegie, em que Payne frequentemente apresentava a palestra intitulada "Como Superar um Complexo de Inferioridade".[426]

Essa preocupação com o complexo de inferioridade também era compartilhada por Louis E. Bisch, o único psiquiatra no círculo de colegas de Dale durante os anos 1930. Bisch formara-se médico e conseguira seu PhD na Universidade de Columbia, em 1912, após ele se tornar um psicanalista praticante, consultor e autor interessado em um amplo espectro de desajustes mentais. Nos anos seguintes, lecionou psicologia educacional na Columbia, dirigiu a Escola Speyer para Crianças Atípicas em Nova York, conduziu o Laboratório Psicopático do Departamento de Polícia de Nova York e supervisionou a Clínica de Higiene Mental de Norfolk, na Virgínia. Em 1926, ele assumiu a posição de professor de neuropsiquiatria na Escola Médica Policlínica e Hospital de Nova York, onde atuaria por quatro décadas. Nos anos 1920 Bish também publicou vários livros dignos de nota a respeito de psicanálise e desenvolvimento pessoal: *The Conquest of Self*, *Clinical Psychology* (A conquista do self e psicologia clínica) e *Your Inner Self* (Seu self mais profundo). Em 1925 ele escreveu uma peça dramática intitulada *The Complex* (O complexo), que mostrava uma jovem recuperando-se de um colapso mental a partir dos esforços de um psicanalista amável e perspicaz.[427]

Como aconteceu com os outros, foi a atuação de Bisch em meios mais acessíveis na década de 1930 que atraiu a atenção de Dale. Bisch começou a escrever bastante para a imprensa popular: uma série em jornal sobre psicologia e sucesso; artigos de revista como "Filhos de homens bem-sucedidos frequentemente fracassam" e "Transforme sua doença em vantagem"; e artigos de periódicos especializados como "Psiquiatria e propaganda: por que apelar para emoções humanas". Ele até experimentou sua técnica em Hollywood, escrevendo "Será que todos os atores têm complexo de inferioridade?" e "Por que os escândalos de Hollywood nos fascinam" para a *Photoplay*, e "Psicanalisando a epidemia de divórcios em Hollywood" para a Screen Book. Em muitos desses artigos, Bisch examina os efeitos debilitadores do complexo de inferioridade. Ele descreve como isso "provoca a contínua e tormentosa luta que travamos para acreditar que somos diferentes do que realmente somos", e sustenta que "fracasso tem mais a ver com o 'complexo de inferioridade' do que percebemos". Sua abordagem mais instigante desse tema veio, surpreendentemente, em um discurso feito a dentistas intitulado "A relação do complexo de inferioridade com a ortodontia". Ele se volta para as teorias de Alfred Adler para sustentar que, "se existe um defeito orgânico em alguma parte da anatomia, é provável que exista uma reação compensatória no cérebro". Assim, muitos pacientes que necessitam de tratamento ortodôntico têm "sentimentos de inferioridade" devido a um defeito físico, e precisam de um tratamento psicológico sensível.[428]

O maior impacto público de Bisch veio com seu best-seller descontraído de 1936, *Be Glad You're Neurotic* (Fique feliz por ser neurótico). No livro, ele argumenta, em estilo animado e irreverente, que a neurose era, na verdade, uma bênção para quem sofria seus sintomas. Bisch tem o cuidado de dizer que não se refere às neuroses severas, com obsessões poderosas que requerem tratamento. Ao contrário, ele se refere às variedades mais amenas de neuroses em que o indivíduo é assaltado por pontadas de incerteza, compulsão, insegurança, frustração, descontentamento e baixa autoestima. Essa condição atormenta muita gente, quase todo mundo, na verdade, em um momento ou outro da vida. De acordo com Bisch, contudo, enquanto esses sintomas sinalizam "algum desajuste na vida emocional", eles também revelam uma sensibilidade aguçada para com o mundo. Se ajustes bem-sucedidos forem feitos, o indivíduo neurótico estará pronto para grandes realizações. "Quando estamos neuróticos, existe agitação dentro de nós", escreveu ele. "Ainda assim, essa inquietação é apenas o sinal de que estamos prontos para coisas melhores; que ainda não nos encontramos."[429]

Em termos práticos, isso significa confrontar e superar a neurose que normalmente criava uma doença de três partes. "Culpa, vergonha, inferioridade – esse é o triunvirato que é conjurado!", exclama Bisch. "Elas estão sempre juntas, sempre fazem seu trabalho em uníssono, sempre exercitam o papel de ditador que esmaga seu espírito e o torna humilde." Mas para onde pode se virar o sofredor? Para Bisch, a salvação está na combinação de psicanálise e pensamento positivo. "Coloque sua vontade para trabalhar; não vacile e não terá como falhar! Tudo que você tem que fazer é insistir pelo tempo suficiente", escreveu ele. "O que acontece em sua mente subconsciente é isto: primeiro você neutraliza, depois apaga velhos reflexos condicionados – em outras palavras, hábitos que o sufocam e impedem de ser o que deseja. Em seguida, novos reflexos vêm substituir os antigos, e esses novos são projetados para torná-lo mais eficiente, e você os conduzirá para onde quiser ir; isso o deixará feliz." As últimas frases de seu livro resumem sua solução: "Analise a si mesmo. Pare de sentir culpa. Dê um estímulo ao seu ego. Transforme suas desvantagens em vantagens. Lucre com sua neurose. Então, SEJA FELIZ!". Em meados da década de 1930, Bisch participava com regularidade como palestrante no Curso Carnegie.[430]

Vários outros especialistas em psicologia orbitaram em torno de Dale Carnegie na década de 1930, embora a uma distância maior que Overstreet, Link, Young, Payne e Bisch. Esse grupo secundário incluía Kenneth Goode, ex-editor do *The Saturday Evening Post* e do *Hearst's International*, que depois trabalhou em uma agência de propaganda de Nova York. Ele tinha um interesse especial na psicologia de vendas e propaganda, e seu popular livro de 1929, *How to Turn People into Gold* (Como transformar pessoas em ouro), chamou a atenção de Dale. "O sucesso no trato com as pessoas depende de um entendimento afável do ponto de vista delas", Dale cita Goode. Arthur Gates, professor da Universidade de Columbia, também atraiu Dale com seu livro *Psychology for Students of Education* (Psicologia para estudantes de Pedagogia, 1933). "A espécie humana toda deseja simpatia. A criança mostra ansiosa seu machucado", Dale cita Gates. "Pelo mesmo motivo, adultos mostram suas feridas, contam seus acidentes, falam de doenças, detalhes de cirurgias. 'Autopiedade' por desventuras reais ou imaginárias é, em certa medida, uma prática quase universal." Esses homens aguçam o sentimento de Dale que fazer a outra pessoa se sentir importante é a chave para se conseguir influência e sucesso.[431]

A respeito de casamento e questões familiares, Dale foi atraído pelo trabalho de um trio de especialistas. Leland Foster Wood, influente ministro religioso e escritor que se especializou em psicologia e aconselhamento pastoral, declarou em *Growing Together in the Family* (Crescendo juntos na família, 1935), "Sucesso no casamento é muito mais do que encontrar a pessoa certa; é uma questão de ser a pessoa certa". O dr. G. V. Hamilton, diretor de pesquisa psicobiológica do Departamento de Higiene Social, escreveu em *What is Wrong with Marriage?* (O que há de errado com o casamento?, 1929) que "Somente um psiquiatra muito descuidado e preconceituoso diria que a maioria dos problemas conjugais não tem suas origens no desajuste sexual". O psicólogo pastoral reverendo Oliver M. Butterfield, diretor do Serviço de Orientação Familiar de Nova York e autor de *Sex Life in Marriage* (Vida sexual no casamento, 1936), insiste, em seu livro, em que, "apesar do romance e das boas intenções, muitos casais que contraem matrimônio são analfabetos matrimoniais". Dale utilizou essas declarações como suporte ao seu argumento em favor de uma abordagem psicologicamente sensível do casamento e das relações sexuais.[432]

Assim, os psicólogos a que Dale se associa convergem em sua crença de que os conhecimentos da nova ciência mental poderiam ser usados para resolver os problemas do mundo. Embora a maioria dos membros de seu círculo fosse altamente qualificada, eles estavam muito menos interessados em teoria do que na aplicação prática da psicologia para melhorar a experiência humana. Igualmente importante para Dale, eles também frequentemente direcionavam seu conhecimento para a luta pessoal por realização e progresso. Tais influências mostraram-se poderosas. Dale colecionou uma série de ideias desses especialistas, sintetizou-as e criou uma poderosa dinâmica psicológica no cerne de sua mensagem de sucesso, mais abrangente, veiculada por seu livro best-seller em meados dos anos 1930.

Desde suas primeiras páginas, *Como Fazer Amigos e Influenciar Pessoas* bombardeia os leitores com recomendações, princípios e pontos de vista psicológicos. Dale consistentemente emprega uma linguagem psicológica para transmitir suas ideias e se apoia em um conjunto impressionante de especialistas para sustentar suas afirmações. "O famoso dr. Sigmund Freud, de Viena, um dos psicólogos mais ilustres do século XX", escreveu Dale, "diz que tudo que você e eu fazemos decorre de dois motivos: o impulso sexual e o desejo de ser grande." Ele observa a ênfase que outro psicólogo famoso dá à necessidade humana de se sentir valorizado: "William James disse: 'O princípio mais arraigado na natureza humana é o desejo de ser apreciado'". Dale cita o famoso behaviorista John B.

Watson e sua declaração de que "Sexo é reconhecidamente o assunto mais importante da vida. É reconhecidamente a coisa que provoca mais danos à felicidade de homens e mulheres". Mas Dale exibe um carinho especial por Alfred Adler, o famoso psicoterapeuta vienense, e seu livro *A Ciência de Viver* (1931). Nesse volume, escreveu Dale, Adler declarou que "O indivíduo que não tem interesse em seus colegas humanos enfrenta as maiores dificuldades na vida e provoca os maiores danos nos outros. É de tais indivíduos que vêm todos os fracassos humanos". Dale o acompanha: "Você pode ler dezenas de volumes eruditos em psicologia, mas nunca encontrará declaração mais significativa para você e para mim".[433]

Retrato de estúdio de Dale Carnegie, quando este se tornou celebridade nacional, no fim dos anos 1930.

De maneira geral, a psicologia fez Dale buscar consistentemente os fundamentos emocionais ocultos, até mesmo inconscientes, das ações humanas. Observou de perto os seres humanos e seus processos mentais e descobriu uma confusão de influências e impulsos, muitos deles desagradáveis, que dirigiam o curso de sua vida. Concluiu que as pessoas eram "preconceituosas e parciais. A maioria de nós é influenciada por noções preconcebidas, ciúme, suspeitas, medo, inveja e orgulho". Ele oferece esta máxima: "Ao lidar com pessoas, vamos nos lembrar de que não estamos lidando com criaturas lógicas. Nós lidamos com criaturas emotivas, criaturas agitadas por preconceitos e motivadas por orgulho e vaidade".[434]

Assim como muitos em seu círculo de associados, Dale tinha uma visão utilitária da psicologia, considerando-a tanto um programa de ação quanto um processo para compreensão. A psicologia aplicada aparece em *Como Fazer Amigos e Influenciar Pessoas* como método para se lidar habilmente com pessoas em interesse próprio. "Se queremos fazer amigos, vamos cumprimentar as pessoas com animação e entusiasmo", instrui ele. "Quando alguém telefona para você, use a mesma psicologia. Diga 'Alô' em um tom que mostre como você está feliz por atender a chamada daquela pessoa." Ele explica que Andrew Carnegie aprendera, ainda garoto, que todo mundo considera seu próprio nome precioso, e então quando adulto "ganhou milhões usando essa mesma psicologia nos negócios", lembrando e utilizando os nomes de dezenas de contatos comerciais. Ele descreve como o presidente Calvin Coolidge elogiou a aparência de sua secretária antes de lhe dizer para ser mais cuidadosa na pontuação das cartas. "Seu método era um pouco óbvio, mas a psicologia era esplêndida", observa Dale Carnegie. "É sempre mais fácil escutar algo desagradável depois de ouvir um elogio a alguma de nossas qualidades." Ele louva Benjamin Franklin por sua técnica de pedir ajuda aos outros em algum assunto em que possam utilizar seus talentos ou conhecimentos. Contentes pelo reconhecimento de sua importância, eles ficariam ansiosos para ajudar de todas as formas. Nas palavras de Dale, "Ben Franklin está morto há 150 anos, mas a psicologia que usava, a psicologia de pedir um favor aos outros, continua funcionando".[435]

Enquanto ensinava como fazer amigos e influenciar pessoas, Dale frequentemente voltava-se para o "pensamento positivo", o movimento que chamara sua atenção pela primeira vez vinte anos antes. Ele continuava insistindo em que o poder da mente e a transformação desta eram a chave para se conseguir sucesso no mundo moderno. O pensamento positivo dá forma a diversas propostas importantes em *Como Fazer Amigos e Influenciar Pessoas*. O indivíduo ambicioso, aconselha o autor, pode moldar a imagem que apresenta aos outros através do poder da mente. "Você não tem vontade de sorrir? Quer saber o quê? Duas coisas; primeiro, force-se a sorrir. Se estiver sorrindo, force-se a assobiar ou cantarolar uma melodia. Aja como se já estivesse feliz, e isso fará você se sentir feliz", instrui Dale. "Todas as pessoas do mundo estão procurando felicidade – e existe uma maneira certeira de encontrá-la, que é controlando seus pensamentos." Pensamento positivo também pode ser usado para influenciar sutilmente o comportamento dos outros. Nas palavras de Dale, "se você quer melhorar uma pessoa em certo aspecto, aja como se aquela já fosse uma das características notáveis dessa pessoa… declare e dê como fato consumado que a pessoa possui a virtude que você quer que ela desenvolva. Atribua-lhe uma boa reputação, e ela fará esforços prodigiosos para mantê-la e não decepcionar você".[436]

A propensão ao pensamento positivo de Dale Carnegie era compartilhada por outras figuras culturais influentes dos anos 1930. Norman Vincent Peale adotou o pensamento positivo ao lançar sua carreira durante a Grande Depressão. Chamado para se tornar ministro da influente Igreja Metodista Marble Collegiate em Nova York, ele juntou forças com o psicólogo dr. Smiley Blanton no estabelecimento de uma clínica terapêutica. Essa empreitada pastoral, que combinava aconselhamento psicológico com orientação religiosa cristã, contava com uma equipe de psicólogos e psiquiatras que promovia uma pauta chamada por eles próprios de "religiosa-psiquiátrica". Mais tarde conhecida como Fundação Americana para Religião e Psiquiatria, essa instituição forneceu a base da mensagem de Peale em *O Poder do Pensamento Positivo* (1952), o best-seller que se tornou o alicerce de seu império religioso no pós-guerra.[437]

Entre os escritores de aconselhamento, Napoleon Hill conquistou um grande público com uma versão bastante etérea do pensamento positivo em seu livro popular *Quem Pensa Enriquece* (1937). Esse apóstolo do poder da mente sustentava que uma atitude mental positiva levaria, automaticamente, e ainda que misteriosamente, à acumulação de riqueza. "Qualquer coisa que a mente possa conceber e acreditar, a mente realizará", insistia ele. "As riquezas começam com um estado mental, com definição de propósito, com pouco ou nenhum trabalho árduo." Quem busca o sucesso precisa de uma transformação mental, de acordo com Hill, e ele oferece aos leitores "seis passos para estimular a mente subconsciente", que incluem o estabelecimento da quantia exata de dinheiro que a pessoa deseja acumular e a repetição dessa quantia para si mesmo "uma vez antes de se recolher, à noite, e outra ao se levantar pela manhã". Foi Dale Carnegie, contudo, ao adotar conceitos em circulação na cultura dos anos 1930, que criou a versão mais dinâmica e prática do sucesso através do poder da mente.[438]

Dale também se baseou na psicologia do ajustamento ao formular seus princípios em *Como Fazer Amigos*. Na década de 1930, uma série de teóricos de psicologia afastou-se da ênfase freudiana no *self* oculto para estudar as relações do indivíduo com a sociedade – que estaria na origem das questões psicológicas. Frequentemente chamados de neofreudianos, esses pensadores tiravam a ênfase dos impulsos poderosos do inconsciente, destacando as relações interpessoais e a luta do indivíduo para se ajustar a exigências sociais como fatores fundamentais na formação do comportamento e da felicidade humanos. De muitas maneiras, eles acompanhavam o pensamento de Alfred Adler, o famoso psicoterapeuta que rompera com Freud, seu parceiro de trabalho, nos anos 1910. Adler insistia que o ambiente social era tão importante para a psicologia humana quanto o ambiente interno, e começou a explorar noções de desenvolvimento de personalidade que descreveu em livros como *The Neurotic Constitution* (A constituição neurótica, 1912), *The Practice and Theory of Individual Psychology* (Prática e teoria da psicologia do indivíduo, 1927) e *What Life Should Mean to You* (O que a vida significa para você, 1931). Nessas obras, ele foca no complexo de inferioridade (principalmente nas tentativas de compensá-lo) e na importância psicológica das interações do indivíduo com grupos na comunidade mais ampla: família, amigos, colegas de trabalho, a própria sociedade.[439]

Na década de 1930, vários neofreudianos americanos teorizavam a partir da base adleriana. Karen Horney destaca-se nesse grupo. Imigrante alemã, ela formou-se em medicina na Universidade Humboldt de Berlim, em 1911, desenvolveu interesse pela psicanálise e entrou para o Instituto Psicanalítico de Berlim em 1918. Emigrando para os Estados Unidos em 1932, ela primeiro aceitou uma posição em Chicago e depois se mudou para o Instituto Psicanalítico de Nova York. Ela também começou a lecionar na New School for Social Research em 1935, onde apresentou uma série popular de palestras intitulada "Cultura e

Neurose". Seu impacto aumentou consideravelmente com a publicação de dois livros: *The Neurotic Personality of Our Time* (A personalidade neurótica de nosso tempo, 1937) *e New Ways in Psychoanalysis* (Novos caminhos na psicanálise, 1939).[440]

Horney distanciou-se da ortodoxia freudiana de duas maneiras cruciais. Primeiro, ela rejeitou o viés masculino da psicanálise tradicional e insistiu em que as mulheres seguiam seu próprio modelo de desenvolvimento mental. Segundo, e de modo mais amplo, ela defendia que "fatores sociais e culturais, não as experiências 'biológicas' uniformes da primeira infância, como o Complexo de Édipo e outros 'estágios' do desenvolvimento psicossexual, eram cruciais à formação de neuroses" como descreveu um estudioso. Horney acreditava que a necessidade de afeto do indivíduo frequentemente entrava em confronto com fatores hostis culturais e sociais, criando assim ansiedade, insegurança e, por fim, neurose. Mas a cultura também fornecia oportunidades para se receber cordialidade, segurança e admiração, que formavam um caminho para se fugir à ansiedade. Indivíduos bem ajustados a seu ambiente poderiam superar "a personalidade neurótica de nosso tempo".[441]

Harry Stack Sullivan elaborou outra versão americana da psicologia do ajustamento. Após se formar em Medicina pela Faculdade de Chicago de Medicina e Cirurgia, em 1917, começou a atender como psiquiatra. Nos anos 1930, ele se mudou para Nova York e começou a publicar artigos e trabalhos, sendo um dos fundadores do jornal *Psychiatry* e tornando-se chefe da Washington School of Psychiatry. Durante esse período, Sullivan desenvolveu laços profissionais com Horney e outros intelectuais de pensamento semelhante, em Nova York, e começou a se mover na direção neofreudiana.[442]

Sullivan emergiu, nas palavras de um observador, como "o fundador da psiquiatria das relações interpessoais". Ele defendia que fatores culturais – especialmente uma moralidade sexual rigorosa com raízes na religião – eram fonte de ansiedade e neuroses na América moderna. O remédio estaria na melhora das relações interpessoais, o que ajudaria o indivíduo a se adaptar às exigências da paternidade, às normas sociais e expectativas culturais. O neurótico poderia ser colocado no caminho da recuperação, inicialmente, por um psicoterapeuta especializado que o ajudaria a compreender seus problemas, trabalhar o autodomínio e construir a autoestima. A terapia concentrava-se em ajudar o indivíduo a se adaptar a seu grupo e encontrar um lugar seguro e acolhedor dentro dele. "Parece fora de discussão", escreveu Sullivan, "que há uma melhora de personalidade quando alguém abandona psicoses óbvias e mostra uma habilidade considerável de viver dentro do seu ambiente." Ajustamento a condições sociais e culturais promoveriam "autoestima", um termo cunhado por Sullivan que se tornaria onipresente na cultura americana moderna.[443]

Neofreudianos (ou mais precisamente, talvez, neoadlerianos) como Horney e Sullivan moldaram, nos anos 1930, uma atmosfera intelectual em que a psicologia das relações interpessoais, o desenvolvimento de personalidade com raízes na sociedade, mecanismos de ajustamento e autoestima assumiram uma posição central. Horney e Sullivan enfatizavam, nas palavras de um observador, "as técnicas com as quais um indivíduo poderia se adaptar melhor a seu ambiente, os canais através dos quais comportamentos excêntricos ou anormais poderiam fluir para padrões de comportamento mais controláveis". Essa posição também recebeu o reforço de outras posturas intelectuais. Proponentes da "psicologia do ego", como Heinz Hartmann, apresentavam o ego como fator mais eminente no desenvolvimento da personalidade: um agente racional poderoso e resiliente com a "capacidade de adaptar e, portanto, dominar o mundo exterior". A escola de antropologia de "cultura e personalidade" também apoiou essa linha através de figuras como Ruth Benedict. "A história de vida do indivíduo é, em primeiro lugar, uma acomodação aos padrões e normas tradicionalmente transmitidos pela comunidade", escreveu ela em seu influente *Padrões de Cultura* (1934). "Desde o momento de seu nascimento, os costumes moldam suas experiências e seu comportamento." Psicólogos industriais como Elton Mayo instavam administradores corporativos a utilizar técnicas psicológicas para ajudar os trabalhadores a se reconciliar com as exigências da moderna organização industrial. Com a mesma ênfase no ajustamento às demandas sociais e expectativas culturais, todos esses argumentos se *alinhavam com a posição neofreudiana.*[444]

Mas é claro que Dale Carnegie não era um intelectual e não existem evidências de que houvesse lido Horney ou Sullivan, Hartmann, Benedict ou Mayo, embora tenha mergulhado no trabalho de Adler. Como sempre, contudo, ele foi notavelmente sensível a seu ambiente cultural e a psicologia do ajustamento estava no ar. Personificando a ligação entre teoria erudita e expressão popular, Dale dialogou com esse movimento através de Overstreet, Link e Payne, entre outros, e criou uma versão acessível dele em *Como Fazer Amigos e Influenciar Pessoas*. Psicólogo popular por excelência, ele misturou elementos da psicologia do ajustamento – adapte-se ao seu ambiente social, desenvolva relações interpessoais, aprimore suas habilidades particulares – a uma nova fórmula que prometia felicidade e sucesso a milhões de americanos.[445]

A psicologia do ajustamento forneceu muito da base para a recomendação de Dale de que os indivíduos deveriam melhorar sua personalidade. Ele cita a declaração de Adler de que "o indivíduo que não tem interesse em seus colegas humanos enfrenta as maiores dificuldades na vida". Ele exalta seu associado Link como uma inspiração aos que "desejam desenvolver uma personalidade mias agradável" para lidar com os outros. Dale transmite uma série de técnicas para moldar uma imagem pessoal atraente – sorria, tenha uma atitude positiva, interesse-se pelos interesses dos outros, seja um bom ouvinte – com origens na interação social. É óbvio que a personalidade exuberante de Dale Carnegie, que lhe permitiu se adequar à sociedade, fazer amigos, manobrar habilmente através de uma rede de exigências sociais e obter sucesso econômico, tinha origens no etos da psicologia do ajustamento da década de 1930.[446]

A psicologia do ajustamento também transmitia a visão de Dale a respeito daqueles sobre os quais o indivíduo batalhador agia: descobrindo o que queriam, atendendo suas necessidades, satisfazendo seus desejos e reforçando sua autoestima. Ele se voltou para o "livro luminar de Overstreet, *Influenciando o Comportamento Humano*", onde encontrou "o melhor conselho que se pode dar a quem deseja persuadir os outros, seja nos negócios, seja em casa, na escola, na política: primeiro, desperte no outro um desejo ardente. Quem conseguir fazer isso terá o mundo todo a seu lado. Quem não conseguir caminhará sozinho". Ele invoca o associado Arthur Gates, que declarou em seu *Educational Psychology* (Psicologia educacional): "A espécie humana deseja, universalmente, simpatia". Dale cita Sigmund Freud, John Dewey e William James a respeito do anseio humano de sentir importante, e conclui que "nós alimentamos o corpo de nossas crianças, nossos amigos e empregados; mas raramente alimentamos a autoestima deles. Nós lhes damos rosbife e batatas para que tenham energia; mas nos recusamos a pronunciar palavras gentis de admiração que ecoariam em suas lembranças por anos a fio como a música das estrelas matutinas".[447]

Todo esse panorama de necessidades e impulsos criou um processo de ajustamento psicológico que Dale rotulou de "relações humanas". Conviver bem com os outros, fazer amigos e influenciar pessoas exigia sensibilidade aos anseios psicológicos por autoestima e segurança pertinentes à escola Adler-Horney-Sullivan. *Como Fazer Amigos e Influenciar Pessoas* está recheado de conselhos com nuanças psicológicas em "Como Fazer as Pessoas Gostarem de Você Imediatamente", "Como Obter Cooperação", "Uma Maneira Rápida de Deixar Todos Felizes" e "A Fina Arte de Transformar Inimigos em Amigos". Dale adverte "nós gostamos de ser consultados sobre nossos desejos, nossas vontades, nossos pensamentos", e instruía: "deixe que a outra pessoa sinta que a ideia é dela". A psicologia popular das relações humanas de Dale Carnegie está resumida nesta sua lembrança sentimental de Tippy, seu cachorro durante a infância: "Você nunca leu um livro de psicologia, Tippy. Você não precisava disso", escreveu ele. "Você sabia, por algum instinto divino, que se pode conquistar mais amigos em dois meses mostrando-se genuinamente interessado nas pessoas do que em dois anos tentando fazer as pessoas se interessarem por você".[448]

Na análise final, no entanto, Dale mostra mais interesse em psicologia aplicada. Acima de tudo, ele queria a aplicação prática dos princípios psicológicos para ajudar quem buscava o sucesso a se adaptar à moderna vida burocrática, a manipulá-la e a prosperar. Assim, ele identificava a "resposta-sim" como técnica psicológica crucial para lidar eficazmente com as pessoas. O programa criado por Dale para elogiar, fortalecer e encorajar os outros tinha o objetivo de extrair deles uma resposta "acolhedora" e positiva. Como Overstreet defende em *Influenciando o Comportamento Humano* – citado extensamente por Dale –, o indivíduo que lida habilmente com os outros "consegue desde o início várias 'respostas-sim'. Ele estabelece, desse modo, colocar seus interlocutores na direção afirmativa... o organismo assume uma atitude aberta, acolhedora, que avança a conversa. Por isso, quanto maior o número de "sims" que conseguirmos induzir de início, tanto mais será provável que tenhamos sucesso em capturar atenção para nossa proposta". Aqueles que confrontam os outros e tentam influenciá-los através de discussões quase sempre falharão. Estes são, Dale escreveu, "psicologicamente estúpidos".[449]

A psicologia do ajustamento, popularizada no livro de Dale Carnegie e discutida nos altos círculos intelectuais pelos neofreudianos, ganhou, em última análise, muito de seu apelo popular devido ao trauma social e econômico dos anos 1930, que disseminou vergonha pessoal e culpa na classe média, criando assim um público receptivo a um etos psicológico de relações interpessoais, segurança, pertencimento e autoestima melhorada. Pode-se pensar nesse período como a "Era de Adler", sugeriu o historiador Warren I. Susman. "O esforço parece ser – tanto na psicologia popular quando nas escolas emergentes de análise profissional – encontrar alguma maneira de ajustamento individual, de superação da vergonha e do medo – talvez o 'complexo de inferioridade de Adler' – adotando-se um estilo de vida que permita à pessoa adequar-se, pertencer, identificar-se."[450]

As vendas crescentes de *Como Fazer Amigos e Influenciar Pessoas* indicavam que Dale tinha colocado o dedo na ferida psicológica da América durante os dolorosos dias da Grande Depressão. O encanto calmante da psicologia do ajustamento em seu livro atraiu milhões de leitores devastados pela ansiedade, que lutavam para sobreviver, financeira e emocionalmente. Mas as qualidades psicológicas de seu best-seller também tiveram impacto a longo prazo. Elas foram um fator essencial na criação da moderna cultura terapêutica da América.

Nos anos 1930, o Curso Dale Carnegie de Oratória Eficaz prometia uma experiência emocional desafiadora para seus participantes. Interações e críticas entre os colegas estudantes ajudariam no aprendizado da projeção para os outros de uma personalidade persuasiva. De acordo com um panfleto promocional, a Aula Onze, por exemplo, ajudaria os alunos a se enxergarem pelos olhos dos outros. "Quando chegar sua vez, você ficará em pé diante da plateia, mas não irá falar – só escutará enquanto os outros conversam sobre você e a impressão que causa neles. Eles irão elogiar seus pontos positivos e falar, com delicadeza, mas também com honestidade, das falhas que você precisa erradicar e como tornar sua personalidade mais atraente", explica o texto. "A todos será pedido que sejam absolutamente sinceros e revelem seus pensamentos mais íntimos a respeito de você."[451]

Resultados felizes aguardavam quem completasse a jornada, conforme atestavam diversos testemunhos de formados no Curso Carnegie. Durante toda a década de 1930, Dale promoveu encontros promocionais de seus cursos nos quais de quinze a vinte recém-formados desfilavam pelo palco assegurando como os princípios aprendidos haviam mudado suas vidas. "Seus discursos lembram as 'confissões' que os pecadores fazem nos festivais de renascença após serem salvos", relatou um jornal. Um testemunho típico veio de um vendedor de quarenta anos, chefe de família, que, em suas próprias palavras, estava "sofrendo de um complexo de inferioridade" que "devorava sua alma". Por temer lidar com os outros, ele costumava andar de um lado para outro diante de um escritório antes de conseguir reunir coragem suficiente para abrir a porta. De tão desanimado, o vendedor começou a pensar em trabalhar numa oficina. Mas depois de fazer o Curso Carnegie, "ele perdeu todo o medo de público e de indivíduos", sua renda começou a crescer e ele se tornou "um dos maiores vendedores de Nova York".[452]

Um jornalista do *The New Yorker* ouviu relatos semelhantes quando visitou um Curso Carnegie para fazer uma matéria em 1937. Foi pedido aos alunos que explicassem por que haviam se inscrito, o que revelou sentimentos de desajuste emocional. Um homem confessou que "quando fui para a faculdade algo terrível tomou conta de mim – um complexo de inferioridade. Eu ainda o tenho. Não posso ficar em meio a uma multidão sem me sentir intimidado". Outro aluno falou de forma semelhante: "Eu tenho um complexo de inferioridade terrível, de verdade, e quero superá-lo". Mais uma vez, de acordo com *The New Yorker*, formados no curso apareceram para prometer sucesso na superação desses obstáculos psicológicos. "O sr. Carnegie injeta coragem nos homens mais tímidos e introvertidos, de modo que estes acabam por realizar coisas que os surpreendem", afirmou um. Outro disse "não é exagero afirmar que este curso marcou um momento decisivo na minha vida".

Um aluno disse simplesmente que "Eu devo tudo o que considero sucesso na minha vida inteira aos ensinamentos de Dale Carnegie sobre relações humanas". Para um homem de meia-idade que leu *Como Fazer Amigos e Influenciar Pessoas* e depois fez o curso, o único arrependimento era ter conhecido esse programa tão tarde. "Se tivesse lido esse livro dez anos atrás, hoje eu estaria melhor mental, física e financeiramente."[453]

O processo emocional empregado no Curso Carnegie – confissão de vulnerabilidade, confronto de fraquezas, busca de crescimento emocional e aprimoramento pessoal – mostrava as marcas da nova mentalidade terapêutica que se formava na América moderna. Na sequência do antigo credo vitoriano de autocontrole rígido e caráter moral inflexível, os americanos modernos cada vez mais adotavam um novo sistema de valores dedicado à autorrealização emocional e a uma personalidade reluzente. E uma parte fundamental dessa nova orientação, como descreveu o historiador T. J. Jackson, era uma perspectiva que enfatizava "a autorrealização no mundo – um etos caracterizado por uma preocupação quase obsessiva com saúde psíquica e física definida em termos radicais".[454]

Várias preocupações predominavam nesse novo e poderoso paradigma cultural. Leituras psicologizadas da natureza humana levaram os indivíduos modernos a desenvolver uma "preocupação intensa com o *self*", como Christopher Lasch denominou essa tendência. Saúde mental, "o equivalente moderno da salvação", tornou-se o objetivo maior de terapeutas e conselheiros, que assumiam seus postos como novos guias para felicidade, paz de espírito e sucesso. Na verdade, a busca do bem-estar psicológico tornou-se um modo de vida, enquanto ideais de "crescimento pessoal" e "vida abundante" permeavam a cultura, influenciando tudo, da religião à criação dos filhos, do ensino ao casamento. Esse etos terapêutico deu origem a novidades como sessões de terapia, encontros de grupos, aconselhamento pessoal e livros de autoajuda que anunciavam a promessa de transformação pessoal. "A psicoterapia ficou direcionada, de maneira mais geral, à melhora total da vida", observou o historiador Richard Weiss. "De fato, a psicologia estava se transformando, de disciplina de estudo em modo de vida. Saúde, sempre o objetivo da terapia, começou a assumir um significado muito expandido."[455]

A nova mentalidade terapêutica apareceu com toda força em *Como Fazer Amigos e Influenciar Pessoas*. Dale apresenta os problemas humanos primariamente como psicológicos, e aconselha os leitores a se aproximar dos outros sem fazer julgamentos morais. "Em vez de condenar as pessoas, vamos tentar compreendê-las. Vamos tentar entender por que elas fazem o que fazem", aconselhou ele. "Como disse o dr. Johnson, 'nem Deus propõe que se julgue um homem antes do fim de seus dias'. Por que deveríamos fazê-lo eu e você?" Desenvolver sensibilidade para com os outros envolve um esforço para implantar certas atitudes na sua psique, sustenta Dale. "Mantenha-o na mesa à sua frente todos os dias. Releia-o com frequência", recomenda ele sobre seu livro. "Fique constantemente lembrando a si mesmo as ricas possibilidades de melhoria que ainda existem. Lembre-se de que o emprego desses princípios pode se tornar habitual e inconsciente apenas através de uma campanha vigorosa e constante de releitura e aplicação. Não existe outra forma." Ele até mesmo encoraja um treinamento mental para ajudar no processo de internalização da destreza psicológica: "Repita para você mesmo muitas vezes: 'Minha popularidade, felicidade e renda dependem, em grande medida, da minha habilidade em lidar com pessoas.'"[456]

As promessas animadoras de transformação pessoal feitas por Dale consolidavam a perspectiva terapêutica. Parecendo um terapeuta popular e folclórico, mas ainda assim inspirador, ele afirmava que seus métodos infalíveis para lidar com os outros "literalmente revolucionariam a vida de muitas pessoas". Orgulhosamente, ele citava alunos e leitores entusiasmados com as mudanças em sua vida, tanto econômicas quanto emocionais. "Eu percebo que sorrisos me trazem dólares, muitos dólares todos os dias", relatou um. "E essas coisas literalmente revolucionaram minha vida. Sou um homem totalmente diferente, mais feliz, mais rico, mais rico em amizades e felicidade – a única coisa que importa muito, afinal." Disse outro: "Tudo isso parece mágica". Para Dale, essas transformações pessoais eram o resultado inevitável dos ajustamentos psicológicos no trato com os outros. "Estou falando de um novo modo de vida", declara ele. "Deixe-me repetir. Estou falando de um novo modo de vida."[457]

Como resultado, observou Philip Rieff, essas formulações terapêuticas produziram o "homem psicológico" como o tipo ideal do individualismo moderno. "Conforme as culturas mudam, mudam também os tipos de personalidade que as sustentam", escreveu ele, e, no século XX, os "psicologizadores" criaram o indivíduo cujo principal compromisso é com o *self*. Ao contrário do "homem religioso", para quem a retidão moral e a salvação eram os objetivos finais, ou mesmo do "homem econômico", que buscava incansavelmente seus próprios interesses na corrida competitiva pelo lucro, o homem psicológico volta-se para dentro a fim de cultivar bem-estar psicológico e físico como essência da felicidade. Pregando o "evangelho da autorrealização", observou Rieff, "o homem psicológico constituiu sua própria e cuidadosa economia da vida interna. O homem psicológico não vive pelo ideal de poder nem pelo ideal de justiça, que confundiam seus ancestrais... O homem psicológico vive pelo ideal da introspecção – prática, experimental, que leva ao domínio de sua própria personalidade... o homem psicológico adotou o ideal de salvação através da manipulação autocontemplativa".[458]

O livro de Dale Carnegie, *Como Fazer Amigos e Influenciar Pessoas*, tornou-se um texto fundamental da cultura terapêutica moderna ao receber numerosas influências psicológicas no início do século XX. Esse grande popularizador disseminou valores psicológicos por todos os cantos da América de classe média a partir do fim de 1936, e, ao fazê-lo, emergiu como o pai do moderno movimento de autoajuda. Em seu rastro viria uma longa fila de discípulos do crescimento pessoal e de publicações sobre aprimoramento de cada um que se tornariam onipresentes em poucas décadas. Sob sua influência, o "homem psicológico" (e em breve a "mulher psicológica") se tornaria um objetivo cultural para o qual incontáveis cidadãos direcionariam seus esforços.

Apesar da vasta popularidade e influência de *Como Fazer Amigos e Influenciar Pessoas* enquanto guia para obter sucesso, manual de desenvolvimento de personalidade e relações humanas, e ainda um evento crucial no estabelecimento da cultura terapêutica moderna, nem todo mundo foi cativado pelo livro. Semanas após seu lançamento, a publicação provocou uma erupção de críticas e debates. Assim como sua popularidade, a polêmica a seu redor duraria décadas.

12. "Cada ato que você realizou foi porque queria algo"

Poucas semanas após sua publicação, no início de 1937, *Como Fazer Amigos e Influenciar Pessoas* alcançou o topo da lista de mais vendidos na categoria não ficção. Uma grande onda de aclamação e vendas imensas conduziu o livro ao ápice da popularidade, e testemunhos de seu impacto transformador de vidas começaram a aparecer. "Se eu não pudesse repor este livro, nunca o venderia, por preço nenhum. O valor de seu conteúdo é imensurável", escreveu um leitor encantado. "Nunca li nada que inspirasse tanto minha ambição. Vou lê-lo muitas vezes", afirmou outro. As vendas se mantiveram altas, e, ao longo dos dez anos seguintes, o livro teve mais de noventa reimpressões, vendendo milhões de exemplares.

Mas a aprovação da crítica ficava longe da aclamação popular. Muitos jornais, revistas e periódicos ignoraram o livro por completo, e aqueles que lhe deram alguma atenção fizeram resenhas mornas. "Você pode rir do conselho para fazer o outro se sentir importante... você pode debochar da teoria do 'homem sim', do tom meloso. Mas não se pode rir do fato de que as pessoas de quem mais gostamos, aquelas com quem temos prazer de passar nosso tempo, são aquelas que nos proporcionam a sensação calorosa de sermos reconhecidos por aquilo que pensamos ser", admitiu, com má vontade, um crítico. A maioria das resenhas foi muito mais dura. O jornal *The Nation* escarneceu de Dale por "ter nos dado o melhor resumo jamais escrito da ciência de abanar o rabo e lamber a mão". O *New York Times* substituiu o desdém por complacência, descrevendo o best-seller como um livro de autoajuda banal, que vendia esperança a um público patético de "milhões de desesperados que nunca conseguiram influenciar alguém, que gostariam de recomeçar a vida apesar de terem mais de 40 anos, que anseiam que alguém lhes diga que podem pensar por si mesmos, que vivem sozinhos e odeiam sua vida". *Como Fazer Amigos e Influenciar Pessoas* tornou-se um objeto de controvérsia quando os principais intelectuais rejeitaram seus princípios e condenaram suas estratégias de relações humanas.[459]

Dale não aceitou essas avaliações desdenhosas. Ele classificou esses críticos como elitistas que tinham inveja de seu apelo popular e eram insensíveis às demandas que as pessoas comuns enfrentavam em sua busca de sucesso no mundo real da competição nos negócios. Em 1938, ele foi ao Dutch Treat Club, em Nova York, onde o presidente, deselegante, o apresentou observando que muitos dos espectadores presentes eram contrários aos princípios de seu livro. Demonstrando tranquilidade, Dale fez uma apresentação encantadora. Em particular, contudo, ele descreveu aquele clube como uma reunião de "intelectuais que desdenharia qualquer livro popular... Quando um homem ataca um livro muito popular, isso lhe dá uma sensação de importância". Em outra oportunidade, quando um pastor famoso denunciou *Como Fazer Amigos* como "o livro mais imoral desta geração", Dale retrucou dizendo que esse ataque apenas dava ao agressor "uma oportunidade de conseguir um pouco das luzes para si".[460]

Na verdade, Dale frequentemente se debatia com certos aspectos ou implicações de sua filosofia. Conforme a polêmica com a crítica se desenrolava, as discussões revelavam diversas ambiguidades morais, sociais e políticas embutidas no livro. O autor, por exemplo, insistia para que os leitores não vissem suas recomendações como uma estratégia cínica para subir adulando os outros. Mas ele instruía: "Três quartos das pessoas que você encontrará amanhã estarão sedentas e famintas por simpatia. Dê-lhes isso e elas amarão você". Ele encoraja o leitor a "Fazer a outra pessoa se sentir importante – e faça-o com sinceridade", mas então o aconselha a promover seus próprios interesses tirando vantagem dessa maleabilidade nos outros. Em suas próprias palavras, "cada ato que você realizou desde o dia em que nasceu foi porque queria algo". Dale enfrentava o velho dilema da Ética Protestante – como equilibrar virtude e riqueza – e reagia com constrangimento. Ele gostava de declarar: "Não tenha a noção tola de que felicidade depende de dinheiro", mas garantia repetidas vezes aos leitores que seu livro melhoraria "a capacidade de faturamento" deles e produziria "vendas maiores" e "pagamentos maiores", recheando o texto com referências entusiasmadas a magnatas milionários.[461]

Essas questões geraram polêmica considerável. Conforme a controvérsia cercava *Como Fazer Amigos*, os críticos concentravam-se em diversos enigmas da filosofia de Dale Carnegie. Mesmo com o livro tomando o país de assalto, e suas vendas vertiginosas transformando seu autor em uma das pessoas mais famosas e influentes da nação, questões maiores surgiram quanto à veracidade do retrato que Dale fazia da América moderna e seu método para conseguir sucesso nela. Respostas fáceis se mostravam enganadoras.

Imitação é a forma mais sincera de elogio. Nunca esse velho ditado foi mais verdadeiro do que sete meses após a publicação de *Como Fazer Amigos e Influenciar Pessoas*, quando Irving Tressler apresentou uma paródia muito engraçada intitulada *Como Perder Amigos e Aborrecer Pessoas*. Virando do avesso o livro de Dale Carnegie, Tressler satirizou-o capítulo por capítulo, tema por tema, ilustração por ilustração, às vezes palavra por palavra. A revista *Time* brincou que aquele volume excêntrico era "o único livro, hoje, a contrabalançar a determinação dos anunciantes americanos de fazer todo mundo do país se tornar popular com todo o mundo".[462]

Tressler começa com uma dedicatória que debocha do pensamento positivo e desenvolto de Dale: "Este livro é dedicado a um homem que não precisa lê-lo: Adolf Hitler". Ele continua com uma introdução de "Thomas Lowell" intitulada "Um atalho para a indistinção", que relata a agitação envolvendo uma recente reunião fictícia em um hotel de Nova York a que centenas de pessoas foram para ouvir uma palestra de Irving K. Tressler, chefe do "Instituto de Relações Humanas até Certo Ponto e como Mantê-las Nesse Ponto". Essa reunião exemplificava como "o novo movimento se espalha hoje pelo país – um movimento para ajudar as pessoas a conquistar a privacidade e o isolamento que sempre desejaram para sua vida, sem que sejam incomodadas por 'amigos'". Os ensinamentos de Tressler estavam se tornando legendários, brincava a introdução. Ele ajudara milhares a aprender que "alguns de nós nascem com a capacidade de irritar os outros, mas a maioria não... o problema com a maioria de nós é que não falamos o suficiente. Nós deixamos o outro expressar suas opiniões e seus pontos de vista, o que lhe permite pensar que estamos interessados no que tem a dizer. Como resultado, temos 'amigos' que aparecem para nos cumprimentar, abordam-nos nas ruas para dizer algo que já sabemos sobre o tempo, convidam-nos para jantares aborrecidos". Esse grande professor considerava "perdido cada curso que não terminasse em uma pancadaria generalizada. Ele tem orgulho de hoje em dia não poder ir a lugar nenhum sem guarda-costas, orgulho porque milhares de seus alunos juraram 'pegar esse filho de uma ----!'"463

Tressler possuía uma experiência impressionante em jornalismo. Nascido em 1908 e formado pela Universidade de Wisconsin, ele trabalhara na sucursal do *Minneapolis Journal*, em Washington, no início dos anos 1930, antes de se tornar editor-assistente da revista *Life*. Como humorista e comentarista de assuntos sociais, Tressler contribuiu com muitos artigos para revistas como *Look, Scribner's, Coronet, Esquire, Mademoiselle e Parent's Magazine*. Ele escreveu diversos livros que castigaram as fraquezas americanas, entre eles *With Malice Toward All* (Com malícia contra todos, 1939), *Horse and Buggy Daze* (Entorpecimento na charrete, 1940) e *Readers Digest Very Little* (Seleções muito pequenas, 1941). Infelizmente, ele cometeria suicídio em 1944. Sofrendo de uma forma severa de epilepsia, que na época ainda era confundida com um tipo de doença mental, ele fora dispensado de vários empregos no mundo das revistas. Após vários psiquiatras se mostrarem incapazes de ajudá-lo a compreender ou curar seus surtos incontroláveis, ele caiu vítima da depressão e terminou com a vida.464

Em *Como Perder Amigos e Aborrecer Pessoas*, contudo, o talento satírico de Tressler está a pleno vapor. Ele debocha alegremente dos princípios, objetivos e estilo cultural de Dale Carnegie. "Este livro é resultado de anos de experiência em aborrecimento", declara ele de saída. "É o resultado de milhares de afirmações do tipo 'Nós sabemos que você está muito ocupado, então só vamos ficar um minutinho!'" Ele concordava com a suposição de Dale de que todo mundo queria se sentir importante, mas tirava uma conclusão diferente: "É esse sentimento de importância que deve ser retirado de cada pessoa que encontramos e não queremos nunca mais encontrar". Ele propõe uma versão distorcida de relações humanas: "Seja sincero com sua acidez e pródigo com seu desprezo. Se o fizer, as pessoas se lembrarão de suas palavras – por muito tempo após pararem de falar com você." Crítico jovial, ainda que cáustico, de tudo que Dale apresentava, ele desenvolvia uma estratégia para destruir amizades em capítulos intitulados "Sempre Transforme uma Conversa em Discussão", "Como Fazer as Pessoas Detestarem Você Imediatamente" e "Como Desencorajar Convidados de Se Hospedarem em Sua Casa".[465]

Outros críticos evitaram piadas e deboche, mas acompanharam o ataque de Tressler a *Como Fazer Amigos* por seus princípios de conduta humana. Os alvos estavam lá. Por trás do estilo animado e baseado em casos, com recomendações entusiasmadas para alcançar o sucesso, havia diversas questões preocupantes que tornavam o livro um guia complicado, potencialmente traiçoeiro, para o comportamento social no mundo moderno. A questão da sinceridade era uma das preocupações.

Um tema central do best-seller de Dale era, claro, a mensagem de apreciação e sinceridade. Ele instruía repetidamente seus leitores a "apreciar honesta e sinceramente. Seja 'sincero na sua aprovação e pródigo no seu elogio', e as pessoas prezarão suas palavras, guardando-as e repetindo-as durante toda a vida". Desenvolver sensibilidade em relação às preocupações de conhecidos e colegas – deixar a pessoa saber que "você reconhece a importância dela em seu pequeno mundo, e reconhece com sinceridade" – assume o papel de mantra em todo o texto. Mas Dale sugere sutilmente que o objetivo real dessa preocupação é fazer os outros agirem em seu benefício. Em padrão quase simétrico, instruções sobre como tornar os outros receptivos às suas necessidades aparecem ao lado de apelos à sensibilidade. Em outras palavras, um cálculo frio parece, com frequência, ser a força por trás da empatia. "Amanhã você poderá querer persuadir alguém a fazer algo. Antes de falar, pare e pergunte-se: Como posso fazê-lo querer isso?", observa Dale a certa altura. Em outra, ele comenta que, "se um vendedor nos mostrar como seu serviço ou produto pode nos ajudar a resolver nossos problemas, ele não precisará vendê-lo. Nós iremos comprá-lo."[466]

De fato, Dale Carnegie às vezes demonstra um cinismo claro a respeito das relações humanas em *Como Fazer Amigos*. Enquanto explica como se tornar bom em conversas, estimulando os outros a falarem de si mesmos, ele conta uma experiência sua em uma festa. Após conversar sobre viagens com uma mulher, a quem ouviu atentamente, ele conclui acidamente que "tudo que ela desejava era um ouvinte interessado, para que pudesse dar expressão ao seu 'ego' e falar sobre os lugares em que estivera". Ao estimular o leitor homem a melhorar sua vida em casa através de elogios à esposa, a seu estilo de se vestir e à demonstração de apreço por sua comida e pela organização do lar, ele entrega o jogo ao advertir: "Não comece muito de repente – ou ela ficará desconfiada". Dale frequentemente endossa um método de, estrategicamente, perder em questões pequenas para ganhar nas grandes: "Deixemos nossos clientes, namoradas, maridos e esposas ganharem as pequenas discussões que surgirem", A aceitação de outros pontos de vista não seria um exercício de humildade, mas um artifício para conseguir uma vantagem ao fazer os outros se sentirem superiores. "Eu parei de dizer às pessoas que estão erradas", escreveu ele. "E descobri que vale a pena." Na visão de Dale sobre a sociedade, cada indivíduo tem dois motivos para realizar uma ação, "uma que parece boa e outra que é real". Ainda que saibamos, dentro de nós, qual a razão real de nossas ações, nós "gostamos de pensar em motivos que soem bem".[467]

Dale até admitiu que seu princípio central – fazer os outros se sentirem importantes – era, no fundo, uma tática de superioridade emocional. Após contar como elogiou a aparência de uma pessoa, fazendo-a se sentir bem, ele explicou que a manobra o deixou em uma posição superior: "Fiquei com a sensação de que fiz algo por ela sem que esta pudesse me retribuir de algum modo. Esse é um sentimento que reluz e ecoa em nossa memória muito tempo depois que o fato se passou". Ele relata outro episódio de como um erro em seu programa de rádio provocou uma repreensão incendiária da organização de mulheres Damas Coloniais. Embora revoltado com a grosseria da responsável, ele controlou as emoções, ligou para ela, admitiu seu erro imperdoável, agradeceu-lhe abundantemente por apontá-lo e pediu seu perdão. Logo era ela que estava se desculpando por sua rudeza e elogiando a elegância dele. "Tive a satisfação de controlar meu temperamento, a satisfação de responder um insulto com delicadeza", conta ele, convencido, seu artifício. "Eu me diverti muito mais fazendo que ela gostasse de mim do que se tivesse lhe dito para se jogar no rio Schuylkill".[468]

O tratamento ambíguo que Dale dá à sinceridade fez com que muitos críticos acusassem *Como Fazer Amigos* de ser um guia para a manipulação dos outros de forma cínica e em interesse próprio. Em uma avaliação contundente, o dr. John Haynes Holmes, pastor da Igreja Comunitária de Nova York, atacou os princípios de Dale Carnegie como "deboches à amizade, insultos à virtude e conspirações de escárnio pela humanidade". Ele resumiu a estratégia do livro como "jogue com as fraquezas dos seus amigos e conseguirá controlá-los... Ele nos diz que as pessoas querem apenas duas coisas – elogios e sentimento de importância. Portanto, ele diz, dê-lhes elogios. Elas querem isso, então, use à vontade. A partir daí, você poderá fazer o que quiser com elas. O que poderia ser mais simples?". Holmes conclui, com desprezo, que "o pensamento de que alguém deva adular, lisonjear e mentir para ganhar um amigo é desonroso".[469]

Outros expressaram reclamações semelhantes. "Existe um cinismo sutil, claro, em orientações que se apoiam em adular o egotismo do outro", observou um crítico do *The New York Times*. Ele lamentava que Dale Carnegie tivesse substituído conteúdo por aparência com sua noção de que "o cultivo superficial de 'personalidade' pode tomar o lugar de – ou mesmo ser mais importante que – uma base sólida de conhecimento, inteligência e capacidade". No *New York Daily News*, Doris Blake argumentava que Dale estava ensinando as pessoas a "vender uma lista de mercadorias... fosse um batedor de ovos fosse uma propriedade", com instruções para "esgueirar-se para cima da vítima proferindo um tributo à sua importância no mundo". Um crítico do *Paterson Morning Call*, jornal de Nova Jersey, avisava que o livro defendia "a aplicação constante de um tipo genérico de adulação". Mas a repressão das diferenças de opinião cria uma atmosfera tóxica de desonestidade nas relações sociais. "Acredito que existam momentos em que se deve rugir, mostrar os dentes e seguir em frente... Quando ouço um homem defendendo ruidosamente todas essas filosofias que me parecem vazias e absurdas, cedo ou tarde terei que dar minha opinião", escreveu ele. "Sou a favor do homem que fala o que pensa quando é o momento de ele dizer o que pensa, e que os queixos caíam e as sobrancelhas se levantem, se for o caso."[470]

James Thurber, escritor e humorista popular, focou na questão da sinceridade em uma crítica publicada no *Saturday Review of Literature*. Notando a profunda ambivalência do autor quanto à questão crucial da admiração genuína pelos outros em oposição ao uso de elogios para conseguir manipulá-los, Thurber decidiu que a manipulação superava a autenticidade no livro. "O sr. Carnegie brada que alguém pode ser sincero e ao mesmo tempo usar truques para influenciar pessoas", escreveu ele. "Infelizmente, as falsidades em seu conjunto de regras e suas histórias assustam como fantasmas em um banquete." A insistência apaixonada de Dale na ideia de que não estava estimulando as pessoas a levar vantagem sobre os outros – "Que vantagem eu estava tentando tirar dele!!!, explodiu, exasperado, a certa altura – não demoveram Thurber de sua conclusão, que terminou mordazmente: "pontos de exclamação, mesmo três em sequência, não transmitem com sucesso a sinceridade nem a intensidade do sentimento".[471]

Ataques a Dale por promover uma ética de fraude social também apareceram em locais privados. Em carta ao popular escritor, W. W. Woodruff, de Chattanooga, Tennessee, condenou *Como Fazer Amigos* como reflexo da mesma "filosofia da desonestidade" que tomara conta da indústria da propaganda e do Direito. A noção de usar as fraquezas das pessoas e adular seu senso de importância era o tipo de trapaça que "está refletido em todo o seu esquema de influenciar pessoas... Não precisamos inflar o egotismo pessoal; este precisa ser murchado. Não precisamos de homens de negócios 'espertos'; precisamos de homens honestos, com fibra e noção de humanidade e responsabilidade". Esse moralista da velha guarda, bastante ranzinza, aconselhou Dale a, no futuro, "usar seus talentos para influenciar as pessoas contra desonestidade intelectual, e não estimulá-la... e ajudar a derrotar essa torrente de veneno infeccioso [que flui] nas veias intelectuais da nossa nação".[472]

Para alguns comentaristas, o entendimento de Dale a respeito de sinceridade provocava humor surrealista. Eles imaginavam uma cena bizarra em que acólitos de *Como Fazer Amigos* se reúnem em uma cacofonia de elogios mútuos em que a apreciação de todos por todos, no final, se autocancelaria. No mundo de Dale, escreveu o colunista Heywood Broun, o bom vendedor nunca fala de si mesmo, e o bom consumidor destaca as virtudes do vendedor, de modo que "a coisa toda sai como se cada um tivesse falado normalmente de si próprio". De modo semelhante, o *New York World* Telegram questionou o valor de um encontro entre dois discípulos fervorosos, no qual "as duas pessoas ficam concordando uma com a outra, parabenizando-se e insistindo uma que a outra fale sobre si".[473]

Em muitos aspectos, contudo, a ética Carnegie não era brincadeira. O medo de trapaça ficava especialmente intenso quando ele estimulava o uso de manipulação psicológica até mesmo no mais íntimo dos relacionamentos. A seção final de *Como Fazer Amigos* fornecia a seus leitores uma fórmula para tranquilidade doméstica. Eram conselhos clássicos de Dale, mas deixavam um gosto amargo. Ele dizia às leitoras que se tornassem adeptas da "arte de manejar os homens", e a primeira regra desta era perceber que os homens "não procuram executivas, mas alguém com encanto e disposição para adular sua vaidade e fazê-los se sentir superiores". O ideal não era a mulher trabalhadora, que deseja falar de filosofia e insiste em pagar suas próprias contas, pois "ela almoça sozinha". Ao contrário, os homens preferem a companhia da "datilógrafa sem faculdade [que], convidada para o almoço, fixa um olhar incandescente em seu acompanhante e diz, ternamente, 'Agora fale mais de você'."[474]

Da mesma forma, Dale instrui os maridos a elogiarem constantemente a esposa a respeito de como cuida da casa, sua aparência atraente e como sabe se vestir bem. Ele argumenta que as mulheres fornecem aos homens, ou pelo menos àqueles que prestam atenção, "um manual completo de como trabalhá-las". "Todo homem sabe que pode adular sua mulher para que ela faça qualquer coisa, e sem muita coisa. Ele sabe que, se lhe fizer alguns elogios baratos sobre a administradora maravilhosa que ela é, o quanto ela o ajuda, ela irá economizar cada moeda", sustenta ele. "Todo homem sabe que pode beijar sua mulher até deixá-la cega como um morcego, e que só precisa de um beijo rápido nos lábios para deixá-la boba como uma ostra."[475]

Nos dois casos, o problema era menos o sexismo – para sermos justos, nos anos 1930 uma diminuta minoria dos homens não acreditava na inata superioridade masculina – do que a manipulação. As imagens propostas por Dale – uma mulher aproximando-se do homem armada de "olhares incandescentes" e técnicas para "adular sua vaidade", e um homem fazendo elogios baratos a sua mulher e dando-lhe alguns beijos para deixá-la "boba como uma ostra" – formam um quadro inquietante de amor e relacionamentos pessoais. Tato, afeto e apreciação são uma coisa; técnicas para como "trabalhar" seu cônjuge são algo muito diferente.

Talvez a implicação mais inquietante da ética da sinceridade de Dale, contudo, diga respeito à pessoa que está buscando o sucesso. Suspeitas de manipulação dos outros – colegas, empregados, amigos e até cônjuges – acabaram tendo efeito contrário e levantando questões quanto à manipulação. *Como Fazer Amigos* parece defender um programa em que o indivíduo constantemente se reconstrói naquilo que ele imagina que os outros querem ver. De acordo com Dale, a pessoa sensível, introspectiva, põe e tira uma série de máscaras que lhe permitem promover seus próprios interesses de acordo com as exigências específicas de qualquer situação. Ela se controla com rigor, além de saber ler as fraquezas dos outros, no interesse do que Dale chamou de "engenharia humana". Esse tipo de manipulação propõe o desempenho de um papel, se necessário, para obter o resultado desejado.[476]

O plano de Dale para formatação de si mesmo também explica como tornar-se atraente para os outros de modo consciente e deliberado. Sempre que enfrentar um problema em relações humanas, recomenda ele, "hesite em fazer a coisa natural, a coisa impulsiva... Essa atitude é, normalmente, errada. Em vez disso, volte-se para estas páginas e... experimente, então, este novo caminho e deixe-o fazer a mágica por você". Ele elogia um formado no Curso Carnegie que dedicava toda noite de sábado ao "processo iluminador de autoexame, análise e elogio", quando "pensava em todas as conversas, discussões e reuniões que haviam ocorrido durante a semana. Ele se pergunta 'Que erros eu cometi nessa ocasião?', 'O que eu fiz de correto, e de que maneira posso melhorar meu desempenho?'". A engenharia do *self* de Dale construiu um modelo de individualismo moderno composto inteiramente de imagens em série, sem crenças ou compromissos fortes, sem padrões morais firmes, sem autenticidade nem raízes. *O self* consistiria apenas de uma personalidade maleável para agradar os outros e progredir social e economicamente.[477]

De certa forma, Dale reconhecia que sua filosofia de sinceridade era a pedra angular de todo o seu programa, e quando questionado reagia defensivamente. Em *Como Fazer Amigos* ele reconhece que "Alguns leitores estão dizendo agora mesmo, enquanto leem estas linhas: 'Bajulação! Já tentei isso. Não funciona, não com pessoas inteligentes'". Ele continua: "É claro que bajulação raramente funciona com quem tem discernimento. É algo raso, egoísta, falso... A diferença entre apreciação e bajulação? É simples, uma é sincera e a outra é falsa. Uma vem do coração, a outra da boca para fora". Ele declara, indignado, que "Os princípios ensinados neste livro só funcionarão quando vierem do coração. Não estou defendendo um conjunto de truques. Estou falando de um novo modo de vida."[478]

De fato, Dale podia ficar emotivo ao responder a acusações de hipocrisia. Ao responder a um desses críticos, ele explodiu: "Não! Não! Não! Não estou sugerindo bajulação! Longe disso. Estou falando de um novo modo de vida. Vou repetir: Estou falando de um novo modo de vida". Ele contou um incidente em que um ouvinte reagiu à sua proposta de fazer a outra pessoa se sentir importante perguntando o que ele esperava tirar dessa pessoa. "O que estou tentando tirar dela!!! O que estou tentando tirar dela!!!", Dale explodiu. "Se formos tão desprezivelmente egoístas a ponto de não poder irradiar um pouco de felicidade e transmitir um bocadinho de apreciação honesta sem querer tirar algo do outro – se nossa alma não é maior que uma maçã azeda, vamos obter apenas o fracasso que tanto merecemos". Essas explosões revelavam que ele reconhecia a seriedade do problema.[479]

Apesar de todos esses veementes protestos, contudo, Dale Carnegie era menos idealista do que normalmente admitia em público. Ao conduzir uma sessão de perguntas e respostas para instrutores do seu curso, em 1938, perguntaram-lhe o que fazer se um aluno aplicasse seus princípios com falsidade. A resposta de Dale transmitiu um pragmatismo que beirava o cinismo. "Bem, em primeiro lugar, não vamos moralizar", disse ele. "Vamos encarar isso com praticidade. Na verdade, às vezes eu digo ao meu público que podemos chamar essa palestra de 'O que você quer e como conseguir'. Tudo que me interessa é o que você quer e a melhor maneira de conseguir o que você quer. A falsidade conseguirá isso?... Se a falsidade pode conseguir, usemos a falsidade". Quando outro instrutor perguntou a respeito de um aluno que preferia ser verdadeiro a mostrar tato, Dale respondeu de forma semelhante. "O que funcionar melhor – use!", declarou ele. "Ah, é claro que de vez em quando devemos falar a verdade às pessoas... Mas tudo que estou dizendo é isto: vamos fazê-lo de modo a conseguirmos os resultados que queremos, em vez de obtermos o oposto do que desejamos". Em outras palavras, Dale via sucesso e progresso como muito mais importantes do que a sinceridade para alcançar esses objetivos.[480]

Em última análise, as estratégias de *Como Fazer Amigos* provocavam velhos temores quanto a um legendário contraventor da cultura americana: o vigarista. Este, que apareceu com a revolução de mercado na América do início do século XIX, era uma figura charmosa, articulada, calculista, que assumia qualquer aparência, contava qualquer história e quebrava qualquer regra para separar as pessoas de seu dinheiro e assim ganhar sua vida. Ele empregava truques, trapaças e falsidade em busca de seu grande golpe. James Fenimore Cooper descreveu o surgimento do vigarista como "a era de Dodge e Bragg", em seu romance *Home as Found* (Como está meu lar). P. T. Barnum tinha incorporado muitos dos ardis de vigarista à sua carreira de artista, enquanto Herman Melville fez dele um americano típico em seu livro *The Confidence-Man: His Masquerade* (O vigarista: seus disfarces). Mark Twain, memoravelmente, satirizou o vigarista em seu romance *The Gilded Age* (A era dourada) através do personagem do Coronel Sellers.[481]

Muitos críticos viam Dale como a manifestação moderna dessa figura, que naquele momento operava abertamente na sociedade como uma espécie de ideal, em vez de escondido nas sombras como um vilão. Nas palavras de Sinclair Lewis, Dale, usando sinceridade como artimanha, alcançara a fama "dizendo às pessoas como sorrir, balançar a cabeça e fingir interesse nas atividades dos outros exatamente para conseguir arrancar coisas delas".[482]

Dale Carnegie temia essa imagem e fez o melhor para evitá-la. Ainda em 1915, em seu primeiro livro, *The Art of Public Speaking*, ele relata ter visto um "falsário" vendendo um tônico capilar mágico na rua. Ele condena a informação falsa passada pelo trapaceiro, mas ficou admirado com o impacto de seus "maravilhosos e persuasivos poderes de entusiasmar" os clientes que lhe entregaram seu dinheiro. Persuasão era uma ferramenta poderosa, ele refletiu, mas devemos ter cuidado: "O problema é como usá-la honestamente – usá-la desonesta e enganosamente... é assumir a terrível responsabilidade que recairá sobre quem promove o erro". Vinte anos depois, ele enfrentava o mesmo dilema. Em entrevista de 1937, Dale manifestou preocupação quanto a algumas pessoas usarem seu livro inadequadamente. "Suponho que muita gente lê meu livro e diz para si mesma 'este é um modo novo de enganar as pessoas'", refletiu ele. "É claro que um leitor pode ter algum sucesso se adotar essa atitude – as cartas que recebi provam isso –, mas, minha nossa, essa não foi minha ideia ao escrever o livro." No entanto, as explicações indignadas de Dale não tranquilizavam ninguém. Para alguns, seu livro representava um mundo assustador em que padrões de moral e caráter autêntico haviam desaparecido, em que as pessoas estavam indefesas diante dos recursos encantadores dos discípulos de relações humanas.[483]

As tentativas nervosas de medir sinceridade e receio quanto à reaparição do vigarista constituíam apenas uma das questões polêmicas relativas a *Como Fazer Amigos e Influenciar Pessoas*. Outra estava na definição do objetivo real do programa Carnegie.

O medo de uma moralidade social em colapso introduzia a preocupação com outra questão problemática no livro popular de Dale Carnegie. Alguns o acusavam de ter um objetivo central questionável: a busca desenfreada de riqueza material. Desde o início do século XX o crescimento da economia de consumo tornara a abundância material e a segurança da classe média características definidoras do Modo Americano de Vida. Na década de 1920, contudo, apareceram detratores do conforto da classe média, como Sinclair Lewis, cujo romance *Babbitt* ridiculariza a banalidade de uma vida definida por materialismo vazio, ufanismo empresarial, reuniões frívolas, vendedores articulados e jingles de publicidade. Então, a Depressão acabou com a prosperidade em grandes faixas das classes média e trabalhadora. Assim, a visão do consumidor de uma vida boa permaneceu forte em alguns, ilusória para outros e indesejável para alguns. *Como Fazer Amigos e Influenciar Pessoas*, na visão de muitos analistas, entrou desajeitadamente no meio dessa discussão com seu apoio descarado à posse material como padrão americano de valor e realização.

Como Perder Amigos e Aborrecer Pessoas, de Irving Tressler, por exemplo, tem um subtexto de crítica social por baixo das piadas e dos comentários espirituosos. Sua sátira exibia impaciência com os lugares-comuns dos ufanistas empresariais, os chavões religiosos da classe média e a falta de sofisticação intelectual dos comerciantes. Tressler debochava dos ídolos de Dale, afirmando que "tanto Rockefeller quanto Dillinger queriam dinheiro e a sensação de que eram alguém. A diferença principal entre eles é que Rockefeller não usava uma arma". Parodiando o hábito de Dale glorificar certos itens de consumo, Tressler ironicamente sugere que ignorar marcas de produtos era um atalho para quem desejava aborrecer pessoas. "Livre-se das pessoas jogando fora seu creme dental Pepsodent e deixando aquele filme amarelo e feio em seus dentes, o que é repulsivo", debocha ele. "Desencoraje visitas futuras de hóspedes que querem dormir na sua casa negando-lhes o descanso indutor de sono dos Lençóis Pequot ou a cordialidade absorvente das Toalhas Cannon."[484]

Tressler caçoa do consumismo confortável da América engravatada, recomendando estratégias absurdas para solapar sua respeitabilidade social. Ele aconselha os leitores prósperos a usarem o campo de golfe como lugar "para cortar pelas raízes as amizades novas" dando aos clientes bolas de golfe viciadas, que voam erraticamente, ou tacos que se quebram ao serem tocados. Para o colega de trabalho orgulhoso pelo carro novo, ele recomenda empregar o "Auto Whiz Bang", para que o feliz proprietário do automóvel, ao dar a partida, produza um silvo ensurdecedor seguido por um estouro tremendo e uma densa nuvem de fumaça escura que sairá do capô. A quem se muda para um lindo subúrbio, Tressler oferece um método infalível para aborrecer vizinhos: "Comente como as condições das ruas são terríveis, e como as casas e jardins parecem descuidados" comparados com sua última residência. Finalmente, quando o pastor da paróquia local aparecer para lhe dar as boas-vindas, Tressler recomenda que o leitor o receba de quatro, latindo como um cachorro e explicando que é discípulo do "Movimento da Cachorrada", que está tomando o país em homenagem a nossos ancestrais primordiais. Em outras palavras, *Como Perder Amigos e Aborrecer Pessoas*, à maneira de H. L. Mencken, fazia do deboche à banal *"booboisie"** americana um violento esporte cultural.[485]

Sinclair Lewis foi um crítico mordaz das fórmulas de Dale Carnegie. Em duas colunas escritas para a *Newsweek*, em 1937, ele descreve sarcasticamente *Como Fazer Amigos* como "o novo *A Origem das Espécies*, uma Bíblia simplificada", que procurava realizar "a missão de tornar as Grandes Corporações seguras para Deus e vice-versa". Lewis debocha da propensão de Dale ao pensamento positivo como "o sorriso que conquista". O romancista escarnece da afirmação de Dale de que no mundo literário, "se o autor não gostar das pessoas, elas não gostarão de suas histórias", observando, sarcástico, que "isso explica por que Tolstói, Flaubert, Sam Butler e Dean Swift foram, se comparados ao dr. Carnegie, tão ignorados". Lewis deplora a adoração que Dale fazia pela riqueza, observando que em seu livro "a expressão mágica 'milhão de dólares' é usada da mesma forma que volumes inspiradores mais antigos e menos frívolos empregavam palavras como Austeridade, Nobreza, Fé e Honra".[486]

Lewis chamou Dale, com desprezo, de "Bardo de Babbittry". Assim como George Babbitt, famoso protagonista do romance de 1922 de Lewis, Dale promovia sem hesitação uma vida estreita de conquista material e conformidade social, uma vida definida por "casais invejosos dos automóveis de seus amigos". Lewis voltou-se para Henry David Thoreau, o famoso escritor transcendentalista, em busca de um ideal mais nobre. Quando seus vizinhos em Concord criticaram Thoreau por sua experiência de uma vida simples no lago Walden, ele respondeu: "É bastante evidente a vida mesquinha e covarde que muitos de vocês têm... mentindo, bajulando, retraindo-se em uma casca de civilidade ou dilatando-se em uma atmosfera tênue e vaporosa de generosidade

---

* *Booboisie boobs* (bobos) + *burgeoisie* (burguesia): termo cunhado por Mencken, em 1922, para criticar a classe média americana e suas tendências religiosas, consumistas e moralizantes.

para que consigam persuadir seu vizinho a deixá-los fazer sua camisa ou seu chapéu". Aos olhos de Lewis, Thoreau, e não Dale, com seus lugares-comuns e suas fraudes, merecia ser honrado como "capitão da liberdade americana".[487]

Dale forneceu muito combustível para essas críticas em *Como Fazer Amigos*. É certo que ele falou da importância da felicidade e de bons relacionamentos com os outros como intrinsecamente valiosos, mas ele idolatrava, com maior frequência, o acúmulo material como objetivo final. Aqueles que aprendiam seu programa estavam "a caminho de uma capacidade maior de faturamento", entusiasmava-se ele. "Um número incontável de vendedores tem aumentado grandemente as suas vendas com o uso destes princípios... Executivos conseguiram aumento de autoridade e de salário." Ele estimula os leitores a imaginar o benefício: "Imagine como o domínio desses princípios o ajudará na condução de uma vida mais gratificante, feliz, plena e valiosa. Repita sempre para si mesmo: 'Minha popularidade, minha felicidade e renda dependem, sobretudo, da minha habilidade no modo de tratar as pessoas.'" Dale enfatiza que pensar nos outros e ignorar dinheiro, ironicamente, são práticas que se mostrariam rentáveis. Ele fornece o exemplo de um médico que decidira "esquecer completamente o dinheiro, e pensar apenas em tudo que ele poderia fazer pelos outros. E, agora, veja o retorno! Esse médico declarou que em pouco tempo sua renda média aumentou mais de trezentos dólares por mês".[488]

Tais sentimentos agitavam os críticos de Dale. "Considero uma ofensa imperdoável querer reduzir toda vida humana ao padrão de um mascate tentando vender seus produtos", declarou o ministro religioso John Haynes Holmes. "Ao lado de Abraham Lincoln, aparentemente o maior homem que já viveu, de acordo com o modo de pensar do sr. Carnegie, é Charles M. Schwab. E por quê? Porque Schwab foi o único homem no mundo a ter um salário de um milhão de dólares por ano." *Como Fazer Amigos*, afirmou ele, era pouco mais que um livro de como fazer para "derrotar a concorrência" e "trazer o leitinho para casa". A afirmação de Dale de que o cristianismo fornecia as bases para muitas de suas ideias era risivelmente falsa. Na verdade, de acordo com Holmes, aquele livro popular idealizava um conjunto contrário de valores: "Estes três – popularidade, felicidade e dinheiro –, [não] fé, esperança e caridade – e o maior deles é dinheiro".[489]

Fillmore Hyde, jornalista que escrevia para muitos jornais de Nova York, também atacou a proposta de Dale de dinheiro como medida definitiva de valor. Ele escreveu na *Cue* que "na filosofia do sr. Carnegie... todos os amigos se tornam 'contatos', e toda bondade que oferecemos aos nossos conhecidos tornam-se degraus no negócio de 'subir na vida'". Repelido pelo uso do cristianismo por Dale, ele acusou o autor de distorcer os "preceitos de Jesus, que primeiro foram proferidos como revolta contra o materialismo do mundo antigo, e agora são empregados como a linguagem do materialismo na América". Para Hyde, a noção de amizade que vê o amigo como alguém de quem podemos extrair uma recompensa era reflexo da "América de hoje, onde dinheiro e sucesso são critérios pelos quais julgamos uma vida bem equilibrada".[490]

A acusação de que Dale Carnegie se preocupava apenas com dinheiro, contudo, transbordou para o mundo político. Seu livro eriçou pelos de políticos, pois alguns o leram como uma apologia cuidadosamente construída do poder político e social vigente. As implicações, dizia-se, eram inquietantes.

Em *Como Fazer Amigos* Dale conta a história de como, em 1915, John D. Rockefeller Jr., filho do grande magnata do petróleo, defrontou-se com uma situação que se deteriorava rapidamente. Sua empresa Colorado Fuel and Iron estava dominada por uma greve de mineiros enfurecidos, que exigiam maiores salários e melhores condições de trabalho. Uma série de negociações fracassadas levou a um impasse tenso, com destruição de propriedades e derramamento de sangue conforme a crise piorava. A atmosfera estava contaminada pelo ódio.

Então o jovem Rockefeller decidiu "conquistar os grevistas para seu modo de pensar". Foi brilhantemente bem-sucedido. O magnata passou semanas fazendo amigos entre os mineiros em greve e finalmente proferiu um discurso genial perante todos reunidos. Dale listou as frases elogiosas e generosas que Rockefeller empregou: "Eu tenho orgulho de estar aqui, de ter visitado suas casas, de ter conhecido muitas de suas esposas e filhos; hoje estamos aqui não como estranhos, mas como amigos, com espírito de amizade mútua, com interesses comuns". O discurso ilustrava admiravelmente como transformar inimigos em amigos, escreveu Dale, e "produziu resultados espantosos... Ele apresentava os fatos de modo tão amistoso que os grevistas voltaram ao trabalho sem dizer mais nenhuma palavra sobre o aumento de salário pelo qual brigaram tão violentamente".[491]

A versão de Dale para este episódio revela muito, não apenas pelo que foi dito, mas também pelo que não foi. Ele está falando, é claro, da Grande Guerra Carbonífera e do Massacre de Ludlow, um evento que fez as manchetes dos jornais e foi muito mais complexo e baseado em interesses econômicos do que ele explicou. Na verdade, a tensão nas minas de carvão do Colorado vinha da tentativa dos mineiros de ingressarem no sindicato Mineiros Unidos da América, ao que os Rockefeller se opuseram inflexivelmente através de demissões em massa e emprego de guardas armados para sufocar distúrbios. A violência irrompeu quando a Guarda Nacional do Colorado, trazida para proteger propriedades da empresa, atacou o acampamento dos mineiros com metralhadoras e depois ateou fogo nas tendas, matando cerca de vinte moradores, entre eles mulheres e crianças. A luta que se seguiu entre mineiros armados e a Guarda Nacional matou entre cem e duzentas pessoas antes que o presidente Woodrow Wilson enviasse tropas federais para desarmar os dois lados e restaurar a ordem.

Assim, a preocupação de John D. Rockefeller ia muito além de "conquistar os oponentes para seu modo de pensar". E o relato que Dale faz de como "Júnior" (como Rockefeller era conhecido) venceu completamente os mineiros em greve é igualmente simplista. Horrorizado pela violência e temeroso de que sua empresa fosse destruída, Rockefeller foi para o Colorado e buscou genuinamente implantar reformas trabalhistas. Seu discurso conciliador quanto à necessidade de cooperação foi recebida com educação pelos mineiros, mas a reação destes não foi homogênea. O dinheiro do sindicato acabara e a greve fora derrotada; assim, as propostas de Rockefeller de criar comitês de reclamações, códigos de segurança e melhores escolas e casas pareceu atrativa. Dois mil e quatrocentos mineiros aprovaram essas propostas enquanto quatrocentos e cinquenta as rejeitaram, embora dois mil mineiros tenham boicotado a votação completamente por considerarem o plano de Rockefeller "paternalista". Além disso, a empresa passaria por mais quatro greves nos anos seguintes até que o sindicato dos mineiros fosse reconhecido. A Lei Wagner, de 1935, considerou ilegal o "sindicato da empresa" de Rockefeller Júnior.[492]

A versão simplista de Dale para esse evento traumático da história industrial americana sintetiza uma dificuldade maior de *Como Fazer Amigos e Influenciar Pessoas:* uma visão assustadoramente ingênua dos problemas sociais, econômicos e políticos que os reduzia a uma questão de personalidade, relações humanas e ajustamento psicológico. Além disso, ao refletir sobre questões públicas ou históricas, Dale invariavelmente ficava do lado de empresários ricos, executivos poderosos, magnatas industriais e financistas, enquanto diminuía a importância das reivindicações dos menos afortunados, que normalmente apareciam como peões a serem conquistados ou influenciados na implementação dos interesses dos bem-sucedidos. Essa tendência criou-lhe problemas.

Dale deixou suas preferências claras desde o início em seu livro popular. Os leitores encontram uma longa série de casos ilustrativos que endeusam os homens ricos e poderosos que se lançaram à proeminência no fim do século XIX e início do século XX nos Estados Unidos. John D. Rockefeller declarou que "a habilidade de lidar com pessoas é uma mercadoria que se pode comprar, assim como açúcar ou café. E eu pagarei mais por essa habilidade do que por qualquer outra que exista no mundo". Andrew Carnegie aparece como estudo de caso para a necessidade de fazer os outros se sentirem importantes. "Ele sabia como lidar com os homens – e foi isso que o tornou rico."[493]

Dale Carnegie usou muitos outros homens de negócios para ilustrar seus conselhos sobre como lidar com problemas humanos, o que fazia de um modo que sugeria a atração do autor por privilégios. Por exemplo, ele explica que todo indivíduo próspero, em um momento ou outro, depara-se com "a necessidade desagradável de despedir um criado ou empregado". "Faça-o com suavidade", recomenda ele, "com palavras destinadas a diminuir o ressentimento e aumentar suas chances de reempregá-lo no futuro. Diga ao empregado demitido que ele fez um bom trabalho, mostrou muito talento e empenho, e que você torce pelo sucesso dele. Ele não se sentirá decepcionado... e, quando você precisar novamente dele, este virá com manifesta afeição pessoal". Em outra passagem, Dale elogia uma tática inteligente descoberta pelo proprietário de uma empresa que enfrentava um mecânico insatisfeito. Esse empregado reclamava constantemente que trabalhava demais e que precisava de um ajudante. O proprietário, exasperado, finalmente reagiu dando-lhe um escritório em cuja porta mandou pintar um novo título: "Gerente do Departamento de Assistência Técnica". Ao conceder ao empregado o sentimento de "dignidade, reconhecimento e importância" – mas, o que é significativo, nada de aumento salarial ou ajuda –, o empresário teve sucesso em reconciliar o homem com seu trabalho. Embora sem discutir explicitamente suas posições sociais e econômicas, Dale sugere claramente que as relações humanas são uma ferramenta para quem está no topo manipular os que estão embaixo. O poder da inteligência funciona melhor que exigência e força.[494]

O entendimento que Dale Carnegie tinha das relações influenciou sua visão política. Ele ignorava alegremente interesses de todos os tipos – econômicos, regionais, raciais, religiosos, étnicos e ideológicos – para insistir em que o sucesso político era grandemente uma questão de personalidade e de saber como lidar com os outros. Dale afirma, no livro, que o intenso interesse de Theodore Roosevelt pelos outros era "o segredo de sua incrível popularidade". Ele sustenta que James Farley, principal articulador político de Franklin D. Roosevelt, ajudou a colocar seu chefe na Casa Branca (esqueça a Grande Depressão) porque tinha decorado o nome (e as informações familiares) de cinquenta mil pessoas, e ao encontrá-las "era capaz de dar-lhes tapinhas nas costas, perguntar da mulher, dos filhos e do jardim de sua casa. Não é de admirar que ele tenha conquistado tantos seguidores!". Mesmo nos níveis mais elevados de articulação política, Dale defende, as interações pessoais superam tudo. Se Woodrow Wilson não conseguiu que os americanos cooperassem com a Liga das Nações no fim da Primeira Guerra Mundial, foi porque "ele falhou ao usar relações humanas". O Congresso rejeitou suas propostas, diz Dale, porque Wilson não soube lidar com os republicanos proeminentes. "[Ele] se recusou a deixá-los pensar que a Liga era tanto ideia deles como sua." Incapaz de compreender que diferenças ideológicas, estratégias políticas conflitantes e lealdade partidária poderiam ter influenciado essa crise, Dale insiste em que "o emprego inábil das relações humanas" afundou sua carreira, arruinou sua saúde e "alterou a história do mundo".[495]

Críticos atacaram essa visão ingênua que Dale tinha dos conflitos políticos e econômicos como uma dissimulação superficial da promoção dos interesses dos ricos e poderosos. Esse autor popular, disse um dos críticos, não era nada mais que "um feiticeiro em meio aos guerreiros comerciais que lutavam para lucrar na selva da América" oferecendo "truques mágicos" para ajudá-los a se sobressair no mundo brutal da competição. *The Nation* afirmou que *Como Fazer Amigos* prosperava "no desejo desesperado de sucesso na terra da oportunidade", um desespero especialmente evidente entre os níveis mais baixos do mundo dos negócios, onde funcionários administrativos e executivos de nível médio aspiravam ao sucesso dos grandes magnatas empresariais. Dale apelava aos "executivos e vendedores iniciantes, que lhe escrevem histórias de como se venderam para o chefe", argumentou o jornal. Seus princípios mantinham essas figuras andando na esteira do sucesso corporativo.[496]

Para alguns, o pecado de Dale está no profundo desprezo pelos trabalhadores e seus interesses. Sinclair Lewis debochou de sua veneração por Charles Schwab, cujo salário de um milhão de dólares nasceu de sua habilidade em inspirar os trabalhadores a produzir. Dale não conseguiu notar, observou Lewis com acidez, que "esse negócio de o sr. Schwab ficar com o milhão e os trabalhadores ficarem com o incentivo explica por que as greves no setor siderúrgico agora terminam nas centrais sindicais". Outro crítico defendeu que Dale sempre "despreza os oprimidos". Em uma de suas colunas de jornal, por exemplo, Dale Carnegie demonstrou uma atitude *blasé* com relação aos trabalhadores desempregados que assombravam os portões de fábricas ou aos desesperadamente pobres que vasculhavam latas de lixo em busca de restos de comida durante a Grande Depressão. Ele simplesmente pede que os oprimidos entendam que a riqueza não traz felicidade e que a pobreza tem suas virtudes. "Eu paro e me dou conta que, em certos aspectos, os multimilionários não são melhores que eu. Por exemplo, John D. Rockfeller não consegue extrair mais prazer de um livro do que eu. Andrew Mellon não tem uma visão melhor que a minha para apreciar sua maravilhosa coleção de pinturas a óleo", escreve ele. "Sim, quando eu penso em todas as alegrias de que posso desfrutar a um custo tão pequeno, imagino que poderia, se não gostasse do meu trabalho e não tivesse responsabilidades, relaxar e aproveitar a assistência social." Esse ponto de vista, nas palavras de um observador, ensina uma lição simples a mulheres e homens trabalhadores: "Talvez seja melhor você manter sua carteirinha do sindicato".[497]

Assim, *Como Fazer Amigos e Influenciar Pessoas* teve grande impacto na cultura americana em meados da década de 1930. As propostas de Dale com relação às interações com os outros criaram uma nova ideologia do sucesso que se baseava na personalidade e era bem adequada ao mundo da burocracia moderna. Seus princípios relativos à felicidade e à motivação humana ajudaram a criar a cultura terapêutica moderna, em que a autorrealização emerge de uma matriz de psicologia, autoestima, ajustamento emocional e pensamento positivo. Finalmente, sua defesa de estabilidade social, abundância de classe média e privilégio econômico ajudaram a sustentar o domínio de um etos corporativo e consumista na América moderna.

Além do mais, em quase todas as frentes Dale Carnegie levou a vantagem sobre seus detratores. A imensa popularidade de *Como Fazer Amigos* revelou que seu autor, mais que seus críticos, compreendera as aspirações e os temores das pessoas comuns, principalmente das classes média e trabalhadora, para quem a mobilidade social e o acúmulo material continuavam sendo objetivos almejados. Suas regras e recomendações, prescrições e inspirações foram uma resposta ao que os americanos definiam como uma meta desejável, e ainda ajudaram-nos a defini-la, e mostraram a eles como chegar lá. Essa mentalidade moderna tornou-se tão atraente que esmagou toda oposição. Nesse processo, milhões de leitores, alunos e fãs fizeram de Dale Carnegie uma das figuras mais influentes do país.

13. "Proporcione à outra pessoa uma boa reputação para ela zelar"

Quando *Como Fazer Amigos e Influenciar Pessoas* chegou ao topo da lista de mais vendidos em 1937, o autor, então com quarenta e nove anos, anunciou uma palestra de demonstração do seu curso no Hotel Astor em Nova York. A resposta do público foi assombrosa. Mais de duas mil e quinhentas pessoas compareceram e se espremeram no salão de festas. Percy Whiting, um dos assistentes de Carnegie, saiu do hotel para realizar uma tarefa muito antes da hora do início da palestra e depois não conseguiu voltar. "Os bombeiros fecharam as portas e não deixaram ninguém mais entrar", explicou ele. "Havia tantas pessoas fora do hotel tentando entrar que a polícia enviou um batalhão de homens ao Astor para manter a calçada livre." Após esse episódio, Dale transferiu sua próxima palestra para um lugar maior, o Hippodrome Theater, na Sexta Avenida, que quase alcançou sua lotação máxima. De acordo com a estimativa de Whiting, "pouco mais de seis mil pessoas compareceram".[498]

Eventos assim tornaram-se comuns para Dale. O enorme sucesso de *Como Fazer Amigos* transformara-o em uma figura nacional. Nos anos seguintes ele aparentaria estar em todos os lugares do cenário americano – viajando pelo país para promover seu livro, apresentando seus cursos, dando palestras, recebendo prêmios e comentando as questões do dia. Jornais locais o adulavam ao mesmo tempo em que revistas de grande circulação faziam dele o assunto de suas principais matérias. O triunfo editorial de Dale abriu-lhe novas portas como apresentador de rádio e colunista de jornal. Conforme chegavam aplausos de cada canto da cultura popular americana, o garoto caipira transplantado do Missouri tornou-se uma das pessoas mais famosas dos Estados Unidos.

No alto dessa montanha de divulgação, Dale sentia-se ao mesmo tempo encantado e preso. De um lado, ele apreciava a fama e a fortuna repentinas que vieram com sua fenomenal ascensão ao sucesso, e disse a um repórter que "Ninguém ficou mais surpreso do que eu". Por outro, as pressões relativas à nova condição pesavam em sua psique. A roda-viva de viagens, palestras, autógrafos, cerimônias e banquetes fez com que ele reclamasse: "Dos primeiros meses de 1937 até a primavera de 1940 estive tão ocupado que mal encontrava tempo para respirar".[499]

Mas, quaisquer fossem os custos e benefícios, uma coisa estava clara: a vida daquele professor e escritor mudara irrevogavelmente depois da publicação de *Como Fazer Amigos*. Ele se tornou uma figura pública, alguém cujo ponto de vista era levado a sério e cujas palavras eram ouvidas. Dale Carnegie era uma celebridade.

Encontro do Instituto Carnegie no Carnegie Hall lotado, em novembro de 1937. Dale Carnegie está sentado na fileira da frente, junto ao corredor.

Nos anos que se seguiram ao lançamento de seu livro de sucesso, Dale tornou-se um tipo de herói popular americano, viajando pelo país para dar cursos e palestras. Aonde quer que fosse, louvores bizarros o aguardavam.

Ao chegar a Wichita, no Kansas, para dar seu curso, ele foi proclamado "O Messias dos Negócios" pelo jornal *Wichita Beacon*. Uma visita a Akron, em Ohio, rendeu-lhe o título de "Profeta de Personalidade nº 1 da América". Uma série de palestras em Memphis provocou manchetes no *Commercial Appeal* – "Chega o Fazedor de Amigos" e "Uma Personalidade Magnética" – e descrições entusiasmadas de "um pregador que pratica sua própria doutrina, um professor que aprendeu os traquejos sociais antes de começar a transmitir seus conhecimentos aos outros".[500]

Uma visita a Asheville, na Carolina do Norte, em 1939, viu a febre Dale Carnegie tomar conta da cidade quando os comerciantes locais correram para tirar proveito de sua palestra no colégio da cidade. Eles inundaram o jornal *Asheville Citizen* com anúncios ligando seus produtos ao livro famoso. "Os fabricantes do Pão Butter-Krust estão fazendo amigos o tempo todo porque cada pão é feito para VOCÊ!", dizia um. "Sapatos Pollock's Florsheim, essenciais para a pessoa bem-vestida de qualquer estilo de vida, ajudarão você a fazer amigos e influenciar pessoas", proclamou outro. Uma empresa de transportes da cidade declarou que, "Assim como Dale Carnegie, nós também sabemos fazer amigos, oferecendo-lhes um bom serviço". O único banco da cidade adotou o toque Carnegie: "First National Bank, Serviço que Faz Amigos e os Mantém".[501]

A fama do autor, contudo, ia muito além das cidadezinhas provincianas e das câmaras de comércio locais. Revistas de circulação nacional faziam fila para apresentar artigos sobre sua vida e carreira, que começaram a se tornar famosas em 1937. *The Saturday Evening Post* publicou um artigo longo intitulado "Ele Vende Esperança", que era parte biografia e parte análise do fenômeno Dale Carnegie. A *Esquire* veio com "A Fábrica de Sucesso", peça semelhante, escrita pelo velho amigo Homer Croy, que possuía o atrativo adicional de trazer as lembranças do autor referentes à infância dos dois no noroeste do Missouri. A *Look* trouxe três matérias com fotos e textos sobre Dale: uma resenha em votos, em abril, intitulada "Como Fazer Amigos… e Influenciar Pessoas"; "Biografias em Um Minuto", uma condensação das breves biografias que Dale fez de figuras famosas, em junho; e, em dezembro, "Dale Carnegie: O Homem que Teve Sucesso ao Pregar Sucesso", uma biografia em fotos que destacava sua infância, sua carreira de professor e seu espantoso sucesso editorial.[502]

Pouco tempo depois da publicação de *Como Fazer Amigos*, Dale foi convidado para jantar na Casa Branca. Empolgado, ele mencionou que serviram caça, fato que não entusiasmou a sra. Roosevelt. Ela disse para Dale que "as pessoas ficam nos enviando esses presentes, caça e aves, e temos que comê-los, não é?". O presidente foi sociável, contou o autor, e o impressionou com sua capacidade de simplificar questões complexas. Quando a primeira-dama perguntou qual o significado de "dinheiro fiduciário", o presidente respondeu com um esclarecimento direto que chegava ao cerne da questão: aquilo era "dinheiro falso". Dale pensou: "Que explicação simples – e que contraste à resposta que Hoover poderia ter dado". Ele também ficou impressionado pela sensibilidade prática de Roosevelt ao reparar que, embora o presidente tivesse acabado de assinar um dos maiores orçamentos na história dos Estados Unidos, ele mantinha uma admirável preocupação com as despesas da administração. "Vocês sabem quanto estão cobrando agora por um refletor hospitalar?", perguntou o presidente a seus convidados, segundo Dale. "'Vinte e sete dólares!' Ele estava indignado."[503]

Um fluxo contínuo de itens relativos a Dale Carnegie inundou a cultura popular. F. S. Lincoln, fotógrafo e médico de Nova York – e formado no Curso Carnegie –, compôs a "Marcha Dale Carnegie", que incluía estes versos:

> Oh, que mudança teve minha vida
> Desde que entrei no curso Car-ne-gie.
> Livrei-me do empecilho chamado medo,
> Agora eu sei que a meta está próxima.
> Não sou mais o mesmo que você conheceu,
> Devido ao impulso e ao vigor que recebi!
> Você deveria fazer esse curso e também lucrar.
> Oh, como isso vai mudar a pessoa que você é.

Os quadrinhos, item popular nos jornais da década de 1930, usavam o livro de Carnegie em suas piadas. *Henry*, por exemplo, quadrinho a respeito do "Jovem Mais Engraçado da América", mostrava o garoto lendo *Como Fazer Amigos* após ser castigado por mau comportamento pela mãe.[504]

Dale foi também o tema central de uma campanha publicitária dos cigarros Turret. Fabricada no Canadá pela Imperial Tobacco Company e popular no norte dos Estados Unidos, a marca lançou uma série de anúncios impressos em revistas e jornais. Eles mostravam desenhos de Dale acompanhados de citações que explicavam os princípios de *Como Fazer Amigos*. Um desses anúncios trazia a famosa frase-marca de Dale Carnegie, "Deixe que a outra pessoa sinta que a ideia é dela", contida na mensagem "Todo fumante tem sua própria opinião sobre qual cigarro é melhor. Não queremos dizer que os Turrets vão agradar a todo mundo, mas acreditamos que, em seu próprio benefício, todos deveriam experimentá-los." Outro anúncio ilustrava um dos princípios Carnegie com "Oferecer um cigarro Turret é uma maneira garantida de fazer um fumante dizer 'sim!'". A campanha até usava o conselho doméstico do autor que estimulava a apreciação entre cônjuges: "Se toda mulher ranzinza e todo marido crítico adotassem o hábito de 'esfriar a cabeça' fumando um Turret em silêncio antes de dizer alguma coisa, muitos lares se tornariam um lugar mais agradável de se viver".[505]

Conforme o volume de divulgação de seu trabalho crescia, Dale aproveitava as novas oportunidades. O alarido que envolvia o sucesso de *Como Fazer Amigos* produziu dezenas de convites para palestras e ele procurou tirar vantagem disso. "Eu fiquei surpreso com o número de homens que, de repente, quiseram se tornar agentes das minhas palestras", observou ele, que experimentou dois agentes antes de encontrar, finalmente, Clark Gettis, com quem ficaria até o fim de sua carreira. Ele também contratou uma assistente administrativa em período integral: Abigail Connell, que trabalhava meio período para ele antes que o estrondoso sucesso de *Como Fazer Amigos* fizesse seu escritório ser soterrado por centenas de cartas, convites e solicitações. Nos anos seguintes, ela se tornaria o braço direito de Dale e uma grande amiga.[506]

Dale Carnegie tornou-se um nome ainda mais familiar através de diversas empreitadas nos meios de comunicação. Em 1938, a pedido da NBC, ele voltou a apresentar um programa de rádio intitulado simplesmente *Dale Carnegie*. Focando em esboços biográficos de gente bem-sucedida – inspirado fortemente em *Fatos Pouco Conhecidos a Respeito de Pessoas Muito Conhecidas* e *Como Fazer Amigos* –, o programa apresentava uma série de biografias dramatizadas de personagens inspiradores. Transmitido nas noites de segunda-feira, ele buscava animar o público da Era da Depressão com uma mensagem tranquilizadora e recorrente: "Sucesso é uma questão de atitude. Você também pode consegui-lo". De modo semelhante, Dale aventurou-se como cronista de jornal. Impressionado pelo livro de Dale, Charles Vincent McAdam, da Agência McNaught, ofereceu ao autor uma coluna a ser distribuída em várias publicações. Dale estaria ao lado de outros colunistas da McNaught, como Will Rogers, Walter Winchell e Al Smith. Interessado, Dale convidou McAdam para jantar em sua casa, e em duas horas eles fecharam um acordo verbal. A coluna, que apareceu em setenta e um jornais em todos os EUA no fim dos anos 1930 e no início dos 1940, reciclava material inspirador de seus livros, programas de rádio e materiais didáticos.[507]

Talvez o sinal mais claro da nova condição de celebridade alcançada por Dale, contudo, tenha sido sua participação na prestigiosa brincadeira promovida por seu velho amigo Lowell Thomas. Em meados dos anos 1930, Thomas, então famoso em todo o mundo como apresentador de rádio, narrador de cinejornais e autor de livros e colunas sobre viagens, costumava organizar um torneio de *softball* na Fazenda Cloverbrook, sua propriedade de cento e vinte e um hectares em Dutchess County, a cerca de cem quilômetros ao norte da cidade de Nova York. Mas não se tratava de um evento recreativo local com atletas amadores. O time de Thomas, Nove Velhos, trazia algumas das maiores celebridades dos Estados Unidos. Casey Hogate, editor do *The Wall Street Journal*, ocupava a primeira base, enquanto as outras posições incluíam o ministro da Fazenda Henry Morgenthau e o governador de Nova York e futuro candidato à presidência Thomas Dewey. O time de Thomas também tinha o campeão de boxe peso pesado Eddie Eagan, o deputado Hamilton Fish, o ator John Barclay, o cantor Lanny Ross – e o escritor Dale Carnegie.[508]

Outros times desse campeonato improvisado traziam escalações semelhantes. O *Ostervelts of Roose Bay*, capitaneado pelo coronel Ted

Roosevelt, filho do ex-presidente, levava a campo figuras como o cartunista Rube Goldberg, a lenda do beisebol Babe Ruth, o colunista esportivo Grantland Rice e o compositor da Broadway Richard Rodgers. O Nutmegs, de Connecticut, trazia o boxeador Gene Tunney, o jornalista Heywood Broun, o editor da *New Yorker* Harold Ross, o colunista Westbrook Pegler e o compositor Deems Taylor. Mas o principal adversário dos Nove Velhos era o Summer White House Team (Time de Verão da Casa Branca), baseado na residência de veraneio de Franklin D. Roosevelt em Hyde Park, a cerca de 50 quilômetros de distância e treinado pelo próprio presidente, quando se encontrava em casa. O time incluía John Roosevelt, filho do presidente; Rexford Tugwell, um dos membros principais de seu Brain Trust*; alguns membros do ministério e diversos integrantes fortes e atléticos do Serviço Secreto. Franklin Roosevelt treinava o time a partir do assento traseiro do carro presidencial, que ficava estacionado próximo ao banco do time. Lowell Thomas fez uma tirada a respeito: "O presidente é um técnico de *softball* nato. Se ele colocasse seu time em uma competição profissional, tenho certeza de que ganharia dinheiro, algo que até agora não conseguiu fazer nos negócios do governo".[509]

Não é de admirar que esses jogos com celebridades atraíssem centenas de espectadores, que se espremiam nas arquibancadas rudimentares construídas em torno do campo na fazenda de Thomas. Zombarias bem-humoradas, provocações inteligentes e réplicas cortantes iluminavam o evento mais que as habilidades atléticas. Quando Hogate, que pesava cerca de cento e trinta quilos, parou junto ao automóvel do presidente para uma troca de gentilezas, Roosevelt brincou: "Disseram-me, sr. Hogate, que você tem que fazer um *home run* para chegar à primeira base". Hogate respondeu com um brilho no olho: "Com o New Deal as empresas americanas também têm que fazer um home run para chegar à primeira base"**. Em outro jogo, a substituição de Morgenthau por um reserva inspirou

---

* (N.T.) Grupo de conselheiros do presidente.

** (N.T.) No beisebol (e também no *softball*) o jogador tem que passar por três bases e voltar ao ponto inicial para marcar um ponto. O *home run* acontece quando o jogador dá a volta completa no campo na mesma jogada, marcando um ponto. A brincadeira faz referência às dificuldades atléticas de Holgate e à política econômica de Roosevelt (o New Deal).

um dos Nove Velhos a exigir ruidosamente que o ministro fosse colocado para marcar os pontos no placar, porque "qualquer um que consiga fazer a contabilidade do governo pode vencer qualquer jogo controlando o placar". Em um dia quente de verão, um adversário muito suado saiu do jogo reclamando que tinha perdido dez quilos, o que fez Broun se levantar do banco, apontar para as barracas de comida e proclamar, em tom retumbante: "Vá e não emagreça mais!". Em jogo disputado no Madison Square Garden, em 1939, para levantar dinheiro para caridade, o bom humor desse torneio de *softball* apareceu na apresentação dos competidores. Diante das treze mil pessoas presentes, Thomas disse que as equipes traziam diversas celebridades de destaque, como Florence Nightingale, Aníbal, Charles Dickens, Leonardo da Vinci, James G. Blaine, os irmãos Warner e Zeus.[510]

Dale Carnegie e Lowell Thomas na fazenda deste na década de 1930.

Dale tornou-se membro constante desse grupo de elite. Ele viajava regularmente à fazenda Cloverbrook durante os meses quentes e participava avidamente, ainda que fosse um pouco desajeitado, como *outfielder* nos Nove Velhos, de Thomas. Com pouco jeito para o esporte, ele foi alvo de muitas provocações por conta de suas manobras atrapalhadas com o bastão no campo. "Carnegie não sabe rebater, correr ou arremessar, mas ele ama o jogo de paixão", contou Thomas. Ele "foi colocado na direita do campo porque poucos rebatedores mandam a bola nessa direção e ele é um solitário que gosta de ficar sozinho". Como rebatedor, Dale era atrapalhado, inclinando o corpo para trás e segurando o bastão em um ângulo inusitado, com a boca aberta, olhando para o lançador com a esperança angustiada de, quem sabe, conseguir acertar a bola. Após ser substituído ele se sentava no banco e brincava com os colegas ou andava jovialmente entre a multidão.[511]

A roupa de Dale foi motivo de muita polêmica. Embora o uniforme dos Nove Velhos consistisse de camisetas e jardineiras, o autor de sucesso insistia em jogar usando seu sobretudo. "Aquele foi um momento histórico, embora não o tivéssemos reconhecido na hora", brincou Homer Croy, outro participante, quando viu pela primeira vez a roupa estranha do amigo. "Mas com que frequência reconhecemos grandes momentos enquanto estão acontecendo?" Os colegas de time de Dale também reclamavam, brincando, de seus trajes, o que fez o técnico Thomas retorquir que eles deveriam estar felizes com a situação, porque ele "tinha visto Dale jogar *com o sobretudo e sem o sobretudo, e ele era muito melhor com o sobretudo*". Um porta-voz do time replicou que Thomas não fora compreendido – ele queria, na verdade, que "o sobretudo jogasse sem Dale Carnegie". Finalmente, o autor se rendeu à pressão e trocou o sobretudo por um uniforme com calças pregueadas, suspensórios e chapéu panamá enfeitado com margaridas, que logo se acumulavam em apenas um lado de sua cabeça. Isso também não teve perdão, pois um colega de time brincou, ao ver as margaridas: "Seu cérebro está morto apenas de um lado?".[512]

Entusiasmado, mas sem jeito para o esporte, Dale Carnegie empunha o bastão em jogo de celebridades na fazenda de Lowell Thomas.

O livro de Dale fez com que fosse alvo de uma torrente de provocações amistosas. Thomas brincou que o verdadeiro Dale Carnegie era "um cavalheiro encantador e metódico que é, obviamente, um vendedor de seguros reprimido. Frustrado em suas tentativas de vender apólices e solto em um mundo que despreza vendedores de seguros, Dale escreveu *Como Fazer Amigos e Influenciar Pessoas*. Isso é, como dizem os discípulos de Freud, pura compensação". Longe de ser uma personalidade carismática, continua Thomas, Dale era um "homem de negócios elegante, de óculos, absolutamente tímido e solitário, que se colocava às margens da multidão, completamente ignorado por todos". Embora seu livro tivesse amealhado uma fortuna, conclui Thomas, "fracassou em lhe conseguir amigos. O *softball*, ele esperava, teria sucesso onde o livro falhou".[513]

Desde o início de sua carreira, Dale Carnegie reconhecera que o poder da personalidade estava criando uma cultura da celebridade na América moderna. O país estava obcecado com a vida pessoal de figuras famosas, disse ele a seus alunos em 1926, e os dividendos poderiam ser enormes. Nas palavras de Dale, "Amanhã haverá milhões de conversas flutuando por sobre as cercas nos quintais da América, mesas de chá e jantar – e qual será o assunto predominante na maioria delas? Personalidades. Ele disse isso. Fulano fez aquilo. Ele está 'arrasando' e assim por diante". Em *Como Fazer Amigos* Dale novamente enfatizou a importância da celebridade na vida moderna. No prefácio, ele afirmou ter entrevistado dezenas de pessoas famosas, algumas delas mundialmente: Marconi, Franklin D. Roosevelt, Owen D. Young, Clark Gable, Mary Pickford, Martin Johnson – e procurou descobrir "a técnica que essas pessoas usavam nas relações humanas". Ao longo de todo o texto, ele apresenta uma série de indivíduos ricos e famosos, usando suas vidas como exemplos inspiradores de sucesso. O próprio Dale Carnegie, divertindo-se com presidentes, ministros, magnatas da imprensa, lendas do esporte, ícones do entretenimento e gigantes do jornalismo, tornara-se uma dessas figuras. As coisas nunca mais seriam as mesmas.[514]

A condição de celebridade recém-adquirida por Dale Carnegie mudou quase tudo em sua vida no fim dos anos 1930. Irrevogavelmente, isso alterou seus afazeres diários conforme novas oportunidades e exigências começaram a inundar a existência até então relativamente calma do professor de oratória e escritor eventual. Com o sucesso assombroso de *Como Fazer Amigos*, Dale viu suas atividades profissionais, interações com os outros e seu relacionamento com o trabalho serem empurrados em novas direções por pressões desconhecidas. Desfrutando os benefícios da fama, Dale aos poucos foi percebendo que eles tinham um preço considerável.

"O custo da celebridade apareceu primeiro em uma nova rodada de atividades que simplesmente fez parecer pequeno tudo que ele vivera até então." *Como Fazer Amigos* teve um sucesso que, de certa forma, parece inacreditável", observou ele, "[e] depois que o livro saiu, eu me peguei vivendo sob uma tensão que nunca tinha imaginado: rádio, expansão do instituto de palestras, muitas pessoas querendo me ver a respeito disto e daquilo. Eu nunca mais quero viver outro ano como 1937-1938. Apressado, cobrado, cansado." Sua agenda de palestras, apresentações e cursos ficou tão agitada que até a menor oportunidade de folga era comemorada. "Hoje trabalhei no jardim por duas horas. Pareceu-me um luxo poder fazer, por apenas duas horas, algo que eu queria", escreveu ele. "Passei a noite lendo Seleções. Esta é, provavelmente, a terceira vez, em seis meses, que fiquei em casa, sozinho, lendo. Estou sempre correndo para lá e para cá. 'Com que finalidade?'."[515]

Enfrentando essas pressões desconhecidas, Dale se viu correndo loucamente pelo país para apresentações em várias cidades, onde comparecia a sessões de autógrafos ou falava sobre sua fórmula mágica para o sucesso descrita em *Como Fazer Amigos,* ou, frequentemente, fazia as duas coisas.

> Eu chegava de manhã cedo, depois de passar a noite no vagão-leito de algum trem, era recebido pelo representante de uma livraria, que me levava a um hotel para colocar roupas limpas, e, então, corria até a loja. Lá, eu ficava das dez da manhã até meio-dia, autografando exemplares de *Como Fazer Amigos* para os presentes. Um carro, então, me pegava na livraria e me levava para um almoço do Rotary, em um hotel próximo. Eu mal tinha tempo para terminar minha palestra antes que outro carro, com outro motorista, me levasse para o Clube das Senhoras, onde eu falaria sobre *Como Fazer Amigos* por uma hora. Com sorte, eu tinha tempo para um cochilo breve antes de participar de algum tipo de banquete em minha homenagem, de onde saía correndo para pegar o trem.[516]

Cada vez mais Dale achava essa programação exaustiva. Abbie Connell tornou-se responsável por organizar sua agenda e, a imagem da diligência e eficiência, fornecia ao chefe itinerários detalhados, que listavam os detalhes de suas idas e vindas. "Mas mesmo com eles eu às vezes me perdia", lamentou-se Dale. Uma vez, ao sair de Nova York, Abbie o acompanhou em um táxi até a estação de ônibus na Rua 15 Leste. Eles mal pararam e o autor correu do carro para o ônibus, que estava prestes a partir. "Eu comecei a subir os degraus quando me dei conta de que não tinha ideia de para onde estava indo", relatou. "Cheguei ao alto da escada e me virei, quase em pânico. 'Aonde estou indo?', perguntei quando a porta começava a se fechar. Abbie gritou: 'Olhe no seu bolso. Está tudo aí'. Eu já estava cruzando a cidade de Nova York antes de saber para onde ia." Esse ritmo frenético de atividades aos poucos foi cobrando seu preço. "Estou nessa roda-viva há meses", lembrou Dale mais tarde. "Comecei a perder peso e energia. E, o mais importante, minha saúde."[517]

Outro problema, mais sutil, também começou a atormentar o assediado autor. O alarido em torno de sua criação de uma personalidade carismática, confiante e empática, que podia fazer amigos e influenciar pessoas com facilidade, começou a pesar. Cada vez mais gente esperava que ele personificasse esse tipo ideal, e essa expectativa mostrou-se impossível de atender. Embora fosse naturalmente amigável, empático e gostasse de gente, Dale também mantinha uma porção considerável de sua reticência nativa do Meio-Oeste. Como alguém que não terminara sua graduação e agora vivia em meio à elite nacional, ele carregava certo constrangimento a respeito de sua instrução mínima. Sentindo-se cada vez mais inseguro a respeito de seu status de celebridade, ele escreveu um memorando mordaz a seus assessores, em fins da década de 1930, pedindo que filtrassem cuidadosamente as centenas de convites que chegavam a seu escritório. "Antes de eu escrever o livro *Como Fazer Amigos*, as pessoas não queriam minha companhia. Eu era apenas Dale Carnegie, professor de adultos nada disputado", explicou. "Agora que escrevi esse livro, e ele teve um sucesso fenomenal, as pessoas esperam que eu seja uma coisa 'do outro mundo', diferente. Mas, quando os estranhos me encontram e começam a me conhecer, acham que eu sou igual a seus vizinhos, que não sou alguém com uma personalidade dinâmica. Então se sentem decepcionados. Eu percebo esse sentimento e fico constrangido."[518]

Apesar dessas dificuldades emocionais, a fama e a riqueza recém-conquistadas por Dale trouxeram muitos benefícios práticos à sua vida. Ele pôde emprestar assistência financeira a velhos amigos que lutaram para sobreviver durante a Grande Depressão, como Homer Croy, a quem contratou para ser pesquisador em seu programa de rádio, e que pagou com um cheque de cento e vinte e cinco dólares, que enviou acompanhado de um bilhete descontraído: "Isso é tudo que devo para você, tirando a dívida de gratidão". Reformou e redecorou sua casa em Forest Hills, que encheu de móveis franceses e estilo Rainha Ana, antiguidades, porcelana chinesa e tapetes persas. Aumentou o jardim nos fundos e instalou um pátio com móveis de ferro fundido, roseiras, arbustos e um laguinho de cimento com ninfeias e carpas. Um projeto especial remodelou o escritório em que ele e Connell trabalhavam, que ficava no sótão, adaptado, e ocupava toda a extensão da casa. Foram utilizados mobília antiga e papel de parede japonês. Connell descreveu o resultado como "de tirar o fôlego". Ela lembrou um incidente, pouco depois da reforma, em que sua caneta-tinteiro apresentou um problema e mandou um jato de tinta no papel de parede novo. Horrorizada com a mancha enorme e feia, ela foi para casa sem saber como contar aquilo para o chefe. Para seu imenso alívio, Connell encontrou na manhã seguinte, sobre sua máquina de escrever, um bilhete amável de Dale. "Martinho Lutero certa vez jogou um tinteiro no diabo", dizia a nota. "Se alguns diabinhos estavam incomodando você por aqui, tinta neles! Enquanto isso, vamos encomendar outro rolo de papel de parede japonês."[519]

A fama de Dale também proporcionou uma expansão de sua vida social. Sempre interessado nas vastas possibilidades culturais de Nova York, ele tornou-se um "homem da cidade" no fim dos anos 1930. "Ele amava a cidade por suas peças, seus museus, negócios e restaurantes", explicou um observador. "Ele sentia que a cidade de Nova York acolhera Dale Carnegie com carinho". Deslocando-se pela cidade em metrô ou trem, ele foi a muitos musicais, peças, filmes, exposições de arte, recepções e jantares, geralmente acompanhado por uma mulher atraente. Como solteirão disponível sob os holofotes da nação, ele não tinha problemas para atrair mulheres graciosas, e aproveitava a oportunidade de acompanhá-las pela cidade vibrante que aprendera a amar. Dale escreveu para Thomas que "Estamos ansiosos, e muito alegres, por assistir *Dead End* [uma peça popular, de longa temporada, sobre gângsteres e vida em cortiços, de Sidney Kingsley] com você em breve". Dale observou que ele planejava levar duas sobrinhas ao evento, porque elas queriam poder dizer à família que "tinham ido ao teatro com Lowell Thomas".[520]

No meio familiar, a afluência de Carnegie não produziu apenas bênçãos. Seus pais levavam uma vida sossegada em Belton, Missouri, onde o pai cultivava a terra e a mãe dedicava-se ao trabalho na igreja. Durante os anos 1930, contudo, eles envelheceram e, se tornando frágeis, começaram a ter dificuldades para morar sozinhos. Dale fornecia generosa assistência monetária, enviando aos pais um valor mensal e injeções adicionais de fundos conforme necessário. Seu irmão Clifton, e a esposa, Carrie, mudaram-se para a casa dos pais a fim de cuidar deles. O arranjo parecia funcionar bem, e no começo de 1938 Dale escreveu uma carta calorosa a sua "Querida Mãe". Ele lhe agradeceu por seu carinho amoroso durante a infância e declarou que "você foi uma mãe ótima, excelente. Agradeço a Deus por me dar pais tão maravilhosos". Ele também expressou sua felicidade pela situação confortável dos dois, observando que "vocês agora têm os cuidados excelentes da sra. Bidwell [uma empregada], Carrie e Clifton".[521]

Mas essa situação harmoniosa acabou em discórdia devido a tensões antigas entre os irmãos, que foram exacerbadas pelo grande sucesso do mais novo. Durante muitos anos, enquanto Dale progredia de forma lenta, mas segura, como professor e autor, Clifton debatia-se à procura de uma carreira. Pulando de emprego em emprego, ele acabou de volta à casa dos pais para cuidar deles, enquanto Dale tornava-se uma celebridade nacional em Nova York. Aos poucos, a inveja de Clifton foi crescendo. Devido à incapacidade esporádica de Clifton de sustentar sua família, Dale gastou generosamente com seus sobrinhos, e levou Josephine, filha do irmão, para sua casa em Forest Hills, onde a empregou em sua equipe, enquanto pagava a faculdade dos outros dois sobrinhos. Além disso, ele também pagava a empregada e dava salários de cuidadores para Clifton e sua esposa.

Essa condição desigual acabou por provocar tensões. Dale, ao acreditar que sobrara dinheiro, em novembro de 1939, dos vários cheques que enviara, pediu a Carrie que usasse o restante para as despesas de dezembro. Dessa forma, ele enviou uma quantia menor nesse mês. Essa redução provocou uma carta irada de Clifton, que, de forma um tanto ilógica, acusava Dale de ser, por um lado, um ricaço pão-duro, e, por outro, um figurão ausente, que pensava poder compensar sua falta de carinho com dinheiro. Dale respondeu engenhosamente. Ele admitiu que era fácil entender que o irmão "estivesse nervoso quando escreveu a carta em 22 de dezembro", e expressou simpatia pelas frustrações dele em lidar com pais idosos. Mas depois manifestou sua própria impaciência. "Sua carta me magoou profundamente, Clifton, devido a tudo que eu fiz no passado", escreveu ele. Dale observou que dera vários milhares de dólares a Clifton durante uma crise há muitos anos; que ele respondera a uma carta posterior, na qual o irmão afirmava que a família teria que viver de caridade, com um salário mensal de cem dólares; que ele gastara milhares de dólares tentando, sem sucesso, estabelecer Clifton como professor de oratória; que ele, depois, procurara seus contatos para conseguir um emprego de chefia no Corpo de Conservação Civil; que ele até enviava para a mãe de Carrie um cheque mensal de quinze dólares, para ajudá-la. "Um irmão que fez tudo isso merece uma carta como a que você escreveu?", perguntou Dale. Mas então, tentando seguir seus próprios princípios, concluiu com uma oferta de paz. Ele enviou um colar de pérolas para Carrie e disse a Clifton que, "se eu feri seus sentimentos, sinto muito e peço-lhe perdão. Por favor, diga o que quer que eu faça. De quanto dinheiro você precisa? Para quê?".[522]

A crise amainou conforme Clifton e Carrie se conformaram em cuidar dos velhos Carnagey enquanto Dale financiava tudo. Em uma atmosfera tranquila e amorosa, Amanda Carnagey morreu em sua casa em Belton, aos oitenta e um anos de idade, em 4 de dezembro de 1939. Dale correu para o leito da mãe, e o falecimento da mulher que o inspirara desde a infância deixou uma ferida emocional profunda nele. "Minha mãe morreu ao raiar do dia na última segunda-feira. Ela faleceu sem dor ou doença, a alguns meses de seu 82º aniversário", escreveu ele para um amigo.

> Eu tive uma das mães mais nobres com que um garoto já foi abençoado. Se ela não tivesse insistido em dar aos filhos uma educação,

apesar das dificuldades e da pobreza, eu provavelmente continuaria sendo um agricultor no Missouri... Ela não fazia apenas minhas roupas, mas também o sabão que usávamos. Ela trabalhava de manhã até tarde da noite, e ainda assim cantava durante o trabalho. Ela cantava porque sua religião lhe dava uma fé e uma alegria que glorificavam sua vida. Como eu gostaria de ter a mesma fé.

James durou mais um ano e meio, e passou por hospitalização devido a "uma doença interna aguda" e, depois, por causa de uma queda. Ele faleceu aos oitenta e nove anos, em Belton, em 18 de maio de 1941, de complicações decorrentes de um derrame.[523]

Em outro front, a recompensa financeira de *Como Fazer Amigos* permitiu que Dale se entregasse a um de seus passatempos favoritos: viajar. Conforme foi ganhando controle sobre a agenda, ele pôde tirar férias constantes tanto nos Estados Unidos como no exterior. Em 1938 Dale voltou à Europa por várias semanas, observando em uma coluna de jornal que escrevia a bordo de um navio francês. "O *DeGrasse* é um barco lento, que leva nove dias para cruzar o Atlântico", escreveu ele. "Mas eu gosto de barcos lentos. Já corro demais quando estou em terra. Então, quero vadiar sobre o oceano, tirar a gravata e abrir a camisa ao sol e saborear o ar salgado." No ano seguinte, ele passou uma longa temporada no Japão, a convite do Conselho Japonês de Turismo. Como parte do esforço para melhorar a comunicação e a compreensão cultural entre América e Japão, percorreu o país, visitando cada região e todas as cidades importantes, onde dava palestras sobre relações humanas e era festejado pelos anfitriões. Perto do fim da viagem, esteve por alguns dias na Coreia e fez rápida excursão a Xangai e Pequim.[524]

Dale também fez viagens mais modestas. Em 1938, ele fugiu para férias breves na casa de amigos em Florence, no litoral da Carolina do Sul. Após um dia vigoroso pescando robalo, o grupo de amigos foi até a praia após o pôr do sol para apreciar o majestoso cenário de oceano e céu abertos, o que provocou melancolia no autor, que anotou em seu diário que ele passara um bom tempo olhando para "o céu salpicado de estrelas enquanto as ondas do Atlântico quebravam aos nossos pés.

Muito impressionante. Fez com que eu percebesse como o homem é desimportante, como a vida é tragicamente curta". O dia seguinte inspirou pensamentos mais felizes. Embora a pesca fosse medíocre, o garoto transplantado da fazenda mostrou que nunca perdera seus gostos do campo e encontrou outra atividade. "Diverti-me muito atirando em cobras que vi em galhos de árvores", anotou ele em seu diário. "Acertei oito durante a tarde. Tive uma satisfação selvagem em estourar aquelas malvadas."[525]

Uma das viagens de Dale, contudo, pagou-lhe enormes dividendos emocionais. Em um cruzeiro a Cuba no verão de 1937, ele conheceu uma pessoa que se tornaria uma das figuras mais importantes de sua vida.

Em uma noite de sexta-feira, em 1943, uma garotinha de cinco anos chegou à Estação Penn, o enorme entroncamento ferroviário no coração de Nova York. Ela viera sozinha desde New Haven, em Connecticut, com uma passagem de primeira classe, com um funcionário da ferrovia cuidando de suas necessidades e segurança. Embora animada por ver as luzes brilhantes, pessoas apressadas e a atividade frenética da maior cidade da América, ela ficava um tanto intrigada com essas viagens, que aconteciam com intervalos de alguns meses e começaram no ano anterior. Sua mãe insistira em que ela convivesse com o "Tio Dale" e, quando ele visitava a casa delas em New Haven, ela queria que a filha fizesse companhia ao convidado – tocando, conversando e fazendo longas caminhadas no parque.

Em Nova York, a rotina de sempre se desenrolava. Tio Dale a encontrava na estação e a acompanhava até o táxi que os levaria até sua casa. Infalivelmente, o taxista olhava para Dale e tentava se lembrar de onde o conhecia, o que fazia o autor perguntar: "Você está me reconhecendo, não?". Então o motorista respondia que "Você é o cara que escreveu aquele livro, não é?". Dale então se apresentava e conversava brevemente, obviamente gostando da atenção. Depois que chegavam à casa na Avenida Wendover, uma empregada instalava a menina no quarto de hóspedes do segundo andar. O resto do fim de semana era composto por uma série de atividades a que o Tio Dale a levava – peças, musicais, circo, museu de história natural, rodeio – e histórias que ele lhe contava sobre sua vida e suas aventuras. Depois que ela ficou um pouco mais velha, Dale se lançava em solilóquios sobre como se destacar e ter sucesso na vida. Domingo à noite, ele a levava de volta à estação para que voltasse a sua casa, um ritual que a fazia refletir sobre o significado desses fins de semana especiais.[526]

A garotinha, Linda Dale Offenbach, tinha todo o direito de se sentir confusa. De fato, ela se situava precariamente no meio de uma relação bastante incomum entre sua mãe, Frieda Offenbach, e Dale Carnegie, que florescera após o grande sucesso editorial de *Como Fazer Amigos*. Os dois se conheceram em um cruzeiro a Cuba no fim do verão de 1937 – eles viajavam sozinhos – e se sentiram atraídos imediatamente. Na verdade, após passar muito tempo juntos, os dois se apaixonaram. Quando voltaram aos Estados Unidos, Dale enviou-lhe uma cópia de seu livro *Fatos Pouco Conhecidos a Respeito de Pessoas Muito Conhecidas*, onde escreveu "Minha cara Frieda: Espero que goste de ler este livro pelo menos um décimo do que gostei de conhecê-la. Feliz aniversário, 26 de agosto de 1937, Dale Carnegie".

Havia um problema, contudo: Frieda era casada. Seu marido, após a oposição inicial, logo adotou uma atitude complicada, até mesmo bizarra, a respeito do relacionamento. O que se seguiu foi uma daquelas situações peculiares em que todo mundo sabe o que está acontecendo, mas ninguém fala diretamente do assunto nem admite seu papel. Por trás de uma camada de educação, até mesmo de amizade, existia uma mistura sombria de desejo e vulnerabilidade que envolvia três adultos e uma criança. Esse complexo cenário emocional frequentemente se tornava mordaz, e continuaria pelo resto da vida de Dale Carnegie.[527]

Frieda Offenbach, uma jovem muito atraente – tanto física quanto intelectualmente, tinha uma história acentuadamente diferente da do famoso autor. Nascida Frieda Berkowitz em Baltimore, a 26 de agosto de 1910, filha de Max e Rose Berkowitz – eles abreviariam seu nome para Burke anos mais tarde –, ela crescera em uma família de imigrantes judeus. Seu pai e sua mãe nasceram na Rússia na década de 1870 e emigraram para os Estados Unidos nos anos 1890. Estabeleceram-se em

Baltimore e tiveram seis filhos – Frieda era a segunda mais nova –, que Max sustentou como comerciante, tendo possuído sucessivamente uma mercearia, uma loja de roupas e tecidos e uma de móveis de segunda mão. Mas Max tratava rudemente sua mulher e seus filhos. Frieda, garota inteligente e sensível, ficou deprimida com a situação doméstica tensa e se atirou nos estudos. Ela foi aceita no Goucher College, em Baltimore, onde estudou os clássicos e ciências, jogou tênis e se formou Phi Beta Kappa aos dezenove anos.[528]

Ao mesmo tempo, Frieda tornou-se uma jovem alta, angulosa, de cabelos escuros, com maças do rosto salientes e grandes olhos escuros e sensíveis. Criada em Baltimore, ela adotou um modo sulista de requinte feminino, falando suavemente, prestando atenção nos outros e transpirando inteligência, graça e charme, especialmente na companhia de homens. Ela "dava importância a se comportar como uma dama", notou um observador, e raramente saía de casa sem maquiagem. Sempre vestida adequada e atrativamente, ela costumava usar luvas brancas quando saía.[529]

Após se formar na faculdade, Frieda foi admitida na Universidade de Chicago, uma das principais instituições de ensino superior nos Estados Unidos, onde estudou Bacteriologia em busca de uma graduação avançada. Ela tomou a decisão precipitada de abandonar o curso, contudo, após ir a uma festa com um belo jovem com quem tinha se envolvido. Como alguém nessa reunião fez um comentário antissemita grosseiro, e o jovem não se manifestou contra essa opinião, ela se irritou, foi embora da festa e terminou o relacionamento. Mais importante que isso, ela fez as malas, abandonou a escola e voltou a Baltimore. Essa ação impulsiva, que mostrava um temperamento autodestrutivo, deixou-a um tanto perdida, contudo, e ela acabou arrumando um emprego em assistência social. Logo ela conheceu outro assistente social, Isador Offenbach, e – obviamente tentando preencher a lacuna do relacionamento que abandonou com a universidade – rapidamente concordou em se casar com ele. A cerimônia foi realizada em Baltimore, em 29 de novembro de 1933.[530]

Isador Edmond Offenbach nascera em Lodz, Polônia, em 1905, e migrou para os Estados Unidos dois anos depois com sua mãe, Jennie.

Seu pai, Solomon, chegara antes e arrumou emprego como maquinista, funileiro e caldeireiro em Bradsford, no extremo norte do estado da Pensilvânia. Outros quatro filhos viriam nos dez anos seguintes. Na adolescência, Isador estudou para ser rabino. Mas a visão, que se deteriorou rapidamente, tirou-o desse caminho – ele sofrera um ferimento grave em um olho na infância, e o outro olho parece ter se deteriorado devido ao esforço; problemas de descolamento de retina exacerbariam suas dificuldades quando adulto, ao ponto de ele ser declarado legalmente cego. Muito inteligente e determinado a ter sucesso apesar de sua deficiência, ele se formou na faculdade Hebrew Union, em Cincinnati, em Ohio, antes de obter um mestrado em assistência social na Universidade de Columbia, em Nova York. Após conseguir um emprego no Serviço Social Judaico em Baltimore, ele logo conheceu e começou a cortejar Frieda, e, dois anos depois do casamento, os dois se mudaram para New Haven, em Connecticut, onde Isador se empregou como diretor executivo do Serviço da Família Judaica.[531]

Em casa, as tendências dominadoras de Isador tornaram-no uma figura patriarcal severa. Sentado em sua poltrona na sala de estar, ele passava horas escutando livros gravados e devorando revistas e livros que sua esposa lia para ele, ou mesmo segurando essas publicações perto do rosto, sob luzes intensas, quando conseguia ler, com dificuldades, as palavras. A noite no lar dos Offenbach girava em torno de suas necessidades e desejos, e ele sabia ser incisivo e dogmático ao manifestá-los. Ele ventilava sua raiva com frequência, tornando-se um autoritário que sempre tinha que dar a última palavra. Essa mesma combinação de brilhantismo, ressentimento e dominação podia irromper em público, como na vez em que corrigiu, com sarcasmo, o rabino durante a leitura da Torá na sinagoga.[532]

Frieda, por sua vez, sucumbiu e se esforçou para criar um lar tranquilo. Graciosamente, ela procurava atender as necessidades do marido – servia o jantar dele todas as noites na cabeceira da mesa e explicava-lhe, calmamente, a disposição da comida no prato, para que ele pudesse comer mantendo sua dignidade. Frieda também o levava de carro a todos os compromissos que tinha em New Haven. Aos poucos, contudo, começou a parecer que Frieda se esforçava para manter uma fachada. Observadores reparavam uma frustração de fundo, como quando ela revirava os olhos enquanto tentava atender as exigências do marido, ou quando assumia um comportamento arredio. Mais reticente que seu marido intimidador, ela sempre se encolhia diante da personalidade assertiva de Isador, ao mesmo tempo em que suportava seus rompantes e se encolhia diante das demonstrações de afeto do marido. Frieda desenvolveu vários hábitos físicos com o objetivo de consolar seu espírito desgastado: ela fumava muito, comia pouco e ocasionalmente exagerava na bebida, o que soltava seu temperamento reservado e lhe permitia ser sentimental e afetuosa. Ela também tendia a desabrochar na presença de homens que a tratavam com respeito. Por exemplo, Frieda desenvolveu muito carinho pelo irmão mais novo de Isador, e quando ele os visitava passavam horas conversando e rindo. Mas na vida cotidiana ela se tornou emocionalmente distante e rabugenta – um caso clássico de alguém preso a um casamento infeliz.[533]

Esse era o cenário armado para que acontecesse o relacionamento entre Dale Carnegie e Frieda Offenbach em 1937. Frieda foi arrebatada por aquele professor mais velho e escritor realizado com personalidade atraente, modos amigáveis e contidos e sensibilidade às interações humanas que era uma celebridade nacional e representava tudo que seu marido não era. Ainda que suas tendências autodestrutivas possam tê-la conduzido a esse relacionamento, Dale também a retirava da melancolia que envolvia sua vida diária. Em carta a Dale que carregava a saudação "Querido", ela explica que estava se sentindo "derrotada, deprimida... quando chegou sua carta e pronto! Meu sangue voltou a circular, minha pressão sanguínea subiu, meu ânimo voltou". Ela brincou que "Continuo a acreditar que seria uma grande conquista da ciência se fosse possível engarrafar o efeito que você provoca para ser usado quando alguém está com o moral baixo". Através de Dale, Frieda criou um tipo de mundo da fantasia em que podia relaxar, expressar-se livremente e, periodicamente, escapar das contrições de sua vida desagradável e encontrar a felicidade.[534]

O encanto de Frieda por Dale era inegável, ainda que complexo. Há pouca dúvida sobre os fortes sentimentos que ele nutria pela moça. Quando ele retomou o hábito de escrever seu diário, após um lapso de seis anos, a primeira coisa que anotou ali foi: "Nossa, quanta coisa aconteceu nos últimos seis anos!!! Conheci F. O". Significativamente, isso apareceu antes de qualquer menção ao "incrível" sucesso de *Como Fazer Amigos*. Ele se dirigia a ela como "Caríssima, Caríssima Frieda" em cartas e abriu uma conta para ela em uma loja de vestidos em Nova York. Seu visual jovem e sua elegância discreta certamente o atraíram, claro – ela tinha apenas vinte e sete anos, e ele, quarenta e nove, quando se conheceram –, assim como sua inteligência evidente. A boa formação superior de Frieda, seu conhecimento dos clássicos e das ciências sem dúvida tiveram impacto no garoto do interior com formação limitada. Apesar do trabalho de assistente social, ela conseguiu manter contato com a microbiologia, publicando, em 1936, um breve artigo em Procedimentos da Sociedade de Medicina e Biologia Experimental intitulado "Virulência em relação às fases iniciais do ciclo de cultura", em que tentava medir a virulência do crescimento bacteriano em animais. O jornal a identificou como afiliada "ao Departamento de Saúde Pública, Escola de Medicina de Yale". Como ela não fazia questão de demonstrar seu conhecimento, e quando o fazia era com maneiras suaves e uma atitude de deferência em relação aos homens, Dale se sentiu fascinado, não ameaçado. De fato, ele até mesmo gracejou sobre sua dificuldade em "aprender a diferença entre virulência e patogenia e *pluribus unum* em ratos brancos".[535]

Mas Frieda também atraiu Dale por razões mais complicadas, inconscientes, até. Como judia urbana, mulher casada e intelectual, ela era a definição de transgressão para um homem que passara boa parte da vida sofrendo com as repressões de sua formação protestante e rural no Meio-Oeste. Além do mais, sua situação infeliz, tornada ainda mais triste por sua recusa obstinada em não abandonar um marido incapacitado – uma vez, quando perguntada por que não terminou seu casamento com Isador, ela respondeu simplesmente que "não se pode abandonar um homem cego" –, comoveu a natureza sensível e solícita dele. Sem dúvida, Frieda encantou Dale. No aniversário dela, enquanto viajava, ele lhe enviou um telegrama encantador que dizia: "Muita empolgação aqui nas Rochosas Canadenses. A notícia se espalhou. As marmotas assobiam, avalanches rugem, alces cantam. E todos estão dizendo feliz aniversário para você, querida Frieda, feliz aniversário para você". Em outra viagem, ele observou que estava em um barco a caminho do Alasca antes de acrescentar que "É isso, meu corpo está no navio, mas meu espírito estará na Rua Gordon, 58, com você... Gostaria que você estivesse indo para o Alasca comigo".[536]

Da mesma forma, Frieda recheava suas cartas para Dale com rompantes de afeto. Usando a saudação "Caríssimo" ou "Meu Querido", ela expressava, com frequência, o desejo de passar mais tempo com ele. "Quero que você descanse bem, mas ainda assim gostaria que as Rochosas Canadenses fossem alguns milhares de quilômetros mais próximas", escreveu ela em uma carta. "O lugar em que você está deve ser divino – e eu gostaria de estar com você", disse em outra. Quando Dale voltou ao oeste do Missouri, no verão de 1941, por causa da doença e morte do pai, ela lhe escreveu que "este deve ser um momento muito triste para você, com essa perda tão próxima – e Deus sabe o quanto eu queria estar com você. Se eu pudesse funcionar sem me importar com as outras responsabilidades, pegaria um avião para Belton, para ficar a seu lado".[537]

Conforme o relacionamento dos dois foi se aprofundando, Dale e Frieda lutavam para passar algum tempo juntos e continuar publicamente discretos. Seus encontros tomaram diversas formas. Viajando com a família, por exemplo, ela conseguiu escapar por alguns dias, informando Dale que "o único tempo que posso arrumar seria parando na minha volta para New Haven por algumas horas, ou mesmo uma noite, em torno de 16 ou 17 de junho". De seu lado, Dale procurava arrumar visitas dela a sua casa nos fins de semana em que estava livre. No fim de dezembro de 1939, ele escreveu que o compromisso com uma palestra o manteria longe até a manhã de sábado, mas que isso "não precisa impedi-la de vir na sexta-feira e fazer compras, passear e depois passar a noite em casa". Depois, ele lhe pediu que passasse o Ano-novo com ele, quando "ficaremos sentados diante da lareira para observar o antigo ir embora e o novo chegar". No ano seguinte, outra carta para Frieda destacava que suas observações recentes a respeito da guerra na Europa haviam sido citadas em jornais, e ele escreveu no recorte: "Você não sabia, quando foi para Peggy's Cove, que estava acompanhada de uma autoridade em assuntos internacionais". Peggy's Cove era uma cidade turística na costa sudeste da Nova Escócia que contava com uma vila de pescadores e um farol, e obviamente fora visitada pelos amantes pouco tempo antes.⁵³⁸

Uma fotografia de Dale e Frieda capturou a riqueza da ligação entre eles. Fotógrafa talentosa, ela fez (aparentemente na casa de um deles) uma composição artística para a foto. A câmera, com temporizador, focava uma espreguiçadeira; a iluminação era forte na frente, iluminando o rosto dos dois diante de um fundo escuro. Isso produziu uma imagem impressionante do casal. Dale, elegante em um terno risca de giz com um alfinete de gravata em ouro, sorria como um menino, um pouco acanhado, recostado contra o peito e o ombro de Frieda. Esta, com o cabelo escuro puxado para trás e usando um vestido azul-claro, tinha os dois braços ao redor dele e apoiava o queixo sobre a cabeça dele, mostrando um sorriso radiante. A fotografia mostra duas pessoas apaixonadas.⁵³⁹

Dale Carnegie e Frieda Offenbach por volta de 1940.

O grande mistério desse relacionamento, claro, estava na atitude de Isador, marido de Frieda. Logo no início ele encontrou evidências do caso de sua mulher com Dale quando ela lhe pediu que pegasse um maço de cigarros em sua bolsa. Ela se esquecera, contudo, de que uma carta de amor de Dale também estava ali – um psicólogo poderia questionar o aspecto inconsciente de seu "esquecimento" –, e Isador a segurou perto o suficiente do rosto para conseguir entender de que se tratava. Ele explodiu, furioso, exigiu uma explicação e insistiu em que Frieda terminasse o romance. Mas ele logo se acalmou e aceitou, até com cumplicidade, o arranjo. Na verdade, cerca de dois anos após se envolver com Frieda, Dale conheceu Isador, passou a visitar a residência dos Offenbach e até escrevia uma carta, de vez em quando, para ele. Há diversas explicações possíveis para a atitude complacente, realmente espantosa, de Isador. Frieda pode ter disfarçado e admitido apenas uma grande amizade com Dale, assim permitindo que seu marido não passasse vergonha, ao mesmo tempo em que usava sua cegueira para se encontrar furtivamente com o autor. Isador pode ter engolido sua contrariedade em relação ao caso e fingido não ver nada por causa da atenção e do respeito que aquele homem famoso começou a lhe demonstrar, uma atitude que alimentava seu grande ego. Ou Isador pode ter aceitado a presença de Dale por motivos econômicos. Ele sempre se sentira inseguro quanto a sua capacidade de sustentar a família devido à cegueira, e pode ter aceitado o relacionamento devido ao fluxo contínuo de dinheiro que Dale logo começou a despejar no lar dos Offenbach. É mais provável que o consentimento de Isador resultasse de uma combinação de todos esses motivos.[540]

Seja qual for o caso, no fim de 1939 Dale expressava abertamente grande admiração pelo homem por cuja esposa tinha se apaixonado. Em carta a "Meu caro Isador", datada de 20 de dezembro, Dale soltou o verbo: "Qualquer homem que suporta as pedras e flechas da Fortuna enfurecida*, como é seu caso, qualquer um que conseguir fazer o mesmo será sempre senhor do seu destino e capitão de sua alma", escreveu ele. "Conhecer você, Isador, foi um privilégio raro para mim. Seu exemplo heroico levantou, de verdade, meu moral". Ele acrescentou, com relação a uma recente operação nos olhos de Isador: "Por favor, permita-me fazer uma pequena contribuição que ajudará um pouquinho a aliviar a

---

* (N. T.) Citação de *Hamlet*, de William Shakespeare.

opressora conta hospitalar que deve pesar em seu pescoço como uma corrente grossa". Então, um truque inteligente. Em viagem ao Japão, concluiu Dale, ele conheceu um joalheiro de grande reputação. "Ele me deu algumas pérolas de presente. Pensei que Frieda pudesse gostar de um colar com elas".[541]

Outro fio foi tecido nessa complicada teia emocional em 8 de julho de 1938, quando Frieda deu à luz uma menina no Grace Hospital, em New Haven, cerca de dez meses após conhecer Dale Carnegie. O autor, encantado, imediatamente enviou telegrama para o quarto de Frieda no hospital. "Bem-vinda, srta. Offenbach, a este episódio febril e fascinante chamado vida. Espero que você tenha herdado o cérebro e o caráter de seu pai e a doçura, o charme inefável e o conhecimento de ratos de laboratório de sua mãe. Quando crescer um pouco, por favor, venha até Forest Hills para brincar comigo e com Rex." Pouco tempo depois, ele ficou em êxtase ao saber que os pais da bebê a batizaram de Linda *Dale* Offenbach. "Minha querida Dale Offenbach", escreveu, "você é a única garotinha que já foi batizada com meu nome, então é natural que eu me sinta lisonjeado". Ele desejou à menina uma vida emocionante e manifestou esperança de que pudessem, no futuro, passar algum tempo juntos, para que ele pudesse lhe transmitir "algumas das verdades que tive que aprender através de experiências de partir o coração". Como ela certamente seria inteligente como a mãe e poderia querer cursar a Goucher College, explicou Dale, "comecei uma pequena conta de poupança para você no Bowery Savings Bank em Nova York". Ele assinou: "Com amor, de Dale para Dale".[542]

É óbvio que Dale acreditava ser o pai da criança e agiu de acordo, conforme aquelas circunstâncias peculiares lhe permitiram, ao longo dos anos seguintes. Ele escreveu várias cartas a "Minha querida homônima", enquanto viajava pelo país dando palestras e cursos, e a enchia de dinheiro, presentes e atenção. Enviava cheques pelo aniversário, informava os horários de suas aparições no rádio ("Estarei no Programa Vitalis na noite de sexta-feira, com George Jesse como apresentador") e lhe remetia um bom número de "roupas de brincar para menininhas", feitas em uma confecção perto da casa de seus pais. Ele manifestou grande prazer ao ouvir que "você batizou sua boneca de 'Tio Dale'".

Após testemunhar o progresso da menina em falar, Dale admitiu estar "encantado com o progresso que você tem feito. Você fala com clareza e usa frases completas". Ele ficou satisfeito de notar que ela tinha "um gênio bom" e já mostrava "o que os franceses chamam de *la joie de vivre*", e acrescentou, brincando: "Escrevi isso para impressionar sua mãe". Impaciente com as fotografias que recebeu da menina, ele pede "mais retratos coloridos de você" e promete comprar um projetor e uma tela para Linda, para que no futuro ela pudesse ver "o tipo de fotos que eu e sua mãe apreciamos na Exposição da Kodak na Feira Mundial de 1940 em Nova York".[543]

Dale com Linda Offenbach, a garota que ele acreditava ser sua filha, na casa dos Offenbach.

É significativo que, em toda a sua extensa correspondência com os Offenbach, Dale tenha empregado uma linguagem hábil ao se referir à paternidade de Linda. Ele encontrou inúmeras formas de descrever Isador, chamando-o de "papá", "pater", "progenitor". Contudo, ele empregava a palavra "pai", mais biológica, com muito cuidado, usando-a apenas vaga ou ambiguamente para que pudesse ser aplicada tanto a ele quanto a Isador. Por exemplo, ao escrever para a menina, em 8 de julho de 1939, Dale disse: "Deus foi bom com você, Linda Dale, quando lhe deu Isador e Frieda como progenitores. Espero que você cresça e mostre a inteligência e o caráter de seu pai, bem como o charme de sua mãe". Outra ação reveladora veio anos depois. Na última carta que escreveu para a garota adolescente, apenas alguns anos antes de sua morte, Dale não assinou simplesmente como Tio Dale como fazia sempre. Em vez disso ele destacou a palavra Tio com aspas, como em "Tio" Dale. Aquele foi, talvez, um último sinal sutil para Linda Dale de que ele acreditava ser seu sangue.[544]

Toda essa questão de paternidade permaneceu vexatória e obscura, porque ninguém tratava dela diretamente. De seu lado, Frieda e Isador tentavam deliberadamente, ainda que de modo ambíguo, trazer Dale para a vida da filha, não apenas acrescentando-lhe o nome "Dale", mas indicando-o oficialmente como padrinho dela, prática incomum para uma família judia. Por sua vez, Dale Carnegie não apenas enviava brinquedos, presentes e roupas, como em alguns anos começou a programar visitas constantes a sua casa e estabeleceu um fundo fiduciário para Linda Dale. A criança, claro, carregava o maior peso emocional dessa questão de que ninguém falava. Ao chegar ao início da adolescência e se deparar com essas circunstâncias estranhas, ela às vezes fazia perguntas pontuais a sua mãe sobre Dale, sua família e ela mesma. Frieda, com a tendência a ser emocionalmente distante, evitava respostas diretas e nunca se abriu. Muitos anos depois, com Linda já adulta e estabelecida com sua própria família, Isador, então um velho difícil e ranzinza, enviou-lhe uma carta que começava: "Eu sei que você pensa que não sou realmente seu pai. Isso não é verdade. Vou lhe contar da noite em que acredito que você foi concebida". A filha, chocada e desconcertada, pois se distanciara do pai, amassou a carta e a jogou no lixo sem terminar de lê-la. A verdade nunca apareceu.[545]

Mas, em última análise, com relação à vida de Dale, a questão quanto à paternidade de Linda Dale praticamente não tinha importância. Ele acreditava que era o pai dela. Mesmo sabendo que Frieda nunca deixaria Isador, ele fez tudo para manter uma relação romântica com ela e sustentar, o melhor que podia, tanto material quanto emocionalmente, a filha que acreditava ter produzido com ela. Respeitador, ele mantinha a fachada de "Tio Dale" para a família Offenbach, ao mesmo tempo em que escrevia cartas de amor para Frieda, nas quais, de vez em quando, se referia ironicamente a seu marido como "O Xeique da [Rua] 58". Ou ele escrevia cartas tanto a Frieda quanto a Isador em que, ocasionalmente, deixava escapar quem realmente amava, como em: "Esta noite vou para Nova York. Espero ver ambas antes do Natal. 'Ambas', eu disse? Quis dizer 'todos vocês', vocês três". Talvez mais reveladora, contudo, seja a conclusão habitual de suas cartas a Linda Dale. Ele normalmente perguntava: "Sua mãe está guardando todas as cartas para você?", ou sugeria: "Você pode não dar valor a esta carta agora, Linda, mas, se sua mãe guardá-la para você, acredito que a apreciará em 1975". Dale esperava que algum dia a garota compreendesse a verdadeira natureza de seu relacionamento.[546]

Assim, em 1940, Dale Carnegie cruzara um divisor de águas em sua vida. Seu livro best-seller, com uma fórmula vibrante de sucesso, tocara um conjunto de valores importantes na moderna cultura americana, um feito que o tornou uma celebridade para milhões de pessoas. A fama resultante produziu tanto grande aclamação quanto forte pressão, o que o obrigou a apresentar uma persona pública confiante e bem-sucedida, por trás da qual se escondia um sentimento particular de insegurança. Além disso, a morte de seus pais, mas principalmente da sua mãe, encerrava um capítulo de sua vida. O falecimento dos dois provocou sentimentos de perda, gratidão pelos sacrifícios que fizeram durante sua infância, inveja da segurança que encontravam na fé religiosa e uma satisfação discreta pela libertação final das severas tradições protestantes.

Finalmente, quando Dale se apaixonou por uma mulher casada – uma relação acompanhada da estranha amizade com seu marido e do profundo afeto por uma filha que ele acreditava ser sua –, isso criou um novo e intenso nível de envolvimento emocional em sua vida. Em busca do caminho para o sucesso desde a adolescência, Dale Carnegie afinal alcançara o ápice da realização. Mas, assim como acontece com tantos outros, em vários lugares e épocas, ele descobriu que as recompensas da realização trazem, além de grande felicidade, dilemas estranhos.

14. "Encontre um trabalho do qual você goste"

No início dos anos 1940, Dale Carnegie havia se tornado uma instituição americana. *A revista The American Mercury* o descreveu como "o rei da cultura americana", explicando que, "como Benny Goodman, Duke Ellington e outros artistas, ele exibira sua mágica no Carnegie Hall". Notando seu enorme apelo popular, a *Collier's* concluiu que "sua personalidade foi esticada a tal ponto, ao longo dos anos, que ele adquiriu, por osmose, o fervor de um cruzado e a presunção de um bandido... Essas duas características, aliadas a uma compreensão magnífica do óbvio, permitiram a Carnegie se estabelecer como o homem com uma mensagem". No meio da década, a revista *Look* comparou-o favoravelmente com o novo presidente, Harry S. Truman. Os dois não apenas vinham de lugares próximos no Missouri, mas possuíam semelhança física e um sotaque do Meio-Oeste com um toque anasalado. Mais importante que isso, eles tinham atitude e conduta semelhantes. Os americanos diziam que Truman, observou a *Look*, "parece 'um americano médio' e se comporta assim. Assim também é Dale Carnegie".[547]

A crescente reputação de Dale o precedia quando ele viajava pelo país. Os jornais locais o saudavam como "notável psicólogo de personalidade" ou um "notável psicólogo empresarial". A Câmara de Comércio Júnior de Kansas City usou um anúncio de página inteira no jornal para promover a palestra de Dale "Como Vender Suas Ideias" e o descreveu como um "autor, personalidade do rádio e colunista de jornal... mestre palestrante, animado, com voz agradável e modos encantadores". Os ensinamentos e escritos de Dale tinham encontrado um grande público, continuava o anúncio, que o inundava com cartas "aos milhares, que trazem testemunhos da influência fenomenal que seu trabalho tem no público americano".[548]

No alto de sua popularidade no início da década de 1940, Dale abraçou sua estatura pública ampliada. Confiante, escreveu ao presidente Roosevelt recomendando-lhe um novo vice-presidente para a eleição de 1940, o governador do Missouri Lloyd C. Stark. Cidadãos médios assombravam-se com a imagem de Dale. Quando estava em uma loja de Los Angeles, para comprar um paletó, o vendedor o reconheceu e insistiu em levá-lo a um provador especial chamado de "Hall da Fama". E ele fez com que Dale escrevesse seu nome na parede, ao lado de outras assinaturas famosas, como as de Spencer Tracy, Clark Gable, Mary Pickford, Douglas Fairbanks e muitos outros.[549]

Dale persuade Jiggs a fazer seu curso no filme de 1947 Jiggs and Maggie in Society.

Dale até se aventurou em Hollywood, aparecendo na comédia popular *Jiggs and Maggie in Society* (Jiggs e Maggie na Sociedade), em que representava a si mesmo. Parte de uma série de filmes baseados nos quadrinhos *Bringing Up Father* (Criando o Pai), esse filme mostrava os esforços de Maggie para fazer parte da nata da sociedade de Manhattan, enquanto seu marido irascível, Jiggs, continuava a se encontrar com seus amigos trabalhadores no bar da esquina. Dale aparecia em várias cenas, depois que Maggie o contratou para educar, sem sucesso, o indócil Jiggs.⁵⁵⁰

Carnegie tornou-se alvo de uma sátira de Hollywood quando a Twentieth Century-Fox lançou *Assim Vivo Eu...*, uma comédia romântica, dirigida por Walter Lang, que fazia graça com seus princípios de sucesso. O filme trazia um personagem parecido com Dale Carnegie, interpretado por Don Ameche, cuja escola de sucesso não foi para a frente até ele fazer um concurso, muito divulgado, para encontrar o maior fracasso nos Estados Unidos e, então, reformá-lo com seus princípios de relações humanas. Henry Fonda interpretou o vencedor do concurso, um caipira indócil que é levado a Nova York, faz o curso e atrai atenção nacional com seu progresso. Contudo, ele logo se rebela contra a pressão para ter sucesso. Após uma série de contratempos cômicos e românticos, Fonda foge com a garota de Ameche e torna-se instrutor de um curso de técnicas de relaxamento.⁵⁵¹

Dale Carnegie apresentando seu programa de rádio de 1943-1944, Interesting People *(Gente interessante), na Mutual Network.*

Outro testemunho da popularidade de Dale veio quando outra instituição cultural da classe-média americana – a Sears, Roebuck and

Company – juntou forças com ele. O catálogo anual da empresa apresentou um novo slogan aos consumidores: "Prepare-se para a liderança, use as roupas certas". A roupa mais bem cortada para o sucesso, proclamava o catálogo, vinha na forma de seu "Terno Staunton". O elegante, porém despretensioso, conjunto de lã projetava os princípios de Dale relativos a confiança pessoal e atitude solícita com os outros. A Sears prometia que o indivíduo ambicioso vestido com esse traje iria "Fazer Mais Amigos, Influenciar Mais Pessoas".[552]

Enquanto sua fama e influência voavam alto, contudo, Dale deparou-se com uma situação inesperada. Ele quase naufragou financeiramente. O Curso Carnegie sempre fora a espinha dorsal de seus empreendimentos, a atividade principal à qual ele se dedicara durante décadas, eventualmente voltando-se para a escrita. Mas ele descobriu que o mau gerenciamento levara o Instituto Dale Carnegie quase à ruína. Enquanto ele viajava pelo país dando suas palestras e seus cursos, seus funcionários de confiança formaram uma equipe inchada no escritório de Nova York, que incorria em despesas imensas e incapacitantes. Aturdido, ele voltou para Nova York em uma tentativa desesperada de salvar sua empresa.

A revista *The New Yorker*, uma das favoritas das classes mais exigentes do nordeste urbano dos EUA, era famosa por suas análises extensas, minuciosas e frequentemente irônicas da vida contemporânea. De vez em quando ela se debruçava para examinar agitações na cultura popular, principalmente quando forneciam excentricidades prontas para um deboche sutil, ou quando cresciam para se tornar vagalhões que ameaçavam esmagar os bastiões da respeitabilidade. As duas motivações apareceram no final de 1937 quando Jack Alexander, um dos colaboradores habituais da revista, analisou o fenômeno Dale Carnegie. Ele se concentrou no curso, não em *Como Fazer Amigos e Influenciar Pessoas*. "Muito antes de Dale Carnegie escrever seu famoso livro", explicou, "ele era um dos professores de oratória de maior sucesso no mundo." Alexander estava decidido a descobrir o porquê.[553]

Ao visitar o escritório do Instituto Dale Carnegie na Rua 42 Leste, Alexander considerou-o "um dos mais ativos lugares de negócios que já vi". Ele foi encaminhado ao "reitor, um sr. Nelson, que instantaneamente me mostrou cartas de Carlsbad e Estocolmo perguntando quando o evangelho seria traduzido e levado para o exterior". A demanda pelos cursos Carnegie disparara, tanto doméstica quanto internacionalmente, e o instituto se apressava em formar instrutores, Nelson contou para Alexander. Essa era uma tarefa desafiadora, contudo, porque, enquanto faculdades podem contratar seus professores simplesmente com base em títulos e publicações, o Instituto Carnegie "precisa conseguir especialistas na educação das emoções, além de serem professores de oratória – homens que possam ajudar o aluno a se desenvolver por inteiro". O professor deve estar preparado para ajudar cada aluno a enfrentar seus medos e superá-los. Em cada matriculado, "Seu Desejo de Ser Importante, como o sr. Carnegie chama isso em seu livro, o colocou no caminho de uma personalidade nova e poderosa", escreveu Alexander. Com as letras maiúsculas sutilmente sinalizando seu desdém, o jornalista foi conferir como funcionava o curso.[554]

Alexander intitulou seu artigo "A Lapiseira Verde". Era uma referência, além de deboche sutil, ao cobiçado prêmio do Curso Carnegie, que era reverentemente mostrado aos alunos durante a sessão introdutória "em uma caixa pequena, oblonga, embrulhada em papel prateado". Dentro desse recipiente, explicou o instrutor, estava "uma lapiseira verde com a inscrição 'Primeiro Prêmio para Melhor Discurso, Curso Dale Carnegie de Oratória Eficaz'". Com votação dos próprios alunos, ela seria entregue ao orador mais convincente ao fim de cada reunião. "Pois eu lhes digo que logo na primeira noite vocês vão para casa com uma destas", disse, com seriedade, o professor, "e, como Dale Carnegie diz em seu livro, você irá acordar sua esposa e mostrar para ela. E, se você se sentir da mesma forma que eu, irá parar estranhos na rua e dizer para eles: 'Veja o que eu ganhei'".[555]

Para Alexander, a importância conferida àquele troféu insignificante capturava o apelo essencial do curso às pessoas esfarrapadas, sem instrução, emocionalmente rasas que desfilavam diante de seus colegas de classe para balbuciar algumas palavras tentando encontrar, desesperadas, autoconfiança e mobilidade social. Havia o nervoso vendedor de roupas esportivas que tinha dificuldades para fechar suas vendas que contou: "Eu... ahn... vim aqui esta noite para ver se não consigo ser ajudado". Havia também o "homem atarracado" que vendia verduras no Brooklyn e queria ter um apelo mais forte para seus clientes. Ele explicou que "Eu acho que se posso vir aqui e fazer um discurso eu posso, talvez... talvez eu possa...", antes de perder a fala. E a "mulher de meia-idade com voz chorosa" que pedira, sem sucesso, um empréstimo no banco e então se matriculara para ver se "Dale Carnegie pode me mostrar como conseguir três mil dólares". E o "grande gordo" de Indiana que confessou que, anos atrás, "algo terrível tomou conta de mim – um complexo de inferioridade", mas que, "quando li a respeito de Dale Carnegie, disse para mim mesmo 'talvez ele tenha algo para mim'. Bem, aqui estou eu". Essas confissões desconexas e nervosas provocaram uma exortação do instrutor: "Um Curso Dale Carnegie [é valioso] não só por ensinar as pessoas a falarem em público, mas também para que melhorem de outras formas... Elas são estimuladas mentalmente, sabiam? E o que é falar em público se não vender – vender a si mesmo". No entendimento de Alexander, o curso Carnegie, com seu programa de estímulo da autoconfiança e sua fórmula para "Fazer a Outra Pessoa Ficar Feliz por Fazer Aquilo que Você Sugere" mirava nessa galeria de tipos carentes e fracos.[556]

Apesar de seu tom desdenhoso, às vezes sarcástico, o artigo da *The New Yorker* capturava uma verdade essencial: o Curso Carnegie era, de fato, o motor que impulsionava a operação do fundador, e no fim da década de 1930 ele funcionava a todo vapor. Pessoas comuns, ansiosas por superar seus problemas e alcançar o sucesso, afluíam em números cada vez maiores para se matricular. Toda essa popularidade sobrecarregou a estrutura original do curso estabelecido nos anos 1910, no qual Dale dava as aulas com a assistência de alguns colegas e palestrantes convidados. Depois, ele começou a construir uma organização mais ampla e complexa. Encorajado pelas crescentes multidões de alunos, e impulsionado pelos abundantes recursos de seu best-seller, Dale ampliou sua atuação, com mais cursos e uma equipe maior de professores.

Em 1935 ele rebatizou sua organização de Instituto Dale Carnegie de Oratória Eficaz e Relações Humanas, e o sucesso imenso de *Como Fazer*

Amigos levou-o a acrescentar "Dale" ao nome do instituto, para diferenciá-lo de projetos de iniciativa de Andrew Carnegie. Como relatou a *The New Yorker*, "o movimento de fazer amigos cresceu tão rapidamente que Carnegie foi incapaz de acompanhá-lo. Ele teve que deixar de dar aulas para poder dedicar seu tempo aos deveres administrativos". Isso era apenas parcialmente verdadeiro. Embora o crescimento do curso obrigasse Dale a assumir mais deveres administrativos, ele nunca deixou de ensinar; ele ainda adorava conduzir uma aula sempre que possível. Como disse seu amigo Homer Croy, "O sucesso do livro não significa muito para ele, pois, em particular, ele considerava aquilo um lance de sorte. Seu interesse real estava nas aulas."[557]

O famoso curso passou por outras mudanças. Como a mensagem de sucesso de *Como Fazer Amigos* transcendia a oratória, o autor alterou o nome do programa para Curso de Liderança Dale Carnegie. "Se você puder se pôr de pé e fizer um discurso que impressione os outros, irá evoluir muito mais rápido do que se ficar sentado de boca fechada", escreveu um jornalista sobre o etos de sucesso do curso. Dale também ampliou sua base de clientes, concedendo representação a indivíduos em todos os Estados Unidos. Eles recebiam licença para oferecer os cursos Carnegie em sua região com instrutores que já tivessem completado o treinamento com sucesso. Além disso, os representantes tinham permissão para conseguir alunos através de iniciativas de venda direta e reuniões de demonstração.[558]

Com essas modificações, o Curso Carnegie prosperou como nunca. Croy, que frequentou aulas em Nova York e escreveu um artigo extenso para a Esquire, observou que havia vinte e duas faculdades e universidades na cidade oferecendo cursos de oratória, mas que Dale tinha mais alunos que todas essas instituições juntas. Ele descreveu o curso como uma "fábrica de sucesso", em que "estudantes eram trabalhados com precisão mecânica". Um artigo de jornal listou algumas das sessões típicas do curso – Superando o Medo, Desenvolvendo Coragem, Adquirindo Tranquilidade e Confiança, Como Melhorar Sua Aparência Pessoal, Melhoria de Personalidade – e descreveu como o professor encorajou todos a fazer um "discurso vibrante, estimulante". Ele notou que os alunos abordaram uma ampla variedade de tópicos: exames da Ordem dos

Advogados, incubação de galinhas, assistência a inundações, seguro de vida, pesca em alto-mar, fotografia, investimentos financeiros, os problemas que um ministro religioso enfrenta e sífilis, sendo que este último fez com que o instrutor se inclinasse e sussurrasse "Ai, caramba!".[559]

Pela primeira vez o Instituto Carnegie diversificava e também oferecia um curso especial de vendas. Durante vários anos Dale recebera numerosos pedidos de vendedores de todo o país para que oferecesse um curso projetado especificamente para atender às suas necessidades. Em 1939, ele finalmente se rendeu. Trabalhando com Abbie Connell e diversos professores associados, ele criou um curso de cinco noites que ia de cidade em cidade e combinava seus princípios de relações humanas com instruções específicas de dicas e técnicas de vendas. "Nosso curso começava na noite de segunda-feira. Durante uma hora eu discorria sobre *Como Fazer Amigos*, e meus associados falavam sobre vendas por mais uma hora", contou Dale. "Então, eu voltava para mais uma hora sobre relações humanas, e a última hora focava vendas novamente. De segunda a sexta, e depois íamos para a cidade seguinte."[560]

O Curso Carnegie tornara-se tudo o que seu criador vislumbrara – era popular, influente, rentável e eficaz na transmissão de seus princípios de relações humanas. Então, seu fundador recebeu um choque enorme. Em 1941, ele descobriu que nem tudo estava bem. Na verdade, o Instituto chegara à beira do colapso financeiro. "Eu estava ganhando muito dinheiro. Os direitos autorais do livro continuavam chegando, dinheiro de patrocinadores entrava com regularidade, e o faturamento dos cursos de vendas era bom. Mas meu gerente de Nova York estava sempre precisando de dinheiro para despesas. Quais despesas? Fiquei sabendo que ele contratara assistentes para os assistentes dos assistentes", contou Dale. "Voltei para Nova York e descobri que minha empresa estava quase falida." Dale e Abbie Connell passaram vários dias analisando os livros e as planilhas da empresa. Ele descobriu que o escritório central, que deveria ter um punhado de empregados, tinha inchado ao ponto de abrigar trinta e sete funcionários nos "escritórios da cobertura" e outros dez nas atividades de publicação e distribuição. Eles haviam criado despesas fixas que absorviam quase todo o faturamento do instituto.[561]

Na verdade, Dale teve um papel maior nessa crise do que ele jamais admitiu. Arrebatado pelo faturamento que vinha de seus novos cursos e das vendas de *Como Fazer Amigos*, ele comprara um prédio em Nova York no qual gastou muito dinheiro, instalando ar-condicionado e salas de aula. Para encher o espaço de novos alunos, Dale enterrou ainda mais fundos em publicidade e promoção. Foi um erro clássico de expansão exagerada, e o edifício mostrou-se um dreno de recursos. "Quando faliu, todo aquele dinheiro foi embora", escreveu um funcionário do Instituto. "Eu estava na diretoria quando votamos para desistir dele". Dale referiu-se a essa situação apenas indiretamente, observando, muitos anos mais tarde, que

> Eu deixei que 300 mil dólares escorressem por entre meus dedos sem ganhar um centavo de lucro... Lancei uma empreitada de educação de adultos em grande escala, abri filiais em várias cidades e esbanjei dinheiro em custos fixos e publicidade. Eu estava tão ocupado dando aulas que não tinha tempo nem vontade de acompanhar o lado financeiro. Fui ingênuo demais para me dar conta de que precisava de um gerente administrativo astuto para ficar de olho nas despesas.[562]

Quaisquer que fossem as causas de seus problemas na empresa, Dale decidiu-se por uma solução drástica e informou ao gerente do escritório central de Nova York que toda a equipe do Instituto precisava ser demitida. Daquele momento em diante, as operações seriam conduzidas de sua casa, com os suprimentos editoriais armazenados em seu porão, enquanto o próprio Dale, auxiliado por Connell e pela sobrinha, Josephine, cuidaria da administração. É claro que essa decisão cortou dramaticamente as despesas e permitiu ao Instituto Dale Carnegie de Oratória Eficaz e Relações Humanas recuperar sua saúde financeira. Três anos de funcionamento nesse esquema básico reativaram a rentabilidade da empresa, e o fundador, com cautela, voltou a considerar a expansão.[563]

Em 1º de outubro de 1944, Dale solidificou a estrutura da organização transformando-a em corporação: Dale Carnegie Courses, Inc. Dessa forma, os representantes do curso em todos os Estados Unidos tornaram-se legalmente franqueados licenciados que respondiam a Dale. No ano seguinte, ele estabeleceu uma empresa controladora que abrangia todos os seus negócios, chamada Dale Carnegie and Associates, Inc., uma companhia limitada com ele próprio como presidente. A empresa abriu seu primeiro centro de distribuição para materiais impressos e, em 1945, realizou sua primeira convenção nacional, um encontro que combinava reunião de vendas e "atualização de instrutores".[564]

Esse processo de consolidação corporativa continuou por toda a década de 1940. Em 1947, Dale publicou o primeiro manual interno para treinamento de instrutores do Curso Carnegie. Ele também continuou a expandir sua rede de franquias, e, em 1948, supervisionava franqueados em 168 cidades, recebendo um percentual de cada um dos dezesseis mil alunos que faziam os cursos todo ano. Dale também fez experiências com a estrutura do curso, variando o número de aulas de quinze para vinte e um. Percy Whiting contribuiu decisivamente nesse processo. Alexander, em seu artigo na *New Yorker*, percebeu o dinamismo pessoal de Whiting, descrevendo-o como "um homem de cabelo branco bem vestido, com um sorriso fácil... [e] um jeito paternal ligeiramente agressivo", que podia ser, em rápida sucessão, jovial, autodepreciativo, entusiasmado e inspirador. Em 1947, Whiting escreveu *As Cinco Grandes Regras do Bom Vendedor*, que seria o livro didático do curso de vendas pelos cinquenta anos seguintes. Outros associados de longa data de Dale – Frank Bettger, Richard C. Borden, Charles A. Dwyer – permaneceram na equipe de professores, enquanto a organização admitiu várias pessoas que se tornariam seu sustentáculo ao longo das três décadas seguintes, entre elas Brick Brickell, Arthur Secord, Stewart McClelland, Pat Evans, Harry Hamm, Wes Westrom e Ormond Drake.[565]

Apesar de sua expansão e do foco nacional, o Curso Carnegie continuava a tirar a maior parte de sua energia do próprio Dale Carnegie. Ele tinha estima pela empresa educacional que fundara trinta anos antes e, de fato, tornara-a parte fundamental de sua identidade. Viajando pelo país constantemente, ele visitava salas de aula, dava assistência aos professores e trabalhava para manter um alto padrão de treinamento que permitisse transmitir, com eficiência, os princípios nos quais ele acreditava profundamente. Seu impacto foi indelével.

Quando conversava com jornalistas, Dale adorava contar histórias de suas experiências de ensino. Ele sempre fazia um gracejo que gostava de passar para os alunos: "Sabe, a verdadeira desvantagem deste curso é que você nunca mais vai conseguir ouvir um palestrante sem pensar em como ele é ruim". Ele contava como superou desafios assustadores, como quando um jovem assustado tentou fazer seu discurso, mas desmoronou, desmaiado. Enquanto ele caía, Dale agarrou seu corpo, apoiando-o, e anunciou dramaticamente para a classe: "Daqui a um mês este homem fará seu discurso neste púlpito!". E foi o que aconteceu. Dale também falava da vez em que o novo presidente de uma grande empresa apareceu, prometendo que, se o curso curasse seu medo, ele lhe daria metade de todas as suas posses. Diversas semanas mais tarde, Dale relatou, triunfante, o homem falou bem diante de uma plateia de quatro mil pessoas. Quando perguntado se reclamou metade das posses do homem, Dale respondeu com um sorriso: "Vocês levarão essa dúvida para o túmulo".[566]

Em uma longa entrevista para a revista *Your Life*, Dale relatou como um proeminente corretor de Wall Street se matriculou em seu curso, mas ficou tão aterrorizado que fugiu na primeira aula. Ele voltou, acanhado, após aceitar uma missão de embaixador, uma posição que exigiria falar em público constantemente. Logo estava fazendo ótimas palestras para seus colegas, e ficou tão enamorado da oratória que, numa manhã de domingo, acordou e perguntou à esposa se havia algum lugar em Nova York onde ele poderia falar naquele dia. Ela lhe lembrou que qualquer pessoa podia falar em uma Casa Quaker de Reuniões. Ele encontrou uma no Brooklyn e lá se propôs falar sobre como evitar a guerra. Houve também o chefe de uma empresa que tinha medo de falar em público, mas reparou, um dia, que seu contador, normalmente tímido, passou a entrar no escritório com o queixo elevado, olhar confiante, e dizendo um sonoro "bom-dia!". Quando o chefe lhe perguntou "o que aconteceu com você?", o contador respondeu que tinha feito o Curso Carnegie. O chefe, então, foi fazer o treinamento e, quatro meses depois, de acordo com Dale, "falava, incansável, em reuniões com centenas de pessoas. Quando pediam que falasse por três minutos, ele discursava por nove; e se o presidente na empresa não o tivesse feito se calar ele teria falado durante 90 minutos".[567]

A maestria didática de Dale tornou-se lendária. Vários instrutores do curso relataram a profunda influência do fundador, que também foi uma inspiração, nos anos que se seguiram ao enorme sucesso de *Como Fazer Amigos*. Sua atenção aos detalhes era notável. Um instrutor de Birmingham, Alabama, que chegou alguns minutos antes da aula, ficou assustado ao encontrar o visitante Dale Carnegie deitado sobre uma mesa. Quando o jovem e ansioso professor lhe perguntou se estava se sentindo bem, Dale respondeu que "estava só descansando um pouco, após vir para verificar como a classe estava arrumada". Imagine, lembrou-se o professor, que "ele era o dono do curso, mas verificava detalhes assim". Outra vez, Dale demonstrou a sabedoria de sua experiência. Ele observou uma jovem na aula que tinha dificuldades com sua fala devido ao medo que a fazia baixar a voz até quase não ser ouvida. Dale calmamente foi até a frente da sala, pediu com delicadeza ao instrutor que se afastasse, interrompeu a mulher, e, então, colocou duas cadeiras frente a frente. Depois que os dois se sentaram, Dale, de forma interessada e sincera, começou a fazer perguntas à jovem a respeito de seu tópico. Conforme foi se soltando, ela começou a relaxar e ganhar confiança, falou animadamente e terminou com "uma experiência bem-sucedida durante a palestra de dois minutos".[568]

A habilidade de Dale para ajudar alunos a superar seus medos impressionava a todos que a testemunhavam. Anos de experiência forneceram-lhe uma variedade de técnicas que ele gostava de compartilhar. Ao encontrar um aluno tímido durante uma de suas visitas, Dale relaxou o ambiente convidando o jovem a "fugir até a loja de doces com ele, e os dois deram uma volta completa na sala". A imagem do notável fundador do curso desfilando pela sala em seu terno de *tweed* fez a classe toda cair na risada e aliviou o ambiente, de modo que o estudante encabulado pôde falar à vontade.[569]

Certa vez, Dale ajudou um aluno paralisado de medo devido a seu sotaque estrangeiro. Após ouvir sua fala desarticulada e hesitante, Dale simplesmente disse: "Você deveria se pôr de joelhos todas as manhãs e agradecer a Deus por ser diferente. Seu sotaque acrescenta cor e ênfase ao que tem a dizer. Ele lhe dá uma força que ninguém mais desta sala tem". Suas palavras tiveram um impacto quase miraculoso. "Esse comentário e a maneira como foi feito tiveram um efeito instantâneo e transformador", relatou o instrutor da turma. "O homem pareceu ficar mais alto. Seus olhos brilharam com esperança renovada. Seu desespero mudou para anseio." Tais intervenções causavam admiração em instrutores e alunos.[570]

Dale Carnegie presta apoio a uma aluna nervosa enquanto esta se esforça para falar ao microfone em público.

Enquanto Dale monitorava seu curso e encorajava os instrutores, ele insistia na importância de "entusiasmo". Nas sessões de treinamento para instrutores, ele escutava atentamente e avaliava seu desempenho, geralmente fazendo anotações em um bloco de papel amarelo. Ken Bowton, que teria uma longa carreira no Instituto Carnegie, nunca se esqueceu de como seu chefe criticou uma de suas primeiras tentativas como professor. "Ele mencionou algumas coisas que eu fizera bem e então disse: 'Ken, você mostrou tanto entusiasmo esta noite quanto a catraca do metrô – quando ela não está girando.'" Bowton, ao ouvir esse comentário feito de modo jovial e amistoso, considerou "aquilo um desafio. Eu precisava relaxar e ensinar com empolgação. Desde aquele momento eu percebi que ao falar com a classe é melhor eu aumentar o nível de empolgação". Em outra oportunidade, contudo, a exigência de Dale por entusiasmo provocou resultados cômicos. Sentado na classe cujo professor era Brick Brickell, ele o estimulou a gerar um nível maior de entusiasmo em seus alunos. Brickel, então, tentou fazer isso com uma aluna, que se mostrara instável durante o discurso. Ela "ficou tão empolgada e brava que tirou o sapato e bateu com ele na mesa", relatou o instrutor. "Eu continuei a atormentá-la e ela começou a bater com o sapato em mim. Na verdade, ela me fez correr pela sala e quase me expulsou do recinto. Eu achei que tinha fracassado, mas o sr. Carnegie disse que aquilo foi ótimo, porque ela realmente saiu de seu casulo e o fez com entusiasmo."[571]

Mas, com toda a seriedade, Dale Carnegie não admitia falta de autenticidade em seu curso. No pós-guerra, ele assistia a uma aula como visitante enquanto um veterano "fazia um discurso sobre sua lembrança de ver nativos comendo lixo em uma ilha no Pacífico". O instrutor, um professor de oratória na Universidade Notre Dame, observou que a palestra seria melhor se ele usasse a palavra "detritos" em vez de "lixo". Mas Dale se pôs de pé num pulo e disse enfaticamente que, "no Curso Dale Carnegie, lixo é lixo!" Em Kansas City, ele compareceu a um curso especial de treinamento de instrutores em uma prisão federal em Leavenworth. Dale estava entusiasmado para ver a classe, e monitorava os procedimentos quando um dos alunos, um mafioso, fez uma palestra sobre a experiência que mudou sua vida. "Ele estava falando do tiroteio que provocou seu encarceramento. Quando ele e um gângster rival estavam em uma viela, frente a frente, os dois sacaram suas pistolas ao mesmo tempo e..." tocou o sino para interromper a fala, contou o instrutor. "Dale Carnegie ficou de pé e disse: 'Eu tenho que ouvir o resto dessa história. Vá em frente e termine-a, você tem mais cinco minutos, se precisar.'" A plateia gostou, claro, mas depois disso os alunos-prisioneiros atormentaram seus professores em todas as aulas exigindo cinco minutos a mais, já que Dale tinha feito isso pelo mafioso.[572]

Dale geralmente produzia maior impacto com seu estilo social do que com suas determinações pedagógicas. Sua atitude genuína e tom encorajador produziam uma impressão duradoura em muitos dos instrutores do curso. Durante uma aula de treinamento, ele discutiu a grande influência que sua mãe teve em sua vida para ilustrar um ponto e, de acordo com um participante, "ele foi tão sincero, e mergulhou tanto em seus pensamentos, que chorou abertamente e teve que parar para se recompor. Nós todos sentimos que parte de seu segredo era sua sinceridade total e que ele se importava muito com os outros". Um instrutor, Arthur Secord, nunca se esqueceu de quando Dale visitou uma de suas turmas, em 1948, sentou-se na última fileira e foi embora no intervalo sem dizer palavra. Dentro de alguns dias, contudo, ele recebeu uma cópia de *Como Fazer Amigos* com uma dedicatória que dizia: "Olá, Art. Talvez exista um professor de oratória melhor que você em algum cativeiro. Se ele realmente existe, nós nunca conseguimos encontrá-lo".[573]

Mas Dale sabia ser severo quando necessário. Uma vez, percebeu que o instrutor demorava a tocar o sino, deixando que os alunos acrescentassem trinta segundos a mais a seu tempo limite de dois minutos nos discursos. No intervalo, ele chamou o instrutor. "Sob nenhuma condição deve-se permitir que o orador fale mais que o tempo determinado. Essa é uma regra rígida e nunca pode ser desrespeitada, porque acaba com o ritmo da aula", insistiu ele. "As aulas Dale Carnegie devem começar no horário e devem terminar no horário – toda e qualquer aula!" Em outra cidade, um instrutor, obviamente cheio de si, disse que ensinar no Curso Carnegie era "como tirar o doce de um bebê". Quando o fundador ficou sabendo da tirada pretensiosa, demitiu o jovem no dia seguinte. Dale lidou com firmeza com uma situação que surgiu quando ele era professor convidado e alguns vendedores, todos da mesma empresa, apareceram na aula embriagados e atrapalharam a aula, que ele interrompeu. Dale, então, anunciou que haveria um intervalo de cinco minutos e se dirigiu ao fundo da sala. Ele disse aos patifes que saíssem e permanecessem fora. Quando um deles protestou dizendo que pagara pelo curso e tinha o direito de ficar, Dale respondeu que "Este é o meu curso e não vou permitir esse comportamento. Você tem que sair". E eles saíram.[574]

Definitivamente, Dale Carnegie tinha um objetivo: manter a qualidade de seu curso e garantir que seus princípios de relações humanas fossem inculcados em seus alunos. Ele se esforçava para manter os padrões e encorajar a excelência. Nos cursos de atualização de instrutores, durante a década de 1940, Dale, geralmente em conjunto com Whiting, conduzia as sessões – exigentes e revigorantes. Um grupo de alunos "cobaias" fazia discursos e "instrutores espalhados pela sala aguardavam o anúncio do nome sorteado de um chapéu para ver quem comentaria o trabalho dos alunos. Em seguida, outros instrutores comentavam como o instrutor fizera seu trabalho", descreveu um participante. "O sr. Carnegie e o sr. Whiting supervisionavam espontaneamente tudo isso e eu me lembro que eles nem sempre olhavam para os instrutores nem se entreolhavam. O resultado era que tínhamos algumas discussões muito animadas, bem na frente dos alunos, sobre o que poderia ter sido feito, o que deveria ter sido feito e como fazer melhor".[575]

Como resultado desse controle tão rigoroso, o Curso Carnegie realizava sua missão com muito sucesso. Com um grande número de alunos e métodos de treinamento eficazes, o curso começou até a conseguir aceitação, ainda que de má vontade, do meio acadêmico. Na convenção da Associação Nacional de Professores de Oratória, Ray K. Immel, reitor da Escola de Oratória da Universidade do Sul da Califórnia, espantou sua plateia ao anunciar que "a melhor oratória da América, hoje – e o melhor ensino – encontra-se nas aulas do Instituto Dale Carnegie". Desconfiado dessa afirmação, o professor William A. D. Millison resolveu avaliar o Curso Carnegie em comparação com o padrão oferecido pelas universidades. Após dois anos de pesquisa, ele publicou, no *Quarterly Journal of Speech* (Jornal trimestral de oratória), no início de 1941, sua descoberta, que chegou à mesma conclusão de Immel. Após examinar a estrutura, os métodos e instrutores do Curso Carnegie, ele ficou admirado com o sucesso de Carnegie em "motivar seus alunos para uma quantidade incomum de exercícios de oratória que resulta na melhoria desta". A razão, ele concluiu, era a ênfase de Dale no desenvolvimento da pessoa como um todo, uma abordagem que questionava a pedagogia acadêmica. "Isso sugere que negligenciamos por muito tempo a oportunidade de, através da oratória, fortalecer e desenvolver a vida emocional e as atitudes de nossos alunos", escreveu ele. "Estivemos tão preocupados com o lado prático da oratória – tão determinados a desenvolver habilidade técnica ou expressão artística – que podemos ter ignorado sua importância social e seu possível significado para o aluno em termos de adaptação social e ajustamento emocional. Talvez nós ainda tenhamos que descobrir que nossos alunos têm emoções além de cérebro, voz e corpo."[576]

O curso, aliado à tremenda popularidade de *Como Fazer Amigos* e suas palestras a respeito de seus princípios, elevou a credibilidade de Dale a novas alturas. De fato, sua reputação cresceu tanto que na década de 1940 ela transcendia a oratória e o aperfeiçoamento pessoal. As pessoas começaram a pedir sua opinião nos assuntos do momento. Esse discípulo do sucesso moderno, acreditavam muitos, poderia dar ideias sensatas e orientações eficazes não apenas para questões pessoais, mas também públicas. Lisonjeado, Dale assumiu o papel de sábio e passou a ponderar como seus princípios de relações humanas poderiam resolver problemas sociais, culturais e políticos. Os resultados seriam contraditórios.

No fim dos anos 1930 e início dos 1940, conforme o crescimento do fascismo aumentava as tensões mundiais que acabariam explodindo em guerra na Europa e em partes da Ásia, Dale Carnegie passou a se deparar com novas questões. Cruzando o país para ensinar e dar palestras, ele conversou com jornalistas que perguntavam como seus princípios de relações humanas poderiam ser usados para resolver a assustadora situação global. Sua fórmula para interação humana, sugeriram eles, talvez pudesse ser adaptada pelas nações para que conseguissem a paz mundial. Essa situação singular criou novas pressões para o escritor de sucesso.

Às vezes, os admiradores transformavam Dale em um símbolo inspirador de valores americanos em um mundo tumultuado, um ícone que combinava esforço individual, bravura e determinação, otimismo e preocupação a respeito dos outros em um credo que contrastava fortemente com a doutrina fascista. "Quase tão interessante quanto a palestra muito americana do sr. Dale Carnegie, na outra noite, era a plateia muito americana que ouviu o palestrante com interesse tão grande", observou um jornal. "A filosofia descontraída, perspicaz, otimista e gentil do sr. Carnegie – aprovada por seu público de modo tão evidente – é tão típica da visão utilitária, jovem e calorosa dos Estados Unidos como a filosofia de Nietzsche é típica da agitada Alemanha ou a filosofia maquiavélica é típica da Itália, velha e desiludida." Um jornalista sugeriu que os nazistas aprendessem a evitar discussões, respeitassem a opinião das pessoas e abordassem os outros de modo amistoso. "Agora, se o dr. Goebbels pudesse descobrir a obra imortal de Carnegie! Essa é uma bela imagem; Goebbels, sentado confortavelmente junto à lareira, lendo em voz alta enquanto o chanceler do Reich e o ministro Goering escutam com atenção arrebatada. Tal acontecimento poderia transformar Hitler em um homem novo e muito mais agradável, para não falar de seus colegas", exclamou ele. "Isso levaria a sorrisos, amizades e saudações cordiais. Então, poderia acontecer um encontro internacional para um cafezinho ou chá que seria muito diferente da reunião tenebrosa em Munique setembro passado."[577]

Jornalistas às vezes perguntavam diretamente a Dale como seus princípios podiam ser aplicados para resolver a crise global. Em geral, ele desconversava, afirmando, sabiamente, que questões políticas estavam além do seu alcance. Em 1941, perguntaram-lhe sobre política mundial e sua escolha para presidente na eleição anterior. "Eu não votei", respondeu ele com sinceridade. "Senti que não possuía informações suficientes sobre os problemas complexos e desconcertantes que enfrentamos para fazer uma escolha inteligente. Acho que não havia dez mil pessoas no país que possuíssem essas informações." Quando questionado sobre qual seu ponto de vista a respeito da política de boa vizinhança dos Estados Unidos para com a América Latina, ele novamente se recusou a assumir uma posição, dizendo: "Minhas opiniões diminuíram em proporção inversa aos meus anos". O jornal concluiu que o especialista em relações humanas "não invadiria o tópico de como melhorar as relações entre nações".[578]

Em outras ocasiões Dale mordeu a isca e se arriscou na arena política. Nos anos anteriores ao ataque a Pearl Harbor, ele garantiu a suas plateias que "os americanos não gostam de ditadores", observando que os Estados Unidos estavam enviando uma porção significativa de seus suprimentos de guerra para a Grã-Bretanha e que "não vai demorar muito para que enviemos muito mais". Ele falava com frequência dos nazistas. Embora admitindo que *Como Fazer Amigos* era um best-seller na Alemanha, Dale acreditava que o livro teria pouco impacto em Hitler e seus seguidores. "Suponha que alguns deles o leiam e acreditem nele; isso pode afetar o pensamento de uns poucos – mas a propaganda do governo, as bombas e os campos de concentração são as coisas que afetam o povo da Alemanha", arriscou ele. "Um livro sobre amizade não teria muita chance."[579]

Em 1941, Dale concluiu que os nazistas eram imunes à influência das relações humanas. "Hitler sabe como influenciar pessoas, tudo bem, mas não com amizade. Ele influenciou Stálin e Mussolini, mas acredito que não haja um fragmento de amizade nisso", disse ele a um jornal. "Não faz muito tempo que conversei com um homem que viajou de avião com Hitler e seus ajudantes, depois que começou o conflito na Europa. Esse homem me contou que até os conselheiros mais próximos de Hitler raramente falam com ele. Aparentemente, não existe nenhuma amizade em seu círculo. Eu não gostaria de analisar a personalidade de Hitler. Não é normal." As tendências sombrias, anormais do Führer tornavam-no imune aos conselhos de Como Fazer Amigos. "Não se pode lidar com sujeitos como Hitler, a não ser com uma arma. Na essência Hitler é um gângster disposto a dominar o mundo, e somente armas conseguirão detê-lo", afirmou Dale. "Mesmo Jesus, com seus grandes ensinamentos cristãos de amor fraterno, achou que devia pegar o chicote e expulsar os vendilhões do templo."[580]

Os comentários banais de Dale a respeito da ameaça nazista foram igualados por uma avaliação atrapalhada das tensões crescentes na Ásia. Depois de sua viagem ao Extremo Oriente, em 1939, perguntaram-lhe qual sua avaliação do Japão após este país invadir brutalmente a China. Sua resposta não ajudou muito. "O povo japonês segue praticamente os mesmos princípios expostos no meu livro. Eles são extremamente educados, amistosos e corteses, e são educados assim desde a infância", explicou. "Parece difícil, portanto, explicar sua selvageria na China. Mas devemos nos lembrar de que as guerras são ditadas pelos poucos que estão no poder." Ele também observou que os japoneses tinham ficado chocados pelo recente pacto de não agressão entre a Alemanha nazista e a União Soviética e prontamente removeram todas as bandeiras alemãs dos edifícios públicos.[581]

Mais significativa é a sugestão de Dale de que os ocidentais exageraram quanto à amplitude e intensidade da invasão da China pelos japoneses em 1937, bem como de sua ocupação anterior da Manchúria, em 1931. Jornalistas falaram do massacre brutal de dezenas de milhares de civis chineses por soldados do Exército Imperial Japonês, além de milhares de estupros e outras atrocidades. Mas Dale não tinha evidências desses horrores. "Não ouvi nenhum tiro durante o tempo em que fiquei lá", contou ele ao *New York Daily Mirror*. "Em minha opinião, uma viagem de automóvel de Nova York a San Francisco seria mais perigosa do que viajar a Harbin, Pequim, Xangai e às fronteiras distantes do Tibet." Essa avaliação benigna das intenções japonesas foi refletida em uma caricatura que apareceu no mesmo jornal ao lado do relato de Dale Carnegie. Ela mostrava um soldado japonês sentado em uma pedra no oceano, com dois tubarões nadando a sua volta, com a suástica nazista em uma nadadeira e a foice e o martelo soviéticos na outra. Enquanto isso, o soldado lia freneticamente *Como Fazer Amigos e Influenciar Pessoas*.[582]

Apesar das invasões brutais e do terror político promovido por Hitler, Tojo e Mussolini, Dale insistiu em que as ideias de *Como Fazer Amigos*, se tivessem oportunidade, poderiam mudar as relações internacionais de maneira benevolente. "Se um espírito de amizade e um desejo determinado de influenciar pessoas fossem perseguidos fiel e inteligentemente pelos diplomatas em suas reuniões, não haveria guerra", disse ele ao *Los Angeles Evening Herald-Express*. Quando um entrevistador perguntou sobre as raízes da crise global, Dale evitou mencionar ideologias políticas, desejo de poder, interesses econômicos ou mesmo objetivos nacionais conflitantes. Em vez disso, ele apontou, de modo bastante ingênuo, características pessoais e falhas nas relações humanas. "Egoísmo é o que está causando a maioria dos problemas mundiais. Eu acho que praticamente todos os nossos problemas poderiam ser resolvidos se todos seguissem a Regra de Ouro", afirmou ele. "Essa guerra na Europa foi causada por dois egomaníacos que querem entrar para a história como os maiores conquistadores do mundo. O desejo de se sentirem importantes fez com que eles mergulhassem suas nações na guerra. Ganância e o desejo de importância causam todas as guerras."[583]

Essa análise simplista reflete as limitações da visão de mundo de Dale. Ainda que as diretivas de *Como Fazer Amigos* possam produzir resultados miraculosos a nível pessoal, o mesmo não acontece automaticamente no mundo complexo da política internacional. Analisar Hitler como alguém que "queria se sentir importante" e recomendar adesão à Regra de Ouro era um discurso vazio no mundo perigoso do início da década de 1940.

Ao se arriscar na política internacional, Dale às vezes se dava mal. Em extensa entrevista a um jornal, em 1941, ele tentou aplicar a famosa declaração de Franklin Roosevelt – "a única coisa da qual devemos ter medo é do próprio medo" – à ameaça iminente do nazismo. O resultado foi constrangedor. "Dale Carnegie não tem medo do lobo mau, ainda que seu nome seja Adolf Hitler, e ele acha que nenhum americano está ajudando quando passa suas noites acordado devido à preocupação", observou o entrevistador. "Medo, acredita ele, é a força psicológica mais destrutiva que se conhece. Mesmo na atual crise mundial, ele pensa que o americano médio pode ajudar mais seu país dominando seu medo quanto ao futuro incerto do que de qualquer outra forma." Em seguida, o artigo citava palavras do próprio Dale. "Quantas das coisas que você teme nunca aconteceram? É claro que não devemos ficar cegos ao que acontece e não fazer nada, mas, depois de enviarmos ajuda à Grã-Bretanha e fazermos todo o possível para ajudar a América a preparar sua defesa, o melhor que podemos fazer é viver felizes e normais, enfrentar as coisas conforme elas surgem e parar de nos preocuparmos com o futuro", declarou ele. "E se o pior acontecer e formos conquistados por um ditador? Desde o início da história existiram nações sob ditaduras que depois se livraram delas. Não se preocupem; pensem nas coisas boas da vida que temos em vez das ruins." Esse otimismo cego soava imprudente, bizarro, até mesmo perigoso se levado a sério. Ter pensamentos felizes enquanto se sucumbe a uma ditadura não era uma boa orientação para se navegar nas águas perigosas do início dos anos 1940.[584]

Após Pearl Harbor e a subsequente entrada americana na Segunda Guerra Mundial, contudo, felizmente Dale abandonou suas recomendações terapêuticas para os problemas mundiais e abraçou o esforço de guerra. Ele se tornou um participante entusiasmado dos eventos para venda de bônus de guerra, aparecendo em espetáculos por todo o país, estimulando os cidadãos a apoiar financeiramente as iniciativas militares da nação em todo o globo. Em 1943, ele participou de uma venda de bônus de guerra na capital do país. Um anúncio de página inteira no *The Washington Post* anunciava a oportunidade de conhecer o "autor brilhante cujos escritos influenciaram a vida de inúmeros americanos, no SHOW DE BÔNUS DE GUERRA, hoje, segunda-feira, às 13:00 e às 16:00".[585]

Dale fez questão de endossar o alistamento militar, e argumentou que isso teria um bom efeito na maioria dos jovens. "Principalmente nos garotos mimados", acrescentou ele. "Um ano no exército, dez anos no exército... a experiência fará bem a eles. Para a maioria dos homens seria algo excelente. Bom mental e fisicamente." A adoção de *Como Fazer Amigos* por certos elementos das Forças Armadas americanas deixou Dale encantado. Ao saber que o livro estava sendo usado como material didático na escola de candidatos a oficiais da Força Aérea do Exército em Miami Beach, ele disse: "Essa é a coisa mais inteligente que já ouvi a respeito do Exército. Li um artigo na *Time* dizendo que na Alemanha os oficiais são gentis com seus soldados e procuram saber o nome de suas irmãs e quando é seu aniversário. Quando cada oficial de nosso exército souber o aniversário das irmãs de seus soldados, estaremos realmente lutando esta guerra. Isso é verdadeira liderança". Depois que a guerra acabou, Dale orgulhosamente anunciou que seu curso fora oficialmente aprovado para "treinamento de veteranos" segundo a G. I. Bill*.[586]

Dale tinha um pouco mais de sucesso ao comentar questões de interesse público quando evitava avaliações imaturas de política

---

* (N.T.) O Ato de Recolocação dos Veteranos, popularmente conhecido como G. I. Bill (Lei dos Pracinhas), era uma lei que oferecia benefícios aos veteranos da Segunda Guerra Mundial, incluindo financiamento de casa própria a juros baixos, empréstimo para iniciar um negócio próprio, pagamento de anuidades de faculdades e outros cursos profissionalizantes.

internacional e falava de um tópico para o qual estava mais bem qualificado: educação. O currículo das escolas públicas americanas tornou-se uma grande preocupação sua na década de 1940, algo que nascia de sua experiência como professor e de suas propostas em *Como Fazer Amigos*. Por toda a década, ele falou frequentemente da necessidade de se reformar a educação americana, colocando-a em uma direção mais prática. Esse tema o entusiasmava.

Dale se convencera de que o padrão dos cursos oferecidos no Ensino Médio e nas faculdades era arcaico. Acusando o sistema existente de ser "medieval", "tolo, ineficiente e incivilizado", ele dizia ao público que o mundo moderno exigia um currículo mais "prático". Em vez de desperdiçar tempo em matérias que não tinham emprego prático, as escolas deveriam se concentrar em preparar os alunos para conseguir emprego no mundo rotineiro. Em 1941, ele denunciou as escolas de Ensino Médio por prepararem seus alunos para fazer exames de ingresso na faculdade em vez de lhes ensinar como se venderem para possíveis empregadores. "Os jovens de hoje não sabem se candidatar a um emprego, e, mesmo que consigam um, muitos não conseguiriam mantê-lo", reclamou Dale. A maioria dos alunos não aprendia nada a respeito das qualidades pessoais necessárias para ter sucesso no mundo moderno, continuava ele, mas todos sabiam muito de "matérias como gramática francesa, trigonometria, álgebra e latim".[587]

Empolgado com o tema em palestras e entrevistas, Dale insistia em que uma das duas grandes perguntas feitas por jovens era "O que eu faço da vida?", e que as escolas precisavam lidar com isso objetivamente. (A outra pergunta era "Com quem vou me casar?") Isso significava menos ênfase em conhecimentos acadêmicos e mais em treinamento vocacional. As escolas deveriam "se livrar de seus professores de álgebra ou geometria e empregar alguém para ensinar orientação vocacional, dar testes de orientação vocacional para alunos. Poupem a centenas, milhares de estudantes o trabalho de irem para o Ensino Médio ou a faculdade. Direcionem suas energias para caminhos adequados", insistia ele. A ênfase em treinamento prático e em direcionar estudantes de acordo com suas habilidades e seus interesses traria grandes benefícios, argumentava Dale: empregos mais adequados, programas de estudo úteis, crianças mais felizes.[588]

Dale foi ainda mais longe. Segundo ele, o sucesso no mundo moderno podia não exigir um curso superior. "Tenho me surpreendido e chocado pelo número assustadoramente elevado de adultos que têm vergonha de sua falta de educação formal, e que passam pela vida atormentados por uma sensação de inferioridade e insegurança", relatou ele. Essa atitude era destrutiva e errada, argumentou Dale. Muitos dos indivíduos mais inteligentes e que mais realizaram eram autodidatas, observou ele, citando os exemplos de Benjamin Franklin, Abraham Lincoln, Thomas Edison e Mark Twain, entre muitos outros. Além do mais, na América moderna, as oportunidades de estudo tinham se multiplicado dramaticamente. "Bibliotecas públicas, escolas noturnas de baixo custo, jornais, livros e revistas tornaram-se acessíveis", escreveu. "Passou o tempo em que podíamos nos safar choramingando que nunca pudemos frequentar faculdade. E daí? Tudo que qualquer faculdade pode fazer por nós é fornecer um lugar, um horário e um currículo para estudo – nós é que temos o verdadeiro trabalho de estudar."[589]

Mas o problema da falta de curso superior era mais profundo. Fiel a sua sensibilidade terapêutica, Dale ficava incomodado com o impacto psicológico disso. "Conversei com milhares de homens que sofrem de um desnecessário complexo de inferioridade porque nunca foram para a faculdade. Eles tinham a impressão de que, de algum modo, algo vital e misterioso acontece com você na faculdade", disse ele. "Bobagem! A única coisa que a faculdade pode fazer é ajudar você a estudar." Embora Dale certamente desse valor a sua própria experiência na faculdade – "Eu não posso imaginar como teria sido minha vida sem ela", disse ele uma vez – a falta de estudos superiores não deveria causar uma síndrome psicológica. A educação superior certamente pode enriquecer as ideias das pessoas, admitiu ele, mas oportunidades de aprendizado existem fora de um campus universitário. "Em última análise, toda instrução é autoinstrução", declarou ele. A pessoa só precisa se esforçar, e os sentimentos de inferioridade serão substituídos por sentimentos de realização e autoestima.[590]

Também fiel a suas tendências terapêuticas, Dale encorajava um novo foco para a educação moderna: a modelagem da personalidade. Ele argumentava que "o objetivo fundamental do Ensino Médio é desenvolver a personalidade" dos estudantes. Uma imagem pessoal amigável, solícita, confiante – exatamente o tipo que ele formula em *Como Fazer Amigos* – ajudaria os alunos a encontrar e manter empregos quando saíssem da escola para trabalhar. A ligação entre educação e desenvolvimento pessoal seria vital, de modo que, "independentemente do nosso nível de estudo, o primeiro passo para se conseguir a personalidade cultivada, bem equilibrada que todos desejamos é perceber a necessidade de continuar a estudar por toda a vida". Ele propôs como exemplo um paciente escolhendo seu médico. "Você não pergunta a faculdade que ele frequentou, quantas especializações tem e há quantos anos clinica, certo? Não, a pessoa média é guiada, em grande parte, pela impressão de que certo médico – e isso se aplica também a outras profissões – lhe passa", argumentou ele. "A personalidade dele é agradável? Ele é o tipo de camarada que lhe dá um tapinha no ombro, procura entender seus problemas, tem um sorriso simpático, conversa bem?"[591]

Aí está o problema com a receita de Dale Carnegie de reforma acadêmica: um ponto de vista estreito, que pede a substituição de aprendizado genuíno por treinamento profissional e busca substituir habilidades duramente conquistadas e especialização verdadeira por charme pessoal. Embora ninguém possa discordar da necessidade de orientação vocacional, como ela substituiria tantas áreas de estudo? Será que explorar a disciplina abstrata da matemática, os encantos criativos da arte, a perspectiva ampliada que acompanha o estudo da língua francesa realmente não têm qualquer utilidade para o jovem que deseja encontrar uma carreira satisfatória? Ao mesmo tempo, ninguém questionaria a importância de modos agradáveis e amistosos em um médico. Mas o treinamento e a experiência do médico realmente não têm importância para o paciente? Pessoas conscientes questionariam tais situações.

Dessa forma, na década de 1940 Dale Carnegie distinguiu-se como empreendedor e professor inspirador na expansão de seu curso de aperfeiçoamento pessoal. Mas o papel de sábio – o indivíduo venerado que provê ideias sensatas para as questões cotidianas – mostrou-se mais difícil de ser desempenhado. Seus comentários, tanto sobre tensões políticas globais quanto a respeito de reforma na educação nacional, pareciam superficiais, e às vezes bobos, mesmo quando demonstravam sagacidade e profundidade. Eles também revelavam as limitações da visão de mundo terapêutica de Dale. Fazer amigos e influenciar pessoas podia ter um impacto poderoso na vida e no sucesso pessoal, mas fornecia poucos elementos para a compreensão das convulsões titânicas da Segunda Guerra Mundial ou da natureza complexa do aprendizado humano. Tais assuntos exigem um tipo de pensamento diferente, mais profundo.

15. "Ele tem o mundo todo a seu lado"

Enquanto Dale Carnegie se encontrava no ápice da fama nos anos 1940, sua vida pessoal entrou em um novo e fascinante estágio. Na meia-idade, ele conquistara uma maturidade confiante. Por trás da expansão nacional do Curso Carnegie, das turnês incessantes de palestras, dos programas de rádio e das colunas de jornal e da popularidade contínua de *Como Fazer Amigos e Influenciar Pessoas*, estava um homem que finalmente fizera as pazes com elementos da sua formação – a herança protestante do Meio-Oeste rural, a ambição por sucesso, a sofisticação urbana, o otimismo do pensamento positivo – e os reuniu em um todo completo. Ele alcançara um ponto de identidade adulta segura, como descreveu Erik Erikson, em que o indivíduo bane sentimentos de estagnação ou impedimento e adota sua própria "generatividade", ou sensação de contribuição ativa e positiva para o mundo.[592]

Como resultado, a personalidade de Dale adquiriu coerência e força notáveis durante a década de 1940 e deixava grande impacto. Suas características – charme despretensioso, entusiasmo pela vida, calor humano, um toque popular – realmente influenciaram as pessoas e conquistaram amizades. Dale, agora em sua quinta década, parecia completamente feliz consigo mesmo e com o que fazia. Ele irradiava a convicção de que carregava uma mensagem valiosa para a sociedade, uma que facilitaria o caminho para a felicidade e a realização. Em meados da década de 1940, enquanto relaxava em uma suíte de hotel com um grupo de instrutores do Curso Carnegie em Chicago, ele revelou seu orgulho e sua satisfação. "Vocês sabem, os primeiros 35 anos da minha vida foram gastos no esforço para ganhar dinheiro, e eu quase morri de fome", refletiu ele. "Não foi até eu descobrir a ideia de prestar um serviço genuíno à humanidade que comecei a apreciar a vida e ter um sentimento real de realização."[593]

Talvez o sinal culminante de contentamento pessoal tenha aparecido quando Dale finalmente se estabeleceu em um casamento e na vida doméstica aos cinquenta e seis anos. Ele formou uma parceria romântica e profissional com uma jovem inteligente, atraente e enérgica vinte e dois anos mais nova. Ele se tornou, instantaneamente, o pai amoroso de uma enteada, ao mesmo tempo em que continuava a sustentar e dar carinho, discretamente, à garota que acreditava ser sua filha biológica. Ele fez tudo dar certo. A década de 1940 marcaria o ápice da vida e da carreira de Dale Carnegie, quando conseguiu a personalidade envolvente e a influência madura que há muito buscava.

"Dale Carnegie foi uma grande surpresa para mim", admitiu um jornalista da revista *Look* ao conhecer o guru do sucesso moderno para uma matéria em 1947. "Eu esperava encontrar uma fileira de dentes brancos expostos em um sorriso forçado, um aperto de mão esmagador e modos de bajulador", escreveu ele. "Encontrei, ao contrário, um homenzinho calmo, que sorria com moderação, apertou minha mão com cuidado e podia se irritar mesmo sem problemas." Muita gente teve reações semelhantes. Em vez de um personagem enérgico, carismático, elegante e jovial, as pessoas encontravam um homem despretensioso, tranquilo, jovial, com qualidades sutis, cuja presença aconchegante lembrava um tio favorito.[594]

Sua aparência física aos cinquenta anos transmitia uma maturidade discreta. De altura modesta, magro, rosto corado, olhos alertas e cabelo grisalho desbotando para o branco nas pontas, Dale Carnegie usava óculos com armação de plástico que eram mais leves e menos severos do que os aros de metal de que gostava quando mais jovem. Vestia-se de modo tradicional, com certa elegância, preferindo ternos pretos ou cinza, com paletó trespassado, e eventualmente conjuntos de *tweed*, sóbrios, cortados por alfaiates caros, além das obrigatórias camisas brancas. Como observou um jornalista, suas roupas não eram "diferentes das usadas por banqueiros importantes e agentes funerários de sucesso. Mas de vez em quando a individualidade de Dale, deixando de lado o conservadorismo no vestir, afirmava-se triunfantemente com uma gravata que se destacava como um farol". O mesmo impulso resultava em seu gosto por sapatos de dois tons. A voz de Dale em conversas normais, baixa, com seu sotaque do Missouri levemente anasalado, reforçava a postura branda, amistosa como a de um parente.[595]

Muitas pessoas notavam a diferença entre o homem público e o da esfera particular quando o conheciam. Ao lado de uma pessoa ou entre grupos pequenos, Dale tendia a se mostrar sossegado e a conversar tranquila e amistosamente, sem querer se impor. Ele tinha "horror a exibicionistas", gente que está sempre tentando chamar atenção para si, comentou um observador. Ele tendia a começar conversas com estranhos usando ganchos bizarros. Por exemplo, Dale perguntaria a um novo conhecido se este sabia o que evitava que ele fosse um idiota, e quando o homem intrigado dizia não, Dale respondia que era "uma gota de iodo" na química do corpo. Ou então ele salpicava a conversa com esquisitices, observando que era contra a lei, em Nova York, sacudir panos de pó na janela, ou que cerca de um bilhão de minutos tinham se passado desde o nascimento de Cristo.[596]

Com grupos maiores ou multidões, contudo, ele abandonava suas reservas e mostrava uma "efervescência perpétua e um aperto de mãos sempre a postos", que um jornalista descreveu como "o charme ensaiado de um superintendente de Escola Dominical". Ao se dirigir a uma plateia, seu jeito despretensioso desaparecia e ele assumia o comando do ambiente com uma autoridade tranquila. Com gestos grandiosos, poses estudadas e retórica bombástica, ele falava em um estilo conversacional, envolvente e enérgico, que transmitia uma "convicção quase hipnótica", nas palavras de um ouvinte fascinado. "Não seria inconcebível que Dale Carnegie pudesse fazer um exército pular de um penhasco com seu entusiasmo", escreveu ele. Outro repórter descreveu como, ao subir no palco, "ele se torna o verdadeiro Carnegie – o Carnegie com Postura Alerta e Ar de Autoconfiança".[597]

Como aqueles que o conhecia bem descobriam, tanto a despretensiosa aparência cotidiana de Dale quanto sua envolvente presença diante do público encerravam uma personalidade magnética. Mais sutil que impositiva, ela conquistava e inspirava em igual medida as pessoas, que se viam atraídas para sua órbita antes de perceberem o que tinha acontecido. Por exemplo, Brick Brickell, instrutor do curso, conheceu Dale em 1946, quando foi convidado para a suíte do fundador em um hotel após uma palestra. Dale perguntou sobre sua família e conversou afavelmente, e logo "eu conversava à vontade com Dale Carnegie, sem sentir medo", disse Brickell. "Ele tinha um jeito para fazer as pessoas se sentirem à vontade." Encontros assim foram numerosos.[598]

Dale transmitia uma paixão pela vida que a maioria das pessoas achava contagiante. Após passar vários dias em sua companhia, um repórter da *Collier's* concluiu que "Entusiasmo, de fato, é sua qualidade mais encantadora". Amigos e parentes frequentemente encontravam esse mesmo gosto por novas experiências e paixão por ideias novas. Brickell ficou espantado com a quantidade "dessa droga espiritual chamada entusiasmo" que Dale possuía.[599]

Em uma convenção do Instituto Carnegie em Chicago, em 1945, Dale foi visto carregando um recipiente de papel, com cerca de um litro de capacidade, de onde vazava um líquido cor de laranja. Quando os amigos perguntaram o que era, ele falou ansiosamente de um novo produto, suco de laranja condensado e congelado, que estava sendo desenvolvido por um velho amigo seu. A maioria das pessoas torceu o nariz para essa ideia pouco prática, mas acontece que o velho amigo era Clarence Birdseye e seu produto logo tomou de assalto o mercado nacional alimentício. Como resumiu um colega, Dale inspirava os outros a segui-lo "da derrota à vitória, do medo à confiança... ele era um homem entusiasmado".[600]

O interesse sincero de Dale nos outros, combinado com um comportamento cordial e um senso de humor travesso, encantava muitas pessoas. John Spindler conheceu-o em 1946, durante uma palestra em Los Angeles, e logo Dale fez com que John começasse a falar de sua família como se fossem velhos amigos. Era o início de uma amizade duradoura. Outro colega contou que, durante uma conversa animada, o olho de Dale brilhou e ele disse: "Você me espanta. Você me lembra tanto Einstein". Quando o instrutor respondeu que Dale devia estar brincando, este concluiu sua tirada: "Não, não estou. Einstein certa vez disse que estava errado 99% do tempo".[601]

O entusiasmo de Dale com as pessoas e a vida dava forma até a sua agenda profissional, que era qualquer coisa exceto rotineira. Fosse trabalhando em casa fosse viajando pelo país, ele não se submetia às restrições de um horário de escritório. Ele vivia seu trabalho. Marilyn Burke, que se tornou sua secretária pessoal em meados da década de 1940, logo descobriu que seus deveres eram pouco convencionais e desestruturados. "Não havia um horário rígido, nem rotinas estabelecidas ou rituais diários. Nunca se sabia qual novidade ele tinha sonhado para você", explicou ela. "E isso era parte de seu charme". De um dia para outro ela podia se pegar fazendo o café da manhã para Dale e um visitante, ou então voando para o Kansas com o chefe para visitar o rancho de um petroleiro de olho em um investimento em seus negócios. Ela concluiu que "Dale esperava muito das pessoas que trabalhavam para ele, e boa parte disso não tinha relação com o emprego. Mas ele dava muito mais do que recebia".[602]

Por toda a década de 1940, enquanto expandia sua rede de amigos e colegas, Dale manteve suas amizades antigas. Seu amigo de infância Homer Croy morava perto dele e Dale constantemente passava suas tardes de domingo com ele, quando, de acordo com um observador, eles passavam horas "caminhando no bosque, vadiando confortavelmente, comendo coisas impossíveis em restaurantes impossíveis ou atacando a sorveteria – apenas se divertindo de modo irresponsável, relaxado, infantil". Eles também viajavam ao Missouri, em certas ocasiões, quando faziam um contraste interessante – Croy, o piadista que adorava pregar peças, que contou em um banquete em Maryville que, embora Dale fosse lançar um novo livro em breve por três dólares, o leitor frugal poderia esperar mais algumas semanas para comprar um livro dele por apenas 2,75; e o Dale discreto, autodepreciativo, que brincava que Croy o estimulava a falar dele mesmo, "pois esse é meu assunto favorito".[603]

Dale também estimava seu relacionamento com Lowell Thomas. Ele continuava visitando Thomas na fazenda deste no norte do estado para os jogos de *softball* ou fins de semana de descanso, e os dois gostavam de se encontrar sempre que Thomas ia a Nova York. Eles trocavam cópias autografadas de seus livros novos, iam a peças da Broadway quando conseguiam combinar e apareciam um no programa de rádio do outro. Com sua consideração típica, Dale comprou um presente especial para a propriedade Pawling de Thomas: árvores que mandou plantar ao lado da estradinha que levava à casa para criar uma cobertura natural.[604] Durante toda a década de 1940 Dale persistiu em muitos de seus passatempos e interesses costumeiros. Permaneceu fiel ao teatro, assistindo a numerosos espetáculos e peças, normalmente de braço dado a uma mulher atraente. Chegou até a participar de um espetáculo. Em 1949, ele foi um extra no balé *Sheherazade* no New York City Center, com Croy. Vestidos em trajes azul-claros, eles interpretaram soldados do sultão. De acordo com um dos bailarinos, quando a dupla entrou no palco, em posição de ataque, brandindo suas espadas de madeira, "tinham aspecto tão solene que me fizeram rir. Eu deveria me matar a facadas, mas pode-se dizer que eu morri rindo. Eles receberam um dólar cada pelo trabalho".[605]

Dale continuou um viajante inveterado. Visitava com frequência as Rochosas Canadenses, geralmente no lago Louise, em Alberta, e viajava de navio para a Europa sempre que arrumava tempo. Em 1948, passou várias semanas visitando França e Inglaterra. Mas a disposição dele em viajar envolvia mais que recreação, pois procurava absorver as várias experiências pelo mundo para alimentar seu próprio aperfeiçoamento pessoal. Em 1943, por exemplo, ele seguiu seu próprio conselho sobre educação contínua ao se matricular em cursos de verão na Universidade do Wyoming. Enquanto viajava pela região, divertindo-se com atividades como montaria e excursões, Dale decidiu estender sua visita fazendo aulas de astronomia, higiene mental, casamento e família e inglês vernáculo. "Gosto das pessoas do Oeste", ele disse ao jornal de Laramie. "Vivi durante 16 anos tão perto de algumas pessoas em Nova York que podia jogar uma maçã em seu quintal, mas nunca conversei com elas. Aqui no Oeste, onde as pessoas ficam longe umas das outras, há uma atmosfera amistosa de que eu gosto."[606]

Ainda assim, apesar de todas as suas qualidades atraentes, Dale também possuía certos defeitos que o irritavam, talvez, mais do que aos outros. Ele se afligia por sua incapacidade de seguir, com consistência, seus próprios princípios de relações humanas. Embora amistoso, atencioso com os outros, sincero em seu elogio e bom ouvinte, ele frequentemente se tornava impaciente, discutindo e até mesmo se zangando com as fraquezas dos outros. Ele andava em volta da casa após algum encontro frustrante, olhava sinistramente para sua equipe e ficava taciturno. Em uma reunião de professores, um deles ficou espantado ao ouvir Dale inclinar-se para Abbie Connell e perguntar, reservadamente, o nome de um professor que estava com ele há quase vinte anos. Quando o colega lhe perguntou a respeito, Connell respondeu rindo que "o sr. Carnegie não se lembra de nomes". Dale tinha tanta confiança nos outros a ponto de ser ingênuo. Ele organizou sua empresa dando pouca atenção a dinheiro e, após sua morte, a família e colegas ficaram chocados ao descobrir a ausência completa de controle financeiro. Nas palavras de um deles, "se a equipe não fosse escrupulosamente honesta, a empresa teria sido roubada por completo!".[607]

Mas esses defeitos pessoais pareciam desprezíveis, pois Dale conquistava praticamente todo mundo que encontrava com seu jeito despretensioso e simples. Ele emanava uma profunda simpatia por gente comum o tempo todo. Em seus artigos, Dale descrevia como "sem vida" um professor universitário que fizera seu curso, enquanto elogiava um marinheiro cujos discursos "tinham o aroma penetrante e salgado da maresia". Em viagens de treinamento de instrutores, ele evitava restaurantes chiques, preferindo lanchonetes comuns, como uma de Los Angeles cuja especialidade era panquecas. "Adoro panquecas", disse ele para seus anfitriões. Quando ele apareceu diante de milhares de pessoas no Pasadena Civic Auditorium, o anfitrião disse que tinha preparado apresentações de dez, cinco e dois minutos. Mas Dale reclamou: "Você consegue fazer uma de dez segundos". Então, o homem simplesmente disse: "Senhoras e senhores, Dale Carnegie".[608]

Dale Carnegie em um de seus passatempos favoritos: acampar e excursionar nas Rochosas, durante a década de 1940.

A forte inspiração para o toque comum de Dale veio de sua reverência pelos valores rurais de sua infância. Quando viajava dando palestras e aulas, ele fazia seu motorista parar em bancas de fruta para experimentar os produtos da terra. Frequentava feiras de produtores e conversava sobre a vida no campo com os proprietários das bancas. Enquanto a maioria dos americanos via Dale como símbolo da modernidade urbana, um jornalista disse, após passar vários dias em companhia de Carnegie, que sentia como se tivesse ficado com um fazendeiro simpático. Muito da filosofia de *Como Fazer Amigos*, concluiu o jornalista, era simplesmente um desenvolvimento da "profunda cortesia, do respeito pela dignidade humana, da valorização do vizinho raramente visto e, por isso, mesmo apreciado – atitudes do povo do campo".[609]

De fato, Dale fazia todo o possível para manter o contato com seu passado rural. Durante toda a década de 1940, ele retornou com frequência aos campos em que pisou na infância, em Maryville e Warrensburg, Missouri, para dar palestras e visitar velhos amigos. Após a Segunda Guerra Mundial, Dale fortaleceu seus laços com o campo comprando uma fazenda de quinhentos hectares em Belton, Missouri, onde passou a criar gado Brangus, híbrido das raças Brahman e Angus. Ele contratou um primo distante para cuidar do lugar, mas fugia de seus deveres profissionais em todos os poucos meses para ficar alguns dias na fazenda. Cavalgar, recolher feno, consertar cercas e plantar sebes para conter a erosão do solo; ele se deleitava com os prazeres da vida rural. Gostava de visitar os vizinhos, sentado na varanda e conversando com um refrigerante na mão. Ele ainda se sentia em casa no campo. "A maioria dos meus parentes é de fazendeiros. Meus pais estão enterrados na fazenda", contou Dale à revista *Look, em 1948*. "E, quando eu morrer, espero passar a eternidade ao lado deles." Essa sensibilidade rural foi carregada para sua casa no subúrbio de Nova York, onde ele se tornou um jardineiro entusiasmado, que adorava sujar as mãos. Certa tarde, vendo seu chefe plantar bulbos de flores durante uma tarde chuvosa, todo feliz, coberto de lama, Marilyn Burke chegou a uma importante conclusão. Dale era "uma pessoa muito diferente daquela para quem eu pensava trabalhar; ele não era o nova-iorquino sofisticado, autor erudito, palestrante e professor, mas um ser humano muito caseiro e prático".[610]

O amor pelo ar livre temperava a vida de Dale Carnegie. Ele fazia longas caminhadas, várias vezes por semana, em Forest Park, uma grande área pública arborizada próxima de sua casa. Um repórter da *Collier's* o acompanhou em um desses passeios e descreveu seu hábito de "constantemente admirar-se diante das maravilhas da natureza". Uma fotografia da ocasião mostra Dale descansando em um banco do parque, vestindo um sobretudo de lã e segurando um chapéu de *tweed*, enquanto admira contente as árvores enormes, as folhas caídas e a beleza austera da paisagem de inverno. Durante os anos 1940, seu amor pela natureza abrangeu novo interesse: dinossauros. Ele ficou fascinado pela paleontologia – a contemplação de vastos períodos de tempo e criaturas extintas parecia deixá-lo em um estado reverente – e passou a estudar o tópico com seu entusiasmo típico. Em Los Angeles, pediu para visitar os famosos poços de alcatrão de La Brea, e seu anfitrião ouviu-o falar, com bastante conhecimento, de dinossauros, mamutes e tigres-dente-de-sabre enquanto seguiam pela Avenida Wilshire. Dale até entrou em contato com a Universidade de Yale para comprar um conjunto de pegadas de dinossauro incrustadas em xisto e pedra, que instalou em seu jardim. Dale sempre as mostrava para suas visitas, anunciando orgulhosamente: "Tenho uma carta do curador do Museu Peabody dizendo que estas pegadas foram feitas há 180 milhões de anos".[611]

Mas a vida doméstica de Dale ficaria ainda mais estável em meados da década de 1940. Em uma de suas turnês de palestras e aulas, ele teve um compromisso em Tulsa, Oklahoma, com um franqueado do Curso Carnegie. Lá, conheceu uma jovem atraente, charmosa e articulada. Os dois sentiram-se atraídos e em poucos meses o relacionamento cresceu. Pouco mais de um ano após se conhecerem, Dale, o solteirão convicto, fez algo que surpreendeu muita gente.

Dorothy Vanderpool não queria ir. Ela se sentia cansada após o trabalho e não estava particularmente interessada em ouvir o grande Dale Carnegie falar em Tulsa, sua cidade, no outono de 1943, embora tivesse feito seu curso. Mas ela e a mãe tinham sido convidadas por Everett Pope, velho amigo da família e franqueado de Dale em Tulsa, e sua mãe, uma mulher insistente, forçou-a a comparecer ao evento. Então elas foram e Dorothy se sentiu cativada. Foi "maravilhoso" ouvir Dale falar, pois ele irradiava um carisma tranquilo e mantinha a plateia absorta, disse ela. Depois, Dorothy foi levada para conhecer Dale, e ela, a mãe e Pope acabaram indo tomar café com o visitante ilustre. A jovem gostou de sua companhia e achou-o interessante e atraente, mas não fez muito caso do encontro, a não ser por contar às amigas que esbarrou na fama.

Dale, por outro lado, viu muito mais nesse encontro fortuito. Ele pressionou Pope para que este lhe desse detalhes a respeito de Dorothy, depois que ela saiu, e conseguiu seu endereço. Após voltar para casa, Dale começou a lhe enviar cartas que, nas palavras dela, "não eram exatamente românticas, mas um pouco mais calorosas que cartas comerciais". Após várias semanas de correspondência, ele a convidou para trabalhar em sua empresa em Nova York, fazendo às vezes de secretária e escritora-fantasma para ele. Ela aceitou, mudou-se e iniciou no novo trabalho em janeiro de 1944. Dorothy e Dale começaram a namorar e desenvolveram um relacionamento sério durante a primavera e o verão até anunciarem o casamento iminente no outono. "Eu usei o método do filhote de cachorro para conquistá-la", brincou Dale mais tarde. "Você sabe, o filhote demonstra interesse em você e isso faz você se interessar por ele."[612]

Dorothy Price Vanderpool vinha de uma família interiorana, o que atraía Dale visceralmente. De fato, ele contou a um jornalista que a mãe dela se hospedara brevemente com seus pais na fazenda do Missouri quando ele ainda era garotinho. Dorothy nasceu em 3 de novembro de 1912, filha única de Henry e Victoria Price. Ele era funcionário público em Spavinaw, Oklahoma, uma cidadezinha no nordeste do estado, e a família logo se mudou para Tulsa. Henry era um homem tranquilo e gentil, que Dale mais tarde descreveria, em um de seus livros, como alguém que "tenta viver de acordo com a Regra de Ouro; e ele é incapaz de fazer qualquer coisa má, egoísta ou desonesta". Victoria, por outro lado, era uma mulher dura, obstinada e sem rodeios, que comandava o lar com mão firme. Sua filha herdaria muitas de suas qualidades.[613]

Durante sua adolescência, Dorothy, garota inteligente e popular, desenvolveu muitos interesses e participou de diversas atividades extracurriculares no Ensino Médio. Em especial, ela se lançou no jornalismo, na esperança de um dia se tornar escritora. Quando veterana, na Central High School, em 1930, participou dos clubes de Imprensa, da Vida Escolar, de Pena e Pergaminho, da Sociedade Juvenil e do Conselho de Publicidade. No anuário dos estudantes ela foi descrita como "uma pessoa criativa com inclinação a divagar e escrever". Magra, bonita, com cabelo ruivo e uma expressão de determinação frequente no rosto, ela também era bastante alta – tinha 1,75 metro de altura –, o que frequentemente a deixava com a típica aflição adolescente de se sentir estranha, "como uma gigante".[614]

Após a formatura, Dorothy começou a fazer aulas na faculdade local, onde conheceu Louis Vanderpool, um jovem loiro e bonito, que estudava na Universidade de Oklahoma, em Norman. Um romance avassalador se seguiu. Dorothy ficou grávida, abandonou os estudos e os dois se casaram. Sua filha, Rosemary, nasceu em 2 de julho de 1933, em Norman, quando ela e o jovem marido trabalhavam como zeladores em uma casa de fraternidade durante o verão. O casamento durou pouco tempo. Louis bebia muito e queria ter uma vida social, enquanto Dorothy possuía ambições profissionais, e os dois se separaram e divorciaram. Mais tarde ela descreveria o acontecido como "um daqueles infelizes casamentos de adolescentes". Dorothy e sua filha bebê voltaram para Tulsa, onde foram morar com seus pais.[615]

A maternidade provou-se difícil para ela. Dorothy nutria ambições no mundo profissional e demonstrou pouco interesse em ser uma mãe separada. Conseguiu emprego na filial de Tulsa da Gulf Oil Corporation e começou a subir a escada corporativa. Sua dedicação acabou por lhe render a posição de secretária sênior no andar dos executivos, uma promoção que, sem dúvida, foi ajudada pelo Curso Carnegie, que fez com Pope. A capacidade de comunicação que aprendeu ali, aliada a sua personalidade extrovertida e à atitude enérgica, conquistaram-lhe a presidência do Clube dos Jovens Republicanos de Tulsa. Ela começou a fazer palestras "bem-humoradas em almoços do clube cívico dos homens", lembrou Dorothy mais tarde. "Elas foram até noticiadas nos jornais." Ao mesmo tempo, ela praticamente delegou a criação de sua filha a Henry e Victoria, que se tornaram pais substitutos da garota.

Rosemary sempre a chamou de Dorothy, nunca "mamãe" ou "mãe". A atitude de Dorothy a respeito era dúbia. Mais tarde, ela comentaria que o hábito da filha fora encorajado por Victoria, e que isso a magoava. Ao mesmo tempo, Dorothy também dizia que "tinha um nome e Rosemary deveria usá-lo". De qualquer modo, a função maternal foi difícil. Lutando contra as amarras de sua vida, a jovem profissional sonhava desesperadamente em sair da sua cidade para ir a outra maior.[616]

Era essa a situação quando Dale Carnegie chegou para sua visita fatídica. Atraído instantaneamente, ele convenceu Dorothy a se mudar para Nova York, onde a atração evoluiu para algo mais sério. Durante todo o ano de 1944, eles foram se apaixonando aos poucos, e a natureza de sua atração mútua era óbvia. Para Dale, a jovem possuía encantos físicos óbvios; alta, ágil e com boa aparência. Mas suas qualidades intelectuais mostraram-se igualmente importantes – inteligência brilhante, dom para escrever, gosto irreverente pela vida e determinação em encontrar o sucesso. Ela vinha do Meio-Oeste como ele, e era alguém com quem Dale se sentia instintivamente à vontade. E, ao contrário de Frieda Offenbach, ela não estava enrolada em um casamento complicado. Ao contrário, podia se envolver em um relacionamento mais profundo. Quanto a Dorothy, ela aceitou um pretendente famoso, encantador, maduro e rico, um homem de espírito gentil e generoso, que parecia pronto para se acomodar à vida doméstica aos cinquenta e seis anos de idade. Ele também lhe oferecia a oportunidade de fugir para uma vida excitante na capital cultural, social e econômica, que era a maior cidade do país. Assim, além da atração entre eles, Dale e Dorothy atendiam a muitas das necessidades emocionais um do outro.

Seu namoro foi, às vezes, tempestuoso, o que não é de admirar, visto que ambos possuíam personalidade forte. A maior parte do tempo Dale era amável, atencioso e solícito, enquanto Dorothy usava muito bem sua perspicácia e inteligência. Mas, ocasionalmente, como costuma acontecer com dois indivíduos de gênio forte, as tensões transformavam-se em conflitos e surgiam as discussões. De acordo com um observador, uma crise teve início quando "Dorothy certa vez se demitiu após um embate com Dale e começou a fazer as malas para voltar para casa, e então ele ligou seu charme de como-fazer-amigos e a influenciou a ficar". No outono de 1944, o casal decidiu que um era bom para o outro e soltou um anúncio oficial de casamento em outubro, que foi noticiado por jornais em todo o país e também apareceu na revista *Time*, acompanhado de um comentário de Dale de que, mesmo após escrever *Como Fazer Amigos*, "eu demorei oito anos para influenciar uma mulher a se casar comigo".[617]

Dale e Dorothy se casaram em 5 de novembro de 1944, em Tulsa, na Igreja Metodista da Avenida Boston, na presença de um pequeno grupo de parentes e amigos. Antes de a cerimônia começar, Harry O. Hamm, atuando como cerimonialista, estava com Dale na sala do noivo e ouviam trechos do musical *Oklahoma* que eram tocados na igreja. De acordo com Hamm, "Dale Carnegie voltou-se para mim e Everett Pope e disse 'Se tocarem "People Will Say We're in Love" (As pessoas vão dizer que estamos apaixonados) eu vou chorar'. Bem, essa música foi tocada, mas Dale conseguiu conter as lágrimas. Como? Ele estava tão animado por se casar com Dorothy que nem ouviu a música".[618]

Após a cerimônia, Dorothy foi morar com Dale em sua casa na Avenida Wendover, em Forest Hills, e o casal acomodou-se na vida doméstica. Dale continuou a trabalhar em casa, fato que dificultou o ajustamento de sua nova mulher à vida de casada. Em seu livro de conselhos para mulheres, que escreveu alguns anos depois, chamado *How to Help Your Husband Get Ahead in His Social and Business Life* (Como ajudar seu marido a progredir em sua vida social e profissional), Dorothy incluiu um capítulo intitulado "Como não Enlouquecer se Ele Trabalhar em Casa". "Qualquer mulher que precisa organizar toda a sua rotina doméstica em torno de um homem que está constantemente em seu caminho merece um prêmio especial", escreveu ela. "Imagine ter que andar na ponta dos pés perto daquela sala fechada em que seu senhor está trabalhando, ouvi-lo pedir para desligar o aspirador quando apenas metade do serviço está feito, ou nunca poder receber suas amigas para o almoço porque a conversa perturba o amo." Apesar disso, Dorothy estimula a mulher a se adaptar às necessidades do marido que trabalha em casa, deixá-lo confortável, esquecer sua presença, fazer as tarefas diárias, adotar uma postura bem-humorada e evitar interrompê-lo. Ela acrescenta: "Durante oito anos de nosso casamento, meu marido fez todo o seu trabalho em casa, de modo que eu sei do que estou falando."⁶¹⁹

O casamento de Dale Carnegie e Dorothy Vanderpool em Tulsa, Oklahoma, em 5 de novembro de 1944.

Conforme Dorothy se acostumou a sua nova vida, rapidamente se tornou a administradora eficiente de uma casa que tinha duas secretárias e uma empregada. Como relatou uma revista, contudo, a empregada "tinha poucas oportunidades de demonstrar sua culinária europeia, pois os Carnegies preferiam pratos do Oriente Médio". Ajustando-se ao casamento, Dale e Dorothy uniram seus interesses para criar uma vida harmoniosa e feliz. Ele continuou a ser um jardineiro dedicado, que demonstrava seu entusiasmo trabalhando intensamente no jardim, cultivando tulipas e íris. Os dois tinham o mesmo amor pelo teatro, e assistiam regularmente a apresentações em Nova York. Também adoravam viajar e fizeram várias excursões às Rochosas Canadenses, ao rancho no Wyoming e à Europa, onde viajaram por Inglaterra, França e Itália. Em geral, Dale e Dorothy manifestavam um entusiasmo pela vida que tornava seu relacionamento prazeroso. Lee Maber, uma das secretárias de Dale, que, acompanhada do marido, foi jantar com os Carnegies na Chinatown de Nova York, lembrou-se da memorável volta para casa em um trem elevado. "O vagão em que nós viajávamos estava deserto, e um de nós começou a cantar uma música sobre Nova York", contou Maber. "De repente, Dale disse 'Vamos lá!' e começou a dançar com Dorothy pelo corredor. George e eu nos juntamos a eles e todos continuamos a cantar juntos. Foi um momento deliciosamente descontraído."[620]

Estabelecida em um subúrbio rico de Nova York, Dorothy passou a se dedicar a um amplo espectro de interesses que revelava a amplitude de sua inteligência, seu talento e entusiasmo pela vida. Ela adorava ler, com livros de suspense suprindo seus gostos mais leves e Shakespeare tornando-se uma paixão. Ela se debruçou sobre muitas peças do Bardo e acabou se tornando presidente do Shakespeare Club de Nova York, uma organização com a qual manteve laços estreitos pelo resto da vida. "Minha mulher está fascinada com o estudo de Shakespeare e suas peças", escreveu Dale com orgulho; "ela diz que a velhice não a assusta, porque terá mais tempo para estudar." Dorothy era uma cozinheira dedicada, embora suas habilidades culinárias nunca tenham se equiparado a sua paixão por cozinhar, e tocava piano com prazer, reunindo amigos e familiares a sua volta para cantarem canções de Natal quando era época. Influenciada por suas origens em Oklahoma, era uma amazona habilidosa e ótima atiradora com o rifle. Desenvolvendo interesse por esgrima, foi membro de uma equipe desse esporte em Forest Hills.[621]

Dorothy mostrou-se competente para lidar com o marido e estabelecer uma situação de igualdade no relacionamento. Ela conseguiu entender eventuais momentos sombrios de Dale. Quando ele parecia amargo e difícil, disse um observador, Dorothy brincava dizendo que "uma vez pagara 76 dólares para fazer o curso [Carnegie], e ria ao exigir seu dinheiro de volta; isso normalmente o endireitava". Essa tática às vezes falhava. Um visitante contou que certa vez viu Dale andando pela casa em silêncio e borbulhando de raiva, e disse que a reação marota de Dorothy foi dizer: "'Lá está', disse a Sra. Carnegie, arqueando uma sobrancelha, 'o homem que escreveu O Livro'". Mas Dorothy, mulher confiante e franca, não se intimidava quando sentia que era necessário enfrentar seu marido famoso. "Ela nunca recuava de uma discussão, e isso incluía Dale", observou um membro da família. "Abbie [Connell], secretária de Dale, e depois de Dorothy, contou-me que algumas vezes as discussões desandavam em gritarias, mas sempre terminavam com algum tipo de resolução. Eles formavam um casal bastante normal." Dale, que aceitava e admirava a natureza assertiva de sua esposa, brincava que a realidade do casamento forçava uma alteração de seus princípios de relações humanas. Um colega certa vez usou a tática proposta por Dale de "evitar o ângulo agudo" durante um jantar em que sua mulher expressou uma opinião polêmica e ele comentou: "Querida, você pode estar certa". Imediatamente, Dale entrou na conversa com uma risada: "Não, não, não! Quando é sua esposa você deve dizer: 'Querida, você está absolutamente certa!'".[622]

Embora determinada a estabelecer uma posição de igualdade em seu casamento, Dorothy também se esforçava para satisfazer as paixões e atividades do marido. Por exemplo, embora um pouco desconcertada, a princípio, ela rapidamente aceitou a amizade íntima de Dale com Homer Croy. Os dois passavam todas as tardes de domingo em brincadeiras, indo a restaurantes populares, contando piadas e relembrando velhas histórias. Dorothy aprendeu a apreciar a personalidade turbulenta de Croy, bem como a companhia da esposa dele, Mae, e sua influência salutar ao ajudar seu marido a se descontrair. Em 1945, como piada, Dorothy até compôs um poema satírico a respeito do melhor amigo de Dale, depois que o *New York Times* ridicularizou Croy em uma crítica literária, chamando-o de "caipira profissional". Ela enviou os versos para publicação no *Maryville Forum,* quando os dois homens estavam fazendo uma aparição conjunta na cidade natal deles:

HOMER, DOCE HOMER*
ou
O GAROTO DESCALÇO COM SAPATOS SOB MEDIDA
Por Dorothy Carnegie

> Ele é só um rapaz intocado do interior, com feno no cabelo,
> Desnorteado pelo Grande Caminho Branco, e sufocado pelo ar da cidade.
> Seu coração está em Maryville; ele canta a vida simples.
> Ele escreve sobre heróis de cidades pequenas, e come ervilhas com a faca.
> Mas esse caipira com saudades de casa está confuso, pois tem um dilema sombrio
> Ele não consegue feno nos campos do jeito que consegue em Nova York!
> No Missouri não tem Player's Club, onde gente alegre se encontra,
> E as estradas do campo não são tão suaves quanto a Rua 42.
> Então Croy continua na cidade, com seus pecados, agitos e brilhos.
> E só escreve sobre o campo, enquanto agradece a Deus por não estar lá.[623]

Mas a influência de Dorothy sobre seu marido ia além da vida pessoal. Ela também se tornou sua parceira no campo profissional. Em 1945, apenas alguns meses após terem se casado, Dale reorganizou sua empresa criando a Dale Carnegie and Associates, Inc., uma firma particular, na qual era presidente e tinha Dorothy como vice. Demonstrando uma combinação de inteligência, assertividade e jeito para os negócios, ela imediatamente começou a expandir seu papel na organização. Durante uma de suas viagens, no início do casamento, uma ideia nova e importante germinou. "Nós já estivéramos nas Rochosas Canadenses três ou quatro vezes, antes; ele gostava de caminhar pelas trilhas e de sentar para apreciar a paisagem", explicou ela. "Eu me cansei dessa vida ao ar livre. À noite, quando eu queria dançar, ele só queria ir para a cama cedo para poder levantar ao nascer do sol e ir observar mais paisagens. Eu podia cavalgar dormindo por aquelas trilhas. Finalmente, ele pensou num plano para me deixar feliz: 'Por que você não escreve um curso para mulheres?', perguntou. Eu concordei e comecei a trabalhar imediatamente." Isso resultou no Curso Dorothy Carnegie de

---

* (N.T.) Trocadilho entre o nome do amigo, Homer, e a expressão *Home, Sweet Home* (Lar, doce lar).

Desenvolvimento Pessoal para Mulheres, que seria uma parte importante do Instituto Carnegie durante os quinze anos seguintes.[624]

Dale Carnegie em um banquete com o amigo de infância Homer Croy sentado três cadeiras à sua esquerda.

De fato, a sagacidade de Dorothy para os negócios superava claramente a de seu marido. Enquanto ele era, em essência, professor e escritor, ela possuía habilidades financeiras e organizacionais, bem como um instinto para avaliar o ponto de retorno de um empreendimento, algo valiosíssimo em um ambiente corporativo. De acordo com um observador, Dorothy era uma mulher de negócios ambiciosa que tinha um "instinto mortal. Era ela quem fazia a empresa Carnegie andar... Ela sabia aonde queria chegar e, dane-se a tempestade, velocidade total à frente". Com sua experiência na Gulf Oil em Tulsa, bem como com sua sagacidade nas questões de negócios, Dorothy claramente influenciou a reorganização de 1945, uma mudança que racionalizou os esforços, às vezes caóticos, de ensino e publicação de Carnegie.[625]

Dale Carnegie ganhou um novo elemento em sua vida com seu casamento em 1944: a filha de Dorothy, Rosemary. O padrasto e a garota de onze anos gostaram imediatamente um do outro e desenvolveram uma ligação forte ao longo dos anos seguintes. Dale apresentou a garota ao turismo, providenciando para que ela os acompanhasse em férias no Oeste e em um cruzeiro à Europa em 1948. Ele se referia à menina como sua filha, nunca enteada, e gostou de se tornar pai. Ao mesmo tempo, deixava para a mãe as questões disciplinares. Dale tinha orgulho da garota e gostava de se gabar dela. "Minha filha, Rosemary, aos doze anos, não tinha interesse em rochas e minerais, até que um amigo lhe deu alguns fósseis quando nós viajávamos pelas Rochosas Canadenses", contou ele a uma revista. "Ela começou a prestar atenção nas rochas. Então Rosemary economizou sua mesada para comprar um livro. Em seguida, comprou alguns espécimes. Agora ela tem uma bela coleção de minerais e sonha em se tornar geóloga quando crescer."[626]

Por seu lado, Rosemary "achava o máximo" seu novo pai. Muitos anos após a morte de Dale, ela iniciou um projeto para reunir lembranças de seus parentes, amigos e colegas, que publicou como homenagem a Dale. Ela relembrou o entusiasmo dele por novas ideias e invenções, contando "como ele ficou encantado com as primeiras canetas esferográficas, quando estas surgiram". Ela se lembrou de quando Dale lhe mostrou "minha primeira televisão, que ele comprara em meados dos anos 1930. Era um móvel de mogno imenso, parecia um monstro. O tampo se abria, revelando um espelho, porque a imagem vinha invertida e tinha que ser vista com ajuda de um espelho". Ela contou, também, como ele mostrava, com cuidado, fotografias antigas de sua infância no interior do Missouri e tinha a tendência de reescrever numerosos rascunhos de seus artigos e livros, pois queria deixar "o que queria expressar na forma em que desejava que fosse lido".[627]

Ao mesmo tempo, o relacionamento pouco convencional de Rosemary com sua mãe produziu certa tensão na dinâmica familiar. Dorothy tinha dificuldades para harmonizar maternidade com suas fortes ambições profissionais. Quando se mudou para Nova York a fim de assumir suas obrigações no Instituto Carnegie, ela deixou Rosemary para trás, com os avós, em Tulsa. Quando a garota de sete anos foi para a Avenida Wendover, quase um ano depois, ficou por um curto período de tempo. Pouco tempo após a chegada de Rosemary, Dorothy a enviou para uma escola interna de elite no norte do estado de Nova York, sendo que a garota voltava a Forest Hills em feriados e fins de semana eventuais. Tornando-se rebelde, aos dezesseis anos Rosemary rejeitou qualquer tipo de atividade debutante em Nova York, decisão que decepcionou profundamente Dorothy. Assim, embora o respeito mútuo prevalecesse entre mãe e filha, certo distanciamento mantinha a relação um pouco tensa.[628]

Apesar de tudo, como acontece com todos os pais e filhos, adaptações e concessões eram negociadas e feitas. No fim da década, a família Carnegie se apresentou ao país em nome da *World Book Encyclopedia*. Em anúncio colorido de página inteira publicado em revistas, uma fotografia grande mostrava Dale, Dorothy e Rosemary, sorridentes, sentados em um sofá em frente de uma parede repleta de livros em sua casa. A legenda proclamava "Dale Carnegie pergunta: 'Você está ajudando seu filho a conseguir sucesso?'". Mais adiante o texto afirmava que, mesmo com escolas lotadas e escassez de bons professores, os pais podiam ajudar, comprando uma enciclopédia "para oferecer a seus filhos o tipo de estímulo mental que produz resultados". Dale ainda observa que, enquanto os professores ficam com as crianças apenas 9% do tempo, "é o que você faz durante os 91% do tempo em que seus filhos estão em casa que cria a sede por conhecimento, o desejo de aprender. Ao nos darmos conta disso escolhemos a *World Book Encyclopedia* para nossa filha Rosemary. Essa obra lhe proporciona prazer e inspiração constantes".[629]

Dessa forma, a vida pessoal e doméstica de Dale adquiriu um padrão satisfatório e confortável na década de 1940. Escritor fabulosamente bem-sucedido e professor lendário então, com uma família estável, ele se sentia realizado. Seus empreendimentos o tornaram financeiramente próspero, mas ele não nutria grandes desejos de ficar mais rico. "Mesmo que tivesse todo o dinheiro do mundo, não poderia usar mais roupas, e eu vivo exatamente do modo que quero viver", disse ele. Ainda assim, existia uma questão complicada, resquício de um período anterior que continuava a exigir atenção de Dale e afetar seu coração.[630]

Dale, Dorothy e Rosemary em anúncio de circulação nacional para a World Book, *em 1950.*

"Eu acho que você é a garotinha mais doce que Deus já mandou para New Haven", dizia a carta enviada a Linda Dale Offenbach, com data de 3 de julho de 1944. "Eu gostaria de ver você com maior frequência. Você tem muita sorte de possuir um pai tão sábio e compreensivo, [e] uma mãe amorosa, encantadora e desprendida", acrescentou o escritor,

"Ele tem o mundo todo a seu lado" 385

com a referência tipicamente ambígua à paternidade dela. Às vésperas do sexto aniversário de Linda, ele elogiou o "entusiasmo e a energia", o "notável encanto pessoal", seu "sorriso sincero", a "boa aparência" e a "inteligência extraordinária". "Sou constantemente surpreendido por sua habilidade para usar as palavras e sua capacidade de leitura. E como você gosta de ler para mim", acrescentou Dale. Desajeitadamente, o escritor menciona que comprou para ela várias ações da "Humble Oil", notando que, embora a inflação pudesse diluir o valor do dinheiro que ele já dera para ela pensando em pagar sua faculdade, o valor das ações subiria com o tempo e sempre manteria seu valor. A carta terminava: "Com amor eterno, Linda, sou seu tio, Dale Carnegie".[631]

Escrita em meio ao namoro bem-sucedido do escritor com Dorothy Vanderpool, essa carta destaca um dilema interminável em sua vida. Dale acreditava que Linda Dale Offenbach fosse sua filha, fruto de seu relacionamento quase discreto com Frieda Offenbach. Por toda a década de 1940 aquele arranjo estranho continuou, com Linda visitando com regularidade a casa de Dale na Avenida Wendover em Forest Hills, Queens. A situação permaneceu nebulosa e complexa como sempre.

Dale e Frieda mantiveram seu relacionamento amoroso até o início da década de 1940. As cartas dela derramavam amor ao "meu querido", com devaneios de que "deve ser maravilhoso onde você está", e desejos de "estar a seu lado, meu amor". Ele respondia com cartas gentis, escritas com palavras de afeto por Frieda, expressando a esperança de vê-la sempre que possível. No verão de 1943, durante férias no Wyoming, ele escreveu para Linda: "Como eu gostaria de que você e sua encantadora mãe também pudessem estar aqui. Sinto saudades das duas... A você, Linda Dale, entrego todo o meu amor e carinho – compartilhe-o com sua linda mãe". Dale às vezes ia até New Haven e passava a noite na casa dos Offenbach. Mas organizar essas visitas podia ser difícil. "Eu compreendo bem que não seja conveniente, para você, que eu apareça hoje", escreveu ele a certa altura. "Assim que as visitas forem embora e você se sentir à vontade novamente, por favor, avise, que eu irei vê-la." No Canadá, ele escreveu que "espero uma carta sua todos os dias", e acrescentou um golpe sarcástico em Isador: "E como está seu Amo e Senhor?".[632]

Dale até mencionou Frieda em uma de suas colunas jornalísticas diárias, que, ironicamente, era intitulada "Autocontrole". "O melhor pensamento que recolhi esta semana vem da sra. Offenbach, que mora na Rua Gordon, 58, em Hamden, Connecticut", escreveu ele. "Eu sempre admirei sua postura equilibrada, sua capacidade de fazer as coisas sem pressa ou nervosismo." Quando Dale lhe perguntou como ela conseguia permanecer imperturbável e educada mesmo sob as piores pressões, ela respondeu: "Nunca faço nada que seja importante o bastante para me deixar nervosa". Dale refletiu sobre a resposta e concluiu que: "Pensando bem, nem eu. E é possível que você também não. Nenhuma das coisas triviais que fazemos no dia a dia são importantes o bastante". Essa se tornou a base de uma homilia sobre a necessidade de controlar as emoções, conquistar o controle dos pensamentos e assim nos direcionarmos à felicidade. O comentário de Frieda, contudo, possuía uma camada mais profunda de significado para aqueles que a conheciam: ele sugeria uma tristeza fundamental em sua vida, causada por sua lealdade ao marido inválido e por sua incapacidade de ter um relacionamento real com Dale.[633]

Mas o romance entre Dale e Frieda começou a esmaecer. Ela teve um segundo filho, Russell, em 14 de outubro de 1942, e parece que não havia dúvida quanto à paternidade – Dale pouco mencionou o garoto e não o encheu de presentes e dinheiro como fizera com a menina. De fato, o problema do favoritismo entre irmãos tornou-se tão constrangedor que Isador chegou a pedir a Dale que desse mais presentes a Russell, para diminuir seus crescentes ciúmes de Linda. É difícil apontar os motivos para o esfriamento do romance entre Dale e Linda. Sua recusa inabalável em deixar Isador deve ter contribuído, e Dale também pode ter se cansado do psicodrama que envolvia aquele arranjo complicado. Então, com o namoro e casamento com Dorothy, em 1944, qualquer relacionamento físico entre Dale e Frieda chegou definitivamente ao fim.[634]

Com relação a Linda, contudo, o sentimento de obrigação paternal de Dale continuou forte durante todos os anos 1940, mesmo após seu casamento. Como faz qualquer pai orgulhoso, ele rememorava os momentos que passavam juntos e deleitava-se com as aventuras e realizações infantis da menina. Após suas visitas a New Haven, ele escrevia e lembrava a garota de como ela tinha caído da cama no meio da noite, ou como eles brincaram juntos no chão e ela "montou nas minhas costas como se eu fosse seu cavalinho". Em 1943, ele a lembrou de uma visita em que os dois fizeram um longo passeio a um parque de New Haven e "você passou a maior parte do tempo colhendo trevos vermelhos e flores silvestres e correndo pela grama molhada para fazer tudo isso... [você] insiste em se sentar sozinha no balanço e gosta de ser empurrada bem alto". As visitas de Dale à casa dos Offenbach durou pelo menos até o fim de 1948.[635]

Durante toda a década, Dale manteve um fluxo contínuo de presentes e dinheiro em direção à residência Offenbach. Ele criou um fundo para pagar a faculdade da garota e enviava cheques com regularidade para serem depositados nele. Talvez mais notável, contudo, seja um documento datilografado em seu papel de carta pessoal, datado de 24 de julho de 1942, que indica sua profunda preocupação com o bem-estar financeiro de Frieda e Linda:

> Por cem dólares e outras considerações boas e valiosas que aqui reconheço, vendo à sra. Frieda Offenbach todas as ações que possuo, séries A e B, das seguintes empresas:
>
> *Dale Carnegie – editora e serviços*
> *Dale Carnegie – Cursos*
> *Dale Carnegie – Instituto de Oratória Eficaz e Relações Humanas*

A carta era assinada por Dale Carnegie, tendo como testemunha Abigail M. Connell, sua assistente de confiança. A condição legal e o significado desse documento é incerto – ele nunca foi efetivado nem homologado após a morte de Dale –, mas ele indica claramente seu grau de comprometimento.[636]

As visitas de Linda à casa de Dale na Avenida Wendover continuaram até o final dos anos 1940. Após chegar a Nova York de trem, ela passava o fim de semana com Dale, que a levava a museus, peças, circo e qualquer outra atividade de que ele pensasse de que ela poderia gostar. "Você me visitou recentemente aqui em Forest Hills. Você e Pat, a garota da casa ao lado, brincaram juntas no meu jardim", escreveu ele, que acrescentou, com orgulho: "Pat tem sua idade, mas não consegue usar um décimo das palavras que você usa. Ou ela é boba ou é você que está conseguindo – igualar a habilidade de sua mãe". Até 1949, com onze anos, Linda continuava indo a Forest Hills para visitas de fim de semana. Em julho, Dale enviou-lhe uma carta lamentando saber que ela estivera resfriada. "Eu esperava poder vê-la no domingo", escreveu. "Depois que melhorar, venha me visitar algum outro domingo e nos divertiremos muito."[637]

A partir de 1944, após seu casamento com Dorothy, Dale parece agendar as visitas de Linda de modo a coincidirem com as ausências da esposa. Assumindo um papel cada vez mais proeminente nas empresas Carnegie, Dorothy viajava ocasionalmente a trabalho e também visitava a família em Tulsa. Dale parecia trazer Linda para a casa em Forest Hills explicitamente quando a esposa não estava. Mais tarde, a garota se lembraria de ter visto Dorothy apenas uma vez durante suas muitas estadas com Dale, e a experiência foi desagradável – Linda cometeu uma pequena gafe à mesa de jantar, do que Dorothy riu alto, causando constrangimento à menina. Não existem evidências do que Dale contou a sua esposa a respeito da "sobrinha" visitante, mas, em 1950, as visitas de Linda a Nova York foram interrompidas abruptamente. Frieda disse para a filha, sem fornecer detalhes, que a sra. Carnegie "banira" os Offenbach de sua casa. Suspeita-se que Dorothy tenha descoberto evidências incriminatórias de algum tipo com relação a Dale e Frieda, ou mesmo que Dale tenha confessado a verdade dessa situação. De qualquer modo, o relacionamento de Dale com Frieda e Linda encontrou uma barreira forte.[638]

Mas ele não terminou. Em setembro de 1950, Dale escreveu uma carta longa para Frieda comentando que vários anos antes ele dera a Linda "metade de um edifício localizado em Northern Boulevard, 250-02, Little Neck". Naquela ocasião ele comprara um terreno e acertara com o governo dos EUA a construção de uma agência dos correios ali. Parte do edifício invadiria a propriedade cuja metade pertencia a Linda. Assim, Carnegie pediu a Frieda que devolvesse a escritura dessa propriedade, e em troca "eu darei a Linda imediatamente uma casa de quatro andares em Little Neck, algo que custaria 35 mil dólares para ser construído hoje". Fica claro que ele continuava trabalhando para garantir a segurança econômica do futuro da garota. No fim da carta a Frieda ele acrescentou que "Vejo você em outubro ou novembro". Então, no Natal de 1950, ele enviou, como presente a Linda, um exemplar de seu livro *Biographical Roundup: Highliths in the Lives of Forty Famous People* (Destaques na vida de 40 pessoas famosas). Ele escreveu na dedicatória: "Para a moça mais doce deste lado do paraíso, Linda Dale Offenbach, de um de seus admiradores mais ardentes. 'Tio' Dale Carnegie".[639]

Apesar dessas complicações, a vida e a carreira de Dale Carnegie prosperaram durante os anos 1940. De fato, o contentamento pessoal, a estabilidade e a prosperidade de Dale refletiam, de muitas formas, as condições dos Estados Unidos. Com o desaparecimento da Depressão e a conclusão vitoriosa da Segunda Guerra Mundial, os acontecimentos trouxeram uma nova era de confiança e expansão econômica. Essa convergência de condição pessoal e aspiração pública prepararam o cenário para a última grande contribuição de Dale Carnegie à cultura americana. No fim dos anos 1940 ele escreveu outro livro best-seller que refletia as correntes de abundância material, religiosidade, união doméstica e conformidade suburbana que tomou a vida americana na era do pós-guerra. Mas o livro também capturou muito da ansiedade subjacente.

16. "Profissionais que não lutam contra a preocupação morrem jovens"

Após a Segunda Guerra Mundial, a América entrou em uma nova era de abundância. Com o fim da Grande Depressão e a bem-sucedida campanha global contra o fascismo, os Estados Unidos emergiram como nação mais poderosa do mundo, tanto militar quanto materialmente. A pujante economia de guerra mudou de foco para a produção de bens de consumo após 1945 para atender à crescente demanda por produtos de uma população ansiosa por encerrar as privações da depressão econômica e os sacrifícios da crise nacional. Com aspirações materiais crescentes, os americanos de classe média começaram um caso de amor popular com casas de subúrbio e cortadores de grama, máquinas de lavar e aspiradores de pó, automóveis e churrasqueiras. A prosperidade estava no ar.

As revistas em formato grande, brilhantes e carregadas de fotografias assumiram a liderança na promoção e no exame desse novo etos. Publicações como *Life* e *Look*, com seus milhões de assinantes, serviam como barômetros da opinião pública e começaram a examinar a próspera economia de consumo do país. Em maio de 1948, por exemplo, a *Look* proclamou "O Milagre da América". O artigo era uma criação pensada pelo Advertising Council, um grupo apartidário de líderes empresariais, anunciantes, representantes de sindicatos, profissionais de comunicação e figuras públicas que buscavam promover uma cooperação mais próxima entre empresas, governo e mão de obra organizada. Esse grupo contava com figuras como Evan Clark, diretor executivo do Twentieth Century Fund; James B. Conant, presidente da Universidade Harvard; Alan Gregg, diretor da Fundação Rockefeller; Boris Shiskin, economista da Federação Americana do Trabalho; Eugene Meyer, editor e presidente do conselho de *The Washington Post*; Clarence Francis, presidente do conselho da General Foods Corporation; e Reinhold Niebuhr, destacado teólogo e filósofo político. O artigo da *Look* apresentava a mensagem central do grupo: a América do pós-guerra criara uma economia de consumo dinâmica que trazia abundância para todos e tornava arcaica a divisão de classes.[640]

Em sua abertura, o artigo defende que "nosso sistema econômico e nosso modo de vida democrático permitem-nos produzir mais e melhores bens a um custo menor, dando aos americanos um padrão de vida muito superior ao de qualquer país totalitário no mundo". Ele detalha as glórias do modo de vida americano: liberdade pessoal, democracia política, ambiente empresarial livre e competitivo, maquinário aliado à tecnologia, produtividade dos trabalhadores, e "ação governamental quando necessária" para proteger "o bem-estar público" através de seguro-desemprego, treinamento vocacional, obras públicas e programas de bem-estar social. Esse sistema criou o "milagre da América" moderna, diz o Advertising Council, que garante "as coisas boas que nosso sistema econômico pode nos proporcionar".[641]

No mesmo ano a *Life* chamou a atenção para uma questão inesperada e vexatória que acompanhara essa explosão de abundância material. A utopia consumista em expansão da América, apesar de todas as suas vantagens materiais, não facilitara a conquista da felicidade. Embora o fim da Grande Depressão tivesse garantido a sobrevivência econômica para a maioria, a prosperidade do pós-guerra não produzira automaticamente realização pessoal e satisfação emocional. De fato, para muitos esse objetivo parecia mais difícil do que nunca. Assim, no início do verão de 1948, a *Life* promoveu uma reunião de alguns dos principais pensadores, empresários, advogados, membros do governo e escritores da América para discutirem essa questão cultural. Os resultados apareceram na matéria de capa de 12 de julho de 1948, intitulada "Uma mesa-redonda da *Life* a respeito da busca da felicidade".[642]

Esse grupo, que se reuniu em um simpósio de três dias, era composto por dezoito figuras notáveis de muitas áreas da vida pública. Entre elas estavam Henry Luce, editor de *Time, Life e Fortune*; Sidney

Hook, o famoso filósofo político da Universidade de Nova York; padre Edmund Walsh, da Universidade de Georgetown, autor de livros sobre totalitarismo; Charles Luckman, presidente da Lever Brothers; William Milliken, diretor do Museu de Arte de Cleveland; Thomas D'Arcy Brophy, presidente da American Heritage Foundation; Beatrice Gould, coeditora do *Ladies's Home Journal*; Joseph Scanlon, líder do United Steelworkers of America; Stuart Chase, economista e crítico social; e o conhecido teórico de psicanálise Erich Fromm. A mesa-redonda discutiu uma questão central: se os americanos modernos estavam "buscando a felicidade de maneira a promover a plenitude de nossas vidas e de nossa democracia". O grupo concordou em que, segundo numerosas pesquisas de opinião, os americanos contemporâneos acreditavam ser felizes. Ao mesmo tempo, muitas evidências sugeriam o contrário – por exemplo, a taxa de divórcios disparara, a delinquência juvenil crescia e aproximadamente um em cada dez americanos lutava com uma doença mental séria. Assim, o seminário viu um paradoxo: ao mesmo tempo em que os Estados Unidos criaram uma sociedade cuja prosperidade transparecia na abundância de bens materiais, "nós não sabemos como usá-los, não sabemos como viver... A América não consegue a felicidade genuína".[643]

Após animado debate intelectual, a mesa-redonda da Life chegou a um consenso. Seu relatório final defende que a felicidade definitiva só pode ser encontrada na "vida interior" de homens e mulheres, e não nas circunstâncias econômicas, políticas e sociais externas. O grupo admitiu que essa posição refletia uma "mudança no pensamento de nosso tempo" depois da Depressão:

> É seguro imaginar que, se esta mesa-redonda tivesse se reunido dez anos atrás, não teria chegado a essa concordância: o debate inteiro... teria focado em reformas "externas" e, principalmente, na questão econômica. Hoje está claro para milhões de cidadãos que a economia, por si só, não tem as respostas para os problemas fundamentais da sociedade democrática... As pessoas buscam em si mesmas e na sociedade as respostas mais profundas que apenas o mundo exterior não é capaz de fornecer.

Os americanos devem apreciar sua liberdade democrática, que lhes permite definir e buscar a felicidade a sua própria maneira, concluiu a mesa-redonda. Mas "o mero prazer ou a autossatisfação" devem ser evitados através do cultivo de uma base firme de moralidade, respeito pelo trabalho, apreciação das artes, hostilidade à censura e "idealismo prático, altamente característico dos americanos, que liga o indivíduo à humanidade como um todo". Na conclusão de um participante, "Felicidade é, em primeiro lugar, um estado interno, uma realização interna... Eu gostaria de concluir dizendo que o Reino de Deus está dentro de nós".[644]

Dale Carnegie entrou no meio dessa importante discussão. Enquanto a América do pós-guerra lutava para fazer as pazes com a abundância e suas implicações, mais uma vez ele demonstrou sua perspicácia na avaliação do estado de espírito do povo. Como os formadores de opinião e intelectuais pesos pesados reunidos por *Life* e *Look*, ele também ficou intrigado pela luta paradoxal dos americanos para encontrar felicidade em meio à abundância material. Assim, Dale publicou outro livro de sucesso que lidava diretamente com essa questão. Enquanto nos anos 1930 ele apresentara *Como Fazer Amigos e Influenciar Pessoas* como um manual para quem buscava o sucesso em uma era de privações, naquele momento ele ofereceu um texto que apontava o caminho em meio à teia de questões emocionais relativas à prosperidade econômica do pós-guerra. Mais uma vez, seu texto encontrou ressonância no público, alcançando o segundo posto entre os best-sellers de 1948, somente atrás das memórias de guerra de Dwight Eisenhower, *Cruzada na Europa*, e logo à frente do polêmico estudo de Alfred Kinsey, *O Comportamento Sexual do Homem*. A obra venderia seis milhões de exemplares nos anos seguintes. Sua grande popularidade reforçou a posição do autor como guia social e cultural de milhões de americanos comuns.

Na primavera de 1948 a Simon and Schuster publicou *Como Evitar Preocupações e Começar a Viver*, de Dale Carnegie, uma sequência, há muito aguardada, de seu livro imensamente popular do final dos anos 1930. O autor observa que decidiu escrever essa obra quando, após ouvir milhares de alunos em suas aulas de oratória, percebeu que "um dos maiores problemas desses adultos era preocupação". Intrigado, ele foi à Biblioteca Pública de Nova York, onde descobriu que havia apenas um punhado de livros listados sob o termo "preocupação" (em comparação, o tópico "minhocas" tinha cento e oitenta e nove livros), sendo que nenhum deles era adequado para utilização em sua sala de aula. Assim, ele decidiu preencher o vazio. Ouvindo seus alunos enquanto falavam de seus problemas, lendo biografias, fazendo entrevistas e até mergulhando na filosofia, ele começou a compor um volume sobre como eliminar a preocupação.

O livro é um Dale Carnegie clássico. Recheado de prosa divertida e casos, ele tira lições de indivíduos reais que tiveram sucesso na superação de problemas estressantes que ameaçavam sua vida. Acima de tudo, a obra é prática e útil. "Procurei escrever um relato ágil, conciso e documentado de como a preocupação foi superada por milhares de adultos", escreveu ele. "Uma coisa é certa; este livro é prático. Você poderá dar bom uso a ele."[645]

De muitas maneiras, o livro novo imita a estrutura e o método de *Como Fazer Amigos e Influenciar Pessoas*. Em verdadeiro estilo Carnegie, ele oferece uma série de princípios, sempre formulados com disposição prática, para leitores ansiosos: "Nove sugestões de como tirar o máximo deste livro", "Viva em 'compartimentos diários'", "coopere com o inevitável", "como eliminar 50 por cento de suas preocupações profissionais". Então ele tempera essas diretrizes com rompantes de inspiração ("Oito palavras que podem transformar sua vida", "Uma fórmula mágica para resolver situações preocupantes", "Lembre que ninguém chuta um cachorro morto"). Por fim, ele recheia o texto com uma série de fragmentos biográficos que mostram como indivíduos, alguns comuns e outros célebres, superaram preocupações em sua vida. O livro termina com uma coleção de trinta e um breves ensaios inspiradores escritos por figuras como J. C. Penney, Gene Autry, Homer Croy, Jack Dempsey e Connie Mack.

A revista *Time*, em longa resenha de *Como Evitar Preocupações e Começar a Viver* – acompanhada de entrevista com o autor –, concordava em que Dale encontrara um alvo adequado para seus talentos. "Tenso como um varal carregado de roupas molhadas, cravejado de verrugas de preocupação, perfurado por úlceras, o homem do século XX passa sua vida caricata imprensado entre tristezas profundas e hipertensão sanguínea", observava a resenha. "A partir deste mês, ele pode tentar uma nova forma de viver; seus problemas foram enfrentados pelo autor do maior best-seller deste século." A revista destacou que Dale procurava estimular os leitores a adotar estratégias de bom senso para lidar com um problema universal da vida moderna. O objetivo do livro, ele contou à Time, era tirar o leitor de sua zona de conforto e "acertar sua canela".646

Mas ficou claro que Dale estava fazendo mais que simplesmente emitir um alerta aos indivíduos estressados. Ele enfrentava a mesma questão preocupante que os grupos de especialistas das revistas *Life* e *Look*: na era de abundância do pós-guerra, muitos dos problemas dos americanos não eram mais econômicos, mas mentais e emocionais. Na visão de Dale, uma epidemia de "problemas nervosos" varria a América. "Mas a medicina tem sido incapaz de lidar com os danos físicos e mentais causados não por micróbios, mas por emoções como preocupação, medo, ódio, frustração e desespero", escreveu ele. "As vítimas dessas doenças emocionais estão se espalhando e as acumulando com rapidez catastrófica." *Como Evitar Preocupações* não perde tempo em revelar que tanto a análise quanto a solução dessa catástrofe cultural iminente eram assuntos complexos.647

Dale ofereceu uma descrição vívida do moderno flagelo da ansiedade na América. "Mais de metade de nossos leitos hospitalares estão ocupados por pessoas com problemas nervosos e emocionais", relata ele. Estatísticas indicavam que "uma pessoa em cada dez vivendo nos Estados Unidos sofrerá colapso nervoso – induzido, na grande maioria dos casos, por preocupação e conflito emocional". Muitos indivíduos estavam se debatendo para encontrar seu lugar na complexa economia moderna, de modo que "não é de admirar que insegurança, preocupação e 'neuroses de ansiedade' sejam abundantes em meio aos trabalhadores de escritório!". De fato, a doença da preocupação espalhava-se por toda a sociedade moderna com consequências severas. "Profissionais que não sabem como lutar morrem cedo", escreveu o autor. "Da mesma forma que donas de casa, veterinários e pedreiros."648

Dale sugeria um diagnóstico ousado: o próprio crescimento material e o progresso social dos americanos na década de 1940 havia causado essa crise. O bem-vindo crescimento de abundância após a Depressão trouxe como subprodutos inesperados estresse, preocupação e angústia. Enquanto preocupações financeiras diminuíam, as emocionais aumentavam. E, quanto maior o crescimento, piores as pressões. Citando um estudo da Clínica Mayo com 176 executivos na faixa dos quarenta anos, Dale relata que um em cada três deles sofria de "doenças características de se viver sob tensão – problemas cardíacos, úlceras do sistema digestório e hipertensão sanguínea antes dos 45 anos". Ele comenta a morte recente de um rico industrial. "O fabricante de cigarros mais conhecido do mundo recentemente caiu morto devido à falência do coração enquanto tentava se divertir um pouco nos bosques canadenses. Ganhou milhões – e morreu com 61 anos. Ele provavelmente trocou anos de sua vida pelo que chamamos de 'sucesso profissional'", escreveu Dale. *Como Evitar Preocupações* deixa claro que os americanos precisavam mudar o foco da busca do sucesso no antiquado sentido material e refletir sobre os custos pessoais, emocionais, geralmente não calculados, que isso geraria. Ironicamente, o maior representante do sucesso no século XX declarou: "Sucesso, a que preço!".[649]

Dale apontou diversas áreas em que a abundância econômica gerou preocupação. A natureza burocrática da vida corporativa moderna criara uma tensão enorme ao envolver os indivíduos em complicadas cadeias de procedimentos e tomadas de decisão. "Passei quase metade de todos os dias de trabalho fazendo reuniões para discutir problemas. Devemos fazer isto ou aquilo – ou nada disso?", explicou um executivo cansado. "Ficamos tensos e nos retorcemos nas cadeiras, andamos de um lado para outro; discutimos e andamos em círculos. Quando chegava a noite, eu estava totalmente exausto." Dale também notou as tensões causadas pelas finanças, referindo-se a uma pesquisa publicada na *Ladies's Home Journal* indicando que setenta por cento de todas as preocupações modernas são causadas por dinheiro. Não se tratava de carência financeira como na década de 1930, mas uma situação em que as pessoas modernas "não sabem como gastar o dinheiro que têm!". Orçamento, gerenciamento de renda, planejamento financeiro e a tentação de abusar do crédito fácil eram problemas desconhecidos que criaram dores de cabeça novas para os americanos prósperos.[650]

Até mesmo o lazer, um dos grandes benefícios da vida do consumidor moderno, trouxe sofrimento inesperado. Durante o expediente, as atividades ocupavam a cabeça e não davam tempo às preocupações. "Mas as horas após o trabalho... essas são as perigosas. Bem quando você está pronto para desfrutar de seu descanso, quando deveria estar mais feliz – é quando os demônios da preocupação nos atacam", observa Dale. "É nesses momentos que começamos a nos questionar se estamos progredindo na vida; se caímos na rotina, se o chefe 'quis dizer algo' com a observação que fez hoje; ou se estamos ficando carecas." Com pesar, ele cita um aforismo de George Bernard Shaw: "O segredo de se ser infeliz é ter tempo para se preocupar se você é feliz ou não".[651]

Qual é o remédio de Dale Carnegie para curar a ansiedade emocional e a preocupação debilitante que varriam a América moderna? Com ousadia, mais uma vez, ele propõe uma nova ética cultural: viva o dia de hoje e busque realização emocional. No capítulo de abertura de *Como Evitar Preocupações*, ele denuncia apaixonadamente a tendência a se prender emocionalmente a más decisões ou circunstâncias infelizes do passado, ou, ao contrário, sonhos de um futuro perfeito. Às vezes, essa síndrome funcionava de modo reverso, com as pessoas fixadas nas memórias de um período dourado anterior ou nos medos extravagantes de desastres iminentes. De qualquer modo, em vez de se prender ao "ontem morto" ou ao "amanhã não nascido", Dale insiste em que a atitude adequada é aproveitar o presente. Americanos demais "desmoronaram sob o peso esmagador de ontens acumulados e amanhãs assustadores", escreveu ele.

> Você e eu estamos, neste exato segundo, no ponto de encontro de duas eternidades: o passado vasto que dura para sempre, e o futuro que mergulha em direção à última sílaba do tempo registrado. Não podemos viver em nenhuma dessas duas eternidades – não, nem por uma fração de segundo. Mas ao tentar fazê-lo nós destruímos nosso corpo e nossa mente. Então, vamos nos contentar em viver no único tempo em que podemos viver: de agora até a hora de dormir.

Em outras palavras, a felicidade está em se viver no presente.[652]

Para obter realização pessoal, insiste Dale, é necessário encontrar trabalho que não seja apenas produtivo, mas também emocionalmente satisfatório. Apenas alguns anos antes, é claro, muitos americanos teriam ficado satisfeitos somente em encontrar qualquer tipo de trabalho, uma postura que remetia à antiga economia de escassez do século XIX. Mas naquele momento, com a economia de consumo trazendo abundância material para a maioria das pessoas, um novo cálculo era necessário. E Dale o codificou na secção de *Como Evitar Preocupações* intitulada "Como encontrar o tipo de trabalho no qual você pode ser feliz e bem-sucedido". Ele sustenta que encontrar uma vocação era uma das duas grandes decisões da vida moderna – a outra era escolher o/a cônjuge –, e que seria obrigatório encontrar um trabalho satisfatório, até alegre. Como disse um notável homem de negócios, uma carreira de sucesso era baseada em "se divertir no seu trabalho. Se você gosta do que está fazendo, conseguirá trabalhar muitas horas e isso nem parecerá trabalho. Vai parecer diversão". Então, quem procura emprego deve ter cuidado, segundo Dale: pense cuidadosamente no seu próprio temperamento à luz das tarefas exigidas, procure orientação vocacional, considere se é possível ganhar a vida, pesquise extensamente as ocupações nas quais esteja interessado. Mas o objetivo vale a pena, ele conclui, quando você pensa em "quantas preocupações e frustrações, quantos arrependimentos são causados pelo trabalho que desprezamos".[653]

Dale passa muito tempo propondo várias técnicas para ajudar as pessoas a superar preocupações e encontrar felicidade em seu trabalho, sua casa e sua vida. Ele declara com franqueza, no prefácio do livro, que quem não "adquirir novas forças e inspiração para parar de se preocupar e aproveitar a vida" a partir das sugestões práticas da obra "deve jogar o livro no lixo. Ele não serve para você". Ao enfrentar as dificuldades de se conseguir satisfação pessoal na era da prosperidade, contudo, ele se voltou para um ponto conhecido. Assim como em sua obra anterior, Dale buscou segurança e conforto velejando na direção da psicologia. Mais uma vez, ele encontrou um porto seguro na cultura terapêutica.[654]

No início de *Como Evitar Preocupações e Começar a Viver*, enquanto avalia o preço cobrado pelas preocupações às saúde e felicidade humanas, Dale cita uma antiga inspiração, um homem que ele descreveu como "o pai da psicologia aplicada", William James: "O Senhor pode perdoar nossos pecados, mas o sistema nervoso nunca perdoa". Trata-se de uma referência reveladora no momento em que Dale mais uma vez se volta à psicologia em busca de uma explicação.[655]

Definindo os caprichos da vida moderna quase que exclusivamente em termos de ajustamento mental, Dale abre o livro com uma nota autobiográfica ao discutir suas próprias tentativas para fugir à onda de "decepção, preocupação, amargura e rebelião" que quase o esmagou quando ele era um moço tentando encontrar seu caminho em Nova York. Mas casos assim, então, haviam se multiplicado dramaticamente, com alguns especialistas sugerindo que "um americano em cada vinte vivos hoje irá passar parte de sua vida em uma instituição para doentes mentais". Dale reuniu uma série de psiquiatras, terapeutas e médicos, muitos dos quais gigantes em suas áreas, que destacavam os aspectos mentais do descontentamento moderno. Ele citou figuras como "o famoso psiquiatra britânico J. A. Hadfield"; "os irmãos Mayo, da psiquiatria", Karl Menninger e seu irmão William, de prestígio semelhante; "o grande psicólogo Alfred Adler"; "um dos psiquiatras mais distintos", Carl Jung; o diretor do Centro de Serviço Psicológico de Nova York, Henry C. Link; o notável psicanalista A. A. Brill; e, claro, várias vezes, William James. Sob influência deles, Dale conclui que a ansiedade que solapava a felicidade americana no pós-guerra criara uma crise psicológica épica.[656]

O diagnóstico de Dale identifica vários pontos psicológicos. Ele conta a história do soldado que chegou da guerra exausto, infeliz e sem saber o que fazer. Constantemente preocupado com seu futuro, o veterano começou a sofrer crises de choro e perda de peso, que culminaram em um colapso nervoso. Ele acabou em um hospital, onde o médico concluiu que seus "problemas eram mentais" e forneceu-lhe uma terapia que o colocou no caminho da recuperação. Dale, em seguida, aponta para a arena profissional, onde as pessoas ficavam tão concentradas em buscar progresso e posses materiais que não era de "admirar que insegurança, preocupação e 'neuroses de ansiedade'" abundassem. Ele identificou outra zona de perigo na prosperidade americana do pós-guerra, e citou uma pesquisa da *Ladies' Home Journal* que indicava que "70 por cento de todas as nossas preocupações são relativas a dinheiro". Essa variedade de pressões que afetam a vida moderna – especialmente a tendência delas a encorajar a preocupação com problemas futuros, sonhos de felicidade futura ou arrependimento de coisas feitas no passado – levou Dale a fazer uma denúncia forte. A "doença emocional da preocupação" tornara-se onipresente, segundo ele, e causava "dez mil vezes mais danos que a varíola". A sociedade americana apresentava um retrato estarrecedor de "como nós destruímos nosso corpo e nossa mente com ansiedade, frustração, ódio, ressentimento, rebelião e medo".[657]

Essa série de moléstias emocionais levou Dale a procurar uma cura no mundo da psicologia. Ele acreditava na psicanálise (uma versão diluída) pelo seu "poder de cura pelas palavras. Desde a época de Freud, analistas sabem que um paciente talvez encontre alívio para suas ansiedades internas se puder falar, só falar... Todos nós sabemos que 'botar para fora' ou 'aliviar o peito' traz alívio quase instantâneo. Então, da próxima vez em que tivermos um problema emocional, que tal procurarmos alguém com quem conversar?". Com maior frequência, contudo, Dale volta-se para estratégias de bom senso que envolvem uma avaliação sem preconceitos dos problemas mentais e a criação de soluções realistas. Ele defende a tática de aceitar o pior resultado possível que pudesse resultar de um problema, para então começar a melhorar a situação a partir daí. Ele cita William James: "Esteja disposto a aceitar dessa forma... [porque] a aceitação do que aconteceu é o primeiro passo para superar as consequências de qualquer infortúnio". Dale acrescenta: "Psicologicamente, isso significa uma nova liberação de energia! Quando aceitamos o pior, não temos mais nada a perder. E isso automaticamente significa que nós temos tudo a ganhar!". Ele advoga a técnica antiga de se entregar ao trabalho e outras atividades como antídoto à ansiedade. "'Terapia ocupacional' é o termo usado hoje pela psiquiatria quando trabalho é prescrito como se fosse remédio", escreveu ele. "Qualquer psiquiatra lhe dirá que trabalhar – manter-se ocupado – é um dos melhores anestésicos conhecidos para nervos doentes."[658]

Mas a solução psicológica favorita de Dale para preocupação veio de uma influência antiga em seu modo de pensar: a tradição do pensamento positivo, que insistia em que a concentração de recursos mentais pode mudar a realidade social. Na parte quatro de *Como Evitar Preocupações*, ele se volta novamente às propriedades terapêuticas do pensamento positivo. Intitulada "Sete maneiras de cultivar uma atitude mental que lhe trará paz e felicidade", essa seção explica as "atitudes mentais que levam a segurança e felicidade internas". Dale inflama-se. "Quanto mais eu vivo, mais profundamente convencido eu fico da tremenda força do pensamento", exclama. "Eu conheço homens e mulheres que eliminam preocupação, medo e vários tipos de doença, e conseguem transformar sua vida mudando seu pensamento. Eu sei! Eu sei!! Eu sei!!!"[659]

Para Dale, a base dessa profunda convicção está na unidade de mente e corpo, o mental e o físico. Como sustentação, ele cita grandes pensadores, de Platão ("a mente e o corpo são um e não devem ser tratados separadamente") a Marco Aurélio ("Nossa vida é o que nossos pensamentos fazem com ela") e William James ("A ação parece seguir o sentimento, mas na realidade ação e sentimento andam juntos; e ao regular a ação, que está sob controle mais direto da vontade, podemos indiretamente regular o sentimento, que não está"). Assim, ter pensamentos positivos e eliminar as atitudes negativas, acreditava Dale, criaria uma atmosfera na qual a realização pessoal prosperaria. "Sim, se tivermos pensamentos felizes, seremos felizes. Se tivermos pensamentos desgraçados, seremos desgraçados. Se tivermos pensamentos temerosos, seremos temerosos. Se tivermos pensamentos doentios, ficaremos doentes. Se pensarmos em fracasso, certamente fracassaremos", escreveu ele. "Se chafurdarmos na autopiedade, todo mundo vai querer fugir de nós e nos evitar. 'Você não é', disse Norman Vincent Peale, 'você não é o que pensa que é; mas o que você pensa você é.'" [660]

Dale entra em alta rotação inspiradora para insistir em que a preocupação pode ser erradicada utilizando-se "o poder mágico do pensamento". Ele estimula os leitores a adotarem a ideia de que paz de espírito e uma atitude alegre de viver nascem "exclusivamente de nossa atitude mental. Condições externas têm pouco a ver com isso". Felicidade seria um estado de espírito. "Coloque um sorriso grande, amplo, honesto no seu rosto; jogue os ombros para trás; inspire profundamente; e cante uma canção. Se não souber cantar, assobie. Se não souber assobiar, cantarole", exorta Dale. "Você rapidamente descobrirá do que William James estava falando – que é fisicamente impossível continuar triste ou deprimido enquanto se interpreta os sintomas da felicidade radiante!"[661]

Com uma virada irônica, Dale apoia essa fórmula de pensamento positivo com uma relíquia de seu passado. Quando jovem, ele rejeitara as severas doutrinas protestantes que sua mãe havia lhe incutido na infância. Depois, adulto, raramente falava de religião, fosse em sua vida privada ou em seus escritos. Mas em *Como Evitar Preocupações* ele retorna à crença espiritual. Era menos um caso de volta à religião, contudo, e mais uma percepção de sua utilidade emocional. "Eu avancei para um novo conceito de religião. Não tenho o menor interesse na diferença de credo que divide as igrejas", explicou ele.

> Mas estou tremendamente interessado no que a religião faz por mim, assim como me interessa o que eletricidade, boa comida e água fazem por mim. Tudo isso me ajuda a levar uma vida mais rica, satisfatória e feliz. Mas a religião faz muito mais que isso. Ela me traz valores espirituais. Ela me dá, como diz William James, "um novo gosto pela vida... mais vida, uma vida maior, mais rica, mais satisfatória". Ela me dá fé, esperança e coragem. Ela elimina tensões, ansiedades, temores e preocupações.[662]

Em outras palavras, Dale aceita a religião por sua função terapêutica. Questões relativas à salvação, Trindade e ao Evangelho nunca surgiram. Em lugar disso, ele defende que espiritualidade e psicologia, religião e ciência, convergem em uma abordagem moderna para se conseguir felicidade e realização. Muitos psiquiatras, por exemplo, endossavam a noção de que oração e fé religiosa ajudavam a erradicar muitas das ansiedades e tensões da vida. "A mais nova de todas as ciências – psiquiatria – está ensinando o que Jesus ensinou", escreveu ele. "Hoje os psiquiatras estão se tornando modernos evangelistas... eles nos estimulam a levar uma vida religiosa para evitarmos os problemas deste mundo – problemas como úlceras estomacais, angina, colapsos nervosos e insanidade." Dale invoca vários psicólogos de prestígio como testemunhas. Carl Jung escreveu que entre seus pacientes "não houve um cujo problema, em última instância, não fosse encontrar uma perspectiva religiosa para a vida. É seguro dizer que todos ficaram doentes porque perderam o que as religiões de todas as épocas dão a seus seguidores, e nenhum deles se curou até recuperar essa perspectiva religiosa". William James concorda: "Fé é uma das forças pelas quais os homens vivem, e a total ausência dela gera um colapso".[663]

Dale tomou esses conselhos para si. Em sua própria vida, ele confessou, frequentemente se sentia afobado, estressado e ansioso enquanto corria pelo país para fazer suas palestras e dar aulas. Então ele adotou o hábito de entrar em uma igreja – qualquer que estivesse perto – durante a semana para um período de contemplação silenciosa. "Eu digo para mim mesmo: 'Espere um minuto, Dale Carnegie, espere um minuto. Por que toda essa pressa e correria febril, homenzinho? Você precisa parar e entender o que está acontecendo'", contou ele. "Descobri que fazer isso acalma meus nervos, descansa meu corpo, clareia meu ponto de vista e me ajuda a reavaliar meus valores."[664]

Essa sensibilidade terapêutica de Dale Carnegie acabou por levá-lo a outra grande questão na América do pós-guerra. Uma década antes, em *Como Fazer Amigos e Influenciar Pessoas*, ele promovera um novo paradigma de personalidade afinado às demandas da interação burocrática, às expectativas dos consumidores e às aspirações de lazer na América moderna. No período pós-guerra ele se deparou com as consequências produzidas pelo novo modelo de indivíduo que se esforçara para inventar. Esse encontro colocou Dale no meio de um debate que atraiu muita atenção, pois entrava profundamente na questão do comportamento e das crenças dos americanos.

Em 1950, David Riesman publicou *A Multidão Solitária*, um dos livros de análise social mais influentes já escritos na América moderna.

Sociólogo da Universidade de Chicago, com estudos adicionais em direito e literatura, Riesman estava fascinado com o novo tipo social que, acreditava, era evocado nos tempos modernos. Na sociedade do século XIX, dedicada à produção e ao empreendedorismo, defende ele, uma "personalidade de orientação interna" de valores morais fortes, caráter pessoal firme e uma dedicação obstinada ao trabalho guiou os indivíduos através da vida. No início do século XX, contudo, uma economia cada vez mais complexa, impulsionada pelo consumismo, pelas formas burocráticas de trabalho e oportunidades de lazer, fez surgir uma nova "personalidade com orientação pelos outros". Esse tipo ideal moderno, operando em uma atmosfera de constante interação humana, dependia de uma personalidade carismática e de habilidade em relações humanas para atingir objetivos e progredir na vida.[665]

Riesman descreveu cuidadosamente as características desse tipo ideal moderno. Ao contrário de seu predecessor de orientação interna, que tendia a agir sozinho, de acordo com os princípios internalizados por família, Igreja e credo econômico, o indivíduo mais cosmopolita e urbano, que surgiu por volta de 1920, entrava em contato e reagia a uma série muito mais ampla de influências. "A orientação pelo outro está se tornando o caráter típico da 'nova' classe média – o burocrata, o empregado assalariado nas empresas", afirmou Riesman.

> Comum a todas as pessoas com orientação pelos outros é que seus contemporâneos são a fonte de direção para o indivíduo – sejam aqueles que ele conhece sejam aqueles que se conhece indiretamente, através de amigos ou dos meios de comunicação de massa... Enquanto todas as pessoas querem e precisam ser apreciadas durante algum tempo, são os tipos modernos com orientação pelos outros que fazem disso sua principal fonte de orientação e principal área de sensibilidade... Mobilidade social depende menos do que alguém é e faz e mais do que os outros pensam dele – e quão competente ele é para manipular os outros e ser manipulado... [Im]pulsos de mobilidade ainda estão embutidos no caráter [com orientação pelos outros]. Mas o produto em demanda, agora, não é um alimento nem uma máquina; é uma personalidade.[666]

Essas características – o processamento de sinais de fontes diversas, o cultivo de habilidades burocráticas, a necessidade de ser apreciado, a automanipulação, o ajustamento da personalidade – criaram uma nova fórmula para o sucesso. As "qualidades interacionais", nas palavras de Riesman, do indivíduo moderno eram fundamentais. "Ele quer ser mais amado do que estimado; ele não quer seduzir ou impressionar, e muito menos oprimir os outros, mas, na fase atual, quer se relacionar com eles... [para conseguir] garantia de estar afinado emocionalmente com eles."[667]

Riesman ilustra a mudança histórica do individualismo com orientação interna para o que se orienta pelos outros com uma metáfora brilhante. O indivíduo do século XIX, buscando objetivos de acordo com seus próprios princípios, era orientado psicologicamente por um "giroscópio", um mecanismo parecido com uma bússola, colocado nele por seus pais e outras autoridades, que o mantinha no curso apesar das circunstâncias externas. Mas o indivíduo orientado pelos outros opera em um mundo mais amplo, definido pelas interações com os outros. Então, ele "deve ser capaz de receber sinais de longe e de perto; as fontes são muitas e as mudanças, rápidas". Em vez de ser orientada por um giroscópio internalizado, a pessoa com orientação pelos outros move-se de acordo com um mecanismo psicológico mais elaborado, que "em vez de ser como um giroscópio funciona como um radar". O radar pessoal do indivíduo traça o curso da vida através de um rebatimento constante de seus sinais nos outros.[668]

Riesman enfatiza que a cultura mais ampla, em todas as suas formas históricas, sempre procurou controlar os tipos de caráter que fazia surgir. O tipo orientado pela tradição – uma variante arcaica que existia nas sociedades agrícolas de comunidades pequenas, muito unidas, e que estava praticamente extinta – sofria a sanção da vergonha quando violava padrões aprovados de conduta. O tipo empreendedor, de orientação interna, que operava pilotando internamente, sofria com a culpa quando se afastava do curso. Mas o tipo moderno, com orientação pelos outros, enquanto corre para interpretar os numerosos, rápidos e frequentemente variados sinais que os outros emitem o tempo todo, sofre ansiedade, buscando seguir em direção ao sucesso. Ajustando constantemente sua sintonia emocional à dos outros, "suas ansiedades, como criança consumidora-estagiária, como pai/mãe, como trabalhador e ator, são muito grandes", escreveu Riesman. "Ele está frequentemente dividido entre a ilusão de que a vida deveria ser fácil, se ele pudesse encontrar o modo de se ajustar adequadamente ao grupo, e o sentimento meio oculto de que não é fácil para ele."669

A Multidão Solitária toca em um poderoso nervo cultural na América do pós-guerra. Ele captura as ansiedades de uma era cansada de depressão econômica e guerra, mas confusa com a prosperidade suburbana e as demandas emocionais da busca por *status*. O livro vendeu 1,5 milhão de exemplares, número desconhecido para títulos acadêmicos, e colocou seu autor na capa da revista *Time*, realização ainda mais sem precedentes para um professor universitário. A capa mostrava a fotografia do severo pesquisador e "cientista social David Riesman", acompanhado de desenhos de um empreendedor vitoriano, que marcha confiante para a frente com um giroscópio amarrado nas costas, e um profissional moderno que se comunica com os outros enquanto caminha carregando uma antena de radar. A *Time* descreveu as ideias de Riesman como resposta a uma era de mudanças rápidas no pós-guerra em que "o autorretrato americano saiu de foco". Muitas pessoas buscavam desesperadamente maneiras de compreender a vida moderna – que ia além das antigas concepções de luta de classes ou da tese da fronteira, afirmou a *Time*, e "Riesman parece liderar milhares de americanos nessa busca". Sua interpretação já alcançara "um tipo de *status* de clássico".670

De fato, no fim dos anos 1940, a cultura americana parecia inundada pela ansiedade sofrida pela personalidade com orientação pelos outros. A mesa-redonda de 1948 da *Life*, com seu grupo de intelectuais, dissecou a busca frustrada da felicidade na América do pós-guerra. Leonard Bernstein apresentou a *Sinfonia Nº 2: A Era da Ansiedade*, em 1949, enquanto nesse mesmo ano *A Morte do Caixeiro-Viajante*, peça de Arthur Miller ganhadora do Prêmio Pulitzer, estreava na Broadway, com sua história triste de Willy Loman, um discípulo fracassado das relações humanas que, desesperado para ser amado, mas incapaz de vender a sua imagem, fica tão ansioso que se suicida. O best-seller do rabino Joshua Liebman, *Paz de Espírito* (1946), oferece uma fórmula de autoajuda composta por valores espirituais e autoestima psicológica para superar a infelicidade, enquanto o psicólogo existencial Rollo May explora essas questões em *O Significado da Ansiedade* (1950). No mundo prático da política, o livro tremendamente influente de Arthur Schlesinger Jr., *The Vital Center* (O centro vital, 1949), abre com um capítulo intitulado "Política em uma Era de Ansiedade".[671]

Inquestionavelmente, o maior exemplar da modernidade com orientação pelos outros, contudo, era Dale Carnegie. Seu best-seller da década de 1930, *Como Fazer Amigos e Influenciar Pessoas,* anunciara esse tipo moderno de personalidade com sua delineação clara das habilidades-radar – fazer os outros se sentirem importantes, projetar um apelo pessoal agradável, conquistar os outros para seu modo de pensar, ser sensível à dinâmica do grupo – necessárias à navegação pelo labirinto burocrático e consumista da vida americana moderna. Com seu best-seller de 1948, Dale aborda o resultado desse novo ambiente cultural – o que Riesman descreve como a ansiedade torturante que aflige o indivíduo orientado pelos outros, enquanto tenta processar a vasta confusão de sinais externos captados por seu radar. Riesman, de fato, notou em *A Multidão Solitária* uma conexão com o Dale, destacando que *Como Fazer Amigos* recomendava "exercícios de manipulação não apenas para obter sucesso profissional, mas também com objetivos mais vagos, não profissionais, como popularidade". Riesman observa ainda que o segundo best-seller de Dale aborda não apenas "a mudança de depressão [econômica] para pleno emprego" após a Segunda Guerra Mundial, mas as pressões para se usar a manipulação "de um modo solipsista para se ajustar ao seu destino e estado social".[672]

A noção de camaradagem intelectual de Riesman estava correta. De fato, *Como Evitar Preocupações e Começar a Viver* transmitia o sinal cultural mais claro, de maior alcance, da preocupação com o indivíduo dominado pela ansiedade, orientado pelos outros, da América do pós-guerra. Tendo antes criado o projeto desse tipo de personalidade, Dale voltava-se instintivamente, na obra nova, à erradicação dos problemas emocionais que vieram no rasto de *Como Fazer Amigos*. Ele sugere dois remédios. Primeiro, os tipos orientados pelos outros precisavam ajustar seu radar para diferenciar os verdadeiros sinais que conduziriam à felicidade da estática perigosa que os tiraria do curso. Segundo, eles precisavam se ajustar de modo mais tranquilo às demandas sociais, uma manobra que criaria reconciliação emocional, não alienação.

Uma preocupação para calibrar precisamente o radar pessoal permeia o texto de Dale. Partindo de seus princípios de relações humanas anteriores, ele defende que a felicidade está, frequentemente, em aceitar os altos e baixos das interações pessoais. Por exemplo, o indivíduo bem-sucedido precisa lidar criativamente, em vez de controlá-lo, com o comportamento negativo de colegas de trabalho, amigos e parentes. A ingratidão humana, a inveja e o ciúme são naturais, aconselha Dale, e as pessoas devem estar preparadas para esses sentimentos. Até Jesus, após curar os leprosos, recebeu poucos agradecimentos. Então, "deveríamos esperar mais agradecimentos por nossos pequenos favores do que recebeu Jesus Cristo?". A lição é clara: "A natureza humana foi sempre natureza humana – e provavelmente não vai mudar durante nossa vida. Assim, por que não aceitá-la?... Não esperemos gratidão. Então, se recebermos alguma, de vez em quando, ela virá como agradável surpresa. Se não a recebermos, isso não nos incomodará". Tal atitude seria essencial para evitar estresse e aflições. Em vez de odiar seus inimigos e ficar obcecado com críticas, tente perdoar e esquecer. Cultive uma postura de serenidade e equilíbrio, além de um belo senso de humor. Quando Jesus disse "amai vossos inimigos", ele "não estava apenas pregando ética. Ele também estava pregando um remédio para o século XX", escreveu Dale. "Jesus estava dizendo para nós que nos abstivéssemos de desenvolver hipertensão sanguínea, problemas cardíacos, úlceras estomacais e muitas outras doenças".[673]

De fato, Dale sustenta que a pessoa sábia deve procurar ativamente críticas. Ele menciona seu arquivo pessoal "Coisas Idiotas que Eu Fiz" e estimula os leitores a adotar o dito de Elbert Hubbard: "Todo homem é um maldito tolo por pelo menos cinco minutos a cada dia. A sabedoria está em não exceder esse limite". Escute as críticas e acusações e julgue se têm alguma validade. "Todos nós temos a tendência a nos magoarmos com críticas e animarmos com elogios, sejam justificados ou não", observa ele. Mas o indivíduo sereno, saudável, deveria dizer: "Talvez eu mereça essa crítica. Se mereço, devo ser grato a ela e me beneficiar dela". Dale oferece um de seus princípios confiáveis para evitar ansiedade: "Vamos manter um registro das tolices que fizemos e criticar a nós mesmos... vamos pedir críticas imparciais, úteis e construtivas".[674]

Mas o indivíduo emocionalmente saudável também precisa ir além dele próprio e promover a felicidade dos outros como forma de promover a sua. Ao ajustar seu radar para ficar alerta à busca dos outros por realização, satisfação e validação, e então tentar providenciar isso, a pessoa conseguiria assim afastar a infelicidade como por mágica. O indivíduo feliz não chafurda na autopiedade nem exige ser o centro das atenções. Ele não anda por aí, nas palavras de George Bernard Shaw, como um "cabeça-dura egoísta, cheio de dores e mágoas que reclama que o mundo não se dedica a fazê-lo feliz". Ao contrário, ele cultiva sensibilidade para com os outros. "E quanto ao empacotador do mercado, o vendedor de jornais, o rapaz na esquina que engraxa seus sapatos? Essas pessoas são seres humanos cheios de problemas, sonhos e ambições particulares. Eles também anseiam por uma oportunidade de compartilhar isso tudo com alguém", instrui Dale. "Mas você lhes dá essa oportunidade? Em algum momento você demonstra interesse sincero na vida dessas pessoas? Você não precisa se tornar Florence Nightingale ou um assistente social para ajudar a melhorar o mundo – seu próprio mundo particular; você pode começar amanhã de manhã com as pessoas que encontrar! O que você ganha com isso? Muito mais felicidade! Maior satisfação e orgulho de si mesmo!" Todo mundo anseia ser amado, conclui ele, mas a única forma de conseguir amor é "parar de pedir e começar a distribuir amor sem ter esperança de retribuição".[675]

Como de costume, Dale reúne um exército de psicólogos notáveis em apoio a sua argumentação. Após anos de prática psiquiátrica, Henry C. Link concluiu que "Nenhuma descoberta da psicologia moderna é, na minha opinião, tão importante quanto a prova científica da necessidade de abnegação e disciplina para realização e felicidade pessoais". Carl Jung escreveu que aproximadamente um terço de seus pacientes sofria não de uma neurose clinicamente definível, mas da "falta de sentido e do vazio de sua vida", uma condição geralmente melhorada quando a pessoa se empenha para "desenvolver interesse em ajudar os outros". O "grande psiquiatra" Alfred Adler tinha proposto uma solução para a melancolia em seu livro *What Life Should Mean to You* (O que a vida deveria significar para você): "Procure pensar a cada dia como você pode agradar alguém... É o indivíduo que não se interessa por seu colega humano quem tem as maiores dificuldades na vida". Esse conselho sábio levou Dale a sua própria proposição: "Pensar nos outros não irá apenas evitar que você se preocupe consigo mesmo; isso também ajudará você a fazer muitos amigos e a se divertir... Vamos nos esquecer de nossa própria felicidade – tentando criar um pouco de felicidade para os outros. Quando você é bom para os outros, você é o melhor para si mesmo".[676]

Se a criação de um radar pessoal mais sensível era o primeiro remédio de Dale Carnegie para a ansiedade do indivíduo orientado pelos outros, o segundo estaria em tornar-se bem ajustado. Exigências sociais e tensões emocionais, insiste Dale, eram mais bem enfrentadas com compreensão e aceitação calma, em vez de amargura e ressentimento. Um capítulo-chave em *Como Evitar Preocupações* é intitulado "Coopere com o inevitável", e nele Dale argumenta sobre como fazer as pazes com as pressões da vida. "Enquanto você e eu marchamos através das décadas do tempo, vamos nos deparar com muitas situações desagradáveis. Elas não podem ser diferentes", escreveu ele. "Nós podemos escolher. Ou aceitamos essas situações como inevitáveis e nos ajustamos a elas, ou podemos arruinar nossas vidas com revolta e talvez terminarmos com um colapso nervoso".[677]

Trata-se de uma decisão individual. O ônus de se ajustar ao mundo é de cada um de nós, acreditava Dale, e a forma como respondemos à adversidade determina nosso destino emocional. "Obviamente, apenas as circunstâncias não nos deixam felizes ou infelizes. É a maneira como reagimos às circunstâncias que determina como ficaremos. Jesus disse que o reino dos céus está dentro de você. É aí, também, que fica o reino do inferno", alerta ele. A pessoa pode vociferar ou ferver contra as tribulações ou injustiças da vida, ou pode tentar fazer o melhor com o que tem, ou, como Dale diz em outro título de capítulo, "Se você tem um limão, faça uma limonada". De fato, ele argumenta, a adversidade frequentemente motiva melhoras ou realização se a pessoa souber enfrentá-la. Alfred Adler postula que um dos dons mais valiosos dos seres humanos é "o poder de transformar menos em mais". William James concorda: "Nossas fraquezas ajudam-nos inesperadamente".⁶⁷⁸

Mas Dale compreendia que, às vezes, as coisas não podem ser mudadas para melhor; às vezes as circunstâncias não são maleáveis. Nesses casos, o indivíduo fica frente a frente com uma lição: "Todos nós teremos que aprender, cedo ou tarde: temos que aceitar e cooperar com o inevitável". Nisso, ele diz, as palavras de Schopenhauer são instrutivas: "Uma boa dose de resignação é de suma importância na jornada da vida". Mas Dale faz uma distinção importante. "Estaria eu advogando que nós simplesmente nos curvemos a todas as adversidades que aparecerem em nosso caminho? De jeito nenhum! Isso seria mero fatalismo", insiste ele. "Sempre que pudermos salvar uma situação, vamos lutar. Mas, quando o bom senso nos diz que estamos diante de algo que não tem jeito – e não pode ser diferente –, então, em nome de nossa sanidade, não vamos 'olhar antes e depois e ansiar pelo que não está lá*'."⁶⁷⁹

O truque, é claro, estaria em separar situações improváveis das intratáveis. Aqui Dale dá aos leitores o "melhor conselho sobre preocupação que descobri". Trata-se de uma oração – "24 palavras que você e eu deveríamos colar no espelho do banheiro para que todas as vezes que lavarmos o rosto também possamos limpar toda preocupação de nossa mente". O famoso teólogo Reinhold Niebuhr a escreveu: "Deus, conceda-me serenidade para aceitar as coisas que não posso mudar; coragem para mudar as coisas que posso; e sabedoria para distingui-las".⁶⁸⁰

Por fim, o conselho de Dale para os indivíduos ansiosos, orientados pelos outros, culmina em um dito terapêutico abrangente: cultive a autoestima. O desenvolvimento de um radar pessoal mais sensível e ajustar-se com suavidade às exigências sociais é importante, claro, mas o que derrotaria a ansiedade em definitivo seria um sentimento pessoal de valor. Esse tema deixava Dale no ápice de sua capacidade de inspirar. "Não importa o que acontecer, seja sempre você mesmo... Você e

---

* (N.T.) Verso do poema *To a Skylark*, de Percy Bysshe Shelley *(1792-1822)*.

eu temos essas habilidades, então não vamos perder um segundo nos preocupando porque não somos como os outros. Você é algo novo neste mundo", determina ele. Dale estimula indivíduos ansiosos a respeitar seus próprios talentos e dons: "Você pode cantar apenas o que é. Você pode pintar apenas o que é. Você precisa ser o que suas experiências, seu ambiente e sua herança o tornaram. Para o bem ou para o mal, você deve cultivar seu próprio jardim... Não vamos imitar os outros. Vamos encontrar o que somos e sermos nós mesmos".[681]

Quando chega à metade de *Como Evitar Preocupações*, Dale resume seu conselho a respeito de autoestima em um programa terapêutico. Intitulado "Só por hoje" e com o propósito de aliviar as ansiedades do indivíduo orientado pelos outros, ele consiste em um procedimento passo a passo para se obter paz e felicidade:

1. Só por hoje eu serei feliz... A felicidade vem de dentro; ela não depende de fatores externos.
2. Só por hoje eu tentarei me ajustar ao que existe, e não tentarei ajustar tudo aos meus próprios desejos. Vou lidar com minha família, meu trabalho e minha sorte conforme surgirem e irei me ajustar a eles.
3. Só por hoje eu cuidarei do meu corpo. Vou exercitá-lo, cuidar dele, nutri-lo...
4. Só por hoje eu irei fortalecer minha mente. Vou aprender algo útil...
5. Só por hoje vou exercitar minha alma de três maneiras: vou fazer bem a alguém... [e] vou fazer pelo menos duas coisas que não quero, como sugere William James, só como exercício.
6. Só por hoje vou ser agradável. Eu não criticarei de modo algum nem verei defeitos em nada, e também não tentarei controlar nem melhorar ninguém.
7. Só por hoje eu tentarei viver apenas este dia, sem tentar enfrentar todos os problemas da minha vida de uma vez...
8. Só por hoje vou fazer um planejamento... Talvez eu não o siga exatamente, mas vou fazê-lo. Isso irá eliminar dois problemas, pressa e indecisão.
9. Só por hoje eu terei meia hora tranquila apenas para mim e relaxarei.

> Nessa meia hora pensarei algumas vezes em Deus, para adquirir um pouco mais de entendimento sobre minha vida.
>
> 10. Só por hoje não terei medo, e, principalmente, não terei medo de ser feliz, de apreciar o que é lindo, de amar e de acreditar que aqueles que eu amo também me amam.

Aí está o protótipo de inúmeros programas de doze passos que inundariam a cultura americana nos anos seguintes, todos com o objetivo de se obter autoestima.[682]

Assim, da mesma forma que *Como Fazer Amigos e Influenciar Pessoas* capturou um momento cultural da América nos anos 1930, quando pessoas desesperadas buscavam um caminho para progredir no labirinto burocrático da vida moderna, *Como Evitar Preocupações e Começar a Viver* lidava com as ansiedades que afligiam cidadãos materialmente afluentes, mas emocionalmente confusos do pós-guerra. Com o primeiro livro, Dale Carnegie fornecia um manual para uma época perturbada pela privação econômica e princípios ultrapassados de sucesso. Com o segundo, ele oferecia um manual terapêutico tranquilizador para uma era perturbada pelos perigos inesperados da prosperidade.

17. "Entusiasmo é sua qualidade mais cativante"

Ao começar a década de 1950, Dale Carnegie tinha motivos de sobra para ser feliz. Entrando em seus sessenta anos, professor amado e autor popular, ele gozava os frutos da fama que vinham de seu público afetuoso. Viajando pelo país para dar palestras inspiradoras e aulas no famoso Curso Carnegie, ele infalivelmente atraía multidões entusiasmadas para as palestras e alunos devotados para as aulas. Sua condição de celebridade chamava atenção na vida cotidiana. "As pessoas o reconheciam na rua, pois tinham visto seu retrato no livro ou nos jornais", disse sua esposa, Dorothy. Dale claramente se deleitava com a atenção e o respeito que lhe conferiam. Em seu típico estilo modesto, contudo, ele fazia pouco de sua popularidade. "Agora que apareceu o Clark Gable, minhas orelhas grandes são apenas uma moda", ele costumava brincar.[683]

Além do mais, a vida particular de Dale tornara-se um retrato do contentamento. Casado com uma mulher mais jovem, inteligente, atraente e enérgica desde meados da década de 1940, e estabelecido em uma linda casa em Forest Hills, ele gozava da estabilidade de uma confortável vida doméstica. Ele começou a diminuir o exigente ritmo de aulas, palestras e produção de textos conforme a idade avançava, e Dorothy passou a assumir um papel cada vez maior na Carnegie e Associados, principalmente nas questões administrativas. Ao gastar menos tempo com o trabalho, Dale desfrutava de um tipo de semiaposentadoria que lhe proporcionava o melhor de dois mundos – trabalho e família. Então, em meio a esse cenário pacífico, sua vida pessoal mudou dramaticamente. Com sessenta e três anos de idade, ele inesperadamente se tornou pai de uma garotinha, uma experiência que encheu sua vida de novas alegrias.

Foi triste, portanto, que, estando no auge da estima do público e da felicidade doméstica, no começo da década de 1950, Dale começasse a mostrar desequilíbrio. Após alguns exemplos de comportamento estranho, foi ficando claro para a família e os amigos que algo estava muito errado com aquela amada figura pública. A misteriosa doença provocou deterioração física e mental e o lançou em uma espiral descendente em meados da década. Mas não antes que seu legado estivesse consolidado na cultura americana.

Entrando nos anos 1950, a vida profissional de Dale Carnegie tornou-se um longo desfile de aclamações e elogios. Condizente com sua condição de um dos americanos mais famosos de seu tempo era a quantidade de convites para palestras inspiradoras que apareciam. Ele estava, nas palavras de um longo perfil jornalístico, "em constante demanda, em toda parte, como palestrante". Viajava por todo o país com essas apresentações, falando sem roteiro, ou mesmo notas, confiando sempre em seus característicos cartões de quinze por vinte centímetros. Quando Dale falou em Minneapolis, uma pessoa da plateia aproximou-se para apertar-lhe a mão e reparou que meia dúzia desses cartões estavam dispostos no púlpito, e cada um trazia uma única palavra. Dale "disse que tinha muitos desses cartões e simplesmente escolhia aqueles que desejava usar como esboço de sua fala", contou esse membro do público. "Como empregava tão bem os casos que contava, Dale sentia não precisar de roteiros detalhados para evocar as ideias que queria transmitir."[684]

A mensagem das palestras de Dale geralmente vinha de seus livros de sucesso, destacando um de seus princípios famosos sobre fazer amigos e conquistar sucesso, ou eliminar preocupações e conseguir paz de espírito. Mas era a forma, mais que o conteúdo, a chave de seu encanto e apelo. Afiado ao longo de muitos anos no púlpito, seu estilo discreto e descontraído atraía e segurava a atenção do público. "Os espectadores sentiam que era uma pessoa de verdade falando com eles. Ele tinha muito bom humor, era prático, simpático, sem afetação nenhuma", explicou um observador. "Ali estava alguém em quem se podia confiar." As palestras de Dale eram animadas por certa alegria, um gosto pela vida. Enquanto estava no púlpito, ele irradiava entusiasmo e sempre conquistava as multidões com o sotaque do Meio-Oeste, o humor autodepreciativo, os casos e a valorização das oportunidades que a vida apresenta.[685]

Dale fez muitas apresentações memoráveis. Vários meses após a publicação de *Como Evitar Preocupações e Começar a Viver*, um grupo de empresários de Boston o convidou para fazer uma palestra no sagrado Symphony Hall. J. Gordon MacKinnon, franqueado do Curso Carnegie na Nova Inglaterra e diretor do grupo, organizou a apresentação. Dale falou durante uma hora para um público receptivo, que o aplaudiu em pé. Isso o impressionou tanto que ele concordou em voltar, após pausa de quinze minutos, para responder a perguntas. Ninguém foi embora, e o palestrante continuava respondendo às questões uma hora depois. "Eu já dividi o púlpito com muita gente famosa", observou MacKinnon. "Tudo que ele compartilhou conosco naquela noite – seu calor, seu interesse pelo público e seu imenso conhecimento humano – jamais foi igualado por outro orador em meus 40 anos de palestras."[686]

Alguns anos mais tarde, durante uma convenção anual do Curso Carnegie, o banquete de encerramento começou com uma palestra de Paul Harvey, figura popular do rádio. Ele foi tão dinâmico que muitos recearam que seria difícil para Dale manter o mesmo ritmo. Mas ele foi sutil como sempre. Dale encarou a multidão com um grande sorriso e exclamou: "Que belo exemplo de homem entusiasmado, de orador realmente apaixonado por sua mensagem!". Ele elevou o discurso de Harvey às alturas, e depois apresentou sua fala. Como um dos presentes observou, "devido à sinceridade com que Dale elogiou Paul, eu percebi que ali estava um homem que tinha tanta confiança em si mesmo que não precisava se preocupar porque se apresentava depois de um orador tão dinâmico". Quando Dale terminou, o ouvinte já tinha se esquecido de Harvey. Em suas palavras, "tudo que eu conseguia fazer era ficar maravilhado com o que Dale Carnegie tinha feito. Ele não apenas engrandeceu a apresentação de Harvey, como também me fez admirar o grande homem que ele próprio era. Um homem de sucesso, famoso, e ainda assim humilde".[687]

Mas o primeiro amor de Dale ainda era ensinar, e ele continuou a desempenhar papel importante no Curso Carnegie – aparecendo em aulas em todo o país, instruindo e inspirando alunos, ensinando instrutores e imbuindo a todos com seus princípios de autoconfiança e sucesso. "O que ele mais gostava de fazer era ensinar. Ele podia recusar uma palestra bem remunerada se isso significasse afastá-lo de suas aulas", disse Dorothy. "Ele era brilhante. O modo miraculoso com que lidava com o público era algo que nunca vi igual. As pessoas desabrochavam ali mesmo, enquanto falavam. Dale as ajudava a crescer até o limite de suas possibilidades. Ele era inspirador... ele tinha o dom de ensinar. Dale era magnífico."[688]

Os alunos ficavam maravilhados com suas técnicas de ensino. Richard Stomstead, que depois viraria instrutor do Curso Carnegie, viu Dale falar sobre relações humanas para um grupo de formandos no início da década de 1950 em Kansas City, no Bellerive Hotel. A capacidade do fundador de "ser ele mesmo" e seu humor espontâneo impressionaram Stomstead profundamente. Fred White, que fez o curso em 1952, considerou Dale "esplêndido, gentil, mas firme. Ele comentava, ensinava e comentava de novo, constantemente ensinando e inspirando. Dizer que o sr. Carnegie 'respirava' sinceridade e entusiasmo pode ser insuficiente". A bondade de Dale também aparecia com frequência, como em julho de 1950, quando um curso de treinamento para professores durou várias semanas. Alguns dos instrutores que moravam na região conseguiam ir para casa nos fins de semana, mas Dale fazia questão de cuidar dos que vinham de fora levando todos para almoçar e ver uma peça na Broadway todo fim de semana.[689]

Em seu papel de supervisor, Dale continuou a monitorar de perto seu curso, para garantir que atendesse a seu padrão exigente. Em 1952, quando soube que alguns dos treinadores de instrutores estavam usando truques em certas aulas, ele escreveu uma mensagem séria aos gerentes de curso. "Nosso principal trabalho é ajudar os instrutores a ajudar nossos alunos a desenvolverem coragem e confiança dentro de si e a usarem melhor as relações humanas", enfatizou ele. "Quanto menos tempo gastarmos com 'truques' e mais empregarmos em inspirar nossos instrutores, mais seremos úteis aos homens e mulheres que vêm até nós em busca de coragem, autoconfiança e capacidade de liderança. Espero intensamente que possamos enfatizar esse ponto repetidas vezes nas escolas de nossos instrutores, em nossas atualizações e convenções, e para nós mesmos diariamente."[690]

Dale mantinha laços próximos com muitos de seus franqueados pelo país. Bill Stover, dono da franquia do Curso Carnegie em Washington, tornou-se amigo íntimo do autor e lembra-se de visitá-lo na fazenda do Missouri em 1953. Ele observou que Dale ia até lá para "fugir da pressão e reviver lembranças da infância". Stover ficou muito emocionado quando Dale, que planejava uma viagem ao exterior, e "sabendo que eu sofria de câncer na garganta, insistiu várias vezes para que eu fosse com ele na viagem, pois precisava descansar". Stover ficou ainda mais emocionado quando Dale se ofereceu para pagar a conta.[691]

De fato, a empresa de Dale fez tanto sucesso que necessitou de uma expansão em suas instalações. Com classes praticamente transbordando em quase todas as grandes cidades dos Estados Unidos, e com as franquias regionais prosperando, a empresa não podia mais ser administrada da casa de Dale em Forest Hills. Assim, em 27 de fevereiro de 1953, o Instituto Dale Carnegie de Oratória Eficaz e Relações Humanas inaugurou novo quartel-general em uma casa adaptada de cinco andares no número 22 da Rua 55 Oeste, em Nova York. Dale, acompanhado de Dorothy e outros gerentes de curso, compareceu à cerimônia de inauguração. As festividades foram presididas por Theodore R. McKeldin, governador de Maryland, que conquistara destaque nacional com um discurso empolgante indicando Dwight Eisenhower à presidência na convenção republicana de 1952. Formado no Curso Carnegie, McKeldin frequentemente declarava que os princípios que aprendera ali o levaram ao sucesso político.[692]

Apesar de todo esse sucesso, a idade avançada levou Dale a moderar suas atividades públicas no início dos anos 1950. Ele começou a aceitar menos convites e, ao se apresentar, contentava-se em fazer discursos prontos. Dale fez uma apresentação notável, no entanto, no púlpito da igreja em que seu velho amigo Norman Vincent Peale era pastor. Os ministros de Nova York tinham concordado em agendar um culto dominical em que um leigo pudesse se apresentar, então Peale convidou Dale para falar à congregação em sua igreja Marble Collegiate. Sentado ao seu lado no palco, Peale ouviu o amigo fazer uma palestra fortemente emotiva. Dale falou da pobreza de sua infância e da força espiritual de sua mãe. "Quando não havia nada para comermos em casa, ela ficava calma e despreocupada. 'O Senhor proverá', dizia ela calmamente. Sob essas circunstâncias ela ia pela casa cantando os velhos hinos de fé, como 'Que Amigo Temos em Jesus'", disse Dale. "Então ele parou de falar", relembrou Peale. "A grande congregação ficou sentada em silêncio enquanto as lágrimas corriam pelo rosto de Dale e ele lutava para se recompor. Finalmente, com a voz ainda embargada, ele disse: 'Meus pais não me deram dinheiro nem qualquer herança financeira, mas me deram algo de valor muito maior, a bênção da fé e do caráter firme.'" Peale declarou: "Esse foi um dos discursos mais impressionantes e comoventes que já ouvi".[693]

No crepúsculo de sua carreira, Dale apreciava muitos benefícios – respeito, afeição e gratidão do público –, que conquistara ao longo de quatro décadas como professor de autoconfiança e escritor de como progredir na vida. Com seu curso conquistando dezenas de milhares de alunos todos os anos, e sua celebridade como autor atraindo atenção considerável, ele continuou a inspirar os americanos comuns em todo o país com visões de sucesso pessoal. Esses retratos radiantes de realização pessoal e abundância material pintados para os outros, contudo, não eram meras fantasias. Eles descreviam a vida do próprio Dale Carnegie, que se tornara a imagem da satisfação.

No rasto de seu segundo livro de sucesso, *Como Evitar Preocupações e Começar a Viver*, de 1948, Dale se estabeleceu em uma vida doméstica rica e plena. Instalado na Avenida Wendover, número 27, em Forest Hills, com Dorothy, ele desfrutava de uma ampla variedade de passatempos e atividades. O casal continuava a viajar muito – para o Oeste americano, as Rochosas Canadenses e a Europa, além das excursões eventuais a sua fazenda no Missouri. Dale foi sozinho à Itália, em 1951, e ao Japão, em 1953. O casal compartilhava do amor pelo teatro, por comer em bons restaurantes e oferecer jantares para pequenos grupos de amigos e pela leitura, o que os fez encher a casa de livros. Nas reuniões, Dorothy tocava piano enquanto os outros cantavam – o que Dale fazia com gosto, especialmente hinos antigos como "Trazendo os feixes". Seu casamento era sólido, caracterizado por amor e respeito mútuos, apesar de certa divergência de personalidades. Dale era um colecionador de supérfluos, enquanto Dorothy tendia a ser organizada e eficiente. Ela adorava redecorar a casa sempre que podia, enquanto ele preferia que as coisas continuassem como eram. O gosto dele por decoração recaía em itens tradicionais, pesados, de madeira, enquanto ela gostava de um estilo moderno e refinado. Mas Dale e Dorothy tinham a mesma determinação forte. Certa vez Dale levou para casa um peixe marinho grande que ganhara de um amigo e pretendia preparar durante o fim de semana. O cheiro era tão forte que Dorothy fez com que Dale o deixasse fora de casa, em uma caixa de madeira. Depois que foram dormir, contudo, ele esperou até que a esposa parecesse estar dormindo e escapou, para colocar o peixe na geladeira. Mas ela o ouviu, esperou até que ele dormisse, saiu na ponta dos pés e o recolocou do lado de fora. Foi assim durante a noite toda. Pela manhã, Dorothy finalmente jogou a toalha, mas os dois riram ao reconhecer a teimosia mútua.[694]

Ao diminuir suas atividades profissionais, Dale às vezes encontrava tempo para meter a colher em questões políticas. Em 1953 ele trocou uma correspondência agressiva com Herbert H. Lehman, senador por Nova York. Dale lera *The Road Ahead: America's Creeping Revolution* (A estrada à frente: a revolução sorrateira da América), livro de John T. Flynn que afirmava que os Estados Unidos estavam sucumbindo imperceptivelmente ao socialismo, assim como a Inglaterra algumas décadas antes. Dale descreveu o volume como "um dos livros mais importantes já escritos no mundo ocidental" e incluiu um excerto que aparecera nas *Seleções*. Uma semana depois, ele recebeu uma carta padronizada de Lehman agradecendo pela opinião. Profundamente aborrecido, Dale respondeu que entendia Lehman não ter tempo para responder pessoalmente toda carta que recebia, mas que aquela questão merecia sua atenção pessoal, porque a nação estava em perigo de ir à falência devido ao excessivo déficit orçamentário. "Parece-me que agora estamos engajados em um programa de gastos que lembra algo de Gilbert e Sullivan", escreveu ele. "Pegue os fazendeiros, por exemplo. Com certeza eu simpatizo com eles. Minha mãe e meu pai passaram a vida inteira em uma fazenda do Missouri. Eu mesmo tenho uma fazenda no Missouri que fica a poucos quilômetros de onde Harry Truman tinha a dele. Mas a ideia deste governo de pagar aos fazendeiros 1,86 dólar por alqueire de batata, para depois colocar fogo nelas, é uma insanidade financeira." O senador respondeu uma semana depois, e garantiu a Dale que tinha se oposto aos gastos sem sentido do governo e só apoiava "verbas para o que considero necessário para a saúde, o bem-estar e a segurança nacionais".[695]

Enquanto isso, Rosemary, filha de Dorothy, que fora fazer faculdade na Universidade de Wyoming, aumentou a família Carnegie ao ficar noiva de Oliver Crom, um colega universitário cativante e inteligente, em 1952. Ela levou o jovem para casa no Natal daquele ano, e Dale o recebeu calorosamente, como de hábito. Crom estudava para se tornar um vendedor certificado de fundos mútuos, e seu futuro sogro imediatamente manifestou interesse. Crom contou-lhe a respeito da empresa, seus bons índices e seu otimismo quanto à carreira. Então, ele mudou de assunto, achando que Dale estava apenas sendo educado. No dia seguinte, contudo, Dale disse: "Nós não precisamos preencher a papelada?". Crom expressou sua confusão, e Dale disse: "Se vou investir meu dinheiro, não temos que preencher algum formulário?". Ainda sem entender, Crom respondeu que só receberia sua licença em janeiro. Dale sorriu e disse: "Bem, não podemos pôr a data de janeiro?". Quando Crom, nervoso, comentou que ainda não sabia muito bem como preencher os formulários, Dale sorriu pacientemente e disse: "Bem, talvez nós dois juntos consigamos!". Assim, após insistir um pouco, Dale tornou-se o primeiro comprador de fundos mútuos de Crom, ajudando-o a começar uma carreira que culminou com o jovem tornando-se presidente da Dale Carnegie e Associados muitos anos depois.[696]

Apreciando os confortos da vida doméstica, Dale voltou boa parte de sua energia para a jardinagem. Há muito tempo ele já se dedicava a essa atividade, mas, aos sessenta anos e com uma agenda mais folgada, se atirou nela com paixão. Sentia um orgulho especial das pedras com pegadas de dinossauros e dos tocos fossilizados do Wyoming que destacavam suas diversas plantas e seus vários arbustos. Dale contratou Patrick McKenna, um horticultor bem conhecido da Hunter College, para projetar um canteiro de tulipas espetacular nos fundos da propriedade. Com três metros de largura e quinze de comprimento, no canteiro foram intercaladas tulipas de cores diferentes com flores perenes, e tinha de fundo uma cerca de cedro enfeitada por rosas Rambler. Então, em 1952, ele comprou um lote vazio na mesma rua, algumas casas abaixo, e, novamente com auxílio de McKenna, construiu um jardim ainda maior, circundado por uma cerca viva em que rosas e vinhas se enroscavam nas treliças. O jardim tinha um canteiro arredondado de rosas, plantas sazonais e perenes, que floresciam em todas as estações, e um lago central com ninfeias e peixes-dourados. Em um terraço elevado, ficava uma mesa com bancos onde, de acordo com um observador, "o sr. Carnegie pode sentar, meditar e contemplar o jardim colorido que tanto ama".[697]

Os jardins de Dale Carnegie eram tão impressionantes que a revista *American Home* visitou a casa na Avenida Wendover em 1955 para fazer um artigo. Ela descreveu o projeto exuberante, examinou o planejamento por trás deles, mostrou diversas fotografias do local e conversou demoradamente com o proprietário sobre sua devoção à jardinagem. Dale explicou que aprendera a amar flores quando era garoto de fazenda no Missouri. "Minha mãe era a jardineira. Eu devo ter pegado o entusiasmo dela... Eu aprendi a reconhecer as flores que minha mãe cultivava através de suas sementes, seus bulbos e arbustos – tulipas e narcisos, gladíolos, dálias, zínias, malmequeres, rosas, lilases e malvas-rosa", lembrou ele. "Eu sempre gostei muito de malvas-rosa, talvez porque haja algo de fazenda nelas, que lembra minha infância. Eu também aprendi a conhecer ervas." Ele confessou que sempre parava para arrancar tirar ervas daninhas de seus canteiros quando via alguma.[698]

Mas ficou claro que a jardinagem fazia mais que evocar memórias de infância e representar um apelo estético. Ela desempenhava uma função terapêutica na vida pessoal de Dale. Marilyn Burke, sua secretária, revelou que, quando seu chefe sentia-se cansado ou estressado, "ele desaparecia do escritório e escapava para o jardim, para se sentar lá, tirar algumas ervas, observar as flores e enfiar os dedos no solo por algumas horas. Isso parecia sempre descansá-lo e revigorá-lo". Dale era "testemunha viva da filosofia que ensina – uma filosofia de serenidade combinada com energia e determinação; de ignorar pressões sem importância e sobre as quais nada pode fazer; de se colocar no lugar da outra pessoa e ver o bem nela; de ter fé e confiança no que está fazendo e mostrar entusiasmo por isso", concluiu o autor do artigo. "E eu gosto de pensar que, embora ele possa não se dar conta, as plantas e flores de seu jardim o fortalecem sutilmente nessa filosofia."[699]

O cultivo de plantas por Dale, contudo, recuou diante de um tipo de obrigação doméstica que, temporariamente, desarranjou sua vida e também sua mente. Durante vários anos, após seu casamento em 1944, ele e Dorothy tentaram conceber uma criança, mas não tiveram sucesso. Mais tarde, nessa mesma década, eles tentaram adotar um bebê, mas foram rejeitados por serem muito velhos. Então o casal, a contragosto, aceitou a situação. Em carta de 1947 a Lowell Thomas, Dale felicitou seu velho amigo pelo sucesso do filho deste, mas acrescentou, pesarosamente, "Pergunto-me com frequência se não perdi a coisa mais importante da vida: filhos".[700]

Para espanto do casal, contudo, Dorothy ficou grávida em 1951. Dale ficou emocionado, por vezes enlevado, com esse acontecimento inesperado. Como sua esposa temia um aborto devido a sua idade, eles concordaram em manter a novidade em segredo pelo tempo que fosse possível. Mas, apenas alguns dias após a confirmação de sua gravidez, Dorothy ficou chocada ao ver o pastor da igreja deles aparecer à sua porta trazendo flores e parabenizando-a pela boa notícia. Ela percebeu, imediatamente, que Dale fora incapaz de manter o segredo. De fato, o futuro pai contou a todos os seus amigos (e eventuais conhecidos) sobre a gravidez. Dorothy perdoou seu entusiasmo, mas ficou consternada quando ele anunciou a novidade para o mundo sem consultá-la. Durante uma viagem para a Itália há muito planejada, em setembro de 1951, ele proclamou publicamente o nascimento iminente de seu filho enquanto era entrevistado em Roma: "O autor e palestrante Dale Carnegie revelou hoje que vai ser pai aos 63 anos. Carnegie, que escreveu *Como Fazer Amigos e Influenciar Pessoas*, disse que sua esposa espera um bebê para dezembro". A notícia rapidamente circulou o globo e apareceu em centenas de jornais antes que ele retornasse à casa em outubro.[701]

Mais tarde, naquele outono, um Dale ansioso lutava para comparecer a palestras agendadas, mas sua cabeça estava em outro lugar. Ele correu para uma apresentação em Kansas City sobre relações humanas no dia de seu aniversário, 28 de novembro. "Eu lembro a agitação dele", disse o representante local do Curso Carnegie. "Era aniversário dele, que estava ansioso para voltar para casa, porque o nascimento de seu primeiro filho deveria acontecer no dia seguinte." A expectativa estava um pouco errada. Donna Dale Carnegie nasceu em 11 de dezembro de 1951. Seu pai ficou extasiado, e um tantinho atrapalhado. Ele imediatamente telefonou para Rosemary para contar sobre o nascimento, mas estava tão nervoso que não se lembrava de nenhum detalhe a respeito do tamanho ou peso da menina.[702]

Dale foi o mais orgulhoso dos pais. Após receber uma mensagem de felicitações de Lowell Thomas, ele alegremente descreveu "o pequeno anjo que chegou a nossa família", e, então, brincou, "você tem razão, Tommie. Espero ter um por ano ao longo dos próximos quinze anos". Ao mesmo tempo, a vivência da paternidade deixou-o um pouco aturdido. Aos sessenta e três anos, e não tendo qualquer experiência com um bebê chorando, fraldas, amamentação e arrotos, seus esforços mostraram-se desastrados. Meses após o nascimento de Donna Dale, ele parava repentinamente no meio de suas atividades diárias e proclamava: "Você consegue acreditar que há um bebê nesta casa?". Seu comportamento, mistura de alegria, espanto e preocupação, extraiu esta divertida descrição de sua esposa: "Era para pensar que nunca antes houve um bebê na história da humanidade".[703]

Conforme Donna Dale passou de bebê a criança, Dale Carnegie transformou-se ainda mais em pai amoroso. Ele a adorava e, como estava semiaposentado e Dorothy assumira um papel de liderança na empresa, se tornou um tipo de "dono de casa". Era o principal cuidador de Donna e passava boa parte do dia brincando com ela pela casa, no jardim, ou empurrando-a no carrinho de bebê (ou, um pouco mais tarde, andando com ela) até seu jardim na mesma rua. Rosemary observava-os juntos quando voltava da faculdade e reparou em seus rituais diários. "Ele adorava empurrar o carrinho até o jardim, onde gostava de trabalhar todas as tardes, só para ficar perto dela. Ele achava Donna uma maravilha encantadora", observou ela. "Todas as manhãs ele a carregava até o térreo e lhe mostrava fotos de uma vaca e de Abraham Lincoln. Quando ela dizia 'Paca', ele sabia que ela estava falando uma palavra de verdade." Então Dale ria e anunciava que sua filha precoce sabia a diferença entre o sr. Lincoln e uma vaca.[704]

Dale e Dorothy Carnegie com sua filha Donna, em 1953.

Às vezes, Dale era superprotetor. Numa tarde de domingo, dois senhores mais velhos, membros de um dos clubes de Dorothy, apareceram com seu cachorrinho para uma visita. Dale recebeu-os calorosamente, claro, mas fez com que prendessem o cachorro no quintal para evitar qualquer ameaça a Donna. Dorothy ficou mortificada, mas seu marido não pôde ser demovido. Dale compensava essa superproteção, contudo, com um fluxo contínuo de amor para a filha: colocando-a num pônei pela primeira vez, ensinando-a a cuidar do jardim, comprando-lhe um cocker spaniel chamado Birdie. Ele também adorava levá-la para sua fazenda no Missouri durante o verão, onde esperava, em suas próprias palavras, que ela aprendesse "a amar os bezerros e os porcos e as galinhas; o canto do tordo e o assobio da codorna". Anos mais tarde, Donna relembrou a infância com o pai: "Sentar em seu colo, comer presunto de seu prato, puxar ervas no jardim... caminhadas com ele, para o escritório, na fazenda do Missouri, trazendo tartarugas para soltar no jardim".[705]

Dale, com sua saúde e acuidade mental decaindo, passava cada vez mais tempo em casa com sua filha adorada, Donna.

Outro sinal de seus sentimentos apareceu semanas após o nascimento de Donna. Em janeiro de 1952, Dale começou a compor uma autobiografia intitulada "Cartas para Minha Filha", na qual ele trabalhou esporadicamente ao longo dos anos seguintes. A abertura revelava muito de seu estado de espírito de pai novo: "Para minha querida filha, Donna Dale Carnegie. Eu escrevo esta frase quando você está há apenas quinze dias na terra. Eu estou aqui há 63 anos. Ainda assim, estou surpreso do quão pouco mais eu sei hoje do que sabia aos 23 anos de idade", escreveu ele. "Mas de uma coisa eu sei: Eu amo você, então, estou lhe escrevendo para contar minhas experiências de quando era criança. Talvez no ano 2000, quando tiver 49 anos, você se interesse por algumas coisas que seu velho pai fez quando criança."[706]

Dale claramente adorava Donna, e a chegada dela lhe forneceu uma carga inesperada de satisfação emocional em sua velhice. Ele via a presença dela quase como um milagre e procurava proporcionar à filha a vida mais feliz possível. Ao mesmo tempo, essa situação feliz era complicada pela existência de Linda Dale Offenbach e sua mãe, Frieda, que, embora à margem da serena vida familiar de Dale, permaneciam em seu campo emocional. Em segredo, elas continuavam a contar com a preocupação, o apoio e o amor de Dale.

Enquanto aproveitava a vida doméstica em Forest Hills, Dale mantinha contato cauteloso com os Offenbach em New Haven. Embora Dorothy tivesse banido as visitas de Linda à casa dos Carnegie por volta de 1950, seu marido contornou essa diretiva nos anos seguintes. Ele escrevia com regularidade para a garota, providenciava encontros em Nova York, quando ela podia viajar, e mantinha contato com Frieda por telefone, carta e viagens eventuais a sua casa. Enfrentando uma situação delicada, ele manobrava habilmente para preservar a felicidade familiar com Dorothy, e depois Donna, por um lado, ao mesmo tempo em que mantinha uma relação carinhosa com Linda e Frieda, por outro. Ele conseguiu manter esse equilíbrio delicado durante a primeira metade dos anos 1950.

Dale sentia muito orgulho pelo grande sucesso de Linda na escola. Uma garota bem inteligente, ela destacava-se nos estudos, e ele elogiava suas realizações a cada oportunidade. "Minha querida Linda, fiquei encantado ao saber que sua média foi 94. Não me lembro de eu conseguir média tão alta. Estou muito orgulhoso de você", escreveu ele, em novembro de 1950. Em 1954, ao saber que ela fora votada "caloura notável" em uma escola de setecentos alunos, ele exclamou: "Eu queria correr pela rua e parar todos os estranhos que encontrasse para dizer 'Quer ouvir uma notícia ótima?'". Dale também se encantava com o talento musical de Linda. "Então você está tocando *Prelúdio em Dó Sustenido Menor*, de Rachmaninoff?", escreveu ele. "Como invejo você. Eu gostaria de ter estudado música na faculdade. Mas isso não me pareceu importante na época... Eu não tinha tempo para a música. Agora sinto falta."[707]

Como nos anos anteriores, Dale continuava a encher sua "sobrinha" de presentes. Com Linda adolescente, contudo, ficava mais difícil encontrar presentes adequados. Ele confessou "Acho difícil acreditar que você já tem 16 anos... Eu adoraria manter você uma garotinha por mais tempo". A certa altura, ele pergunta, melancólico: "Por favor, lembre-se de me indicar uma dúzia de romances adolescentes que você gostaria de ler". Ele finalmente solicitou a ajuda de Marilyn Burke, que escreveu a Linda sugerindo que Dale poderia "levar-lhe alguns livros de Louisa May Alcott, como *Mulherzinhas, Um Colégio Diferente, Rosa em Flor, A Rapaziada de Jo*... Esses eram meus favoritos quando eu tinha doze e treze anos. Eu os li várias vezes e ainda estão na minha estante".[708]

Dale também manteve um fluxo constante de convites para Linda encontrá-lo em Nova York para várias atividades. Ela aceitou alguns deles, e às vezes ia acompanhada do irmão. Em 1950, ele escreveu: "Foi um prazer ter você e Russell comigo no rodeio. Iremos ao circo quando chegar a primavera". Uma vez, ao saber que ela estaria de férias entre Natal e Ano-Novo, ele escreveu: "Imagino que você gostaria de vir a Nova York para assistir a um espetáculo e talvez fazer umas compras. Eu adoraria ser seu acompanhante". As viagens de Linda geralmente se concentravam em uma data especial para Dale: o aniversário dela. Em 1954, quando foi forçado a cancelar a visita dela devido a uma convenção da empresa, ele implorou: "Por favor, deixe-me saber quando você virá. Por que não vem para Nova York comemorar seu aniversário em 8 de julho?". Tentando organizar uma ida dos dois ao teatro para uma matinê de *Kismet*, ele perguntou:

"Você poderia vir a Nova York no sábado, dia 10, ou na quarta-feira, dia 14? Estou triste que não possamos comemorar seu aniversário perto da data verdadeira, mas o Destino atrapalhou este ano".[709]

Linda, então uma adolescente, tornara-se relutante em visitar Dale. Cada vez mais consciente da natureza estranha, complexa e misteriosa do relacionamento entre aquele homem famoso, sua mãe, seu pai e ela própria, Linda questionava a atenção exagerada que Dale lhe dispensava. Foi por volta dessa época que Linda perguntou diretamente a sua mãe o motivo do interesse intenso de Dale, mas Frieda não lhe deu nenhuma resposta direta. Além disso, a garota começou a achar suas visitas a Nova York cansativas e aborrecidas. Como adolescente que se tornava sensível às nuances da vida social, ela sentia que, embora Dale tentasse agradá-la, ele nunca procurava realmente compreendê-la como pessoa. Linda gostava daquele senhor mítico, mas passara a vê-lo, em suas próprias palavras, como "um pouco falso, mestre em impressionar, mas que não se relaciona comigo de maneira genuína, autêntica".[710]

Sem saber dos sentimentos de Linda – ou talvez atribuindo-os ao existencialismo adolescente –, Dale continuou solícito com a garota. Uma carta de Marilyn Burke a Linda assegurou-lhe que "Você verá seu Tio Dale este fim de semana". Uma missiva de Dale informava a Linda que ele recebera um bilhete manuscrito do presidente Truman, que mostraria para ela "quando eu for até aí. Espero que não demore muito... Saudações a sua encantadora mãe e seu brilhante pai". Referências ocasionais em cartas a Linda revelam que Dale mantinha contato regular com Frieda. Em 1954, por exemplo, ele elogiou a garota por seu desempenho escolar e mencionou que soubera de suas recentes realizações "quando recebi uma carta de sua mãe". Descrevendo-a como uma garota encantadora e apaixonante, ele pergunta: "Como eu sei? Sua mãe me contou". Ao organizar visitas dela a Nova York, Dale comentou sobre seu tempo livre e acrescentou: "Sua mãe me contou que você estará de férias".[711]

Em diversas ocasiões, as cartas de Dale deixaram claro que o contato com Linda e Frieda acontecia sem que Dorothy soubesse. Em carta de 1954, ele instruiu cuidadosamente a garota para usar um número especial de telefone: "Se quiser me ligar, por favor, telefone para

Boulevard 8-4000". O mesmo valia para Frieda, conforme Dale escreveu para Linda: "Por favor, diga a sua mãe que me telefone para Boulevard 8-4000 da próxima vez que vier a Nova York para fazer compras". Ele também dava orientações especiais com relação às cartas, dizendo para Linda: "Por favor, responda imediatamente e envie para Avenida Ascan, 155, Nova York". Esse era um endereço em Queens, a cerca de 1,5 quilômetro da residência dos Carnegie, onde ele estabelecera um escritório no andar superior da casa de um amigo.[712]

Embora a família não soubesse, alguns amigos e Dale tinham conhecimento desse relacionamento com Linda e Frieda Offenbach. "Seu Tio Dale fala tanto de você que eu sinto como se já a conhecesse. Espero algum dia ter a sorte de encontrar garota tão especial", escreveu Marilyn Burke para Linda em 1950. "Tenho certeza de que você tem um registro impecável de bom comportamento, pelo menos de acordo com o que ouço de seu Tio Dale." Em 1955, Homer Croy recebeu uma carta de Isador Offenbach, e respondeu em seu estilo brincalhão. Offenbach tinha contado que Linda se formara no Ensino Médio e ia para a faculdade. "Não acredito que ela [Linda] já está na Vassar", respondeu Croy. "Como está Frieda Birk? Não consigo me lembrar seu nome de casada. Ela era conhecida como *Belle de Gaucher*."[713]

Um momento emocionante foi a formatura de Linda no Ensino Médio, em junho de 1955. Inchado de orgulho, Dale reagiu com emoção. Ele observou que lera a respeito de seu desempenho notável em um recorte do jornal *New Haven Register*, sem dúvida enviado por Frieda. O artigo listava suas realizações como "Veterana Notável da Escola Hillhouse; Aluna de Destaque, por quatro anos; Oradora da Formatura, Tesoureira do Conselho Estudantil; Editora do Jornal *The Sentinel*" e várias outras atividades extracurriculares: Latim, Debate e Francês. O artigo observava que Linda "vai entrar em Vassar". Dale escreveu para a garota dizendo-lhe que ela "já entrou em meu coração. Francamente, eu fiquei sem fôlego ao ler tudo que você realizou. Você deve ter orgulho, muito orgulho, desse currículo". Então, em 15 de junho, dia da cerimônia de formatura, ele enviou um telegrama para a casa dela: "Estou muito orgulhoso do trabalho brilhante que você desenvolveu na escola. Eu gostaria de poder estar presente, esta noite, na sua formatura. Tenho certeza de que você será a oradora de destaque da noite. Desejo-lhe tudo de bom. Sempre com amor, Tio Dale".[714]

O relacionamento cuidadosamente camuflado de Dale com Linda e Frieda Offenbach continuou sendo parte importante de sua existência, mesmo enquanto florescia sua vida com Dorothy e Donna. Mas, no começo da década de 1950, uma dificuldade começou lentamente a aparecer e aos poucos foi ofuscando tudo – suas relações com família e amigos, seu trabalho, até mesmo sua personalidade e suas habilidades. Debilitando suas faculdades e enfraquecendo seu discernimento, a doença silenciosa colocou o famoso autor e professor em inexorável declínio.

O problema começou com coisas sem importância. Pouco após o nascimento de Donna, seu pai começou a exibir lapsos de memória e confusão relacionados a eventos comuns e questões cotidianas. Uma das primeiras vezes foi quando o meticuloso Dale chegou a sua casa, vindo de Nova York, tendo esquecido seu sobretudo novo em folha no metrô. Em vez de parecer incomodado com a situação, quando Dorothy o inquiriu, ele primeiro pareceu não entender a perda, e depois disse que não tinha importância. Sua esposa achou aquele comportamento muito estranho, "porque alguns meses antes Dale teria caçado aquele casaco". Então, ela notou que o marido começou a ter dificuldades com o telefone, errando números instantes após consultá-los na agenda, e ficando decepcionado e preocupado. Colegas repararam que Dale às vezes ficava confuso em questões de ensino ou administrativas, e cada vez mais tinha dificuldade para se lembrar de nomes e compromissos. A rotina de cuidar da filha amada tornou-se preocupante, pois ele ia andando com a criança até seu jardim auxiliar, na mesma rua, esquecia que ela estava com ele e voltava para casa sozinho. Dorothy ralhava delicadamente com ele: "Dale, você não pode deixar Donna sozinha, ela pode se afogar no laguinho dos peixes!", e os dois corriam rua abaixo para pegá-la. Eles acabaram tendo que aterrar o lago e plantar roseiras para evitar um acidente.[715]

O esquecimento também começou a afetar as apresentações de Dale Carnegie. Um empregado descreveu a cena em Wichita, Kansas, em que ele discursou para os formandos do Curso Carnegie na cidade, sendo que algumas pessoas tinham viajado trezentos quilômetros para ouvir o famoso orador. "Ele se atrasou trinta minutos, e quando chegou não conseguia encontrar suas notas", relatou o franqueado local. Após muito tempo, ele finalmente as encontrou no bolso do sobretudo, mas o anfitrião descreveu o evento como "um desastre memorável". Outra vez, Dale começou seu discurso, em Los Angeles, com seu habitual modo confiante: "Eu comecei meu curso...". Mas então ele parou por um período desconfortável de tempo, e continuou: "acho que foi em 1912". Ele já citara essa data de início centenas de vezes ao longo dos anos e parecia estranho que vacilasse aí. Conforme esses casos foram se multiplicando, Dorothy tentou ajudar o marido. Ela o auxiliou a reduzir suas apresentações para quatro discursos definidos: "Entusiasmo", "Oratória", "Evitar Preocupações" e "Relações Humanas", e ele ficou tão versado neles que evitava a maioria dos lapsos, continuando a ser "o Dale Carnegie que todos conheciam".[716]

Dale Carnegie em seu último ano de vida.

Jornalistas também começaram a notar a mudança. Por muito tempo um mestre em relações públicas e em lidar com a imprensa, Dale ainda mostrava lampejos de seu humor caseiro e do charme despretensioso nas entrevistas. Mas surgiram os lapsos. Um repórter do *Kansas City Star* observou que em alguns momentos, durante a entrevista, ele parecia algo desatento, e "contou-nos sua história em uma voz baixa e hesitante". Durante a longa entrevista para a revista *American Home* sobre suas atividades de jardinagem, ele conduziu, com energia, o repórter para uma turnê por seus canteiros de flores e plantas, antes de fazer uma observação curiosa. Abaixando-se para lhe mostrar uma rocha cinza-pálida, com marcas convolutas e intricadas, que se chamava "coral cerebral", Dale comentou que o nome incomum era "no que eu, às vezes, acho que meu cérebro está se transformando".717

Dale Carnegie estava com doença de Alzheimer. Seus sintomas de demência, não bem compreendidos à época, foram atribuídos ao endurecimento das artérias, de acordo com Dorothy, mas depois seriam diagnosticados com maior clareza com o avanço da medicina. Como seu esquecimento e sua confusão acentuaram-se em 1954, os médicos finalmente disseram para Dorothy que em algum momento ele precisaria de cuidados constantes. A família, contudo, por motivos pessoais e profissionais, manteve o problema de Dale longe do público.718

Com a saúde do marido piorando rapidamente, Dorothy adiantou-se e tomou conta da empresa, bem como do cuidado pessoal de Dale. Com o casamento em 1944, é óbvio, ela se tornou sócia na empresa, desenvolveu o Curso Dorothy Carnegie para Mulheres e teve papel importante na incorporação e expansão da Carnegie e Associados. Em 1945, Dale a nomeou vice-presidente da empresa. Então, com a enfermidade do marido se complicando, ela assumiu o timão e determinou o curso dos negócios. O fato de ela ser mulher não se mostrou um obstáculo. "Dorothy acreditava que qualquer mulher com talento, iniciativa e habilidade não deveria ter vergonha de ser mulher. Ela não via impedimentos para realizar o que desejasse", disse seu genro, Oliver Crom. "Ela se sentia igual a qualquer homem, talvez até melhor. Ela entrava numa sala e conseguia fazer homens durões tremerem. Ela era forte!" Sua neta descreveu o temperamento de Dorothy de modo pungente: "Dorothy era liberada antes que as pessoas soubessem o que isso significa".[719]

Dale e Dorothy Carnegie no início dos anos 1950, quando ela assumiu um papel maior nos negócios e ele começou a se retirar.

O crescimento profissional de Dorothy carregava considerável dose de ironia. Em 1953 ela publicou um livro intitulado *How to Help Your Husband Get Ahead in His Social and Business Life* (Como ajudar seu marido a progredir na vida profissional e social), um texto para mulheres (escrito pela "sra. Dale Carnegie") que exaltava as virtudes da maternidade e das tarefas domésticas. Refletindo a sensibilidade conformista das famílias suburbanas da década de 1950, e escrito nos moldes dos famosos livros de conselhos de seu marido, a obra oferecia fórmulas, entre elas "Quatro maneiras de dar mais energia para seu marido", "Ajude-o a decidir aonde ele quer chegar", "Como lhe dar um lar, doce, lar" e "Como fazer as pessoas gostarem dele". O argumento central de Dorothy era que a mulher devia se render à tarefa de ajudar o marido a ter sucesso, porque dele dependia o bem-estar da família. Esposas, inclusive as aspirantes, deviam aderir a esta regra: "Estar disposta a desistir de sua própria carreira se esta entrar em conflito com a felicidade e os melhores interesses do marido". Em suas próprias palavras: "Vamos encarar os fatos, garotas. Aquele homem maravilhoso na sua casa – e na minha – está construindo seu lar, sua felicidade e as oportunidades que seus filhos terão. Então, talvez já seja hora de você começar a pensar seriamente em como pode melhorar o desempenho dele".[720]

Mas o aço por baixo da fachada sentimental e abnegada às vezes aparecia, revelando a verdadeira Dorothy Carnegie. Como ela escreveu em *Better Homes and Gardens*, em um breve trecho de seu livro, uma mulher "não pode ser uma parceira silenciosa nesse negócio chamado casamento. Ela tem que usar o cérebro – e os músculos, se necessário". Em outra passagem, ela insiste em que moldar o marido não é tão difícil. "Já ouviu falar do poder da mulher? É claro que sim", exclama ela. "Foi demonstrado que as mulheres são poderosas o suficiente para construir escolas novas, mudar a administração política de uma cidade, acabar com crime e corrupção." Alguns anos depois, ela revelou suas autoconfiança e ambição com um dito espirituoso. As exigências impostas pelo comando das empresas Carnegie não eram assoberbantes, disse a um repórter aquela natural de Oklahoma que não brincava em serviço, mas eram suficientes para que "eu não tenha tempo de 'sentar e apreciar a vista'".[721]

Assim, embora seu fundador lutasse com uma doença séria, a Dale Carnegie e Associados, graças à liderança firme e estável de Dorothy, não naufragou. Em 1955, contudo, a situação de Dale piorou consideravelmente. Enquanto suas faculdades mentais declinavam, ele foi se tornando cada vez mais suscetível a uma série de problemas físicos. Para um homem que raramente ficava doente, a vida tornou-se penosa.

Em junho de 1955, entre os muitos convites para palestras que chegavam ao escritório de Dale, um o entusiasmou por completo. Sua *alma mater*, a faculdade Central Missouri State, em Warrensburg, decidira homenageá-lo com o título honorário de Doutor das Letras, o primeiro concedido em sua história. A instituição pedia que Dale Carnegie comparecesse à cerimônia de formatura de 1955, no verão, e, além disso, que fizesse o discurso de abertura. Ansioso por voltar à cidade onde passara a adolescência, ele respondeu: "Aprecio a honra que me concedem ao me pedirem que faça esse discurso em minha *Alma Mater*. Espero que os alunos que me ouvirem gostem tanto quanto eu de estar lá". Como observou um de seus colegas, ele não teria ficado mais contente se a honraria viesse de Harvard ou Oxford.[722]

Dale chegou ao campus da Central Missouri State para fazer seu discurso em 29 de julho e ali passou o dia. Ele foi levado para e de Warrensburg por Harold Abbot, um empregado do Curso Carnegie em Kansas City. Tendo concordado em participar de um almoço de formatura na faculdade, Dale cumprimentou alegremente dignitários, corpo docente e antigos colegas. A revista *Newsweek*, cobrindo o evento, observou que o título honorário validava uma carreira notável e influente. "Hoje, Dale Carnegie é uma instituição de influência mundial", dizia o artigo. "*Como Fazer Amigos e Influenciar Pessoas*, o livro de não ficção mais popular desde a Bíblia, aparece em 31 idiomas, com cinco milhões de cópias apenas em inglês. Além disso, 450 mil discípulos formaram-se em seu Instituto de Oratória Eficaz e Relações Humanas desde sua fundação em 1912."[723]

Ficou claro, contudo, que Dale estava sob pressão. Sua aparência física mudara notadamente em poucos anos. Seu cabelo, que já era todo branco, tornava-se mais ralo e fino; ele parecia esquelético por trás dos óculos de armação escura. Embora continuasse bem-vestido – ele apareceu em Warrensburg em um terno claro de verão, de bela alfaiataria, acompanhado de gravata-borboleta –, as roupas estavam mais folgadas em seu corpo debilitado. De modo geral, ele parecia frágil, enquanto os olhos, normalmente alertas, se mostravam vagos. Um conhecido comentou: "Oh, como é trágico ver a desintegração do que foi uma personalidade eficaz e bem afinada". Ele também observou que um dos amigos de Dale confidenciara que, como sua saúde estava em declínio, "apenas a extrema afeição de Dale por sua escola o teria feito reaparecer em público".[724]

Mais chocante, até, foi Dale ler seu discurso em páginas impressas. Durante décadas ele aconselhou seus alunos a falar naturalmente, com entusiasmo, do coração, de maneira que projetassem sua personalidade.

"Não leia e não tente decorar seu discurso palavra por palavra", aconselhava ele já em 1926, em *Public Speaking: A Practical Course for Business Men*. "Toda a apresentação ficará rígida e fria, sem cor, mecânica". Mas, mesmo após trabalhar em sua palestra durante semanas, Dale era incapaz de se lembrar sequer do roteiro e da orientação de suas observações. Então, foi obrigado a ler seu discurso.[725]

Primeiro Dale ficou sentado, no palco, no início da cerimônia no auditório Hendricks, enquanto o presidente do Conselho de Professores Titulares da faculdade lia um panegírico brilhante:

> Um indivíduo que veio a este campus de sua casa em uma fazenda próxima; que aqui, por seus próprios esforços e determinação, desenvolveu-se de garoto tímido e reservado do interior em habilidoso orador que ganhou concurso depois de concurso; que através de dificuldades e adversidades tornou-se renomado como professor de oratória e psicologia aplicada, ganhando reconhecimento mundial como autor nesses campos; que foi recebido em muitas partes do mundo como benfeitor da humanidade, tendo ajudado milhares de pessoas a conquistar seus medos e desenvolver suas habilidades inatas e autoconfiança; um homem que é conhecido e será lembrado, quase como lenda, por todo o mundo, como contribuinte para a felicidade e o desenvolvimento humanos; eu apresento a vocês, para receber o título de Doutor das Letras, Dale Carnegie.

Então o dr. George W. Diemer, reitor da faculdade, conferiu o título a Dale Carnegie, e a sra. J. Howard Hart, professora titular e antiga colega de classe do homenageado, acrescentou algumas palavras. "Ocorre-me que nenhum outro aluno representou de maneira mais completa o lema desta faculdade, 'Educação para Servir', do que o sr. Carnegie", disse ela. "Ele deu aos homens e às mulheres de todo o mundo fé em si mesmos, esperança em seu futuro e alegria e confiança em seus relacionamentos com os outros seres humanos."[726]

Dale Carnegie, alguns meses antes de sua morte, aceita, com orgulho, um título honorário de sua alma mater, *a Universidade do Centro de Missouri, em julho de 1955.*

Dale então se levantou para ler seu discurso "O Valor do Entusiasmo", um de seus tópicos favoritos. Reunindo um pouco da energia mental que o sustentara durante anos, ele argumentou que entusiasmo era um segredo do sucesso pouco reconhecido, e citou o falecido Frederick E. Williamson, ex-presidente da ferrovia New York Central: "Quanto mais eu vivo, mais certeza tenho de que entusiasmo é o segredo do sucesso pouco reconhecido... [Um] homem com capacidade de segunda linha, mas entusiasmado, frequentemente deixará para trás um homem com capacidade de primeira linha sem entusiasmo". Dale contou uma de suas histórias favoritas sobre um aluno, muitos anos atrás, que fez um discurso contando que jogava cinzas no jardim para obter, na primavera seguinte, grama-azul, e falou tão apaixonadamente que os outros alunos efetivamente acreditaram nele. "Se entusiasmo pode fazer um grupo de profissionais aparentemente inteligentes acreditar que se pode produzir grama-azul com nada além de cinzas de nogueira, o que o entusiasmo não conseguiria produzir se houver uma pequena molécula de bom senso no que você estiver falando?", disse ele.[727]

Mas Dale também sugeriu, sem intenção e em uma passagem alegre, que o poder do entusiasmo tinha uma desvantagem, pois poderia ser utilizado para enganar as pessoas. Ele se lembrou de seus dias como jovem vendedor, quando se deparou com uma multidão parada em uma esquina de uma cidadezinha da Dakota do Sul em que um marreteiro promovia seu produto com grande entusiasmo. Ele declarava que os homens que usavam sapatos com sola grossa ficavam carecas porque não estabeleciam boas ligações elétricas com a terra. Seu produto, uma placa de metal para ser pregada no tacão de sapatos masculinos, consertaria isso e evitaria a calvície. Dale contou que algumas pessoas compraram o produto, e, então, brincou: "eu passara quatro anos na faculdade e sabia que essa afirmação era absolutamente ridícula. Mas o homem estava tão entusiasmado que... Bem, eu fiz exatamente o que vocês estão pensando. E, veja, deu certo!" Ele apontou para seu próprio cabelo.[728]

Após exaltar a virtude de se comprometer ardentemente com seu trabalho – "Sim, para um homem entusiasmado seu trabalho é sempre diversão, não importa quão duro ou exigente ele seja" –, Dale terminou com um toque terapêutico. Ele comentou que Douglas MacArthur, o homem que se fez um grande general americano, conduziu suas tropas por muitos dias sombrios de lutas violentas antes de triunfar no teatro de operações do Pacífico durante a Segunda Guerra Mundial. Uma placa pendurada na parede de seu escritório explicava o segredo de seu sucesso: "Você é tão jovem quanto sua fé; tão velho quanto sua dúvida; tão jovem quanto sua autoconfiança; tão velho quanto seu medo/ tão jovem quanto sua esperança; tão velho quanto seu desespero. Os anos podem vincar a pele, mas desistir do entusiasmo vinca a alma".[729]

Dale se sentou enquanto a multidão respondia com uma ruidosa ovação. O repórter da *Newsweek* concluiu que "Ele falou com os habituais entusiasmo e firmeza, ainda com seu sotaque do Meio-Oeste. A linguagem corporal estava bem afinada e o nível de persuasão foi alto. Sem dúvida apenas a solenidade da ocasião impediu que os ouvintes entoassem gritos de admiração como 'Meu garoto!'" Adequadamente, pela maneira como Dale Carnegie valorizava suas raízes no Meio-Oeste, seu discurso em Warrensburg marcaria sua última aparição pública.[730]

Ao longo dos meses seguintes, Dale declinou rapidamente. Ele desenvolveu um caso sério de herpes que pareceu minar sua força. Recuperou-se lentamente, e Dorothy resolveu levá-lo para as Bermudas para ajudar no descanso e na cura, esperando que o sol e o ar marinho pudessem restaurar parte de sua energia. Mais tarde Donna iria se lembrar de "noites nas Bermudas, a areia, e eu bebendo leite na varanda com ele, e piqueniques na praia". Mas, em vez de melhorar, Dale ficou mais fraco, e após alguns dias teve que ser levado de avião fretado para um hospital a Nova York, onde foi constatada uremia, uma condição aguda causada por insuficiência renal.[731]

Após uma cirurgia sem sucesso, Dale sofreu uma infecção que provocou febre intensa, inexorável. Quando ficou óbvio que ele estava morrendo, Dorothy levou-o para casa em Forest Hills. Homer Croy, seu melhor amigo, visitou-o em seu leito final. "Os últimos dias de Dale foram realmente tristes", escreveu ele pouco tempo depois. "Nos últimos nove dias em que fui vê-lo, não me reconhecia mais, devido à febre que tomou conta dele. Se não tivesse pegado a infecção na operação, teria enfrentado tudo o mais e sobrevivido. Mas dia após dia de febre, uma febre que nenhum medicamento poderoso pôde abrandar. Muito triste." Dale Carnegie morreu às 6:10 da manhã de 1º de novembro de 1955, três semanas antes de seu aniversário de sessenta e sete anos.[732]

O velório foi realizado na Church-in-the-Gardens, em Forest Hills. Chegaram mensagens de pêsames e flores de todo o mundo, e Croy observou que se destacava "uma grande coroa – de uma de suas turmas na África do Sul. A notícia tinha viajado por rádio, e aquela classe transferira o dinheiro para um florista de Nova York". Durante sua fala, o pastor comentou que, ao mesmo tempo em que idolatrava Abraham Lincoln, Dale também demonstrara muitas das "qualidades lincolnianas de sabedoria, paciência, tolerância, humor, humildade e fé". Apareceram obituários na *Newsweek* e na *Time*, no *Kansas City Star* e *The New York Times*, todos informando que sua influência espalhara-se dos Estados Unidos pelo resto do mundo. Talvez a síntese mais esclarecedora tenha sido de um jornal de Washington: "Em seu livro e suas aulas ele procurou ensinar ao homem médio como superar seus sentimentos de imperfeição e falar". "Dale Carnegie não solucionou nenhum dos profundos mistérios do universo. Mas ele ajudou os seres humanos, talvez mais que qualquer outro de sua geração, a aprenderem como se entender – o que às vezes parece a maior de todas as necessidades."[733]

Respeitando suas origens e sua conduta despretensiosa, o corpo de Dale foi transportado até Belton, no Missouri. Depois do velório, foi enterrado ao lado dos pais em um pequeno cemitério. A lápide de mármore que marca o lugar recebeu uma inscrição simples: "Dale Carnegie, 1888-1955". Esse enterro simples contradiz a grande importância do homem. De fato, seus ensinamentos e escritos, ao longo de várias décadas, influenciaram profundamente o desenvolvimento da cultura americana moderna. Ele assumiu a liderança no fomento de uma revolução de valores e atitudes, maneiras e morais que surgiu nas primeiras décadas do século XX. Nos anos após sua morte, essa revolução passaria pela vida moderna com força irresistível.

Epílogo

O legado de autoajuda de Dale Carnegie

Em 23 de setembro de 2001, quase duas semanas após os devastadores ataques terroristas que derrubaram as torres gêmeas do World Trade Center, foi realizada uma celebração no estádio Yankee. Dezenas de milhares de cidadãos enlutados, acompanhados de dezenas de dignitários nacionais como o ex-presidente Bill Clinton e a senadora Hillary Clinton, o senador Edward Kennedy, o governador George Pataki e o prefeito Rudolph Giuliani, entraram, sombrios, no estádio. A multidão, agitando bandeiras americanas e exibindo fotos das vítimas, ouviu, lacrimosa, uma série de discursos, músicas e orações que homenageavam as vítimas do ataque mais mortal aos Estados Unidos em seis décadas.

Um aspecto da reunião chamou a atenção. Os organizadores escolheram como mestre de cerimônias Oprah Winfrey, apresentadora de um programa de entrevistas e guru de autoajuda afrodescendente cujo estilo empático, inspirador e carismático galvanizara milhões de pessoas, tornando-a a mulher mais popular do país. Após apresentar um desfile de oradores e artistas, ela leu em voz alta "Uma Prece para a América", de sua própria autoria. O país fora atacado, mas "nós, americanos, recusamos ser destruídos", declarou ela. "O que foi feito para nos dividir fez com que nos uníssemos, e não seremos separados." Mas a lição do ataque também ascendia a um plano mais elevado. "Quando perde uma pessoa amada, você ganha um anjo cujo nome sabe", explicou Oprah. "Que possamos sair deste lugar determinados a usar cada momento que vivermos para aumentarmos o volume da nossa vida, para criarmos um sentido mais profundo, para sabermos o que realmente importa." Oprah fechou sua fala com sua combinação típica de patos e ânimo: "Todos sabemos, com certeza, quão frágil, quão incerta, e ainda assim extraordinária, a vida pode ser. Que sempre nos lembremos disso".[734]

Foi um momento revelador. Na hora da tragédia nacional, em vez de um líder político ou religioso entrar em cena e capturar o momento, foi a principal representante da moderna cultura de autoajuda da América que aplacou as feridas da nação e afirmou suas aspirações mais elevadas. Algo assim teria parecido absurdo na sequência de Pearl Harbor, em 1941, ou mesmo após os assassinatos de John F. Kennedy e Martin Luther King Jr. nos anos 1960. Mas pareceu perfeitamente adequado na alvorada do século XXI. Para muitos americanos, uma ideologia de autoajuda, autoestima, crescimento pessoal, saúde mental e pensamento positivo tornara-se profundamente integrada à sua visão de mundo. Ela fornecia um modelo natural para se lidar com a devastação que caíra sobre os Estados Unidos naquele dia de setembro. Oprah expressou brilhantemente essa visão de mundo.

Esse incidente também revelou o legado de Dale Carnegie. Ele estabeleceu o modelo da moderna cultura de autoajuda nos anos 1930 e 1940 com *Como Fazer Amigos e Influenciar Pessoas*, *Como Evitar Preocupações e Começar a Viver* e seus populares cursos para adultos. Ele relacionava sucesso e felicidade à capacidade do indivíduo de desenvolver diversas características – uma personalidade envolvente, pensamento positivo, recursos mentais concentrados, uma espiritualidade vaga e habilidade em relações humanas. Dale popularizou a noção de que prazer e satisfação fluíam da gratificação, e não da repressão, das necessidades e dos desejos internos das pessoas. Em suas mãos, caráter e retidão moral deram lugar à personalidade e a busca de uma vida abundante – material e emocionalmente. O escopo e a importância dessa mudança de maré na cultura americana tornaram-se cada vez mais evidentes nos anos após sua morte.

Na América de meados do século XX, os sinais da influência crescente de Dale Carnegie apareceram em todas as partes do cenário cultural. Seu famoso curso produziu homens de negócio como Warren Buffett e Lee Iacocca, tendo ambos atribuído seu sucesso e sua influência ao Curso Carnegie que fizeram na década de 1950. Em ambiente muito diferente, tanto o presidente Lyndon Johnson quanto o radical Jerry Rubin, inimigos ferrenhos durante a agitação política dos anos 1960, utilizaram o modelo Carnegie. A personalidade enérgica e assertiva de Johnson fora vitaminada durante seu trabalho como instrutor do Curso Carnegie em Houston, em 1930 e 1931. Rubin, líder radical do Partido Internacional da Juventude (Yippies) e um dos Chicago Seven, absorveu *Como Fazer Amigos,* de Carnegie, para superar seu medo de fazer discursos políticos. Na cultura popular, as ideias de Carnegie provocaram diversas paródias – sempre um sinal de influência – que surgiram com grande aprovação. *How to Suceed in Business Without Really Trying* (Como fazer sucesso no trabalho sem tentar de verdade, 1952), de Shepherd Mead, que foi primeiro um livro de sucesso e depois um musical na Broadway, satirizava os métodos de sucesso de Dale Carnegie. O polêmico comediante Lenny Bruce brincou com o título do best-seller de Carnegie em *How to Talk Dirty and Influence People* (Como falar besteira e influenciar pessoas, 1965), fazendo uma crítica contundente às convenções sociais da classe média.[735]

Dale também antecipou vários desenvolvimentos da psicologia cognitiva moderna e da neuropsicologia que chegaram a uma audiência mais ampla. Sua ênfase na compreensão e na apreciação das necessidades emocionais e dos processos ocultos dos seres humanos surgiram em várias obras populares e influentes que apareceram no fim do século XX e início do século XXI: *Rápido e Devagar : Duas Formas de Pensar,* de Daniel Kahneman; *Inteligência Emocional*, de Daniel Goleman; *O Que Nos Faz Felizes*, de Daniel Gilbert; *Nudge: o Empurrão para a Escolha Certa*, de Richard H. Thaler e Cass R. Sunstein; e *Blink: a Decisão Num Piscar de Olhos*, de Malcolm Gladwell. De formas diversas, mas complementares, essas obras sugerem que os processos cognitivos dos seres humanos, mais que sua razão, nos ajudam a navegar pela sociedade de acordo com vontades e necessidades que compreendem pouco, se tanto. De modo paralelo, adeptos da "psicologia positiva" moderna – como Martin Seligman em *Felicidade Autêntica: Usando a Nova Psicologia Positiva para a Realização Permanente,* e Ed Diener e Robert Biswas-Diener em

Happiness: Unlocking the Mysteries of Psychological Wealth (Felicidade: destravando os mistérios da riqueza psicológica) – seguem a trilha de Carnegie ao defender que uma adoção de laços sociais próximos, espiritualidade e as virtudes interpessoais de bondade, sinceridade, gratidão e a capacidade de amar abrem o caminho psicológico para a felicidade humana.[736]

Em um sentido mais amplo e profundo, contudo, a cultura terapêutica da autoajuda da qual Dale Carnegie foi pioneiro tornou-se seu maior legado. Por toda a segunda metade do século XX, uma série de discípulos carregou versões dela para todos os cantos da vida moderna e as enredou no tecido dos valores americanos. Essa cruzada demoliu os últimos vestígios de um padrão vitoriano mais antigo, de autocontrole e moralidade interna, inabalável, e nutriu um novo conjunto de valores baseado na busca de crescimento pessoal, saúde abundante e personalidade exuberante. Ao adotar um modelo de doença e cura psicológica, os defensores da autoajuda terapêutica colocaram a luta do indivíduo para superar a vitimização e estabelecer sua autoestima como o drama central da vida. Eles apresentavam o fortalecimento emocional como chave para a felicidade. É claro que Dale não foi a única inspiração dessa revolução cultural – outros contribuintes importantes foram o pregador do "pensamento positivo" e autor Norman Vincent Peale; o psicólogo e sociólogo do trabalho moderno Elton Mayo; o executivo de publicidade e biógrafo Bruce Barton; e o especialista em criação de filhos dr. Benjamin Spock. Mas Dale Carnegie, o professor e escritor incrivelmente popular, serviu como seu líder, seu ideólogo e maior divulgador.

Nos domínios da literatura de sucesso, diversos personagens populares carregaram adiante a tocha acesa por Dale. Em uma avalanche de publicações sobre como ter sucesso, eles defenderam uma miríade de estratégias psicológicas com o objetivo de criar autoconfiança, melhorar a personalidade, pensar positivamente e ordenar recursos emocionais para conseguir progresso social e material. Em 1967, por exemplo, *Eu Estou OK, Você Está OK*, de Thomas Harris, que pulou para o topo da lista de mais vendidos, defendia a técnica de "análise transacional" para ajudar indivíduos a ajustar seus relacionamentos com os outros e superar o enfraquecimento psicológico. Alguns anos depois, Tony Robbins, em livros como *Poder sem Limites* (1986) e *Desperte Seu Gigante Interior* (1992), bem como em centenas de comerciais e seminários sobre "Poder Pessoal" e "Fala Poderosa", promove uma estratégia de programação neurolinguística, ou hipnose de transe leve, para reprogramar o subconsciente a fim de eliminar o medo, aumentar a autoconfiança e adquirir lucros, uma vida mais plena e melhores relacionamentos. Susan Jeffers, uma PhD em psicologia que foi chamada de "Rainha da Autoajuda", usou *Tenha Medo e Siga Em Frente* (1987) como plataforma para lançar sua mensagem de pensamento positivo e superação da timidez. A dra. Joyce Brothers, em *Como Conseguir Tudo o que Você Quer da Vida* (1978), o dr. Wayne W. Dyer, em *Seus Pontos Fracos* (1976) e Rhonda Byrne, em *O Segredo* (2006) são apenas alguns dentre uma série de gurus de autoajuda que conquistaram aclamação popular por suas fórmulas com tempero psicológico para a conquista do sucesso.[737]

Outro gênero de livros populares descendente da herança cultural de Dale Carnegie fazia da autoestima componente central da realização e da felicidade modernas. *Codependência Nunca Mais: Pare de Controlar os Outros e Cuide de Você Mesmo* (1986), de Melody Beattie – este best-seller desgarrado começava assim: "Este livro é dedicado a mim" –, estimulava os leitores a superar a "codependência" dos outros e concentrar-se em cultivar sua própria vida emocional. John Bradshaw, em *Volta ao Lar: Como Resgatar e Defender Sua Criança Interior* (1990), argumenta que os indivíduos precisam abrir caminho através de dor, negligência, vergonha ou pesar da infância a fim de conseguir "recuperação" e encontrar autoestima. A série de livros *Canja de Galinha para a Alma*, de Jack Canfield, lançada em 1993 e hoje com mais de duzentos títulos e um total de quinhentos milhões de exemplares vendidos, compila histórias inspiradoras para os leitores. Canfield, presidente da Fundação para Autoestima e organizador de numerosos Seminários de Autoestima, usa os volumes de *Canja de Galinha* para cultivar essa qualidade. De fato, o paradigma da autoestima tornou-se tão disseminado que na década de 1990 o programa de TV cômico *Saturday Night Live* apresentava um quadro com o comediante Al Franken (hoje senador dos EUA pelo estado de Minnesota) interpretando

Stuart Smalley, um jovem desafortunado que era viciado em programas de recuperação. Com a vida em ruínas, mas inspirado por diversos grupos de apoio, ele encarava todas as dificuldades olhando-se no espelho e entoando seu mantra: "Eu sou bom o bastante, eu sou inteligente o bastante e, maldição, as pessoas gostam de mim!".[738]

A religião contemporânea começou, cada vez mais, a mostrar a influência de Dale Carnegie na espiritualidade como terapia. Em 1993, a revista *Christianity Today*, perplexa, observou que uma poderosa "revolução terapêutica" transformara o protestantismo moderno: "Quase sem ninguém prestar atenção, a psicologia cristã moveu-se para o centro do evangelicalismo". Norman Vincent Peale foi pioneiro dessa tendência, claro, primeiro estabelecendo a influente Clínica Religiosa-Psiquiátrica na igreja Marble Collegiate, e depois escrevendo o best-seller de 1952 *O Poder do Pensamento Positivo*, que se tornou a base de uma vasta organização. Outros ministros seguiram seu rasto. Entre eles Robert Schuller, com sua "Teologia da Autoestima" e transmissões pela televisão da *Hora do Poder* de sua Crystal Cathedral, no sul da Califórnia, e o televangelista Joel Osteen, pastor da imensa igreja Lakewood, em Houston, e autor de *O que Há de Melhor em Você: Sete Passos para Desenvolver Seu Potencial e Realizar Seus Sonhos* (2004). Outro bloco importante no edifício da religião terapêutica veio de M. Scott Peck, cujo livro imensamente popular *A Trilha Menos Percorrida: Uma Nova Psicologia do Amor, dos Valores Tradicionais e do Crescimento Espiritual* (1988) promove uma fusão não denominacional, não crítica de psicologia e espiritualidade. No início do século XXI, observadores como Kenda Creasy Dean, em *Almost Christian: What the Faith of Our Teenagers Is Telling the American Church* (Quase cristãos: o que a fé de nossos adolescentes está dizendo à igreja americana, 2010), concluíam que o "deísmo terapêutico moralista" tornara-se peça central do cristianismo moderno. Essa espiritualidade vaga, psicologizada, não teológica, descendente da linhagem Carnegie, compreende um "evangelho da gentileza" em que Deus aparece como uma força benevolente para estimular a autoestima dos crentes. Ela também traz, em muitos casos, uma variante do "Evangelho da prosperidade", que afirma que a fé em Deus pode trazer bênçãos financeiras. Nesse modelo moderno de cristianismo, o padrão de julgamento muda do pecado para a doença, enquanto o anseio espiritual transforma-se em um movimento de recuperação que combina autoajuda, abundância material e saúde mental.[739]

Em meados do século XX a educação moderna já adotava muito do modelo de autoajuda terapêutica de Carnegie. Na década de 1960, especialistas começaram a inserir autoestima no currículo nacional ao relacionarem a autoimagem dos alunos a seu desempenho escolar. Punição, autoridade e padrões rígidos começaram a ser identificados como danosos na sala de aula, enquanto reforço de identidade e relações interpessoais foram considerados essenciais. Líderes educacionais insistiam em que "baixa autoestima" entre estudantes tornava-os "mais submissos e introvertidos, embora às vezes leve-os ao outro extremo, de agressão e dominação". Com o desenvolvimento psicológico dos estudantes chegando à linha de frente do currículo e da pedagogia, novos paradigmas surgiram. As escolas passaram a enfatizar atividades extracurriculares em que as crianças podiam demonstrar competência, ou novos meios de avaliação, como os programas que encorajam expressão pessoal e fossem sensíveis a diferentes "estilos de aprendizagem". Enquanto isso, pedia-se aos professores que reforçassem o bom comportamento em vez de castigar o mau, e também que comentassem positivamente os trabalhos dos alunos para encorajar a autoconfiança. Nesse novo cenário de educação progressista, centrada na criança, a construção da autoestima nos estudantes surgia como objetivo central. Assim, em 1990, uma força-tarefa especial de educação, na Califórnia, gerou um relatório influente, intitulado "A Importância Social da Autoestima", que argumentava que a "falta de autoestima" estava no cerne da maioria dos problemas sociais e pessoais, e que as reformas educacionais colocando a autoafirmação do aluno no centro do currículo seria o remédio. Nesse mesmo ano, o Conselho de Diretores do Estado de Nova York endossou um "Currículo de Inclusão", um relatório que afirmava que os currículos das escolas tradicionais prejudicavam a psique dos jovens, especialmente das garotas e minorias, e que era necessário um novo modelo multicultural que instilasse "maiores autoestima e amor-próprio" entre os estudantes.[740]

Os princípios de Dale Carnegie influenciaram modelos modernos de criação de bebês. O popular livro do dr. Benjamin Spock, *Meu Filho, Meu Tesouro* (1946), que ele descreveu como "pediatria segura com psicologia segura", surgiu como um marco dessa evolução, com suas diretrizes para que os pais estimulassem relações interpessoais, habilidades sociais e personalidade espontânea em seus filhos. Nos anos seguintes, a literatura sobre criação de filhos continuou a se afastar da ênfase antiga e moralizante em distinguir o certo do errado, construir caráter e reconhecer sua responsabilidade perante a comunidade, e a se aproximar do novo modelo terapêutico de realização emocional, desenvolvimento de personalidade e saúde mental. Em 1970, especialistas como Dorothy C. Briggs, em *A Autoestima do Seu Filho*, ofereciam aos pais um processo passo a passo para construção de um "um sentimento sólido de autoestima em seu filho", insistindo em que, se ele "tiver alta autoestima, estará garantido". O popular livro de Adele Faber e Elaine Mazlish, *Como Falar para Seu Filho Ouvir e como Ouvir para Seu Filho Falar* (1980), enfatiza "a importância de se reconhecer os sentimentos dos mais novos", enquanto Louise Hart, no popular *The Winning Family: Increasing Self-Esteem in Your Children and Yourself* (A família vencedora: aumentando a autoestima em seus filhos e você, 1987), dizia aos pais que "autoestima é o maior presente que você pode dar a seu filho... essa é a base da saúde mental, do aprendizado e da felicidade".[741]

A América corporativa também adotou, gradualmente, o etos de sensibilidade emocional e saúde mental de Dale Carnegie. Ainda em 1920, Elton Mayo, em seu famoso estudo para a fábrica da General Electric em Chicago, propôs um modelo de gerenciamento de "relações humanas", que sublinhava a importância dos relacionamentos em grupo e a sensação de pertencimento. Na década de 1950, Peter Drucker formulou um influente modelo de gerenciamento, baseado na descentralização e no fortalecimento dos trabalhadores, em que os gerentes ajudavam a liberar os modernos "trabalhadores do conhecimento" e os guiavam em uma direção comum. Então, reformadores do TQM (gerenciamento total de qualidade), como W. Edwards Deming, começaram a defender um ambiente terapêutico definido por "fortalecimento do trabalhador", grupos de trabalho cooperativos e mentalidade "ganha-ganha". Tom Chappell, em *Managing Upside Down: The Seven Intentions of Values-Centered Leadership* (Administração de cabeça para baixo: as sete intenções da liderança baseada em valores, 1999), propõe uma versão tardia da corporação sensível em que indivíduos autoefetivados descobrem significado em seu trabalho, buscam conexões humanas e se empenham em estar conscientes dos sentimentos dos outros. Mas Stephen Covey acabou surgindo para se tornar o rei dos gurus modernos de negócios. Com *Os 7 Hábitos das Pessoas Altamente Eficazes (1990)*, ele promove uma abordagem psicologizada do gerenciamento que se baseia em consciência de si próprio, empatia emocional e transformação pessoal. Ele enfatiza a necessidade de reexaminarmos como interagimos com o mundo (uma "mudança de paradigma") e trabalharmos criativa e colaborativamente com os outros ("sinergia"). O sétimo e final "hábito" de Covey, que ele batizou de "afine o instrumento", expressa um valor de destaque no programa de autoajuda mais amplo de Carnegie: use as lições da experiência para promover renovação pessoal constante.[742]

De fato, a visão da autoajuda terapêutica de Carnegie prosperou em todas as áreas do moderno cenário cultural da América na segunda metade do século XX. Ela levou pensadores da Nova Era, como Deepak Chopra, para o topo da lista de best-sellers e terapeutas televisivos, como o dr. Phil McGraw, para o ápice da popularidade nos meios de comunicação. Essa visão formou cruzadas conservadoras como a dos Mantenedores de Promessa, cujo objetivo era cultivar "homens devotos" através de uma combinação de ensinamentos bíblicos, fortalecimento emocional e ligações pessoais através de grupos de apoio. Ela influenciou o pensamento feminista, no qual teóricas como Carol Gilligan, em *Uma Voz Diferente*, (1982), e Gloria Steinem, com *A Revolução Interior – Um Livro de Autoestima* (1993), enfatizam questões terapêuticas de identidade e recuperação emocional como fundamentais para o progresso das mulheres. Essa visão também moldou formulações raciais, em que figuras como Cornel West defendiam que os afrodescendentes não precisavam apenas de uma pauta ativista de socialismo democrático e cristianismo revolucionário, mas também de um programa de amor-próprio para neutralizar "o profundo senso de depressão psicológica, falta de valor pessoal e desespero social" que devastara sua comunidade. De modo semelhante, ela inspirou a Marcha do Milhão de Homens, em outubro de 1995, na qual homens afrodescendentes adotaram como solução uma política de identidade, união entre os homens e expiação de grupos de recuperação. Até o discurso político adotou progressivamente a solução terapêutica da sensibilidade e da elevação pessoal. Bill Clinton, por exemplo, chegou à Casa Branca anunciando "Eu sinto sua dor" e então, durante as crises em sua presidência, convocou gurus da autoajuda e conselheiros da Nova Era como Tony Robbins, Marianne Williamson e Stephen Covey a se reunirem com ele em Camp David* para sessões de revitalização pessoal.[743]

Um conjunto de estatísticas revela a medida da dominação dos valores modernos pela visão do aprimoramento pessoal terapêutico segundo Carnegie. No fim da década de 1940, os Estados Unidos tinham aproximadamente 2500 psicólogos clínicos, 30 mil assistentes sociais e menos de 500 terapeutas de casal e familiares. Sessenta anos depois, em 2010, o país contava com 77 mil psicólogos clínicos, 192 assistentes sociais, 105 conselheiros de saúde mental, 50 mil terapeutas de casal e família, 17 mil enfermeiras psicoterapeutas e 30 mil *coaches*. Recentemente, o apetite onívoro por autoajuda terapêutica fez com que empreendedores terapêuticos criassem "aplicativos psicoterápicos" para o tratamento de vários problemas emocionais e ansiedades. Aos pacientes é prometido que, usando um *smartphone* duas vezes por semana, durante quatro a seis semanas, conseguirão progressos no tratamento de seus problemas de saúde mental.[744]

Mas a vitória dos valores terapêuticos da autoajuda na cultura americana ficou mais evidente, talvez, naquela figura feminina que comandou em Nova York a homenagem às vítimas do 11 de Setembro. Esta é, indiscutivelmente, a Era de Oprah. Começando nos anos 1980, Oprah Winfrey emergiu como força cultural sem paralelos na América moderna. Com um popularíssimo programa televisivo de entrevistas, transmitido em rede nacional, rendendo-lhe enormes lucros e influência (ela teria sido a

---

* (N.T.) Casa de campo da Presidência dos EUA.

mulher mais rica do mundo em 2002), Oprah fundou sua própria empresa produtora, que criou uma longa lista de filmes, minisséries, seminários inspiradores, programas de rádio, livros e revistas. Ela também ganhou aplausos como filantropa de destaque. Aparecendo na capa de revistas como *Newsweek, Vogue, The Saturday Evening Post, The New Republic, Ladies' Home Journal* e *People*, ela foi coroada "Rainha de Toda a Mídia" em matéria de capa da revista *Time* em 1998.

O segredo da carreira notável de Oprah e sua tremenda influência está na maneira exclusiva com que ela sintetizou um envolvente credo de realização pessoal terapêutica e espiritualidade da Nova Era. Formatando seu programa de TV como uma grande sessão de terapia em grupo, ela lidava com a imensa variedade de problemas pessoais que afligiam seus convidados ao mesmo tempo em que confessava suas próprias batalhas para superar abuso quando criança, cocaína e ganho de peso compulsivo. Ela invocava uma litania de conceitos inspiradores para seu vasto público – "Viva sua melhor vida", "Seja mais esplêndido, mais extraordinário", "Evolua para ser a pessoa completa que você pretendia" – e cresceu para se tornar a porta-voz moderna da tradição da autoajuda. Com sua mensagem de fortalecimento pessoal, Oprah tornou-se a terapeuta da América. Historicamente, ela completou o que Dale Carnegie começou na primeira metade do século XX.[745]

Então, o que o balanço final diz do extenso legado cultural de Dale Carnegie? No começo do século XXI, a ideia da autoajuda terapêutica, desenvolvida por aquele modesto nativo do Missouri, permanece triunfante na América moderna. Devido a seus escritos e ensinamentos – e de seus discípulos e figuras que pensam de modo semelhante – a saúde mental substituiu a moralidade, personalidade substituiu caráter, relações humanas substituíram autoridade, sensibilidade substituiu virtude e autoestima substituiu as expectativas da comunidade como diretrizes do comportamento. Valores psicologizados permeiam igualmente instituições dominantes e movimentos de liberação. Essa transformação cultural trouxe consequências importantes.

Por um lado, o etos de autoajuda terapêutica de Carnegie produziu benefícios notáveis. Primeiro, ajudando a aliviar patologias individuais e sofrimentos particulares – que, frequentemente, em épocas anteriores, eram deixados para apodrecer –, encorajou uma sensibilidade emocional maior para com as necessidades emocionais humanas. Carnegie e seus seguidores buscaram ajudar as pessoas comuns a remediar os tormentos da vida pessoal de novas maneiras. Segundo, esse etos erigiu um padrão de "homem psicológico" na vida moderna, um modelo mais capaz de compreender o comportamento humano e seus impulsos do que as noções anteriores de "homem religioso", "homem econômico" ou "homem ideológico", nos quais lealdades e esforços eram vistos estreitamente como espirituais, materialistas ou políticos. Terceiro, de um ponto de vista prático, os princípios abrangentes de Carnegie encorajaram um padrão social de bondade, sensibilidade, bom humor e paciência com as fraquezas dos outros. Isso não é pouco. Em um ambiente moderno marcado exageradamente por carreirismo, arrogância, ganância e desrespeito pelos outros, ou paralisado por ignorância e inaptidão social, a perspectiva de personalidades bem ajustadas, conduta solícita e indivíduos mentalmente saudáveis tem seus atrativos. Finalmente, a visão proposta por Carnegie da vida boa sendo como de abundância, tanto emocional quanto material, vem de fontes profundas na vida americana. Desde a fundação das colônias, no século XVII, e reforçada pela fundação da república, no fim do século XVIII, a noção da América como terra da oportunidade para indivíduos batalhadores encontrarem prosperidade e satisfação atraiu dezenas de milhões de imigrantes de todo o globo. Esse é, talvez, o componente central da autodefinição da América, e Carnegie tornou-se um de seus defensores mais influentes.

Por outro lado, o triunfo do modelo terapêutico de autoajuda de Carnegie teve um custo elevado. Ele criou um apetite voraz, perpétuo, por "sentir-se bem consigo mesmo". Assim como viciados em drogas que precisam ingerir doses cada vez maiores para obter satisfação, muitos americanos da atualidade nutrem expectativas emocionais irreais, e exigem cada vez mais realização pessoal para se satisfazerem. Essa mentalidade pouco realista encoraja mudanças bruscas de uma extremidade grandiosa de "fortalecimento", em que os indivíduos acreditam poder gerar capacidade pessoal para fazer qualquer coisa, a outra, patética, de "vitimização", em que forças externas consistentemente conspiram para frustrar o direito da pessoa ao êxtase. Além do mais, o Código Carnegie minou a capacidade de as pessoas pensarem no mundo em termos que transcendam seus sentimentos pessoais. Sua ênfase em relações humanas, sensibilidade e ausência de uma mentalidade crítica deixou de lado modelos de moralidade, justiça social e até bem-estar econômico, pois as necessidades dos indivíduos emocionalmente feridos são soberanas.

No mundo Carnegie, em que progresso e conquistas são frequentemente resultado de manobras psicológicas, o medo da falsidade e de truques emocionais foi enredado em nosso tecido cultural moderno. A mudança de caráter para personalidade traçou uma linha muito tênue – que, de fato, frequentemente parece desaparecer por completo – entre apreciação e bajulação, sensibilidade e interpretação, relações humanas e manipulação humana. Em um sentido mais geral, talvez, a cultura da autoajuda terapêutica isolou o indivíduo de um senso maior de comunidade. Com a preocupação tão focada nas necessidades emocionais particulares do *self*, muitos americanos modernos acham difícil, se não impossível, conceituar seus relacionamentos em termos comuns. Na cultura moderna da realização pessoal, noções de autoridade legítima, obrigação civil e padrões comunitários tornaram-se quase excludentes.

Assim, a captura da cultura americana por Carnegie encorajou uma democratização dos sentimentos, de modo que todos tivessem direitos iguais à felicidade. Ao mesmo tempo, isso encorajou uma democratização das patologias, transportando aflições particulares para o domínio público. Desejos, medos e problemas pessoais tendem a sobrepujar todas as considerações a respeito do bem público, assim como interação e governança humanas são forçadas no molde da sessão de psicoterapia, do grupo de apoio ou do estado terapêutico.

Em face desse cenário contemporâneo cansado, dominado pela autoajuda terapêutica, um ajuste é necessário. Uma visão mais equilibrada e diferenciada da vida humana aprecia emoção e também razão, estados disfuncionais e também instintos saudáveis, autoestima que merece melhoramentos, além de impulsos perigosos que precisam de correção. Ela enfatiza moralidade e justiça como base para se agir no mundo e as coloca em pé de igualdade com necessidades emocionais. Essa visão percebe a conexão complexa, multifacetada, entre os domínios público e privado, e compreende a vida privada como uma arena em que valores e características são moldados em preparação para nossa vida social compartilhada, e não apenas como laboratório para patologias pessoais e problemas de identidade que depois serão impostos aos outros. Ela reconhece disfunção e também dever, ansiedade e realização, a recuperação de uma angústia emocional e ainda o valor de uma vida útil, realização pessoal interminável, além da necessidade de limites.[746]

Mas, independentemente de qualquer avaliação crítica da influência de Dale Carnegie, não pode haver dúvida quanto a seu enorme impacto na vida americana atual. Nascido na cultura vitoriana tardia do autocontrole, ele desempenhou papel de liderança na construção da cultura moderna da realização pessoal. Messias do movimento da autoajuda moderna, ele criou a estrutura do nosso compromisso contemporâneo com a renovação terapêutica e a vida abundante. Seus livros e ensinamentos revelaram tanto pontos fortes evidentes (uma sensibilidade para com as necessidades emocionais das pessoas) como fraquezas persistentes (uma preocupação narcisista com o *self*) desse credo. Seja o que for que se pense da cultura terapêutica da autoestima, é necessário reconhecer os esforços cruciais de um modesto garoto do interior do Missouri na formação de sua importante função. Há muito tempo, Thomas Jefferson cunhou a mais americana das expressões: "a busca da felicidade". Dale Carnegie definiu seu significado moderno.

Agradecimentos

Fico satisfeito de poder reconhecer as muitas dívidas que contraí na realização desta biografia. Diversos membros da família e da organização Dale Carnegie me assistiram, gentilmente, durante o processo de pesquisa e escrita. Brenda Leigh Johnson, sua neta, me ajudou a começar, me acolheu em várias viagens de pesquisa a Long Island, compartilhou seu extenso conhecimento da vida e da carreira de Dale Carnegie e me direcionou muito material útil. Donna Carnegie, filha dele, apoiou resolutamente o projeto, deu uma entrevista muito informativa e fez extensos comentários por escrito, além de me oferecer um caloroso encorajamento e ajuda no estágio final de realização do livro. Oliver Crom, genro de Dale, concedeu-me uma entrevista e compartilhou comigo muitas ideias a respeito de Dale e Dorothy Carnegie e de sua empresa. Muriel Goldstein colaborou perto do fim do processo, fornecendo ajuda inestimável na reunião de fotografias para o livro.

Admiração especial é estendida a Linda Polsby, que graciosamente abriu para um estranho seu arquivo de cartas anteriormente desconhecidas entre Dale e ela, e entre Dale e sua mãe, Freida Offenbach. Ela também foi bastante generosa ao discutir – demorada e detalhadamente, com grande sinceridade – o longo e extremamente complexo relacionamento entre Dale e sua família. No fim, ela permitiu o uso de várias fotografias de família. Sua assistência provou ser inestimável, pois ajudou a abrir uma nova janela para a vida e a carreira dessa importante figura cultural. Obrigado também a Vivian Richardson, que ajudou com a reunião de material sobre a carreira acadêmica de Dale nos arquivos Arthur F. McClure na Universidade do Centro de Missouri, e a John Ansley e Nancy Decker no Marist College Archives and Special Collections, por me enviarem material sobre Dale Carnegie de sua coleção Lowell Thomas.

Na Other Press, Judith Gurewich desempenhou o papel de editora com grande entusiasmo e prazer intelectual. Em muitas conversas fascinantes e provocadoras, ela me fez pensar a respeito de Dale, da história intelectual moderna e da cultura americana de várias e grandes formas. Então, trabalhando mais detalhadamente neste original, ela ofereceu muitos conselhos sábios sobre como organizar uma montanha de material e expressar claramente as ideias dentro dela. Um pouco adiante no processo, Marjorie DeWill empregou suas consideráveis habilidades editoriais para ajudar a aprimorar a prosa e a esclarecer os argumentos. Minha admiração estende-se a Yvonne E. Cárdenas e Tynan Kogane, que administraram diversas tarefas de produção. E, como sempre, meu amigo e agente Ronald Goldfarb trabalhou com dedicação para fazer este livro acontecer. Do início ao fim, ele forneceu muitos bons conselhos em questões contratuais, autorais e pessoais.

Vários amigos e colegas leram gentilmente os originais e forneceram comentários e sugestões perspicazes: Armando Favazza, Mary Jane Gibbon, Cindy Shelmire, Jonathan Sperber, Don Tennant e John Wigger. Abordando o livro com diferentes perspectivas, suas sugestões sagazes melhoraram-no de inúmeras formas. Melinda Lockwood empregou seus vastos conhecimentos de computação para ajudar em questões grandes e pequenas. Mas o maior agradecimento vai, é claro, para minha família. Olivia Watts afastou-se de sua própria agenda repleta de leituras, desenhos, Barbies, montaria, prática de piano e cuidado de animais de estimação para fazer muitas perguntas interessantes sobre Dale Carnegie. Patti Sokolich Watts leu cuidadosamente as versões do texto, conversou comigo inúmeras vezes sobre muitas de suas questões mais complicadas e interessantes e me ofereceu uma série de sugestões muito úteis. Ela é uma estrela.

Notas

As seguintes abreviações foram usadas nestas notas:

DC   Dale Carnegie
DCA   Arquivos Dale Carnegie, localizados em Dale Carnegie e Associados, Hauppauge, Nova York, em Long Island
ALP   Arquivos Linda Polsby (cartas entre Dale Carnegie e Frieda Offenbach, Isador Offenbach e Linda Offenbach, agora em seu poder)

A menos que seja informado, todo material de fontes primárias não publicado a respeito de Dale Carnegie – cartas, palestras, notas e fragmentos autobiográficos, manuscritos de ensaios, manuscritos de romances, panfletos da empresa, diários, cadernos de recortes – estão localizados nos ADC.

Introdução: ajudando a si mesmo na américa moderna

1. Veja a descrição que Lowell Thomas fez desse evento na introdução que escreveu para DC, *How to Win Friends and Influence People (Nova York, 1936).*

2. DC para a Sra. Roy Lippman, 12 de março de 1937, que incluiu, palavra por palavra, uma carta "recém-recebida" de Leon Shimkin, DCA.

3. DC, *Como Fazer Amigos*, página intitulada "8 Coisas que Este Livro Fará por Você", antes das páginas de dedicatória e título na frente do livro.

4. "Livros que mudaram a vida das Pessoas", *The New York Times,* 20 de novembro de 1991; "Americanos mais influentes do século XX", *Life,* 1º de setembro de 1990; e Jonathan Yardley, "Dez livros que moldaram a personalidade americana", *American Heritage,* abril-maio de 1985.

1. Pobreza e devoção

5. DC, *Como Fazer Amigos e Influenciar Pessoas* (São Paulo: Ed. Nacional, 2012).

6. DC, *Como Evitar Preocupações e Começar a Viver* (São Paulo: Ed. Nacional, 2005).

7. DC, "When I Lived in Harmony" e "Dale's Heart Is in Nodaway", duas colunas de jornal de sua série da década de 1930, *A Coluna Diária de Dale Carnegie*, sem data, DCA; Carnegie, *How to Stop Worrying*, 150-51; e DC, "Letters to My Daughter" (janeiro de 1952-1955), 11, 12, 32, DCA.

8. DC, "Letters to My Daughter", 7.

9. Ibidem., 5–6, 8, 38; e "Ancestry of Dale Carnegie", reunido por William Addams Reitwiesner, disponível em http://wargs.com/other/carnegie.html. Reitwiesner utilizou dados do censo dos EUA.

10. Veja Theron L. Smith, "Harbison Ancestors of Dale Carnegie", disponível em http://archiver.rootsweb.ancestry.com; e Reitwiesner, "Ancestry of Dale Carnegie". Como Reitwiesner, Smith usou dados do censo dos EUA. Sobre a convocação de Abraham Harbison, veja *Past and Present of Nodaway County*, vol. 2 (Indianapolis, 1910), 1024.

11. DC, "Letters to My Daughter", 8-10.

12. Ibidem, 4.

13. Ibidem, 23, 26–27, 28, 30; e May Evans, amiga de infância, em Rosemary Crom, ed., *Dale Carnegie—As Others Saw Him* (Garden City, NY, 1987), 18.

14. DC para James e Amanda Carnagey, 24 de fevereiro, 1913, DCA; e DC, "Letters to My Daughter", 12, 21, 19, 63, 22.

15. DC, "Letters to My Daughter", 21; e Harold B. Clemenko, "He Sells Success", *Look* (25 de maio, 1948): 68.

16. DC, "Boyhood Days in Nodaway County", *Morning Star* (Concepcion, Missouri), 21 de fevereiro de 1938; e DC, "Letters to My Daughter", 23, 2-3, 48-55.

17. DC, "Letters to My Daughter", 29, 27, 30; e DC, *Como Evitar Preocupações*.

18. DC, "Letters to My Daughter", 31-32.

19. DC, *Como Evitar Preocupações;* e DC, "Mass Meeting Talk", 29 de

setembro de 1937, em *A Public Presentation of the Dale Carnegie Course*, 2-3, DCA.

20. DC, "Letters to My Daughter", 57-58, 39-40. Um relato mais breve desse episódio traumático também apareceu em *Como Evitar Preocupações*.

21. DC, *"Letters to My Daughter"*, 42-43.

22. Ibidem, 37; DC, *Como Evitar Preocupações*; e Homer Croy, "The Success Factory", *Esquire (junho de 1937)*: 240.

23. DC, *Como Evitar Preocupações*; e DC, "Letters to My Daughter", 35, 37, 41, 47.

24. DC, *"Letters to My Daughter"*, 43-44; e DC, "Boyhood Days in Nodaway County".

25. DC, *"Letters to My Daughter"*, 44; e "Life in Bedison Is More Thrilling Than in Paris", recorte de jornal com a data 18 de outubro de 1924 escrita à mão, DCA. Para análise da revolta Populista, veja Lawrence Goodwyn, *The Populist Moment: A Short History of the Agrarian Revolt in America* (Nova York, 1978); Robert C. McGrath, *American Populism: A Social History*, 1877-1898 (Nova York, 1993); e Charles Postel, *The Populist Vision* (Nova York, 2007).

26. DC, *Como Evitar Preocupações*; e DC, "Letters to My Daughter", 43-44.

27. DC, *Como Evitar Preocupações*; e DC, "Letters to My Daughter", 18, 19, 12, 63.

28. DC, "Letters to My Daughter", 64, 21, 6; e Croy, "The Success Factory", 240.

29. DC, *Como Evitar Preocupações*; e Norman Vincent Peale, citado em Crom, *Dale Carnegie*, 24.

30. William A. H. Bernie, "Popularity, Incorporated", *New York World-Telegram Weekend Magazine* (27 de fevereiro, 1937); DC, *Como Evitar Preocupações*; e DC, *Como Fazer Amigos*.

31. DC, "Letters to My Daughter", 11, 64.

32. Ibidem, 12, 26.

33. Ibidem, 24, 13-14; e DC, *Como Evitar Preocupações*.

34. DC, "Letters to My Daughter", 34, 18. Crom, *Dale Carnegie*, 11; DC, "Daniel Eversole Is More Impressive Than Cuno, Says a Former Resident",

Nodaway Democrat-Forum, 25 de setembro de 1933; "Two Well-Known Writers Recall Their Boyhood Days in Missouri", Kansas City Star, 1º de janeiro de 1936; e DC, "Letters to My Daughter", 26.

35. Crom, *Dale Carnegie*, 11; DC, "Daniel Eversole Is More Impressive Than Cuno, Says a Former Resident", *Nodaway Democrat-Forum*, 25 de setembro de 1933; "Two Well-Known Writers Recall Their Boyhood Days in Missouri", *Kansas City Star*, 1º de janeiro de 1936; e DC, "Letters to My Daughter", 26.

36. DC, "Letters to My Daughter", 64; e DC citado em Margaret Case Harriman, "He Sells Hope", *The Saturday Evening Post* (14 de agosto de 1937): 13.

37. DC, "When I Lived in Harmony", coluna diária de Dale Carnegie, sem data, DCA; e DC, "Letters to My Daughter," 45-47.

38. DC, *Como Fazer Amigos*, 30.

39. DC, "Letters to My Daughter", 14-15.

2. Rebelião e recuperação

40. DC, *Como Fazer Amigos e Influenciar Pessoas* (São Paulo: Ed. Nacional, 2012).

41. Ibidem.

42. *The History of Johnson County, Missouri* (Kansas City, MO, 1881), 388–448; e Erving Cockrell, *History of Johnson County, Missouri* (Topeka, KS, 1918), 102-5.

43. *Sandstones of Time: A Campus History of Central Missouri State University* (Warrensburg, MO, 1995), 5-8; *The History of Johnson County, Missouri* (1881), 290-314; Cockrell, *History of Johnson County*, 143-50; e *Annual Catalogue of the State Normal School and Announcements for 1907-1908*, desenho do campus na folha de rosto, 21-22, McClure Archives, Kirkpatrick Library, Universidade do Missouri Central.

44. Monia C. Morris para Richard M. Huber, 7 de dezembro de 1955, McClure Archives, Kirkpatrick Library, Universidade of Central Missouri; e *Annual Catalogue of the State Normal School for 1907-1908*, 22-23, 43-50.

45. DC, "Letters to My Daughter" (janeiro de 1952-1955), 15, DCA.

46. DC, "Mass Meeting Talk", 29 de setembro de 1937, em *A Public Presentation of the Dale Carnegie Course*, 2-3, DCA; Joseph Kaye, "A Youth's Timidity Led Him to World Influence", *Kansas City Star*, 24 de julho de 1955; e DC, "Letters to My Daughter", 16.

47. DC, "Letters to My Daughter," 16-17; e DC, "Mass Meeting Talk," 3.

48. DC, "Mass Meeting Talk", 3; e DC, *Como Evitar Preocupações e Começar a Viver* (São Paulo: Ed. Nacional).

49. DC, *Como Evitar Preocupações*.

50. DC para Amanda Carnagey, 17 de outubro de 1910; DC para James e Amanda Carnagey, 16 de maio de 1913; e DC para James e Amanda Carnagey, sem data, 1913: todos DCA.

51. DC, "Letters to My Daughter", 65; e DC, "Mass Meeting Talk", 4.

52. DC, "Letters to My Daughter", 65-66; e Margaret Case Harriman, "He Sells Hope", *The Saturday Evening Post* (14 de agosto de 1937): 13, 30.

53. DC, "Letters to My Daughter", 65; e DC, "Mass Meeting Talk", 4.

54. Morris para Huber, 7 de dezembro de 1955; e *Annual Catalogue of the State Normal School and Announcements for 1907-1908*.

55. *The Rhetor*, 1908, 8, McClure Archives, Kirkpatrick Library, Universidade do Missouri Central; DC, "Letters to My Daughter", 65; e DC, "Mass Meeting Talk", 5.

56. Homer Croy, "The Success Factory", *Esquire* (junho de 1937): 240; "The History Place, Great Speeches Collection: George Graham Vest," disponível em www.historyplace.com/speeches/vest.htm; e DC, "Carnegie Recalls Important Years Here in Reprinting Eulogy to a Dog", coluna de jornal sem data da década de 1930, DCA.

57. DC, "Letters to My Daughter", 66-67; Harriman, "He Sells Hope," 30; e Lowell Thomas, "Introduction", em DC, *Public Speaking and Influencing Men in Business* (Nova York, 1953 [1926]), vi, 358-60.

58. Croy, "The Success Factory", 240; DC, "Mass Meeting Talk", 5; e DC, "Letters to My Daughter", 66-67.

59. *The Rhetor*, 1907, 58, 157, McClure Archives, Kirkpatrick Library, Universidade do Missouri Central.

60. *The Rhetor, 1908*, 161, 163, 164, 165, 170; e Collie Small, "Dale Carnegie: Man with a Message *Collier's* (15 de janeiro de 1949).

61. Daniel J. Boorstin, *The Americans: The Democratic Experience* (Nova York: Vintage Books, 1973), 463-66.

62. Ibidem., 466-67.

63. Veja dois ensaios em Karl R. Wallace, *History of Speech Education in America: Background Studies* (Nova York, 1954): Claude L. Shaver, "Steele MacKaye and the Delsartian Tradition", 202-18, e Edyth Renshaw, "Five Private Schools of Speech", 301-25.

64. Para uma análise ampla dessa mudança cultural na América da Era Progressista, veja Morton White, *Social Thought in America: The Revolt Against Formalism* (Nova York, 1976 [1947]), e Louis Menand, *The Metaphysical Club: A Story of Ideas in America* (Nova York, 2001). Renshaw, em "Five Private Schools of Speech" (322-23), sugere alguns dos impulsos modernos no Sistema Delsarte, enquanto Joseph Fahey, em "Quiet Victory: The Professional Identity American Women Forged Through Delsartism," *Mime Journal (2004-2005),* analisa o papel do delsartismo na liberação das mulheres das amarras vitorianas no teatro.

65. Veja a biografia de Abbott em *The Rhetor, 1908*, 21; e Leslie Anders, *Education for Service: Centennial History of Central Missouri State College* (Warrensburg, MO, 1971), 36, 44.

66. Veja o depoimento de Abbott sobre o livro de Southwick em *Werner's Readings and Recitations No. 8* (Nova York, 1892), 212; e F. Townsend Southwick, *Elocution and Action* (Nova York, 1897), 6, 15, 130-31.

67. DC, *Public Speaking and Influencing Men in Business*, 197-98, 204, 212, 241; e DC citado em Joseph Kaye, "A Youth's Timidity".

68. DC para James e Amanda Carnagey, fevereiro de 1913; e DC para o James e Amanda Carnagey, 24 de fevereiro de 1913: DCA.

69. DC, "Letters to My Daughter," 15; DC, *Como Evitar Preocupações*, xii; e DC, "How Businessmen Are Acquiring Self-Confidence and Convincing Speech," Supplement to Syllabus B-15 — Public Speaking, Associação Cristã de Moços, 15 de outubro de 1919, DCA.

3. Vendendo produtos, vendendo a si mesmo

70. DC, *Como Fazer Amigos e Influenciar Pessoas* (São Paulo: Ed. Nacional, 2012), onde DC citou Harry O. Overstreet.
71. Ibidem.
72. DC, "Letters to My Daughter" (Janeiro de 1952-1955), 67, DCA.
73. Ibidem.
74. Ibidem.
75. Veja James D. Watkinson, "'Education for Success': The International Correspondence Schools of Scranton, Pennsylvania," *Pennsylvania Magazine of History and Biography* (outubro de 1996): 343-69.
76. Ibidem.
77. DC, "Letters to My Daughter," 68-69; e Joseph Kaye, "A Youth's Timidity Led Him to World Influence," *Kansas City Star*, 24 de julho de 1955.
78. DC, "Letters to My Daughter," 68-69; e Kaye, "A Youth's Timidity."
79. DC para Amanda Carnagey, 11 de janeiro de 1909; DC para Amanda Carnagey, 2 de julho de 1910; DC para Amanda Carnagey, 2 de fevereiro de1910; Benjamin L. Seawell para J. W. Carnagie, 5 de fevereiro de 1911; e DC, "Letters to My Daughter," 80: tudo DCA. Seawell ensinou biologia na State Normal School em Warrensburg de 1897 a 1909, de acordo com o *Central Missouri State Teacher's College Semi-Centennial Number, 1871-1921*, McClure Archives, Kirkpatrick Library, Universidade of Central Missouri.
80. DC, "Letters to My Daughter," 69-70.
81. Watkinson, "'Education for Success,' " 350, 358.
82. Kaye, "A Youth's Timidity"; e DC, "Letters to My Daughter," 70-71.
83. See Rudolf A. Clemen, *The American Livestock and Meat Industry* (Nova York, 1923), 149-56, 387-90, 456-57.
84. DC, "Letters to My Daughter," 71.
85. Dentre um grande número de livros e artigos que examinam o crescimento do capitalismo de consumo na virada do século XX, veja T. J.

Jackson Lears, "From Salvation to Self-Realization: Advertising and the Therapeutic Roots of the Consumer Culture, 1880-1930," em Richard Wrightman Fox e T. J. Jackson Lears, eds., *The Culture of Consumption: Critical Essays in American History, 1880-1980* (Nova York, 1983), 3-38; William Leach, *Land of Desire: Merchants, Power, and the Rise of a New American Culture* (Nova York, 1993); Daniel Horowitz, *The Morality of Spending: Attitudes Toward the Consumer Culture in America, 1875-1950* (Baltimore, 1985); Simon J. Bonner, ed., *Consuming Visions: Accumulation and Display of Goods in America, 1880-1920* (Nova York, 1989); Olivier Zunz, *Making America Corporate, 1870-1920* (Chicago, 1995); e Steven Watts, *The People's Tycoon: Henry Ford e the American Century* (Nova York, 2005).

86. Trabalhos interessantes a respeito do surgimento da propaganda moderna incluem T. J. Jackson Lears, "From Salvation to Self-Realization," e seu *Fables of Abundance: A Cultural History of Advertising in America* (Nova York, 1994); Roland Marchand, *Advertising the American Dream: Making Way for Modernity, 1920-1940* (Nova York, 1985); e Pamela W. Laird, *Advertising Progress: American Business e the Rise of Consumer Marketing* (Baltimore, 1998).

87. Walter A. Friedman, *Birth of Salesman: The Transformation of Selling in America* (Cambridge, MA, 2004), 4-6, 12-13, 7.

88. DC para sra. J. W. Carnagie, 21 de fevereiro de 1910; DC para Amanda Carnagey, 2 de fevereiro de 1910; DC para sra. J. W. Carnagie, 4 de janeiro de 1909; e DC, "Letters to My Daughter," 84, 71: tudo DCA.

89. DC para Amanda Carnagey, 24 de agosto de 1909, DCA; e DC, "Letters to My Daughter," 73.

90. DC, "Letters to My Daughter," 71-72; e Kaye, "A Youth's Timidity".

91. DC, "Letters to My Daughter," 73, 81; e DC para Amanda Carnagey, 2 de julho de 1910, DCA.

92. DC para Amanda Carnagey, 2 de fevereiro de 1910; DC para James e Amanda Carnagey, 21 de fevereiro de 1910; e DC para Amanda Carnagey, 11 de abril de 1910: tudo DCA.

93. DC para Amanda Carnagey, 24 de agosto de 1909; DC para Amanda Carnagey, 2 de fevereiro de 1910; DC para James e Amanda Carnagey,

21 de fevereiro de 1910; e DC para Amanda Carnagey, 2 de julho de 1910: tudo DCA.

94. Veja "Birth of the American Salesman: Q & A with Walter Friedman," *Harvard Business School Working Knowledge* (19 de abril de 2004), disponível em http://hbswk.hbs.edu/cgi-bin/print/4068.html.

95. DC para Amanda Carnagey, 24 de agosto de 1909, DCA.

96. DC para sra. J. W. Carnagey, 4 de janeiro de 1909; e DC para James e Amanda Carnagey, 21 de fevereiro de 1910: ambos DCA.

97. DC para Amanda Carnagey, 11 de janeiro de 1909; DC para Amanda Carnagey, 2 de julho de 1910; DC para James e Amanda Carnagey, 21 de fevereiro de 1910; e DC para Amanda Carnagey, 17 de outubro de 1910: tudo DCA.

98. DC, "Letters to My Daughter," 86-88.

99. Kaye, "A Youth's Timidity"; e DC, "Letters to My Daughter," 71, 89, 73.

100. DC, "Letters to My Daughter," 73-74.

101. DC para Amanda Carnagey, 17 de outubro de 1910, DCA; e DC, "Letters to My Daughter," 90.

102. DC, "Letters to My Daughter," 89-90.

103. Veja Benjamin Franklin, *The Autobiography and Other Writings* (Nova York, 1961), 38–39; Horatio Alger, *Ragged Dick and Mark the Match Boy* (Nova York, 1973 [1867]), 102-4; e Horatio Alger, *Ragged Dick and Struggling Upward* (Nova York, 1985 [1890]). Para um estudo inspirado desse tema cultural, veja Karen Halttunen, *Confidence Men and Painted Women: A Study of Middle-Class Culture in America, 1830–1870* (Nova Haven, CT, 1982), especialmente 11-13.

104. DC, "Letters to My Daughter," 90-91.

4. Vá para o Leste, jovem

105. DC, *Como Fazer Amigos e Influenciar Pessoas* (São Paulo: Ed. Nacional, 2012).

106. Ibidem. Para uma análise brilhante de como o mercado e o teatro surgiram lado a lado no início do período moderno e permaneceram

intricados, veja Jean-Christophe Agnew, *Worlds Apart: The Market and the Theater in Anglo-American Thought, 1550-1750* (Cambridge, 1988).

107. Para um estudo da mudança cultural na América do início do século XX, veja John F. Kasson, *Amusing the Million: Coney Island at the Turn of the Century* (Nova York, 1978); Lary Maio de, *Screening Out the Past: The Birth of Mass Culture and the Motion Picture Industry* (Chicago, 1980); e Lewis A. Erenberg, *Steppin' Out: New York Nightlife and the Transformation of American Culture, 1890-1930* (Chicago, 1981).

108. DC, "Letters to My Daughter" (janeiro de 1952-1955), 91-92, DCA.

109. Ibidem.

110. Ibidem, 92, 90; e Margaret Case Harriman, "He Sells Hope", *The Saturday Evening Post* (14 de agosto de 1937): 30.

111. A respeito da história da academia, veja Gerard Raymond, "125 Years and Counting: The American Academy of Dramatic Arts Celebrates a Special Anniversary," *Backstage* (26 de novembro–2 de dezembro de 2009): 6–7, e James H. McTeague, *Before Stanislavsky: American Professional Acting Schools and Acting Theory, 1875-1925* (Metuchen, NJ: Scarecrow Press, 1993), 45-93.

112. Franklin H. Sargent, "The Preparation of the Stage Neophyte," *New York Dramatic Mirror* (10 de julho de 1911): 5; e McTeague, *Before Stanislavsky*, 73.

113. McTeague, *Before Stanislavsky*, 80-84, 67.

114. Ibidem, 67, 58; e Sargent, "Preparation of the Stage Neophyte," 5.

115. Garff B. Wilson, *A History of American Acting* (Bloomington, IN, 1966), 100-1.

116. Ibidem, 103; McTeague, *Before Stanislavsky*, 48, 55, 65; Sargent, "Preparation of the Stage Neophyte", 5; and Algernon Tassin, "The American Dramatic Schools", *The Bookman* (abril de 1907): 161.

117. 13 Harriman, "He Sells Hope," 30; e DC para Amanda e James Carnagey, 1º de Abril, 1911, DCA.

118. DC para Amanda e James Carnagey, 1º de abril de 1911, DCA.

119. DC, *Como Evitar Preocupações e Começar a Viver* (São Paulo: Ed. Nacional, 2005),

120. Sargent é citado em McTeague, *Before Stanislavsky*, 72, 91, 93.

121. DC para Amanda Carnagey, 17 de agosto de 1911, DCA; Margaret Mayo, *Polly of the Circus: A Comedy-Drama in Three Acts* (Nova York, 1933); e "Polly of the Circus (1907)," em Oxford Companion to American Theatre (Nova York, 2004), 504.

122. DC, "Letters to My Daughter," 74; e DC para Amanda Carnagey, 17 de agosto de 1911, DCA.

123. DC, "Letters to My Daughter," 74-75; e Howard Lindsay, carta ao autor citada em Richard M. Huber, *The American Idea of Success* (Nova York, 1971), 233.

124. DC para Amanda Carnagey, 5 de janeiro de 1912, DCA.

125. DC para Amanda Carnagey, 17 de agosto de 1911, DCA; Howard Lindsay, carta ao autor, citado em Huber, *American Idea of Success*, 233; e DC para Amanda Carnagey, 8 de Março, 1912, DCA.

126. DC, "Letters to My Daughter," 75–76; William A. H. Bernie, DC citado em "Popularity, Incorporated," *New York World-Telegram Weekend Magazine* (27 de fevereiro de 1937), 9; e Harriman, "He Sells Hope," 30.

127. DC para Amanda Carnagey, 8 de março de 1912, DCA.

128. Para duas análises boas das principais tendências da Era Progressista, veja Steven Diner, *A Very Different Age: Americans of the Progressive Era* (Nova York, 1998), e Robert H. Wiebe, *The Search for Order, 1877-1920* (Nova York, 1967).l

129. Para duas análises do impacto do automóvel na vida americana, veja James J. Flink, *The Car Culture* (Cambridge, MA, 1975), e Steven Watts, *The People's Tycoon: Henry Ford and the American Century* (Nova York, 2005).

130. DC, "Letters to My Daughter," 88-89.

131. DC para Amanda Carnagey, 5 de maio de 1912, DCA.

132. DC, "Letters to My Daughter," 76, 89; DC para Amanda Carnagey, 12 de dezembro de 1912; e DC para família Carnagie, fevereiro de 1913: tudo DCA.

133. DC para Amanda Carnagey, 1º de fevereiro de 1913, DCA.

134. Ibidem; DC para a família Carnagie, 17 de fevereiro de 1913; DC para a família Carnagie, 24 de fevereiro de 1913; DC para a família Carnagie, 4

de março de 1913; e DC para Amanda Carnagey, 18 de março de 1913: tudo DCA.

135. DC para Amanda Carnagey, 18 de março de 1913, DCA.

136. DC para Grupo de Jovens Batistas, Igreja Batista de Pierre, 1º de abril de 1911; DC para Amanda Carnagey, 5 de janeiro de 1912; DC para Amanda Carnagey, 12 de dezembro de 1912; DC para a família Carnagie, 14 de janeiro de 1913; DC para a família Carnagie, fevereiro de 1913; e DC para a família Carnagie, 16 de junho de 1913: tudo DCA.

137. DC para a família Carnagie, sem data, 1913, DCA.

138. DC para a família Carnagie, 25 de março de 1913; DC para a família Carnagie, 17 de fevereiro de 1913; e DC para a família Carnagie, 16 de maio de 1913: tudo DCA.

139. DC para Amanda Carnagey, 8 de março de 1912; DC para a família Carnagie, 14 de janeiro de 1913; DC para Amanda Carnagey, 18 de março de 1913; DC para a família Carnagie, 25 de março de 1913; e DC para a família Carnagie, 17 de fevereiro, 1913: tudo DCA.

140. DC para Amanda Carnagey, 17 de agosto de 1911; e DC para Amanda Carnagey, 8 de março de 1912: tudo DCA.

141. DC para Amanda Carnagey, 12 de dezembro de 1912; e DC para Amanda Carnagey, 1º de fevereiro de 1913: tudo DCA.

142. DC, "Letters to My Daughter," 76; e DC, *Como Evitar Preocupações*.

143. DC para a família Carnagie, sem data, 1913, DCA; DC para a família Carnagie, 16 de maio de 1913, DCA; DC citado em James Kaye, "A Youth's Timidity Led Him to World Influence," *Kansas City Star*, 24 de julho de 1955; e DC, "Letters to My Daughter," 76.

144. DC para a família Carnagie, 19 de outubro de 1913, DCA; e DC, *Como Evitar Preocupações*.

145. DC para Amanda Carnagey, 1º de fevereiro de 1913; e DC para a família Carnagie, 16 de junho de 1913: tudo DCA.

146. DC para a família Carnagie, 24 de fevereiro de 1913; DC para a família Carnagie, 25 de março de 1913; DC para a família Carnagie, 4 de março de 1913; e DC para a família Carnagie, 19 de outubro de 1913: tudo DCA.

147. DC para a família Carnagie, 16 de junho de 1913, DCA; e DC, *Como Evitar Preocupações.*

148. DC para a família Carnagie, 16 de junho de 1913; DC para a família Carnagie, 3 de junho de 1913; DC para a família Carnagie, 8 de julho de 1913; DC para Amanda Carnagey, 18 de março de 1913; e DC para a família Carnagie, 19 de outubro de 1913: tudo DCA.

149. DC para a família Carnagie, 4 de março de 1913; DC para a família Carnagie, sem data, 1913; DC para a família Carnagie, 16 de junho de 1913; DC para a família Carnagie, sem data, 1913; e DC para a família Carnagie, 8 de julho de 1913: tudo DCA.

150. DC para a família Carnagie, 17 de fevereiro de 1913, DCA.

151. DC para a família Carnagie, 19 de outubro de 1913; e DC para a família Carnagie, sem data, 1913: tudo DCA.

5. Ensinar e escrever

152. DC, *Como Fazer Amigos e Influenciar Pessoas* (São Paulo: Ed. Nacional, 2012).

153. Ibidem.

154. DC, *Como Evitar Preocupações e Começar a Viver* (São Paulo: Ed. Nacional, 2005); e DC, "Mass Meeting Talk," 29 de setembro de 1937, em *A Public Presentation of the Dale Carnegie Course*, 6, DCA.

155. DC, "Letters to My Daughter" (janeiro de 1952–1955), 93-94, DCA; Margaret Case Harriman, "He Sells Hope," *The Saturday Evening Post* (14 de agosto de 1937): 30; James Kaye, "A Youth's Timidity Led Him to World Influence," *Kansas City Star*, 24 de julho de 1955; e Richard M. Huber, *The American Idea of Success* (Nova York, 1971), 233-34.

156. DC, "Letters to My Daughter," 76-77.

157. Kaye, "A Youth's Timidity"; DC, *Como Evitar Preocupações*; e DC, "Mass Meeting Talk," 7.

158. Para a melhor análise dessa instituição, veja Nina Mjagkij e Margaret Spratt, eds., *Men and Women Adrift: The YMCA and the YWCA in the City* (Nova York, 1997); as citações são da página 3.

159. DC, "Letters to My Daughter," 77; John Janney, "Can You Think Fast on Your Feet?," *American Magazine* (janeiro de 1932): 94; e Kaye, "A Youth's Timidity."

160. DC identificou, em diversos lugares ao longo dos anos, 22 de outubro de 1912 como a data de sua primeira aula, incluindo em DC, "Mass Meeting Talk," 7; DC citado em Arthur R. Pell, *Enrich Your Life the Dale Carnegie Way* (Garden City, N, 1979), 37; e DC, "Letters to My Daughter," 96, 77.

161. Harriman, "He Sells Hope," 30; e DC, "Letters to My Daughter," 94-98.

162. 11 Janney, "Can You Think Fast on Your Feet?," 94; e DC, "Letters to MyDaughter," 77, 98.

163. DC para Amanda Carnagey, 1º de fevereiro de 1913; DC para a família Carnagie, fevereiro de 1913; e DC para a família Carnagie, 16 de maio de 1913: tudo DCA.

164. DC para a família Carnagie, 19 de outubro de1913, DCA; DC para a família Carnagie, 4 de março de 1913, DCA; DC para Amanda Carnagey, 12 de dezembro de 1912, DCA; Dale Carnagie e J. Berg Esenwein, *The Art of Public Speaking* (Springfield, MA, 1915), frontispício; Harriman, "He Sells Hope," 30; DC para a família Carnagie, 24 de fevereiro de 1913, DCA; e DC para a família Carnagie, 3 de junho de 1913, DCA.

165. DC para a família Carnagie, 19 de outubro de 1913, DCA; e DC, "War," *Leslie's Illustrated Weekly* (16 de outubro de 1913): 365. DC também identificou o editorial da Leslie's como seu trabalho e o reimprimiu em Carnagie e Esenwein, *The Art of Public Speaking*, 84-86.

166. DC para a família Carnagie, 19 de outubro de 1913, DCA.

167. Para discussões sobre essas novas revistas, veja Richard Ohmann, *Selling Culture: Magazines, Markets, and Class at the Turn of the Century* (Nova York, 1996); Matthew Schneirov, *The Dream of a New Social Order: Popular Magazines in America, 1893-1914* (Nova York, 1994); e Christopher P. Wilson, "The Rhetoric of Consumption: Mass-Market Magazines and the Demise of the Gentle Reader, 1880-1920," em Richard Wrightman Fox e T. J. Jackson Lears, eds., *The Culture of Consumption: Critical Essays in American History, 1880-1980* (Nova York, 1983) 39–64.

168. DC, "Fighting for Life in Antarctic Ice," *Illustrated World* (setembro de

1915): 22-26; DC, "The World's Best Known Hobo", *American Magazine* (outubro de 1914), sem nº de página; DC, "Mrs. Atwood — The Laborer's Big Sister", *Illustrated World* (fevereiro de 1916): 808-9; e DC, "America's Champion Money Raiser", *World Outlook* (fevereiro de 1917): 3-4, 26.

169. DC, "Sharpshooting the Future", *Illustrated World* (dezembro de 1915): 507-9.

170. DC, "Money Made in Writing for the Movies", *American Magazine* (junho de 1916): 32; DC, "Rich Prizes for Playwrights", *American Magazine* (abril de 1916): 65-66; e DC, "How I Laid the Foundation for a Big Salary", *American Magazine* (agosto de 1916): 16.

171. DC, "Rich Prizes for Playwrights", 34; DC, "Money Made in Writing for the Movies," 32; e DC, "How I Laid the Foundation for a Big Salary", 16.

172. DC, "America's Champion Money Raiser", 26; DC, "Mrs. Atwood", 808; DC, "Rich Prizes for Playwrights", 68; e DC, "How I Laid the Foundation for Big Salary", 16-17.

173. DC, "America's Champion Money Raiser", 3-4; e DC, "Show Windows That Sell Goods", *American Magazine* (outubro de 1917): 126-30.

174. DC, "Rich Prizes for Playwrights", 70; DC, "Mrs. Atwood," 808; DC, "Delivered One Lecture 5,000 Times", *American Magazine* (setembro de 1915): 55; DC, "Fighting for Life", 26; e DC, "How I Laid the Foundation for a Big Salary", 17.

175. DC, "My Triumph Over Fears That Cost Me $10,000 a Year", *American Magazine 5,000* (novembro de 1918):51, 137-39.

176. Ibidem.

177. A reimpressão deste artigo de DC é analisada em J. M. O'Neill, "The True Story of $10,000 Fears", *Quarterly Journal of Speech Education* (março de 1919): 128-37.

178. DC para a família Carnagie, 16 de maio de 1913, DCA.

179. Carnagie and Esenwein, *The Art of Public Speaking*.

180. "Home Study Under College Professors", *Primary Education* (novembro de 1910): 535; "Miscellaneous Classes of Schools," *College and Private School Directory of the United States*, vol. 6 (Nova York, 1913), 177; e

Frank H. Palmer, "Correspondence Schools," *Education* (setembro de 1910): 49-51.

181. "Esenwein, Joseph Berg," em Thomas William Herringshaw, *Herringshaw's National Library of American Biography*, vol. 2 (Nova York, 1909), 395; "Esenwein, Joseph Berg," in *Who's Who in America, 1906-1907* (Chicago, 1906), 561; "Esenwein, Joseph Berg," Wikipedia, citando *New International Encyclopedia* (Nova York, 1914-1916); e J. Berg Esenwein, "Can You Too Have the Rewards of Authorship?," *Atlantic Monthly* (junho de 1922): 47.

182. Carnagie e Esenwein, *The Art of Public Speaking*, 5, 8, 80, 272, 358.

183. Ibidem.

184. Ibidem.

185. Ibidem.

186. Ibidem.

187. Ibidem.

188. Ibidem.

189. Ibidem.

6. Poder da mente e pensamento positivo

190. DC, *Como Fazer Amigos e Influenciar Pessoas* (São Paulo: Ed. Nacional, 2012).

191. Ibidem, 29, 58, 70, 135, 48, 71.

192. DC, "Letters to My Daughter" (janeiro de 1952-1955), 48, DCA.

193. DC, *Public Speaking: The Standard Course of the United Y.M.C.A. Schools*, Book II (Nova York: Association Press, 1920), 17-20.

194. Ibidem., Book III, 127-28.

195. Ibidem., 127-28, 129-30, 131; e Homer Croy, "The Success Factory," *Esquire (junho de 1937): 241*. Uma breve discussão a respeito do Curso de Leitura Chautauqua pode ser encontrado em *The Encyclopedia of Social Reform* (Nova York, 1909), 162, enquanto uma análise mais detalhada aparece em John C. Scott, "The Chautauqua Movement: Revolution in Popular Higher Education," *Journal of Higher Education* (julho-agosto de 1999): 389–412.

196. Sobre o Novo Pensamento veja Donald Meyer, *The Positive Thinkers: A Study of the American Quest for Health, Wealth, and Personal Power from Mary Baker Eddy to Norman Vincent Peale* (Garden City, NY, 1966 [1965]); Richard M. Huber, *The American Idea of Success* (Nova York, 1971), 124-76; Richard Weiss, *The American Myth of Success: From Horatio Alger to Norman Vincent Peale* (Urbana, IL, 1988), 195-240; e Beryl Satter, *Each Mind a Kingdom: American Women, Sexual Purity, and the New Thought Movement, 1875-1920* (Berkeley, 1999).

197. Veja Meyer, *Positive Thinkers*, 51; Huber, *American Idea of Success*, 235; Weiss, *American Myth of Success*, 131-210; Warren I. Susman, "Personality and the Making of Twentieth-Century Culture", em seu *Culture as History* (Nova York, 1984), especialmente 277-79; e Steven Watts, *The People's Tycoon: Henry Ford and the American Century* (Nova York, 2005), 323-24.

198. Dale Carnagie e J. Berg Esenwein, *The Art of Public Speaking* (Springfield, MA: The Home Correspondence School, 1915), 189, 80, 197-98, 359.

199. Margaret Case Harriman, "He Sells Hope", *The Saturday Evening Post* (31 de agosto de 1937): 30, 33; e Giles Kemp e Edward Claflin, *Dale Carnegie: The Man Who Influenced Millions* (Nova York, 1989), 121. Em carta de DC para Edward Frank Allen de 8 de abril de 1916, o cabeçalho do papel de carta mostra seu endereço como sendo "Estúdio 824, Carnegie Hall", DCA.

200. Frank Bettger, *Do Fracasso ao Sucesso em Vendas* (Rio de Janeiro: Record, 2004).

201. Um folheto de 1917 anunciando o Curso Carnegie de Oratória, DCA; e DC, *Public Speaking: The Standard Course*, Books I–IV.

202. DC, *Public Speaking: The Standard Course*, Book III, 119, 122, 133, e Book I, 1-2, 21.

203. Russell H. Conwell, "Acres of Diamonds," reproduzido em DC, *Public Speaking: The Standard Course*, Book III, 3-28. Para ótimas abordagens biográficas de Conwell, veja Huber, *American Idea of Success*, 55–61, and Judy Hilkey, *Character Is Capital: Success Manuals and Manhood in Gilded Age America* (Chapel Hill, NC, 1997), 58, 92, 102-3.

204. Russell H. Conwell, "What You Can Do with Your Will Power," *American Magazine* (abril de 1916): 16, 96-100; Russell H. Conwell, *What You Can Do with Your Willpower* (Nova York, 1917), 42-43; DC e Esenwein, *The Art of Public Speaking*, 82-83; e DC, *Public Speaking: The Standard Course*, Book III, 26, 84, 87-88, and 2-28.

205. Elbert Hubbard, "A Message to Garcia," reproduzido em DC, *Public Speaking: A Practical Course for Business Men* (Nova York: Association Press, 1926), 553-57. A respeito da vida de Hubbard, veja Huber, *American Idea of Success*, 79-85.

206. Elbert Hubbard, *The Book of Business* (East Aurora, NY, 1913), 89, 158; Carnagie e Esenwein, *The Art of Public Speaking*, 3-4; Elbert Hubbard, *Love, Life and Work* (East Aurora, NY, 1906), 43-44, uma citação que DC reproduziu com maior extensão em seu *Como Fazer Amigos*. Weiss, em *American Myth of Success*, 189, 191, destaca o surgimento de Hubbard como defensor do Novo Pensamento no início do século XX.

207. Veja "James Allen: Unrewarded Genius, 1864-1912," na página de James Allen na internet, disponível em jamesallen.wwwhubs.com; e Mitch Horowitz, "James Allen: A Life in Brief", em James Allen, *O Homem É Aquilo Que Ele Pensa* (São Paulo: Pensamento, 2010).

208. Allen, *O Homem É Aquilo Que Ele Pensa*, reproduzido em DC, *Public Speaking: The Standard Course*, Book IV, Part II, 2-23.

209. Arthur J. Forbes, editor do periódico *The Business Philosopher*, para DC, 8 de novembro de 1921, DCA; e DC, citado em *Public Speaking: The Standard Course*, Book III, 122.

210. Sobre a vida de Marden, veja Huber, *American Idea of Success*, 145-64, e "Orison Swett Marden (1850–1924): fundador da Success Magazine," disponível em orisonswettmarden.wwwhubs.com. Susman, em Culture as History, 279, discute a mudança de ênfase de Marden de "caráter" para "personalidade" em seus escritos sobre sucesso.

211. Veja os seguintes livros de Marden: *Little Visits with Great Americans* (Nova York, 1903), 11; *Peace, Power, and Plenty* (Nova York, 1909), viii, x; e *The Miracle of Right Thought* (Nova York, 1910), ix-x.

212. DC, *Public Speaking: The Standard Course*, Book I, 7, Book III, 129-30, Book III, 1, e Book III, 32. Edições sobreviventes desse livro, com vários

formatos diferentes, indicam a "lição especial" de Marden no sumário, mas não incluem o texto em si. Mas provavelmente essa lição era um capítulo de *Pushing to the Front* (Nova York, edição de 1911) intitulado "Oratória'", 411-23; as citações são da página 411.

213. Sobre psicoterapia na América do início do século XX, veja Weiss, *American Myth of Success*, 195-214; Nathan G. Hale, *Freud and the Americans: The Beginnings of Psychoanalysis in the United States, 1876-1917* (Nova York, 1995), principalmente os capítulos IV-VII; e Meyer, *Positive Thinkers*, 65-75. Satter também analisa a interseção entre Novo Pensamento e Psicologia no início do século XX no capítulo 7, "New Thought and Popular Psychology," em seu *Each Mind a Kingdom*, 217-47.

214. Carnagie e Esenwein, *The Art of Public Speaking*, 8, 80, 308, 360.

215. DC, *Public Speaking: The Standard Course*, Book III, 37, and Book IV, 6, 67-68, 78, 24-35.

216. Ibidem, Book II, 16, Book III, 44, e Book IV, 24.

217. 28 William James, *The Varieties of Religious Experience: A Study in Human Nature* (Nova York, 1905), 94-95, 115, 108; e William James, "Os Poderes dos Homens," American Magazine (novembro de 1907): 57-65; reimpresso (e apresentado como palestra) em diversos outros locais com o título "As Energias dos Homens".

218. DC, *Public Speaking: The Standard Course*, Book III, 136, e Book IV, 18-19.

219. H. Addington Bruce, "Mestres da Mente," *American Magazine* (novembro de 1910): 71-81. V. também H. Addington Bruce, "A Nova Cura Mental Baseada na Ciência," *American Magazine* (outubro 1910): 773-78, e diversos livros escritos por Bruce: *The Riddle of Personality* (Nova York, 1908), *Scientific Mental Healing* (Boston, 1911), *Nerve Control and How to Gain It* (Nova York, 1919), e *Self-Development: A Handbook for the Ambitious* (Nova York, 1921). Para informações biográficas sobre Bruce, veja Satter, *Each Mind a Kingdom*, 244.

220. DC, *Public Speaking: The Standard Course*, Book I, 26.

221. Ibidem, Book III, 28-29, e Book IV, 19, 2, 69.

222. Ibidem, Book III, 125-26, onde DC citou *Invictus*, by William Ernest Henley.

223. Dale Carnegie, Cartão de Alistamento No. 59, 10º Distrito, Junta de Alistamento 44 e Relatório de Registro 31-9-44-A, 5 de junho de 1917, em *World War I Selective Service Draft Registration Cards, 19171918* (Washington National Archives); "Yaphank Greets New Army Recruits," *The New York Times*, 20 de setembro de 1917; e "Camp Upton," *Brookhaven History*, disponível em http:www.bnl.gov/bnlweb/history/camp_upton1.asp.

224. DC, "Letters to My Daughter," 19-20.

225. DC, *Public Speaking: A Practical Course*, 353, 355-56.

226. Charles Whann, Capitão, 23rd Precinct, Metropolitan Canvass Committee para o Adj. General M. McCaim, 12 de julho de 1918; DC para Amanda Carnagey, 3 de dezembro de 1918; e DC para sra. J. W. Carnagie, 29 de janeiro de 1919: tudo DCA.

227. DC para sra. J. W. Carnagie, 29 de janeiro de 1919; e DC para sra. J. W. Carnagie, 11 de maio de 1919: ambos DCA.

228. DC, "How Businessmen Are Acquiring Self-Confidence and Convincing Speech," Suplemento ao programa B-15 — Oratória, Associação Cristã de Moços, 15 de outubro de 1919, DCA.

229. DC, "My Triumph Over Fears That Cost Me $10,000 a Year," *American Magazine* (novembro de 1918): 50-51, 137-39; e J. M. O'Neill, "The True Story of $10,000 Fears," *Quarterly Journal of Speech Education* (março de 1919): 128–37.

230. O'Neill, "The True Story of $10,000 Fears," 132, 135-36.

231. Ibidem., 136, 137.

232. DC, *Public Speaking: The Standard Course*, Book III, 117–34.

7. Rebelião e a geração perdida

233. DC, *Como Fazer Amigos e Influenciar Pessoas* (São Paulo: Ed. Nacional, 2012).

234. Ibidem.

235. DC, *Como Evitar Preocupações e Começar a Viver* (São Paulo: Ed. Nacional, 2005).

236. Margaret Case Harriman, "He Sells Hope," *The Saturday Evening Post* (31 de agosto de 1937): 33; e Lowell Thomas, *Good Evening Everybody* (Nova York, 1976), 109.

237. Lowell Thomas ao sr. H. W. Turner, 8 de março de 1917, reimpresso na propaganda de 1917 do curso de Dale Carnagie em Baltimore, DCA.

238. Joel C. Hodgson, *Lawrence of Arabia and American Culture: The Making of a Transatlantic Legend* (Westport, CT, 1995), 11-26.

239. Ibidem, 11, 28-30.

240. Harriman, "He Sells Hope," 33; Thomas, *Good Evening Everybody*, 200; e DC, nota autobiográfica, sem título nem data, DCA.

241. DC para Amanda Carnagey, agosto de 1919, DCA; Thomas, *Good Evening Everybody*, 200; e DC para Amanda Carnagey, 31 de julho de 1919, DCA.

242. Thomas, *Good Evening Everybody*, 200-1; and DC, *Public Speaking and Influencing Men in Business* (Nova York, 1953 [1926]), 194.

243. Thomas, *Good Evening Everybody*, 201-2; DC para Amanda Carnagey, 18 de agosto de 1919, DCA; DC, fragmento autobiográfico, DCA; Hodgson, *Lawrence of Arabia and American Culture*, 30–31; e *Lloyd's Weekly News* e *The Times* citados em panfleto publicitário de Com Allenby na Palestina, DCA. Uma descrição completa do espetáculo pode ser encontrada em Hodgson, *Lawrence of Arabia and American Culture*, 33-35.

244. Panfleto publicitário de *Com Allenby na Palestina*; e DC para Amanda Carnagey, agosto de 1919: tudo DCA. DC delineou sua função vários anos depois em carta ao professor A. B. Williamson, 2 de fevereiro de 1925, DCA.

245. DC para Amanda Carnagey, agosto de 1919; DC para a família Carnagie, sem data, outono de 1919; DC para Amanda Carnagey, 27 de janeiro de 1920; e DC para Amanda e James Carnagey, 12 de Março de 1920: tudo DCA.

246. DC para Amanda e James Carnagey, dezembro de 1920; DC para Amanda Carnagey, agosto de 1919; e DC para Amanda e James Carnagey, 12 de março de 1920: tudo DCA.

247. Hodgson, *Lawrence of Arabia and American Culture,* 41; DC, fragmento

autobiográfico, DCA; e DC para Amanda e James Carnagey, 14 de maio de 1920, DCA.

248. DC para Amanda e James Carnagey, 26 de maio de 1920, DCA; e Harriman, "He Sells Hope," 33.

249. Thomas, *Good Evening Everybody*, 219.

250. DC para Amanda e James Carnagey, dezembro de 1920, DCA.

251. Ibidem; DC para o Professor A. B. Williamson, 2 de fevereiro de 1925; e panfleto de *The Ross Smith Flight: From England to Australia*: tudo DCA.

252. "Dale Carnagie Married," *Belton Herald*, 4 de agosto de 1921; *e Casamentos Registrados em Julho, Agosto e Setembro de 1921, England and Wales, Marriage Index: 1916-2005*, disponível em ancestry.com.

253. Lolita B. Carnagie, pedido de passaporte em Roma, 10 de maio de 1922, *U.S. Passport Applications, 1795-1925*, disponível em Ancestry.com; National Archives *and Records Administration; Charles C. Harris, 1900 United States Federal Census, disponível em Ancestry.com; e 1910 United States Federal Census, disponível em Ancestry.com.*

254. "Dale Carnagie Married"; Charles C. Harris, 1920 United States Federal Census, disponível em Ancestry.com; Lolita Carnagie, pedido de passaporte; e Dorothy Carnegie, entrevista gravada em vídeo, 1996, DCA, que relatou fatos a respeito do primeiro casamento de seu marido baseada em conversas com ele.

255. Vários postais, fotografias e cartas de DC para seus pais durante a década de 1920, DCA.

256. "Interesting News Received from Mr. Dale Carnagie," *Belton Herald*, 10 de fevereiro de 1922; Lolita Carnagie, pedido de passaporte; e DC, "Dale Carnagie, Spending Summer in Europe, Writes of Life There," *Maryville Tribune*, 22 de outubro de 1922.

257. DC, "Daniel Eversole Is More Impressive Than Cuno," *Maryville Democrat Forum*, 25 de setembro de 1923; DC, *Public Speaking: A Practical Course for Business Men* (Nova York: Association Press, 1926), 174-75; e cartão-postal sem data, DCA.

258. Série de cartões-postais sem data, DCA; DC, "Dale Carnagie Says Nodaway County Girls Would Charm Heart of Iron Man," *Maryville*

Democrat-Forum, 13 de novembro de 1924; e DC, "Letters to My Daughter" (janeiro de 1952-1955), 20–21, DCA.

259. DC, "Dale Carnagie Says Nodaway County Girls Would Charm".

260. "Life in Bedison Is More Thrilling than in Paris," recorte de jornal datado a mão: "18 de outubro de 1924," sem citação, DCA; DC, "Dale Carnagie Says Nodaway County Girls Would Charm"; e carta de DC para ele mesmo, sem data, mas provavelmente escrita no fim da década de 1920, DCA.

261. DC, "Dale Carnagie, Spending Summer in Europe"; DC para Amanda e James Carnagey, dezembro de 1920, DCA; Thomas H. Nelson para Percy Peixotto em Paris, sem data, DCA; "Would You Like to Speak in Public? Learn to Think When on Your Feet," *New York Herald* (edição europeia: Paris), 25 de novembro de 1924; e DC para o prof. A. B. Williamson, 2 de fevereiro de 1925, DCA.

262. *Carnagie Shepherd Breeding and Training Farm*, panfleto sem data, DCA; e James Carnagey, anúncio de encerramento, sem data, mas refere-se a seu aniversário de 74 anos, em janeiro de 1926, obviamente escrito por DC, DCA. Os DCA também têm cerca de uma dúzia de fotografias de pastores alemães com escritos de Lolita no verso.

263. Charles Kemp e Edward Claflin, *Dale Carnegie: The Man Who Influenced Millions* (Nova York, 1989), 128; DC, arquivo "Damned Fool Things I Have Done", 31 de dezembro de 1927, e entrada sem data, DCA.

264. DC, arquivo "Damned Fool Things I Have Done", 9 de dezembro de 1927; DC, "Dale Carnagie, Spending Summer in Europe"; e cartão-postal sem data, DCA.

265. Harriman, "He Sells Hope," 33-34; e DC, *Lincoln, Esse Desconhecido* (São Paulo: Ed. Nacional, 1966).

266. DC, *Lincoln, Esse Desconhecido* (São Paulo: Ed. Nacional, 1966).

267. Lolita Carnegie para DC, 16 de março de 1932, DCA. DC solicitou um passaporte em 5 de janeiro de 1928 e passou algum tempo nesse ano viajando por Alemanha, Suíça, Noruega e França com Lolita. Os registros mostram que em 5 de outubro ele partiu de Cherbourg, França, para Nova York, sozinho.

268. "Dale Carnagie Entering Rank of Writing Celebrities," *Maryville Democrat Forum*, 6 de dezembro de 1914.

269. DC, *Como Fazer Amigos e Influenciar Pessoas* (São Paulo: Ed. Nacional, 2012) e DC, *Como Evitar Preocupações e Começar a Viver* (São Paulo: Ed. Nacional, 2005).

270. "Dale Carnagie Entering Rank of Writing Celebrities"; DC, "Daniel Eversole Is More Impressive Than Cuno"; e DC, "Dale Carnagie Says Nodaway County Girls Would Charm."

271. Malcolm Cowley, *Exiles Return: A Literary Odyssey* (Nova York, 1975 [1934]), 9. Para análises inspiradoras da Geração Perdida de escritores, veja também Craig Monk, *Writing the Lost Generation: Expatriate Autobiography and American Modernism* (Iowa City, 2008), e uma abordagem mais antiga por Alfred Kazin, "Into the Thirties: All the Lost Generations," em seu *A Força da Terra: Uma Interpretação da Moderna Prosa Norte-Americana*, Belo Horizonte, Editora Itatiaia, 1962).

272. Veja Carl Van Doren, *Contemporary American Novelists, 1900–1920* (Nova York, 1922), 146; e Kazin, "O Novo Realismo: Sherwood Anderson e Sinclair Lewis," in *A Força da Terra*.

273. "All That I Have (Tudo Que Eu Tenho)" manuscrito não publicado, DCA.

274. Ibidem, 3, 4, 31-32.

275. Ibidem, 101-2.

276. Ibidem, 183-84.

277. Ibidem, 20-21, 100.

278. Ibidem, 10-12.

279. Ibidem, 38, 88.

280. DC, "Former Nodaway Countian, Now Writer, Declares He Still Knows His ABC's," *Maryville Democrat-Forum*, outubro de 1925; esboço de "Romance do Armistício", DCA; recortes de DC a respeito de escrever, DCA. 2 Ibidem, 54, 68-69, 42-43, 34, 126, 160, 179, 98, 160, 190.

281. DC, *Como Evitar Preocupações*.

282. Ibidem; e DC, "Letters to My Daughter," 21.

283. DC para Amanda e James Carnagey, 14 de maio de 1920, DCA; DC

para Amanda e James Carnagey, 26 de maio de 1920, DCA; e DC, "Dale Carnagie Says Nodaway Girls Would Charm."

8. Negócios e autorregulamentação

284. DC, *Como Fazer Amigos e Influenciar Pessoas* (São Paulo: Ed. Nacional, 2012).

285. Ibidem.

286. DC, "Dale Carnagie Says Nodaway County Girls Would Charm Heart of Iron Man," *Maryville Democrat-Forum*, 13 de novembro de 1924; DC, "Former Nodaway Countian, Now Writer, Declares He Still Knows His ABC's," *Maryville Democrat-Forum*, outubro de 1925; e DC, *Public Speaking: A Practical Course for Business Men* (Nova York: Association Press, 1926).

287. Margaret Case Harriman, "He Sells Hope," *The Saturday Evening Post* (31 de agosto de 1937): 36; e Adolph E. Meyer, "How Dale Carnegie Made Friends, Etc.," *The American Mercury* (julho de 1943): 44.

288. Harriman, "He Sells Hope," 36.

289. DC ao prof. A. B. Williamson, 2 de fevereiro de 1925; William F. Hirsch, secretário-executivo das Escolas Associação Cristã de Moços, para DC, 2 de dezembro de 1920; e DC para Hirsch, 8 de janeiro de 1921: tudo DCA.

290. DC, "Dale Carnagie, Spending Summer in Europe, Writes of Life There," *Maryville Tribune*, 10 de outubro de 1922.

291. DC, *Public Speaking: A Practical Course*, 201, 37, 38-40, 153-54, 175.

292. Ibidem, 7-9.

293. Coolidge citado em William Allen White, *A Puritan in Babylon* (Nova York, 1938), 253, e em James Prothro, *The Dollar Decade* (Nova York, 1954), 224.

294. Ford citado em Steven Watts, *The People's Tycoon: Henry Ford and the American Century* (Nova York, 2005), 120-22. Para um sumário da prosperidade nos anos 1920, veja Paul Boyer et al., *The Enduring Vision: A History of the American People* (Lexington, MA, 1996), 772-73.

295. William Leach, *Land of Desire: Merchants, Power, and the Rise of a New American Culture* (Nova York, 1988), xiii-xiv. Dentre a volumosa literatura sobre o novo consumismo, veja também Warren I. Susman, *Culture as History: The Transformation of American Society in the Twentieth Century* (Nova York, 1984), e Daniel Horowitz, *The Morality of Spending: Attitudes Toward the Consumer Society in America, 1875-1950* (Baltimore, 1985). Sobre economia doméstica, veja Bettina Berch, "Scientific Management in the Home: The Empress's New Clothes," *Journal of American Culture* (outono de 1980): 440–45, e Glenna Matthews, "The Housewife and the Home Economist," em seu *Just a Housewife: The Rise and Fall of Domesticity in America* (Nova York, 1987), 145-71.

296. Ellis Hawley, *The Great War and the Search for a Modern Order* (Nova York, 1979), v, 80, 99; Kim McQuaid, "Corporate Liberalism in the American Business Community, 1920-1940," *Business History Review* (outono de 1978): 342-68; e Leach, *Land of Desire*.

297. DC, *Public Speaking: The Standard Course of the United Y.M.C.A. Schools* (Nova York, 1920), Book III, 16, 19, e Book IV, 69-71, 72; and *Public Speaking and Self-Confidence*, panfleto de publicidade de 1917, DCA.

298. DC para prof. A. B. Williamson, 2 de fevereiro de 1925, DCA.

299. DC, *Public Speaking: A Practical Course*, 3-5, 12.

300. Ibidem, 31, 228.

301. Ibidem, 31, 172-73.

302. Ibidem, 47, 82, 332, 395-96.

303. Ibidem, 134, 166, 192.

304. Ibidem, 401-2.

305. Ibidem, 48-49.

306. Ibidem, 247, 37.

307. Susman, *Culture as History*, 274, 280.

308. Olivier Zunz, *Making America Corporate, 1870-1920* (Chicago, 1990), 201-2. Veja também, em uma vasta literatura sobre "síntese organizacional", Alfred D. Chandler, *The Visible Hand: The Managerial Revolution in American Business* (Cambridge, 1977); Richard R. John, "Elaborations, Revisions, Dissents: Alfred D. Chandler, Jr.'s *The Visible Hand*

After Twenty Years", *Business History Review* (verão de 1997): 151-200; e Louis Galambos, "Technology, Political Economy, and Professionalization: Central Themes of the Organizational Synthesis," *Business History Review* (inverno de 1983): 471-93.

309. DC, "How Businessmen Are Acquiring Self-Confidence and Convincing Speech," Suplemento ao sumário B-15 — Oratória, Associação Cristã de Moços, 15 de outubro de 1919, DCA; e DC, *Public Speaking: The Standard Course*, Book IV, 66-67, 85-87.

310. DC, *Public Speaking: A Practical Course*, 143–44.

311. Ibidem.

312. Ibidem.

313. Ibidem.

314. Ibidem.

315. Richard Weiss, *The American Myth of Success: From Horatio Alger to Norman Vincent Peale* (Urbana, IL, 1988), 196; e DC, *Public Speaking: A Practical Course*.

316. DC, *Public Speaking: A Practical Course*.

317. Ibidem.

318. Ibidem.

319. Coolidge citado em Frank Presbrey, *The History and Development of Advertising* (Nova York, 1929).

320. DC, *Public Speaking: A Practical Course*, 470, 387.

321. Bruce Barton, *The Man Nobody Knows* (Nova York, 2000 [1925]). Para uma análise excepcional de Barton e da nova cultura da personalidade, veja T. J. Jackson Lears, "From Salvation to Self-Realization: Advertising and the Therapeutic Roots of the Consumer Culture, 1880-1930," em Richard Wrightman Fox e T. J. Jackson Lears, eds., *The Culture of Consumption: Critical Essays in American History, 1880-1980* (Nova York, 1983), 3-38, principalmente págs. 29-38.

322. DC, *Public Speaking: A Practical Course*.

323. Veja, entre outros, dois livros que sugerem esse paradigma interpretativo: John G. Cawelti, *Apostles of the Self-Made Man* (Chicago, 1965), e Judy Hilkey, *Character Is Capital: Success Manuals and Manhood in*

Gilded Age America (Chapel Hill, NC, 1997).

324. Registros citados aqui e nos próximos parágrafos são todos do arquivo "Coisas idiotas que eu fiz", DCA.

325. DC, *Public Speaking: A Practical Course.*

326. *O que um curso de oratória pode fazer por mim?*, panfleto publicitário de 1930, DCA.

327. "O Clube de Engenheiros de Filadélfia: Veja como engenheiros de Nova York e Filadélfia lucraram com o Curso Dale Carnegie", anúncio de 1930, DCA.

328. DC, "Por que um bancário deve estudar oratória," *Boletim do Instituto Americano de Bancos* (janeiro de 1927).

329. Veja os seguintes episódios de "Como eles chegaram lá" na *American Magazine*: (setembro de 1929): 88, 174; (outubro de 1929): 78, 192; (dezembro de 1929): 73; (janeiro de 1930): 144; (abril de 1930): 208; (maio de 1930): 204; (julho de 1930): 82, 94, 124; e (janeiro de 1931): 80. Para um breve perfil de Albert T. Reid, veja o site da Sociedade Histórica do Kansas, disponível em Kansapedia: kshs.org/kansapedia/albert-t-reid/12182.

330. "Como eles chegaram lá," *American Magazine* (novembro de 1929): 80.

9. "Faça aquilo de que tem medo"

331. Para estatísticas quanto ao impacto da Grande Depressão, veja Robert L. Heilbroner, *The Economic Transformation of America* (Nova York, 1977), 179, 185.

332. Rosemary Crom, ed., *Dale Carnegie—As Others Saw Him* (Garden City, NY: D. Carnegie, 1987), 10, 12; DC a Homer Croy, 15 de setembro de 1931, Homer Croy Papers, State Historical Society of Missouri; e a triste história de Homer Croy em DC, *Como Evitar Preocupações e Começar a Viver* (São Paulo: Ed. Nacional, 2005).

333. Veja as lembranças de Abbie Connell em Crom, *Dale Carnegie*, 25; e DC para Amanda e James Carnagey, 31 de dezembro de 1930, DCA.

334. Veja os ensaios de Warren I. Susman em seu *Culture as History: The Transformation of American Society in the Twentieth Century* (Nova

York, 1984), em particular "Culture and Commitment," 196-98, e "The Culture of the Thirties," 154, 164.

335. Para uma análise concisa do primeiro discurso inaugural de FDR, veja David M. Kennedy, *Freedom from Fear: The American People in Depression and War, 1929-1945* (Nova York, 1999), 133-34.

336. DC, "Grab Your Bootstraps," *Collier's* (5 de março de 1938): 14–15.

337. Ibidem.

338. Veja as lembranças de DC na China em Crom, *Dale Carnegie as Others Saw Him*, 25; e DC, "Grab Your Bootstraps", onde ele reitera sua visão sobre esse país e a Grande Depressão dos EUA.

339. DC, *The Dale Carnegie Course in Effective Speaking and Influencing Men in Business*, 1934.

340. DC para Lowell Thomas, 21 de maio de 1934, Lowell Thomas Papers, Marist College Archives and Special Collections; "How to Increase Your Income and Develop Leadership," anúncio de página inteira do Curso Carnegie, 1932-1935, DCA; e DC, *Topics for Talks and Schedule of Sessions: Dale Carnegie Course*, 1934.

341. DC, *Topics for Talks*.

342. Ibidem.

343. John Janney, "Can You Think Fast on Your Feet?," *American Magazine* (janeiro de 1932).

344. "How to Increase Your Income and Develop Leadership"; "Are You Strangled by Fear?," anúncio de página inteira do Curso Dale Carnegie de como Falar com Eficácia e Influenciar os Homens nos Negócios, *Newsweek* (17 de agosto de 1935); e Margaret Case Harriman, "He Sells Hope," *The Saturday Evening Post* (14 de agosto de 1937).

345. *What Can I Get Out of This Course in Effective Speaking? 11 of Your Questions Answered by Dale Carnegie*, panfleto promocional do início dos anos 1930, DCA; "How to Increase Your Income and Develop Leadership"; *What Can a Course in Public Speaking Do for Me?*, panfleto promocional de 1930, DC, "We Have with Us Tonight," *Reader's Digest* (novembro de 1936); e Janney, "Can You Think Fast on Your Feet?".

346. "How to Increase Your Income and Develop Leadership"; *What Can*

I Get Out of This Course in Effective Speaking?; *What Can a Course in Public Speaking Do for Me?*; DC, *The Dale Carnegie Course in Effective Speaking*; e carta de endosso de H. B. Le Quatte, vice-presidente do Advertising Club de Nova York, para homens de negócios de Nova York, 1933, DCA.

347. Harriman, "He Sells Hope"; Janney, "Can You Think Fast on Your Feet?"; e introdução de Lowell Thomas em DC, *Public Speaking and Influencing Men in Business* (Nova York, 1953 [1926]).

348. DC, *Lincoln, Esse Desconhecido* (São Paulo: Ed. Nacional, 1966).

349. Homer Croy para DC, 7 de abril de 1931, Homer Cory Papers, Sociedade Histórica Estadual do Missouri; e DC, *Lincoln, Esse Desconhecido*.

350. DC, *Lincoln, Esse Desconhecido*.

351. Ibidem.

352. Ibidem.

353. Ibidem.

354. Ibidem.

355. Ibidem.

356. Susman, "Culture and Commitment," 192, 199.

357. A respeito de "Populismo sentimental", veja Watts, *The Magic Kingdom: Walt Disney and the American Way of Life* (Boston, 1997), 63-100, e Watts, *The People's Tycoon: Henry Ford and the American Century* (Nova York, 2005), 401-26. Outras análises do populismo dos anos 1930 incluem Alan Brinkley, *Voices of Protest: Huey Long, Father Coughlin, and the Great Depression* (Nova York, 1982), e Erika Doss, *Benton, Pollock, and the Politics of Modernism: From Regionalism to Abstract Expressionism* (Chicago, 1991). A citação é de Susman, "Culture and Commitment," 205.

358. Gertrude Emerick, "Dale Carnegie: The Man Who Made an Adventure of Knowing Lincoln," *Brooklyn Eagle*, 9 de janeiro de 1936; e DC, *Lincoln, Esse Desconhecido*. Quanto à reconstrução de Nova Salem, veja Benjamin Thomas, *Lincoln's New Salem* (Springfield, IL, 1934), em especial o capítulo 3.

359. DC, *Lincoln, Esse Desconhecido* (São Paulo: Ed. Nacional, 1966).

360. Ibidem.

361. "Dale Carnegie to Be Heard in Air Talks," recorte de jornal, agosto de 1933, DCA; e Luther F. Sies, *Encyclopedia of American Radio, 1920-1960* (Jefferson, NC, 2000), 335.

362. DC para Lowell Thomas, 26 de agosto de 1934, Lowell Thomas Papers, Marist College Archives e Special Collections; Samuel C. Croot Advertising Company para Lowell Thomas, 7 de julho de1933, Lowell Thomas Papers, Marist College, Archives and Special Collections; e DC, *Little Known Facts About Well Known People* (Nova York, 1934), 115.

363. DC para Lowell Thomas, 28 de agosto de 1933, Lowell Thomas Papers, Marist College Archives and Special Collections; e J. R. Bolton, gerente do Advertising Club e Nova York, para DC, 23 de agosto de 1933, DCA.

364. DC, "Letters to My Daughter" (janeiro de 1952-1955), 82; e "NBC Personalities — Dale Carnegie," 16 de setembro de 1934, DCA.

365. "Carnegie Says Radio Hardest," *Lawrence Telegram*, 10 de março de 1937; e Jo Ransom, "Wherein Dale Carnegie of Forest Hills Discusses Merits of Certain News Commentators," *Brooklyn Daily Eagle*, 28 de março de 1937.

366. As transcrições desse programa de rádio não sobreviveram, de modo que os exemplos foram citados do livro, que os reunia e publicava em versão levemente revisada. Veja DC, *Little Known Facts About Well Known People*, 213, 189, 57, 77, 81.

367. DC, *Public Speaking: A Practical Course for Business Men* (Nova York, 1926), 428; e Ransom, "Wherein Dale Carnegie of Forest Hills Discusses Merits of Certain News Commentators."

368. DC, *Little Known Facts About Well Known People*, 199, 228, 65, 105-7; e Daniel Boorstin, *The Image, or What Happened to the American Dream* (Nova York, 1962), 57.

369. DC para Homer Croy em 14 e 19 de dezembro de 1933, e em 31 de maio de 1934, Homer Croy Papers, State Historical Society of Missouri.

370. Maury Klein, "Laughing Through Tears: Hollywood Answers to the Depression," em Steven Mintz and Randy Roberts, eds., *Hollywood's America: Unites States History Through Its Films* (Nova York, 2008), 87; e

Andrew Bergman, *We're in the Money: Depression America and Its Films* (Nova York, 1972), xvi, 167-68. Veja também Karen Sternheimer, *Celebrity Culture and the American Dream: Stardom and Social Mobility* (Nova York, 2011), principalmente "Pull Yourself Up by Your Bootstraps: Personal Failure and the Great Depression," 72-94; e C. David Heymann, *Poor Little Rich Girl* (Nova York, 1983).

371. Sies, *Encyclopedia of American Radio, 1920-1960*, 335; "Little Known Facts About Well Known People," *New York Journal*, sem data, DCA; "Little Known Facts About Well Known People," Redding, California, *Courier Free Press*, sem data, DCA; e "Biography by Radio," *New York Herald Tribune*, 24 de novembro de 1934.

372. Promoção da NBC Artists Services, incluída em DC, *The Dale Carnegie Course in Effective Speaking*, 36; e "NBC Personalities — Dale Carnegie."

10. "Homens e mulheres famintos por autoaperfeiçoamento"

373. Lolita Baucaire para DC, 16 de Março, 1932; Lolita Baucaire para DC por ocasião da morte de Amanda Carnagey's em 1939; e Dorothy Carnegie, entrevista em videotape, 1996: tudo DCA.

374. Amanda Carnagey para DC, 10 de agosto de 1931; e DC, "Letters to My Daughter" (janeiro de 1952-1955), 9-10: tudo DCA.

375. "Leon Shimkin, Guiding Force at Simon & Schuster, Dies at 81," *The New York Times*, 26 de maio de 1988; e entrevista com Leon Shimkin, 26 de maio de 1967, em Rosemary F. Carroll, "The Impact of the Great Depression on American Attitudes Toward Success: A Study of the Programs of Norman Vincent Peale, Dale Carnegie, and Johnson O'Connor" (dissertação de doutorado, Universidade Rutgers, 1968), 102-3.

376. Lembranças de Leon Shimkin em Rosemary Crom, ed., *Dale Carnegie—As Others Saw Him* (Garden City, NY: D. Carnegie, 1987), 25; e entrevista de Shimkin em Carroll, "The Impact of the Great Depression," 103.

377. Harold B. Clemenko, "He Sells Success," *Look* (25 de maio de 1948): 62; Homer Croy, "The Success Factory," *Esquire* (junho de 1937): 239; e DC, *Topics for Talks and Schedule of Sessions: Dale Carnegie Course*, 1934, 17.

378. DC, "Notes for an Autobiography," início dos anos 1950, DCA.

379. O anúncio e o cupom foram incluídos em uma promoção especial da Simon and Schuster na *Publishers Weekly (23 de janeiro de 1937)*. Veja também a discussão do anúncio de Schwab em Julian L. Watkins, *The One Hundred Greatest Advertisements: Who Wrote Them and What They Did* (Nova York, 1959), 92-93; e "*How to Win Friends and Influence People* Campaign," disponível em www.dalecarnegie.com.

380. Anúncio da Simon and Schuster, *Publishers Weekly*, 2; Margaret Case Harriman, "He Sells Hope," *The Saturday Evening Post* (14 de agosto de 1937): 33; 4.520.000 exemplares vendidos da edição em capa dura de 1949 de DC, *How to Win Friends and Influence People* (Nova York, 1949); e "Dale Carnegie: The Man Who Succeeded by Preaching Success," *Look* (21 de dezembro de 1937): 41. Schwab explicou a campanha bem-sucedida do livro em "An Ad That Sold a Million Books," *Printers' Week Monthly* (novembro de 1939): 50-52.

381. DC, "Notes for an Autobiography"; lembranças de Shimkin em Crom, *Dale Carnegie*, 25; e DC citado em Clemenko, "He Sells Success," 62.

382. DC, *Como Fazer Amigos e Influenciar Pessoas* (São Paulo: Ed. Nacional, 2012); e Harriman, "He Sells Hope," 12, 33.

383. DC, *Como Fazer Amigos e Influenciar Pessoas* (São Paulo: Ed. Nacional, 2012).

384. Ibidem.

385. Ibidem.

386. Ibidem.

387. Ibidem.

388. Ibidem.

389. Ibidem.

390. Ibidem.

391. Entrevistas de Terkel citadas em Warren I. Susman, *Culture as History: The Transformation of American Society in the Twentieth Century* (Nova York, 1984), 194-95.

392. Steven Watts, *The Magic Kingdom: Walt Disney and the American Way of Life* (New York, 1997), 69-82.

393. Susman, *Culture as History*, 154-60; e Roosevelt citado em Andrew

Bergman, *We're in the Money: Depression America and Its Films* (Nova York, 1971), 167.

394. DC, *Como Fazer Amigos e Influenciar Pessoas* (São Paulo: Ed. Nacional, 2012).

395. William A. H. Bernie, "Popularity, Incorporated," *New York World-Telegram Weekend Magazine* (27 de fevereiro de 1937); e Harriman, "He Sells Hope," 12.

396. A respeito de outros escritores de autoajuda dos anos 1930, veja Carroll, "The Impact of the Great Depression".

397. DC, "How They Got That Way: Charles Schwab, Foremost Living Steel Magnate," *American Magazine* (novembro de 1929): 80. Veja também Kenneth Warren, *Industrial Genius: The Working Life of Charles Michael Schwab* (Pittsburgh, 2007).

398. DC, *Como Fazer Amigos e Influenciar Pessoas* (São Paulo: Ed. Nacional, 2012).

399. Ibidem.

400. T. J. Jackson Lears, "From Salvation to Self-Realization: Advertising and the Therapeutic Roots of the Consumer Culture, 1880-1930," in Richard Wrightman Fox e T. J. Jackson Lears, eds., *The Culture of Consumption: Critical Essays in American History, 1880-1980* (Nova York, 1983), 8; and DC, *Public Speaking: A Practical Course for Business Men* (Nova York: Association Press, 1926), 225.

401. DC, *Como Fazer Amigos e Influenciar Pessoas* (São Paulo: Ed. Nacional, 2012).

402. Ibidem.

403. DC, *Public Speaking: A Practical Course*, 228-29.

404. DC, *Como Fazer Amigos*; e anúncio de *Como Fazer Amigos na Publishers Weekly* (23 de janeiro de 1937).

405. DC, *Como Fazer Amigos*.

406. Ibidem.

407. Ibidem.

11. "Estamos lidando com criaturas emotivas"

408. DC, *Como Fazer Amigos e Influenciar Pessoas* (São Paulo: Ed. Nacional, 2012); "How to Get Along with People," *The Literary Digest* (21 de novembro de 1936): 28; e Homer Croy, "The Success Factory," *Esquire* (junho de 1937): 112.

409. DC, *Como Fazer Amigos e Influenciar Pessoas* (São Paulo: Ed. Nacional, 2012).

410. Philip Rieff, *Freud: The Mind of the Moralist* (Chicago, 1979 [1959]), 356-57.

411. *What Can I Get Out of This Course in Effective Speaking? 11 of Your Questions Answered by Dale Carnegie*, panfleto promocional do início da década de 1930, 5, 12; "Admit Two: First Session of the Dale Carnegie Course," panfleto promocional, 1933; e "How to Increase Your Income and Develop Leadership," anúncio de página inteira do curso Carnegie em jornal, 1932-1935: tudo DCA.

412. Veja a lista de associados psicológicos de DC em William A. H. Bernie, "Popularity, Incorporated," *New York World-Telegram Weekend Magazine* (27 de fevereiro de 1937), e em Croy, "The Success Factory," 239.

413. Harry A. Overstreet, *Influencing Human Behavior* (Nova York, 1925), vii, 43; e resenha de Eduard C. Lindeman, "Psychology Put to Work," *The New Republic* (26 de maio de 1926): 40-41.

414. Overstreet, *Influencing Human Behavior*, 2, 3, 4, 17-18, 45-46.

415. Ibid., 44, 49, 69.

416. DC, arquivo "Coisas Idiotas que Eu Fiz", 1928, DCA, que também cita o artigo "Remodeling Wives and Husbands," *McCall's* (agosto de 1928). O papel de Overstreet como palestrante do Curso Carnegie é relatado em Croy, "The Success Factory," 239, enquanto seu impacto em Dale é confirmado por Richard M. Huber, que escreveu "Perhaps the most important influence was H. A. Overstreet's *Influencing Human Behavior* (1925), que contém a maioria dos princípios de psicologia aplicada propostos por Dale em seu livro": veja Richard M. Huber, *The American Idea of Success* (Nova York, 1971), 235.

417. A respeito da vida e carreira de Link, veja Richard S. Tedlow, "Essay

on Industrial Psychologist Henry C. Link," em *Dictionary of American Biography* (Nova York, 1977), 433-34; Donald Meyer, *The Positive Thinkers: A Study of the American Quest for Health, Wealth, and Personal Power from Mary Baker Eddy to Norman Vincent Peale* (Garden City, NY, 1966), 224-30; e Frank Goble, *The Third Force: The Psychology of Abraham Maslow* (Nova York, 1970), 149-51. O papel de Link também é comentado em Paul S. Achilles, "The Role of the Psychological Corporation in Applied Psychology," *American Journal of Psychology* (novembro de 1937): 229-47.

418. Henry C. Link, *The Return to Religion* (Nova York, 1936), 89, 11, 13, 69, 70. Veja também Meyer, *Positive Thinkers, 226*.

419. Link, *Return to Religion, 39-40, 49, 33-34*.

420. A atuação de Link como palestrante especial no Curso Carnegie é mencionada em Croy, "The Success Factory," 239; e DC, *Como Fazer Amigos*, 66.

421. Vash Young, *A Fortune to Share* (Indianapolis, 1931), 20-21, 35, 49, 77, 85, 46-47.

422. Vash Young, *The Go-Giver: A Better Way of Getting Along in Life* (Nova York, 1934), 15-16, 39-40, 18.

423. Ibidem, 18, 244.

424. DC, *Como Fazer Amigos*; e Young, *The Go-Giver*, 241.

425. Veja Arthur Frank Payne, *Methods of Teaching Industrial Subjects: A Companion Volume to Administration of Vocational Education and Organization of Vocational Guidance* (Nova York, 1926); e Arthur Frank Payne, "The Scientific Selection of Men," *Scientific Monthly* (julho-dezembro de 1920): 544-47.

426. Veja Arthur Frank Payne, *My Parents: Friends or Enemies* (Nova York, 1932). Quanto ao trabalho de Payne no rádio, veja Peter J. Behrens, "Psychology Takes to the Airways: American Radio Psychology Between the Wars, 1926–1939," *American Sociologist* (2009): 214-27; a participação de Payne no Curso Carnegie é citada em Bernie, "Popularity, Incorporated."

427. Para informações sobre o início de carreira de Bisch, veja dossiers.net/louis-e-bisch/; Louis E. Bisch, "Science and the Criminal," *Popular*

Science Monthly (abril de 1916): 555-58; e Burns Mantle, *The Best Plays of 1924-1925* (Nova York, 1926).

428. Veja de Louis E. Bisch: "Defense Barrier Is a Sign of Weakness," *Mansfield News*, 17 de setembro de 1928; "Successful Men's Sons Often Failures," *Kokomo Tribune*, 23 de abril de 1928; e "The Relationship of the Inferiority Complex to Orthodontia," *Dental Cosmos* (julho de 1928): 697-98. Para outros artigos de Bisch, veja "Psycho-Analyzing the Hollywood Divorce Epidemic," *Screen Book* (outubro de 1933); "Psychiatry and Advertising: Why Copy Should Appeal to Human Emotions," *Printers' Ink* (6 de janeiro de 1938); "Turn Your Sickness into an Asset," *Reader's Digest* (novembro de 1937); "Have All Actors an Inferiority Complex?," *Photoplay* (agosto de 1927); e "Why Hollywood Scandals Fascinate Us," *Photoplay* (janeiro de 1930).

429. Louis E. Bisch, *Be Glad You're Neurotic* (Nova York, 1936), 5-13.

430. Ibidem, 55, 60, 223, 230. A participação de Bisch no Curso Carnegie é citada em Croy, "The Success Factory," 239.

431. DC, *Como Fazer Amigos*.

432. Ibidem.

433. Ibidem.

434. Ibidem.

435. Ibidem.

436. Ibidem.

437. A respeito de Peale, veja Carol V. R. George, *God's Salesman: Norman Vincent Peale and the Power of Positive Thinking* (Nova York, 1993), 88-93; Huber, *The American Idea of Success*, 315-25; e Meyer, *Positive Thinkers*, 239-75.

438. Napoleon Hill, *Quem Pensa Enriquece (São Paulo: Fundamento, 2009)*. Para conhecer vida e carreira de Hill, veja John G. Cawelti, *Apostles of the Self-Made Man* (Chicago, 1988 [1965]), 209-18, e J. M. Emmert, "The Story of Napoleon Hill," *Success Magazine* (6 de janeiro de 2009).

439. Para dois bons estudos de Adler que examinam tanto sua vida quanto suas ideias, veja Josef Rattner, *Alfred Adler (Nova York, 1983), e Manes Sperber, Masks of Loneliness: Alfred Adler in Perspective* (Nova York,

1974). Para um estudo mais crítico de Adler, veja Russell Jacoby, *Social Amnesia: A Critique of Conformist Psychology from Adler to Laing* (Boston, 1975), 21-40.

440. Veja Susan Quinn, *A Mind of Her Own: The Life of Karen Horney* (Nova York, 1987).

441. Nathan G. Hale Jr., *The Rise and Crisis of Psychoanalysis in the United States: Freud and the Americans, 1917-1985* (Nova York, 1995), 139; Warren I. Susman, *Culture as History: The Transformation of American Society in the Twentieth Century* (New York, 1984), 166, 203; e Richard H. Pells, *Radical Visions and American Dreams: Culture and Social Thought in the Great Depression* (Nova York, 1973), 114. Eli Zaretsky, em *Secrets of the Soul: A Social and Cultural History of Psychoanalysis* (Nova York, 2004), 208-11, defende uma leitura mais radical de Horney enquanto feminista e defensora do esquerdismo da Frente Popular.

442. Hale, *Rise and Crisis of Psychoanalysis*, 173, 139. Para uma boa biografia de Sullivan, veja Helen Swick Perry, *Psychiatrist of America: The Life of Harry Stack Sullivan* (Cambridge, MA, 1982).

443. Veja Christopher Lasch, *Haven in Heartless World: The Family Besieged* (Nova York, 1977), 75; e Hale, *Rise and Crisis of Psychoanalysis*, 175-76. Para uma crítica da "psicologia de relações interpessoais" de Sullivan como referência na transformação americana da "psicanálise em um culto de saúde e realização pessoal", veja Christopher Lasch, *The Minimal Self: Psychic Survival in Troubled Times* (Nova York, 1984), 209-10. Ralph M. Crowley trata do uso da autoestima por Sullivan em "Harry Stack Sullivan as Social Critic," *Journal of the American Academy of Psychoanalysis* (1981), 211-26.

444. Pells, *Radical Visions and American Dreams*, 113-14; Zaretsky, *Secrets of the Soul*, 278-79; e Richard Gillespie, *Manufactured Knowledge: A History of the Hawthorne Experiments* (Cambridge, MA, 1991).

445. Susman, *Culture as History*, 166.

446. DC, *Como Fazer Amigos*.

447. Ibidem.

448. Ibidem.

449. Ibidem.

450. Susman, *Culture as History,* 200.

451. DC, *Topics for Talks and Schedule of Sessions: Dale Carnegie Course,* 1934, 39; e DC, *The Dale Carnegie Course in Effective Speaking and Influencing Men in Business,* 1934, 9.

452. Bernie, "Popularity, Incorporated"; e introdução de Lowell Thomas, DC, *Como fazer amigos.*

453. Jack Alexander, "A Reporter at Large: The Green Pencil," *The New Yorker* (11 de dezembro de 1937): 56, 57; "The Engineers Club of Philadelphia: Here Is How New York and Philadelphia Engineers Have Profited by Dale Carnegie's Course," anúncio de 1930, DCA; Frank Bettger, *How I Raised Myself from Failure to Success in Selling* (Nova York, 1986 [1947]), 6; Ormond Drake, manuscrito intitulado "Meeting Mr. Carnegie," 2, DCA; e testemunhos publicados em *Como Fazer Amigos,* suplemento promocional, *Publishers Weekly* (23 de janeiro de 1937), 6.

454. T. J. Jackson Lears, "From Salvation to Self-Realization: Advertising and the Therapeutic Roots of the Consumer Culture, 1880–1930," em Richard Wrightman Fox e T. J. Jackson Lears, eds., *The Culture of Consumption: Critical Essays in American History, 1880-1980* (Nova York, 1983), 4.

455. Christopher Lasch, *The Culture of Narcissism: American Life in an Age of Diminishing Expectations* (Nova York, 1978), 250, 13; Lears, "From Salvation to Self-Realization," 29; e Richard Weiss, *The American Myth of Success: From Horatio Alger to Norman Vincent Peale* (Urbana, IL, 1988), 201-2.

456. DC, *Como Fazer Amigos.*

457. Ibidem.

458. Philip Rieff, *The Triumph of the Therapeutic: The Uses of Faith After Freud* (Nova York, 1968), 3, 5, 13, 252; e Rieff, *Freud: The Mind of the Moralist,* 356-57.

12. "Cada ato que você realizou foi porque queria algo"

459. Doris Blake, "Praise Gets Results," *New York Daily News,* 14 de março de

1937; Margaret Marshall, "Columnists on Parade: Dale Carnegie," *The Nation* (19 de março de 1938): 328; e "Soft Answers," *The New York Times* (27 de fevereiro de 1937).

460. DC, perguntas e respostas com alunos do Curso Carnegie "How to Teach Effective Speaking and Human Relations," 21 de maio de 1938, 5, 3, DCA.

461. DC, *Como Fazer Amigos e Influenciar Pessoas* (São Paulo: Ed. Nacional, 2012).

462. "Funnymen," *Time* (20 de setembro de 1937).

463. Irving Tressler, *Como Perder Amigos e Aborrecer Pessoas* (Editora Assunção, 1947).

464. "Tressler, Irving Dart," *Who's Who in America* (Chicago, 1943), 2, 199; e T. J. Davis, entrevista com Anne Kendall Tressler (viúva), em teedysay.blogspot.com, acessado em 15 de agosto de 2011.

465. Tressler, *Como Perder Amigos*.

466. DC, *Como Fazer Amigos*.

467. Ibidem.

468. Ibidem.

469. "Pastor Raps Best Seller," *Brooklyn Reading Eagle*, 18 de março de 1938.

470. "Soft Answers"; Blake, "Praise Gets Results"; e James Aswell, "My New York," *Paterson Morning Call*, 12 de março de 1937.

471. James Thurber, "The Voice with the Smile," *Saturday Review of Literature* (30 de janeiro de 1937): e DC, *Como Fazer Amigos*.

472. W. W. Woodruff para Dale Carnegie, 26 de fevereiro de 1942, LPA.

473. Heywood Broun, "It Seems to Me," *Atlanta Journal* (2 de março de 1937); e William A. H. Bernie, "Popularity, Incorporated," *New York World-Telegram Weekend Magazine* (27 de fevereiro de 1937).

474. DC, *Como Fazer Amigos*.

475. Ibidem.

476. Ibidem.

477. Ibidem.

478. Ibidem.

479. Ibidem.

480. DC, "How to Teach Effective Speaking and Human Relations," 3, 4.

481. Para uma análise do surgimento do vigarista na vida americana, veja Karen Halttunen, *Confidence Men and Painted Women: A Study of Middle-Class Culture in America, 1830-1870* (New Haven, 1982). Fui influenciado por sua análise de Dale Carnegie nas páginas 208-10.

482. Sinclair Lewis, "Car-Yes-Man," *Newsweek* (15 de novembro de 1937): 31.

483. Dale Carnegie e J. Berg Esenwein, *The Art of Public Speaking* (Springfield, MA, 1915), 103-4, 263; and Bernie, "Popularity, Incorporated."

484. Tressler, *Como Perder Amigos*.

485. Ibid., 189, 180, 186. Uma série de citações mensais da *booboisie* tornou-se uma das características mais populares da coluna de Mencken no *The American Mercury*. Veja Terry Teachout, *The Skeptic: A Life of H. L. Mencken* (Nova York, 2003).

486. Lewis, "Car-Yes-Man," 31.

487. Sinclair Lewis, "One Man Revolution," *Newsweek* (22 de novembro de 1937): 33. Mark Schorer, em sua biografia *Sinclair Lewis: An American Life* (Nova York, 1961), 634, explica que Lewis incluiu sua denúncia de Dale Carnegie como o "Bardo de Babbittry" em muitas de suas palestras no final da década de 1930.

488. DC, *Como Fazer Amigos*, 13, 16, 52, 69; e "Dale's Heart Is in Nodaway," uma de suas colunas na série de jornal dos anos 1930 *Dale Carnegie's Daily Column*, sem data, DCA.

489. "Pastor Raps Best Seller."

490. Fillmore Hyde, "Your Cue," *Cue* (3 de junho de 1939): 11.

491. DC, *Como Fazer Amigos*.

492. Para uma discussão desse enfrentamento trabalhista, veja Ron Chernow, *Titan: The Life of John D. Rockefeller (Nova York, 1998)*, capítulo 29, e Thomas G. Franklin, *Killing for Coal: America's Deadliest Labor War* (Cambridge, MA, 2008).

493. DC, *Como Fazer Amigos*.

494. Ibidem.

495. Ibidem.

496. "Pastor Raps Best Seller"; e Marshall, "Columnists on Parade."

497. Lewis, "Car-Yes-Man," 31; e Marshall, "Columnists on Parade," 328.

13: "Proporcione à outra pessoa uma boa reputação para ela zelar"

498. Para as lembranças de Whiting sobre esse evento, veja William Longgood, *Talking Your Way to Success: The Story of the Dale Carnegie Course* (Nova York, 1962), 227-28

499. "Author Dale Carnegie... Knew Days of Poverty," *Akron Times-Press*, 13 de abril de 1937; e DC, "Notes for an Autobiography," início dos anos 1950, DCA.

500. "A Business Messiah," *Wichita Beacon*, 12 de outubro de 1940; "Author Dale Carnegie... Knew Days of Poverty"; e "Friend Maker Arrives" e "Dale Carnegie Demonstrates His Art of Influencing People," ambos in: *Commercial Appeal*, 13 de janeiro de 1941.

501. *Asheville Citizen*, 23 de março de 1939.

502. Margaret Case Harriman, "He Sells Hope," *The Saturday Evening Post* (4 de agosto de 1937); Homer Croy, "The Success Factory," *Esquire* (junho de 1937); "How to Win Friends... and Influence People," *Look* (abril de 1937): 34-35; "One Minute Biographies," *Look* (8 de junho de 1937): 12; e "Dale Carnegie: The Man Who Succeeded by Preaching Success," *Look* (21 de dezembro de 1937): 31-32.

503. Harold B. Clemenko, "He Sells Success," *Look* (25 de maio de 1948): 68.

504. Harriman, "He Sells Hope," 34; e Carl Anderson, *Henry: America's Funniest Youngster*, New York Daily Mirror, 13 de novembro de 1939.

505. Campanha publicitária para os cigarros Turret, DCA.

506. DC, "Notes for an Autobiography"; e lembranças de Abbie Connell em Rosemary Crom, ed., *Dale Carnegie—As Others Saw Him* (Garden City, NY: D. Carnegie, 1987), 12.

507. Luther F. Sies, *Encyclopedia of American Radio, 1920-1960* (Jefferson, NC, 2000), 148; e Giles Kemp e Edward Claflin, *Dale Carnegie: The Man Who Influenced Millions* (Nova York, 1989), 142-43.

508. Lowell Thomas e Ted Shane, *Softball! So What?* (Nova York, 1940), 98-106.

509. Ibidem.

510. Ibidem.

511. Ibidem.

512. Homer Croy para DC, 30 de março de1940, DCA; e Thomas e Shane, *Softball! So What?*, 12, 13, 137.

513. Thomas e Shane, *Softball! So What?*, 10-11.

514. DC, *Public Speaking: A Practical Course for Business Men* (Nova York: Association Press, 1926), 428; e DC, *Como Fazer Amigos e Influenciar Pessoas.*

515. DC, registro em seu diário, 24 de abril de 1939, DCA.

516. DC, "Notes for an Autobiography".

517. Ibidem.

518. DC citado em Kemp e Claflin, *Dale Carnegie, 160.*

519. DC para Homer Croy, 31 de outubro de 1938, Homer Croy Papers, State Historical Society of Missouri; Crom, *Dale Carnegie*, que também traz fotos da casa de Dale Carnegie; e entrevistas do autor com Linda Offenbach Polsby, 6-8 de junho de 2011, que recontou suas lembranças da casa de Carnegie a partir de diversas visitas em sua infância.

520. entrevista do autor com Brenda Leigh Johnson, 23 de março de 2011; e DC para Lowell Thomas, 20 de fevereiro de 1936, Lowell Thomas Papers, Marist College Archives and Special Collections.

521. DC para Amanda Canagey, 18 de fevereiro de 1938, DCA.

522. Veja Clifton Carnagie para DC, 20 de dezembro de 1939; e DC para Clifton Carnagie, 23 de dezembro de 1939: tudo DCA.

523. Veja recortes de jornal e obituários do jornal de Maryville no Livro de Recortes de Dale Carnegie, Nodaway County Historical Society; e DC para Isador e Frieda Offenbach, 8 de dezembro de 1939, LPA.

524. Recortes de jornais de 1938: livro de recortes sobre a viagem ao Japão de DC em 1939, DCA.

525. DC, anotações no diário, 11 e 12 de maio de 1939, DCA.

526. Entrevistas do autor com Polsby.

527. Ibidem. Polsby relatou o contato no cruzeiro cubano a partir de lembranças de um parente mais velho. A cópia de *Fatos Poucos Conhecidos* com a dedicatória está em seu poder.

528. Arquivo sobre a família Berkowitz/Burke disponível em ancestry.com; e entrevistas do autor com Polsby.

529. Entrevista do autor com Polsby.

530. Ibidem; e arquivo de Frieda Burke disponível em ancestry.com.

531. Entrevistas do autor com Polsby; arquivo de Isador Edmond Offenbach disponível em ancestry.com; e "Shalom (Soloman) Offenbach" disponível em familytreemaker.genealogy.com, que contém lembranças extensas de Isador Offenbach, registradas nos anos 1980, sobre a vida de seu pai e sua própria infância no início do século XX.

532. Entrevista do autor com Polsby.

533. Ibidem; e entrevista do autor com Carol Kur, 15 de dezembro de 2011.

534. Frieda Offenbach para DC, verão de 1942, DCA.

535. Anotação no diário de DC, primavera de 1939, DCA; Frieda Offenbach, "Virulence in Relation to Early Phases of the Culture Cycle," *Proceedings of the Society for Experimental Biology and Medicine* 35 (novembro de 1936): 385–86; e DC para [Linda] Dale Offenbach, 12 de julho de 1938, LPA.

536. Frieda Offenbach para DC, verão de 1942, DCA; entrevistas do autor com Polsby; DC para Frieda Offenbach, telegrama datado de 26 de agosto de 1940, LPA; e DC para Frieda Offenbach, 22 de agosto de 1940, LPA.

537. Frieda Offenbach para DC, verão de 1942; Frieda Offenbach para DC, outono de 1942; e Frieda Offenbach para DC, início do verão de 1941: tudo DCA.

538. Frieda Offenbach para DC, início do verão de 1941, DCA; DC para Frieda Offenbach, 22 de dezembro de 1939, LPA; e DC para Frieda Offenbach, 24 de novembro de 1940, LPA.

539. Fotografia de DC e Frieda Offenbach, LPA.

540. Entrevistas do autor com Polsby.

541. DC to Isador Offenbach, 20 de dezembro de, 1939, LPA.

542. DC para Miss Offenbach/Aos Cuidados da sra. Frieda Offenbach, telegrama da Western Union, 8 de junho de 1938; e DC para Linda Dale Offenbach, 12 de julho de 1938: tudo LPA.

543. DC para Linda Dale Offenbach, 8 de julho de 1939; DC para Linda Dale Offenbach, 3 de dezembro de 1939; DC para Linda Dale Offenbach, 1º de abril de 1940; DC para Linda Dale Offenbach, 6 de julho de 1940; e DC para Linda Dale Offenbach, 9 de setembro de 1940: tudo LPA.

544. DC para Linda Dale Offenbach, 8 de julho de 1939; e DC para Linda Dale Offenbach, junho de 1955: tudo LPA.

545. Entrevistas do autor com Polsby.

546. DC para Isador e Frieda Offenbach, 8 de dezembro de 1939; DC para Frieda Offenbach, 8 de setembro de 1940; DC para Linda Dale Offenbach, 1º de abril de 1940; e DC para Linda Dale Offenbach, 6 de julho de 1940: tudo LPA.

14. Encontre trabalho do qual você gosta

547. Adolph E. Meyer, "How Dale Carnegie Made Friends, Etc.," The American Mercury (julho de 1943): 40, 44–45; Collie Small, "Dale Carnegie: Man with a Message," Collier's (15 de janeiro de 1949): 36; e Harold B. Clemenko, "He Sells Success," Look (May 25, 1948): 67–68.

548. "4-Month Backbiting Moratorium Urged by Carnegie," Chattanooga Daily Times, 11 de março de 1940; "Dale Carnegie School Opens," Wichita Beacon, 14 de outubro de 1940; and "The Junior Chamber of Commerce Brings Dale Carnegie to Kansas City," anúncio, Kansas City Journal, 3 de abril de 1940.

549. DC para Presidente Franklin D. Roosevelt, 20 de maio de 1940, DCA; e Rosemary Crom, ed., Dale Carnegie—As Others Saw Him (Garden City, NY, 1987), 19.

550. Veja movies.amctv.com a respeito de *Jiggs and Maggie in Society*.

551. Veja tcm.com a respeito de *Assim Vivo Eu... (The Magnificent Dope)*.

552. David L. Cohn, *The Good Old Days: A History of American Morals and Manners as Seen Through the Sears, Roebuck Catalogs 1905 to the Present*

(Nova York, 1940), 469.

553. Jack Alexander, "A Reporter at Large: The Green Pencil," *The New Yorker* (11 de dezembro de 1937): 42.
554. Ibidem.
555. Ibidem.
556. Ibidem.
557. Ibidem; e Homer Croy, "The Success Factory," *Esquire* (junho de 1937): 241.
558. *A History of Dale Carnegie Training: 1912-1997* (Nova York: Dale Carnegie and Associates, 1997), 8, DCA; e Croy, "The Success Factory," 112.
559. Croy, "The Success Factory," 112, 236; e William A. H. Bernie, "Popularity, Incorporated," *New York World-Telegram Weekend Magazine* (27 de fevereiro de 1937).
560. *A History of Dale Carnegie Training*, 8; e DC, "Notes for an Autobiography," início dos anos 1950, DCA.
561. DC, "Notes for an Autobiography".
562. Arthur Secord para Rosemary Crom, 11 de outubro de 1985, DCA; DC, *How to Stop Worrying and Start Living* (Nova York, 1948), 83; e entrevista do autor com Oliver Crom, 2 de março de 2012, que confirmou o erro de Dale Carnegie com o prédio novo.
563. DC, "Notes for an Autobiography."
564. William Longgood, *Talking Your Way to Success: The Story of the Dale Carnegie Course* (Nova York, 1962), 51-52, 9.
565. Alexander, "The Green Pencil," 43, 60, 62; J. P. McEvoy, "He Makes a Fortune out of Fear," *Your Life* (novembro de 1948): 25; *A History of Dale Carnegie Training*, 910; DC, "Notes for an Autobiography"; e Ormand Drake, "Meeting Dale Carnegie," 4, DCA.
566. Clemenko, "He Sells Success," 62, 65.
567. McEvoy, "He Makes a Fortune out of Fear," 23-24.
568. Crom, *Dale Carnegie*: Redd Story, 27; Pat Jones, 21; e John Burger, 8.
569. Ken Bowton para Rosemary Crom, 29 de novembro de 1986, DCA.
570. Brick Brickell, "Reminiscence," anos 1980, DCA.

571. Ken Bowton a Rosemary Crom, 29 de novembro de 1986, DCA; e Brickell, "Reminiscence."

572. Ken Bowton a Rosemary Crom, 29 de novembro de 1986, DCA; e R. G. Sanderson a Rosemary Crom, 5 de fevereiro de 1985, DCA.

573. Crom, *Dale Carnegie*: Roger Jackson, 20-21; e Arthur Secord, 25.

574. Ibidem, Harry O. Hamm, 19; Redd Story, 27.

575. John Burger para Rosemary Crom, 28 de março de 1985, DCA.

576. William A. D. Millison, "An Appraisal of the Teaching Methods of Dale Carnegie," *Quarterly Journal of Speech* 27, 1 (1947): 67-73. Veja também Alan Nichols, "Ray Keeslar Immel," *Quarterly Journal of Speech* 32, 1 (1946): 31-33.

577. "The Salesman's Viewpoint," *Asheville Citizen*, 26 de março de 1939; e "Winning the Nazis," *Geneva Times* (Geneva, NY), 12 de abril de 1939.

578. "Dale Carnegie Says His Book Has Big German Sale but Probably Doesn't Help," *Knoxville News-Sentinel*, 20 de novembro de 1941.

579. "Dale Carnegie Expects More U.S. War Aid," *Vancouver Sun*, 18 de novembro de 1940; e "Dale Carnegie Says His Book Has Big German Sale".

580. "Dale Carnegie Fears He Couldn't Do Much with Hitler's Personality—'It Isn't Normal'", *Chattanooga News-Free Press*, 10 de março de 1941; e "Guns Only Cure for Hitler's Ilk, Carnegie Admits," *Daily Oklahoman*, 26 de janeiro de 1941.

581. "Philosophy of Successful Life," *Los Angeles Evening Herald-Express*, 21 de setembro de 1939.

582. "Japan Removed Nazi Flags, Says Dale Carnegie" e caricatura correspondente, *New York Daily Mirror*, 6 de outubro de 1939.

583. "Philosophy of Successful Life"; e "World Woes Cause Told," *Portland Oregonian*, setembro de 1940.

584. "'How to Win Friends' Author Isn't Worrying About Any Big Bad Wolf — Even if It's Hitler," *Palm Beach Post*, 18 de fevereiro de 1941.

585. Anúncio de Bônus de Guerra, *The Washington Post*, 3 de maio de 1943.

586. "Dale Carnegie Says His Book Has Big German Sale"; Andy Logan e Russell Maloney, "The Talk of the Town: Friends and Influence," *The New Yorker* (20 de março de 1943): 14; Meyer, "How Dale Carnegie

Made Friends, Etc.," 48; e folhetos promocionais de 1947, livro de recortes, DCA.

587. "Dale Carnegie Tells College Girls How to Get and Hold a Husband," *The Student* (Central Missouri State Teachers College), 9 de abril de 1940; e "Carnegie Scores Nation's Schools as Ineffectual," *Orlando Sentinel-Star*, 2 de março de 1941.

588. "Guidance of Youth Urged by Carnegie," *Beaumont Journal*, 15 de março de 1939.

589. "Are You Suffering from an Inferiority Complex Because You Never Went to College?," manuscrito de artigo, década de 1940, 1-2; e DC, "I Never Had a Chance to Go to College," manuscrito de artigo, década de 1940, 3: tudo DCA.

590. "Are You Suffering from an Inferiority Complex," 12-13, 15-16.

591. "Praise Still Comes from Carnegie," *New Orleans Item*, 2 de abril de 1939; "I Never Had a Chance to Go to College," 10; e "Carnegie Scores Nation's Schools as Ineffectual."

15. "Ele tem o mundo todo a seu lado"

592. Veja Erik Erikson, *Identity and the Life Cycle* (Nova York, 1980 [1959]), 103-4.

593. Brick Brickell, "Reminiscence," década de 1980, DCA.

594. Harold B. Clemenko, "He Sells Success," *Look* (25 de maio de 1948): 60.

595. Ibidem; e Adolph E. Meyer, "How Dale Carnegie Made Friends, Etc.," *The American Mercury* (julho de 1943): 46-47.

596. Clemenko, "He Sells Success," 65; e Collie Small, "Dale Carnegie: Man with a Message," *Collier's* (15 de janeiro de 1949): 70.

597. Meyer, "How Dale Carnegie Made Friends, Etc.," 46-47; e Small, "Dale Carnegie: Man with a Message," 70.

598. Brickell, "Reminiscence".

599. Small, "Dale Carnegie: Man with a Message," 70; and Brickell, "Reminiscence".

600. Rosemary Crom, ed., *Dale Carnegie — As Others Saw Him* (Garden City,

NY: D. Carnegie, 1987), 12-13; e Brickell, "Reminiscence".

601. Crom, *Dale Carnegie*, 26; and Brickell, "Reminiscence".

602. Marilyn Burke para Rosemary Crom, 13 de maio de 1985, DCA.

603. Dorothy Carnegie, *How to Help Your Husband Get Ahead in His Social and Business Life* (Nova York, 1953), 171-72; Ormand Drake, "Meeting Mr. Carnegie," 5, DCA; e "Rotary Observes 20th Birthday," *Maryville Daily Forum*, June 4, 1948.

604. Veja as seguintes cartas no Lowell Thomas Papers, Marist College Archives and Special Collections: DC para Lowell Thomas, 1º de junho de 1940; DC para Lowell Thomas, 1º de janeiro de 1942; DC para Lowell Thomas, 11 de abril de 1944; e DC para Lowell Thomas, 17 de dezembro de 1947. Entrevista do autor com Oliver Crom, 2 de março de 2012.

605. Lindsay Howard, "The Talk of the Town: Dale the Super," *The New Yorker* (26 de março de 1949): 18-19.

606. "Recreation Facilities and West's Hospitality Brought Carnegie Here," *Laramie Boomerang*, 18 de junho de 1943.

607. Small, "Dale Carnegie: Man with a Message," 70; e Arthur Secord to Rosemary Crom, 11 de outubro de 1985, DCA.

608. DC, "Are You Suffering from an Inferiority Complex," manuscrito de artigo, 1940s, 7-8, DCA; Crom, *Dale Carnegie*, 26; e Harry Hamm a Rosemary Crom, 27 de fevereiro de 1985, DCA.

609. Harry Hamm a Rosemary Crom, 27 de fevereiro de 1985, DCA; Crom, *Dale Carnegie*, 26; and Clemenko, "He Sells Success," 65-66.

610. *Maryville Daily Forum*, 25 de março de 1940, e "Inspiration of Mother Guides Dale Carnegie in His New Book," *Maryville Daily Forum*, 4 de junho de 1948. Sobre as viagens de DC ao Missouri, veja também "Dale Carnegie Is Here for a Few Days of Rest," *Maryville Daily Forum*, 29 de maio de 1941; "Dale Carnegie Tells College Girls How to Get a Husband," *The Student* (Central Missouri State Teacher's College), 9 de abril de 1940; "Dale Carnegie Here on a Visit," *Maryville Daily Forum*, 15 de outubro de 1945; e "Rotary Celebrates 20th Anniversary." Giles Kemp e Edward Claflin, *Dale Carnegie: The Man Who Influenced Millions* (Nova York, 1989), 166; Clemenko, "He Sells Success," 66; and Marilyn Burke a

Rosemary Crom, 13 de maio de 1985, DCA.

611. Small, "Dale Carnegie: Man with a Message," 36, 70; Crom, *Dale Carnegie*, 26; e DC, *How to Stop Worrying and Start Living* (Nova York, 1948), 83.

612. Brenda Leigh Johnson ao autor, 7 de fevereiro de 2012; entrevista do autor com Oliver Crom; William Longgood, *Talking Your Way to Success: The Story of the Dale Carnegie Course* (Nova York, 1962), 52-53; e Clemenko, "He Sells Success," 68.

613. Small, "Dale Carnegie: Man with a Message," 70; Brenda Leigh Johnson ao autor, 7 de fevereiro de 2012; DC, *How to Stop Worrying*, 154; e entrevista do autor com Oliver Crom.

614. Brenda Leigh Johnson ao autor, 7 de fevereiro de 2012; e *Central High School Yearbook* (Tulsa), 1930.

615. Brenda Leigh Johnson ao autor, 7 de fevereiro de 2012; 1931 *Anuário da Universidade de Oklahoma*, 139; "Dorothy Carnegie's Road to Success Is Right on Course," *Palm Beach Post* (reproduzido do *The New York Times*), 29 de maio de 1973; e entrevista do autor com Oliver Crom.

616. Brenda Leigh Johnson ao autor, 7 de fevereiro de 2012; "Dorothy Carnegie's Road to Success"; "Dorothy Carnegie Rivkin, 85, Ex–Dale Carnegie Chief, Dies," *The New York Times*, 8 de agosto de 1998; entrevista do autor com Oliver Crom; e entrevista do autor com Donna Carnegie, 1º de agosto de 2012.

617. Longgood, *Talking Your Way to Success*, 53; *Maryville Daily Forum*, 23 de outubro de 1944; Kemp e Claflin, *Dale Carnegie: The Man Who Influenced Millions*, 162; e anúncios de casamento, *Time* (13 de novembro de 1944): 42.

618. Crom, *Dale Carnegie*, 19.

619. Dorothy Carnegie, *How to Help Your Husband Get Ahead*, 107-10.

620. Clemenko, "He Sells Success," 68; Brenda Leigh Johnson ao autor, 8 de fevereiro de 2012; e Crom, *Dale Carnegie*, 22.

621. Brenda Leigh Johnson ao autor, 6 de fevereiro de 2012; e DC, "I Never Had a Chance to Go to College," manuscrito de artigo, anos 1940, 11, DCA.

622. Small, "Dale Carnegie: Man with a Message," 70; Brenda Leigh Johnson ao autor, 16 de fevereiro de 2012; e entrevista do autor com Oliver Crom.

623. "Dale Carnegie Here on a Visit."

624. Longgood, *Talking Your Way to Success*, 51-54; e *A History of Dale Carnegie Training: 1912-1997* (Nova York: Dale Carnegie and Associates, 1997), 9, DCA.

625. Entrevista do autor com Oliver Crom.

626. Brenda Leigh Johnson ao autor, 8 de fevereiro de 2012; entrevista do autor com Oliver Crom; e DC, "I Never Had a Chance to Go to College," 11.

627. Crom, *Dale Carnegie, 13-14*.

628. Brenda Leigh Johnson ao autor, 8 de fevereiro e 6 de março de 2012; entrevista do autor com Oliver Crom.

629. *Life* (1º de maio de 1950): 9.

630. Crom, *Dale Carnegie*, 14.

631. DC a Linda Dale Offenbach, 3 de julho de 1944, LPA.

632. Frieda Offenbach a DC, início do verão de 1941 e verão de 1942, DCA; DC a Linda Dale Offenbach, 3 de julho de 1944, LPA; DC a Linda Dale Offenbach, 7 de julho de 1942, LPA; DC a Linda Dale Offenbach, 7 de julho de 1943, LPA; DC a Linda Dale Offenbach, 7 de julho de 1941, LPA; DC a Frieda Offenbach, 8 de julho de 1942, LPA; e DC a Frieda Offenbach, 18 de agosto de 1942, LPA.

633. "Dale Carnegie: Self-Control," *Spokane Daily Chronicle*, 5 de julho de 1939.

634. Entrevistas do autor com Linda Offenbach Polsby, 6-8 de junho de 2011.

635. DC a Linda Dale Offenbach, 7 de julho de 1941; DC a Linda Dale Offenbach, 7 de julho de 1942; DC a Linda Dale Offenbach, 7 de julho de 1943; e DC a Linda Dale Offenbach, 6 de dezembro de 1948: tudo LPA.

636. DC a Linda Dale Offenbach, 7 de julho de 1941; DC a Linda Dale Offenbach, 7 de julho de 1942; e documento sem título e assinado com data de 24 de julho de 1942: tudo LPA.

637. DC a Linda Dale Offenbach, 17 de fevereiro de 1949; e DC a Linda Dale Offenbach, 7 de julho de 1942: tudo LPA.

638. Entrevistas do autor com Polsby.
639. DC a Frieda Offenbach, 1º de setembro de 1950, LPA; e exemplar autografado de Linda Offenbach Polsby de DC, *Biographical Roundup: Highlights in the Lives of Forty Famous People* (Forest Hills, NY, 1944), com dedicatória de DC no Natal de 1950.

16. "Profissionais que não lutam contra a preocupação morrem jovens"

640. "The Miracle of America," *Look* (25 de maio de 1948): 56-57. Veja também Robert Griffith, "The Selling of America: The Advertising Council and American Politics, 1942-1960," *Business History Review* (outono de 1983): 388-412.
641. "The Miracle of America," 56, 57.
642. "A *Life* Roundtable on the Pursuit of Happiness," *Life* (12 de julho de 1948): 95-113.
643. Ibidem.
644. Ibidem.
645. DC, *Como Evitar Preocupações e Começar a Viver* (São Paulo: Ed. Nacional, 2005).
646. A Kick in the Shins," *Time* (14 de junho de 1948): 101.
647. DC, *Como Evitar Preocupações e Começar a Viver* (São Paulo: Ed. Nacional, 2005).
648. Ibidem.
649. Ibidem.
650. Ibidem.
651. Ibidem.
652. Ibidem.
653. Ibidem.
654. Ibidem.
655. Ibidem.
656. Ibidem.
657. Ibidem.

658. Ibidem.
659. Ibidem.
660. Ibidem.
661. Ibidem.
662. Ibidem.
663. Ibidem.
664. Ibidem.
665. David Riesman, *A Multidão Solitária*. (São Paulo: Editora Perspectiva, 1995).
666. Ibidem.
667. Ibidem.
668. Ibidem.
669. Ibidem.
670. *Time* (27 de setembro de 1954): matéria de capa: "Social Scientist David Riesman: What Is the American Character?" e artigo interno "Freedom—New Style," 22–25 (citações são da página 22). Para uma análise esclarecedora do impacto cultural e histórico de *A Multidão Solitária*, veja Todd Gitlin, "How Our Crowd Got Lonely," *The New York Times*, 9 de janeiro de 2000.
671. Esse material é abordado habilmente em William S. Graebner, *The Age of Doubt: American Thought and Culture in the 1940s* (Boston, 1991), 101-3.
672. Riesman, *A Multidão Solitária*.
673. DC, *Como Evitar Preocupações*.
674. Ibidem.
675. Ibidem.
676. Ibidem.
677. Ibidem.
678. Ibidem.
679. Ibidem.
680. Ibidem.

681. Ibidem.

682. Ibidem.

17. "Entusiasmo é sua qualidade mais cativante"

683. Dorothy Carnegie, entrevista gravada em vídeo, 1996, DCA.

684. James Kaye, "A Youth's Timidity Led Him to World Influence," *Kansas City Star*, 24 de julho de 1955; e John Burger a Rosemary Crom, 28 de março de 1985, DCA.

685. Dorothy Carnegie, entrevista gravada em vídeo; e entrevista do autor com Oliver Crom, 2 de março de 2012.

686. Rosemary Crom, ed., *Dale Carnegie—As Others Saw Him* (Garden City, NY: D. Carnegie, 1987), 22.

687. Ibidem.

688. Dorothy Carnegie, entrevista gravada em vídeo.

689. Crom, *Dale Carnegie*, 22, 29, 6.

690. Mensagem de DC, 30 de abril de 1952, arquivo "How to Speak Inspirationally", DCA.

691. Bill Stover, "Dale Carnegie: The Man Behind the Legend," *Success Unlimited* (abril de 1976): 38-39.

692. Convite enviado a Lowell Thomas, Thomas Papers, Marist College Archives and Special Collections.

693. Kaye, "A Youth's Timidity"; e Crom, *Dale Carnegie*, 24.

694. Dorothy Carnegie, entrevista gravada em vídeo; entrevista do autor com Oliver Crom; e entrevista do autor com Donna Carnegie, 1º de agosto de 2012.

695. Veja a troca de correspondência entre DC e Lehman em 17 e 25 de maio e 1º de junho de 1950, em "The Special File of Herbert H. Lehman," Lehman Papers, Columbia Universidade, edição digital. Para a odisseia de Flynn, que passou de esquerdista apoiador do New Deal a crítico do "socialismo sorrateiro", veja John Moser, *Right Turn: John T. Flynn and the Transformation of American Liberalism* (Nova York, 2005).

696. Entrevista do autor com Oliver Crom.

697. R. I. D. Symour, "How to Win Friends and Influence Tulips," *American Home* (outubro de 1955): 156, 64, 69. Veja também Kaye, "A Youth's Timidity".

698. Symour, "How to Win Friends and Influence Tulips," 64, 156.

699. Ibidem.

700. DC q Lowell Thomas, 11 de novembro de 1947, Thomas Papers, Marist College Archives and Special Collections; e Dorothy Carnegie, entrevista gravada em vídeo.

701. Dorothy Carnegie, entrevista gravada em vídeo; e Brenda Leigh Johnson para o autor, 16 de fevereiro de 2012. A entrevista em Roma apareceu em edições de jornais americanos, como o *Cumberland Evening Times* e o *Fairbanks Daily News Miner* de 26 de setembro de 1951. DC voltou para Nova York em 15 de outubro de 1951 no navio *Constitution*, de Nápoles, Itália, conforme registrado nas Listas de Passageiros de Nova York, 1820–1957 em ancestry.com.

702. Crom, *Dale Carnegie*, 27, 13.

703. DC a Lowell Thomas, 7 de janeiro de 1952, Thomas Papers, Marist College Archives and Special Collections; Crom, *Dale Carnegie*, 13; e Dorothy Carnegie, entrevista gravada em vídeo.

704. Brenda Leigh Johnson ao autor, 16 de fevereiro de 2012; entrevista do autor com Oliver Crom; e Crom, *Dale Carnegie, 13*.

705. Dorothy Carnegie, entrevista gravada em vídeo; Symour, "How to Win Friends and Influence Tulips," 64; DC, "Letters to My Daughter" (janeiro 1952-1955),33, DCA; e Crom, *Dale Carnegie*, 4.

706. DC, "Letters to My Daughter," 1.

707. DC a Linda Dale Offenbach, 18 de novembro de 1950; DC a Linda Dale Offenbach, 8 de junho de 1954; e DC a Linda Dale Offenbach, 18 de novembro de 1950: tudo LPA.

708. DC a Linda Dale Offenbach, 12 de junho de 1954; DC a Linda Dale Offenbach, 18 de novembro de 1950; e Marilyn Burke a Linda Dale Offenbach, 13 de novembro de 1950: tudo LPA.

709. DC a Linda Dale Offenbach, 9 de novembro de 1950; DC a Linda Dale Offenbach, 7 de dezembro de 1954; DC a Linda Dale Offenbach, 16 de

junho de 1954; e DC a Linda Dale Offenbach, 25 de junho de 1954: tudo LPA.

710. Entrevistas do autor com Linda Offenbach Polsby, 6-8 de junho de 2011.

711. Marilyn Burke a Linda Dale Offenbach, 13 de dezembro de 1950; DC a Linda Dale Offenbach, 9 de novembro de 1950; DC a Linda Dale Offenbach, 8 de junho de 1954; e DC a Linda Dale Offenbach, 7 de dezembro de 1954: tudo LPA.

712. DC a Linda Dale Offenbach, 8 de junho de 1954, LPA; DC a Linda Dale Offenbach, 25 de junho de 1954, LPA; DC a Linda Dale Offenbach, 16 de junho de 1954, LPA; e entrevista do autor com Donna Carnegie, 1º de agosto de 2012.

713. Marilyn Burke a Linda Dale Offenbach, 13 de dezembro de 1950, LPA; e Homer Croy a Isador Offenbach, outono de 1955, Homer Croy Papers, State Historical Society of Missouri.

714. DC a Linda Dale Offenbach, início de junho de 1955; e telegrama de DC a Linda Dale Offenbach, 15 de junho de 1955: tudo LPA.

715. Dorothy Carnegie, entrevista gravada em vídeo; Brenda Leigh Johnson ao autor, 16 de fevereiro de 2012; e entrevista do autor com Oliver Crom.

716. R. G. Sanderson a Rosemary Crom, 5 de fevereiro de 1985, DCA; entrevista do autor com Oliver Crom; e Brenda Leigh Johnson ao autor, 16 de fevereiro de 2012.

717. Kaye, "A Youth's Timidity"; e Symour, "How to Win Friends and Influence Tulips," 156.

718. Dorothy Carnegie, entrevista gravada em vídeo; e entrevista do autor com Oliver Crom.

719. Brenda Leigh Johnson ao autor, 6 de fevereiro de 2012; entrevista do autor com Oliver Crom; e Brenda Leigh Johnson ao autor, 7 de fevereiro de 2012.

720. Dorothy Carnegie, *How to Help Your Husband Get Ahead in His Social and Business Life* (Nova York, 1953), 114; e excerto do livro em Sra. Dale Carnegie, "How to Help Your Husband Succeed," *Better Homes and Gardens* (abril de 1955): 24. Outro excerto apareceu em sra. Dale Carnegie, "How to Help Your Husband Get Ahead," *Coronet* (janeiro de 1954): 65–74.

721. Mrs. Dale Carnegie, "How to Help Your Husband Succeed," 24; e "Dorothy Carnegie's Road to Success Is Right on Course," *Palm Beach Post*, 29 de maio de 1973.

722. DC a Dr. G. W. Diemer, reitor da Central Missouri State College, 21 de junho de 1955, Arthur F. McClure II Archives, Universidade do Centro de Missouri; e William Longgood, *Talking Your Way to Success: The Story of the Dale Carnegie Course* (Nova York, 1962), 55. A carta-convite, datada de 17 de junho de 1955, e outras detalhando as providências para a visita, datadas de 29 e 30 de junho e 21 de julho de 1955, estão nos arquivos da Universidade do Centro de Missouri.

723. DC a dr. G. W. Diemer, reitor da Central Missouri State College, 25 de julho de 1955, Arthur F. McClure II Archives, Universidade do Centro de Missouri; "College Awards Famous Alumnus Honorary Degree," *Central Missouri State College Bulletin* (outubro de 1955): 2; e "Friend with Influence," *Newsweek* (8 de agosto de 1955): 71.

724. Reese Wade ao dr. George W. Diemer, 2 de agosto de 1955, Arthur F. McClure II Archives, Universidade do Centro de Missouri.

725. Longgood, *Talking Your Way to Success*, 55; e DC, *Public Speaking: A Practical Course for Business Men* (Nova York: Association Press, 1926), 82.

726. "College Awards Famous Alumnus Honorary Degree," *Warrensburg Daily Star Journal*, 29 de julho de 1955; e "Central Missouri State College, July 29, 1955, Citation of Dale Carnegie," Arthur F. McClure II Archives, Universidade of Central Missouri.

727. "The Value of Enthusiasm," discurso de DC na faculdade Central Missouri State, Warrensburg, Missouri, 29 de julho de 1955, DCA.

728. Ibidem.

729. Ibidem.

730. "World of Carnegie," *Newsweek* (8 de agosto de 1955): 70.

731. Dorothy Carnegie, entrevista gravada em vídeo; entrevista do autor com Oliver Crom; e Crom, *Dale Carnegie*, 4.

732. Dorothy Carnegie, entrevista gravada em vídeo; entrevista do autor com Oliver Crom; e Homer Croy a Isador Offenbach, outono de 1955, State Historical Society of Missouri.

733. Homer Croy a Isador Offenbach, outono de 1955, State Historical Society of Missouri. Veja os seguintes obituários: *Time* (14 de novembro de 1955): 114; "The Friendly Man," *Newsweek* (14 de novembro de 1955): 41-42; "Dale Carnegie Is Dead," *Kansas City Star*, 1º de novembro de 1955; e "Dale Carnegie, Author, Is Dead," *The New York Times*, 2 de novembro de 1955. O obituário do jornal de Washington foi citado em Stover, "Dale Carnegie: The Man Behind the Legend," 40.

Epílogo: O legado de autoajuda de Dale Carnegie

734. Para relatos da cerimônia, veja "A Nation Challenged: The Service," *The New York Times*, 24 de setembro de 2001, e "Thousands Fill Yankee Stadium with Prayer," *Chicago Tribune*, 24 de setembro de 2001. Uma transcrição de toda a cerimônia no estádio Yankee, incluindo "A Prayer for America", de Oprah Winfrey, está disponível em transcripts.cnn.com/TRANSCRIPTS.

735. "BBC Presents Warren Buffett on Dale Carnegie," colocado no YouTube, 4 de dezembro de 2009; "Lee Iacocca on Dale Carnegie Leadership," disponível em dalecarnegie.com; Robert Caro, *The Years of Lyndon Johnson: The Path to Power* (Nova York, 1990), 212; Jerry Rubin, *Growing (Up) at 37* (Nova York, 1976), 89; Shepherd Mead, *How to Succeed in Business Without Really Trying* (Nova York, 1952); e Lenny Bruce, *How to Talk Dirty and Influence People* (Nova York, 1965).

736. Veja Daniel Kahneman, *Rápido e Devagar, Duas Formas de Pensar* (Rio de Janeiro: Objetiva, 2012); Daniel Goleman, *Inteligência emocional: Por Que Ela Pode Ser Mais Importante que o QI* (Rio de Janeiro: Objetiva, 2007); Daniel Gilbert, *O Que Nos Faz Felizes* (São Paulo: Campus, 2006); Richard H. Thaler e Cass R. Sunstein, *Nudge: O Empurrão Para a Escolha Certa* (São Paulo: Campus, 2008); Malcolm Gladwell, *Blink: A Decisão Num Piscar de Olhos* (Rio de Janeiro: Rocco, 2005); Martin Seligman, *Felicidade Autêntica: Usando a Nova Psicologia Positiva para a Realização Autêntica* (Rio de Janeiro: Objetiva, 2004); e Ed Diener e Robert Biswas-Diener, *Happiness: Unlocking the Mysteries of Psychological Wealth* (Nova York, 2008).

737. Thomas Harris, *Eu Estou OK, Você Está OK* (Rio de Janeiro: Record, 2003);

Tony Robbins, *Poder sem Limites* (São Paulo: Best Seller, 2003), e *Desperte o Gigante Interior* (Rio de Janeiro: Record, 2004); Susan Jeffers, *Tenha Medo e Siga em Frente* (São Paulo: Cultrix, 2001); dr. Joyce Brothers, *Como Conseguir Tudo o que Você Quer da Vida* (Rio de Janeiro: Record, 1997); *dr. Wayne W. Dyer,* Seus Pontos Fracos (Rio de Janeiro: Record, 2002); e Rhonda Byrne, O Segredo: O Livro da Gratidão *(Rio de Janeiro: Ediouro, 2009).*

738. Melody Beattie, *Codependência Nunca Mais: Pare de Controlar os Outros e Cuide de Você Mesmo* (Rio de Janeiro: Record, 2002); John Bradshaw, *Volta ao Lar: Como Resgatar e Defender Sua Criança Interior* (Rio de Janeiro: Rocco, 1993); Jack Canfield e Mark Victor Hansen, *Canja de Galinha para a Alma: 89 Histórias para Abrir o Coração e Reavivar o Espírito* (Rio de Janeiro: Ediouro, 2002); e Steven Denning, "How Chicken Soup for the Soul Dramatically Expanded Its Brand," disponível em Forbes.com/sites/stevedenning/2011/04/28/how-chicken-soup-for-the-soul-dramatically-expanded-its-brand/. Vídeos de Stuart Smalley em *Saturday Night Live* estão disponíveis no YouTube, enquanto pode-se encontrar um aperitivo escrito de seus esforços terapêuticos em Al Franken, *I'm Good Enough, I'm Smart Enough, e Doggone It, People Like Me: Daily Affirmations* de Stuart Smalley (Nova York, 1992).

739. Tim Stafford, "The Therapeutic Revolution: How Christian Counseling Is Changing the Church," *Christianity Today* (17 de maio de 1993): 24-32; Carol V. R. George, *God's Salesman: Norman Vincent Peale and the Power of Positive Thinking* (Nova York, 1993); Dennis Voscull, *Mountains into Goldmines: Robert Schuller and the Gospel of Success* (Nova York, 1983); Joel Osteen, *O que Há de Melhor em Você: Sete Passos para Desenvolver Seu Potencial e Realizar Seus Sonhos* (Rio de Janeiro: T. Nelson Brasil, 2008); M. Scott Peck, *A Trilha menos Percorrida: Uma Nova Psicologia do Amor, dos Valores Tradicionais e do Crescimento Espiritual* (Rio de Janeiro: Nova Era, 2004); e Kenda Creasy Dean, *Almost Christian: What the Faith of Our Teenagers Is Telling the American Church* (Nova York, 2010).

740. Stanley Coopersmith, *The Antecedents of Self-Esteem* (San Francisco, 1967), 45; California State Department of Education, "A Curriculum of Inclusion" (1990); e New York State Department of Education, "A

Curriculum of Inclusion" (1990). Para críticas a essa tendência, veja Charles J. Sykes, *Dumbing Down Our Kids: Why American Children Feel Good About Themselves but Can't Read, Write, or Add* (Nova York, 1995), e Maureen Stout, *The FeelGood Curriculum: The Dumbing Down of America's Kids in the Name of Self-Esteem* (Nova York, 2001).

741. Dr. Benjamin Spock, *Meu Filho, Meu Tesouro* (Rio de Janeiro: Record, 2002); Dorothy C. Briggs, *A Autoestima do Seu Filho* (São Paulo: Martins Fontes, 2002); Adele Faber e Elaine Mazlish, *Como Falar para Seu Filho Ouvir e como Ouvir para Seu Filho Falar* (São Paulo: Summus, 2003); Louise Hart, *The Winning Family: Increasing Self-Esteem in Your Children and Yourself* (Nova York, 1987), 5. Para um amplo estudo da moderna criação de filhos, veja o ensaio histórico de Peter N. Stearns *Anxious Parents: A History of Modern Childrearing in America* (Nova York, 2004).

742. Richard Gillespie, *Manufacturing Knowledge: A History of the Hawthorne Experiments* (Cambridge, MA, 1991); Peter Drucker, *A Prática da Administração de Empresas* (São Paulo: Pioneira, 1998); Mary Walton, *O Método Deming de Administração* (Rio de Janeiro: Marques-Saraiva, 1989); Tom Chappell, *Managing Upside Down: The Seven Intentions of Values-Centered Leadership* (Nova York, 1999); e Stephen Covey, *Os 7 Hábitos das Pessoas Altamente Eficazes* (São Paulo: FranklinCovey: Best Seller, 2003). Para um estudo crítico abrangente, veja John Micklewait e Adrian Woolridge, *The Witch Doctors: Making Sense of the Management Gurus* (Nova York, 1998).

743. Deepak Chopra, *As Sete Leis Espirituais do Sucesso: Um Guia Prático para a Realização de Seus Sonhos* (Rio de Janeiro: Best Seller, 2008); dr. Phil McGraw, *Seja Você Mesmo: Construa a Vida que Realmente Deseja* (Rio de Janeiro: Best Seller, 2004); Dane S. Claussen, *The Promise Keepers: Essays on Masculinity and Christianity* (Jefferson, NC, 2000); Hanna Rosin, "Promise Weepers," *The New Republic* (27 de outubro de 1997): 11–12; Carol Gilligan, *Uma Voz Diferente: Psicologia da Diferença Entre Homens e Mulheres da Infância à Idade Adulta* (Rio de Janeiro: Rosa dos Tempos, 1990); Gloria Steinem, *A Revolução Interior – Um Livro de Autoestima* (Rio de Janeiro: Objetiva, 1992); Cornel West, *Race Matters* (Boston, 1993), 12-13, 17; Clarence Page, "Promise Keepers and Million

Man March," *Chicago Tribune*, 7 de setembro de 1991; "We're Bringing Back Self-Respect," *The Boston Globe*, 20 de outubro de 1995; e, sobre Bill Clinton, veja "Chronicles," *Time* (23 de janeiro de 1995): 9, e Bob Woodward, "At a Difficult Time, First Lady Reaches Out, Looks Within," *The Washington Post*, 23 de junho de 1996.

744. Veja Ronald W. Dworkin, "The Rise of the Caring Industry," *Policy Review* (1º de junho de 2010); e Benedict Carey, "The Therapist May See You Anytime, Anywhere," *The New York Times*, 14 de fevereiro de 2012.

745. Veja Kitty Kelley, *Oprah: uma Biografia* (Rio de Janeiro: Sextante, 2010) para a história mais completa de sua vida, e Janice Peck, *The Age of Oprah: Cultural Icon for the Neoliberal Era* (Nova York, 2008), para uma interessante análise política de seu papel maior na vida americana. Muito da minha visão a respeito dessa importante figura cultural vem do meu projeto de livro, intitulado provisoriamente "What Lies Within: Oprah Winfrey and America's Pursuit of Happiness."

746. Minha avaliação crítica da cultura terapêutica foi influenciada por uma série de críticos perceptivos, entre eles Christopher Lasch, *A Cultura do Narcisismo: A Vida Americana numa Era de Esperanças em Declínio* (Rio de Janeiro: Imago, 1983); Wendy Kaminer, *I'm Dysfunctional, You're Dysfunctional: The Recovery Movement and Other Self-Help Fashions* (Reading, MA, 1992); e Eva S. Moskowitz, *In Therapy We Trust: America's Obsession with SelfFulfillment* (Baltimore, 2001).

Sobre o autor

Steven Watts é professor da Universidade de Missouri, nos Estados Unidos e especialista na história cultural do seu país. Publicou vários artigos, ensaios e biografias, além de ganhar diversos prêmios.

*Este livro foi publicado pela Companhia Editora Nacional em outubro de 2018.
CTP, impressão e acabamento pela Gráfica Impress.*